新 潮 文 庫

影武者徳川家康

上 巻

隆 慶一郎 著

新 潮 社 版

5112

目次

妻順に

影武者徳川家康

上巻

関ヶ原

冷たい雨が降っていた。

宵《よい》の口には、叩《たた》きつけるような激しさだったのが、いっとき小降りになり、今では時にやんでは又さあっと降りしきる秋時雨《しぐれ》のような雨に変っている。

暗い。

隊列のところどころで、男たちが松明《たいまつ》を高く掲げているが、いたずらに煙を流すばかりで、かえって闇《やみ》の深さを感じさせる役にしか立っていない。

慶長五年（一六〇〇）陰暦九月十五日、現在の十月二十五日の、午前四時頃《ごろ》だろうか。岐阜の赤坂から垂井《たるい》をぬけ、関ヶ原に至る中山道（当時の東山道）の途上である。

大垣《おおがき》城に籠《こも》る、石田三成・島津惟新・小西行長・宇喜多秀家ら三万六千の軍勢が、突然、城を出て関ヶ原方面に進撃をはじめたのが、昨九月十四日の午後七時。

そのしらせが大垣城の西北約四キロの岡山の幕舎にいた徳川家康に届いたのが、十五日の午前二時頃だった。

それからこの我武者羅《がむしゃら》な強行軍が始ったのである。

〈まるで氷雨《ひさめ》だ〉

がちがちと歯を鳴らしながら、野々村四郎右衛門はそう思った。とにかく寒い。風と雨が遠慮会釈《えしやく》なく体温を奪いとってゆく。その上、この道のひどさはどうだ。泥田《どろた》を渡っているようで、馬が足を滑らさないように絶えず気を配っていなければならない。前を行く馬のはねで、兜《かぶと》も面頬《めんぼお》も既にべっとりの泥である。四郎右衛門は泣きたくなった。

〈これじゃ折角の使番《つかいばん》が形なしだ〉

使番とは伝令将校のことだ。戦闘中総指揮官の側近にいて、各隊へ指令を伝えにゆく役どころである。いずれも若く、馬術の達者を揃《そろ》えてある。徳川家の使番の印しは、黒地に金で『五』の字を書いた、幅六十センチ、長さ九十センチほどの長方形の旗だ。背につけたこの旗を風にひるがえしながら、戦場を疾駆する使番こそ、正しく全軍の花であり、徳川譜代の若武者の憧《あこが》れの的だった。四郎右衛門はこの輝かしい役についたばかりだった。

ぐいっ。突然、馬の向きが変った。隊列から離れて、脇《わき》の暗闇の中へ踏み出してゆく。手綱を引きしぼろうとしたが動かない。見ると、徒歩《かち》の兵卒が口輪をしっかりとって、馬を導いている。

「何者だッ！　はなさんかッ！」

喚《わめ》いたが強い風と雨で声が届かないとみえて、みるみる隊列との距離があいてゆく。四郎右衛門は焦《あせ》って、槍《やり》の石突きで徒士を突いた。男は無造作にかわし、槍の柄《え》を摑《つか》むと、四郎右衛門をふり仰いだ。白い歯が光ったように見えた瞬間、四郎右衛門は落馬し、鋭い刃物で咽喉《のど》をえぐられていた。

〈槍……だがそれにしては短い〉

それがこの薄幸の若武者の最期《さいご》の思念になった。

男は意想外の行動をとった。雨の中で、あっという間に着衣のすべてをむしりとり、褌《ふんどし》一本の全裸になったのである。

小ぶりだが、全身鉄片を叩きこんだような凄《すさ》まじい筋肉だ。

次いで野々村四郎右衛門の着衣を剝《は》ぎ、手早く自分の身につけてゆく。胴丸をつけ、兜をかぶり、面頬もつけた。槍をとると、それまで手綱を踏んで動けなくしておいた馬に身軽くまたがった。『五』の字の旗も、ぬからず背にさしている。

野々村四郎右衛門が再生した。馬腹を蹴《け》って、もとの隊列へ駆け戻る。身内の者が見ても、この戦場では、他人とは思うまい。背丈も肉の厚さもほぼ四郎右衛門と同じである。だからこそ四郎右衛門を狙《ねら》ったのだ。

この男、甲斐《かい》の六郎と呼ばれる武田の忍びだった。天正十年（一五八二）、天目山の戦いで武田家が滅亡した時、十五歳だった。だから今、三十三歳になる。天才的な忍者などではない。技を磨《みが》く時間もなかった。経験も足りない。天目山の戦いで一族の者たちからはぐれ、以後一匹狼《おおかみ》として生きて来た。その生き残る才覚だけが、六郎のすべてだといえるかもしれない。どこにでもいるけちな忍びである。そのけちな忍びを拾ってくれた男がいる。島左近勝猛《かったけ》。石田三成の侍大将だった。

『三成に過ぎたるものが二つあり　島の左近に佐和山の城』

と詠《うた》われ、三成が己れの知行四万石の半ば二万石を出してやっと召し抱えたと『常山紀談』に書かれたほどの男である。出自も生年もはっきりしない。六郎がいつか齢《とし》を尋ねると、

「うん、まあ、四十七ぐらいだろう。仲々いい数ではないか。うん。これにきめた」

といったものだ。以後何年たっても四十七歳である。

拾われた状況も変っていた。六郎は生れつき漁の巧者だった。竿《さお》や網を使うのではない。ただ潜って魚を摑んで上がって来るのである。六郎にいわせると、

「魚の方から自然に手の中に入ってくる」

のだそうで、その日も鯉《こい》を二匹、両脇に抱くようにして川面《かわも》に顔を出すと、鼻先に大きな男がいて、もの珍しげに目を瞠《みは》っていた。それが左近だった。味噌《みそ》と共に煮た鯉に舌鼓《したつづみ》をうちながら、六郎の話をきくと、

「俺の家にいろ」

という。それっきり格別の用をいいつけるでもなく四年たった。今度の戦さが始った時、六郎は初めて左近に呼ばれた。左近が沈痛にいった。

「また鯉をとって来てくれんか」

六郎はうなずいた。かねてこの日のあることを覚悟していたのである。

「鯉の名をお教え願えましょうか」

「内大臣徳川家康公」

その内府《だいふ》徳川家康は、この雨の中、数間の距離にいる筈《はず》だった。

いつか雨がやんでいる。

家康は馬上で、かぶっていた笠《かさ》をぬぎ、すぐ隣に馬を並べている男に手渡した。笠の下は茶ちりめんのほうろく頭巾《ずきん》。鎧《よろい》は西洋鎧を改良したもので、胴は鳩胸《はとむね》形で前後二枚より成る所謂《いわゆる》二枚胴だ。勿論《もちろん》、南蛮鉄づくり。兜をかぶらぬのに、面頬だけつけているのは泥よけのためである。

家康は短軀《たんく》だった。胴長で脚が短い。ちんちくりんといっていい。その上、肥えている。それでも馬上におさまれば、堂々として威風あたりを払うかに見えるのは、戦さに慣れきった戦国武将としての貫禄《かんろく》といえようか。

家康、この時五十九歳。

上機嫌《じょうきげん》だった。合戦を思惑通り城攻めではなく野戦に導くことが出来たからである。

大垣城に構わず、先《ま》ず佐和山城、次いで大坂城を攻略すると石田方西軍に思いこませたのは、家康の巧妙な謀略だった。このため、垂井、関ヶ原方面で、数カ所に放火までさせている。元来、力ずくの城攻めには守兵の十倍の兵力を要するといわれる。それでなくとも家康には時間がなかった。この時期まだ大坂城にいた毛利輝元が、万一、八歳の秀頼をいただいて、四万二千の兵と共に進撃して来たら、その時が家康の、いや徳川家の最期だったからである。秀頼が来ては、今は徳川方東軍の先鋒《せんぽう》となっている秀吉恩顧の諸将の協力は得られない。彼等はこの合戦を、秀頼を利用して天下を窺《うかが》う奸臣《かんしん》石田三成討伐のためと理解している。

秀頼に刃《やいば》を向ける気はみじんもないのである。だからこそ、家康は現実の秀頼の出陣を、なんとしてでもくい止めねばならなかった。それには、ここ関ヶ原で、雌雄を決する戦いを、それも急速に行う必要があった。

まだある。上杉謙信、武田信玄なきあと、野戦、今日でいう遭遇戦で、家康にまさる巧者は一人もいない。天下の覇者《はしやたいこう》太閤秀吉でさえ、小牧・長久手の戦いで、家康に一敗地にまみれている。家康の自信が絶大なものであっても、なんら不思議はない。

闇の高みに、点々と篝火《かがりび》が見える。

これはいずれも大垣城出撃以前に構えられた、西軍の陣地である。南宮山に毛利秀元・吉《きっ》川《かわ》広家ほか三万。松尾山には小早川秀秋の一万五千。藤古川台付近に大谷吉継の一統五千。それぞれ小高い山々を利用して、『鶴翼《かくよく》の陣』即《すなわ》ち鶴《つる》が翼をひろげて敵を包み込む陣形をとっている。正に不敗の陣だ。だが……。

〈翼が腐っていてはどうにもなるまい〉

家康はくすっと笑った。

「なァ、そうではないか、二郎三郎」

馬を並べている男に声をかけた。

「はぁ?」

男が馬を寄せて来た。驚くべきことに、この男の体形は家康そのままだ。南蛮胴の鎧、ほうろく頭巾、面頬まで完璧《かんぺき》に同じものなのである。

勿論《もちろん》この男、家康の影武者である。

苛烈《かれつ》な戦国の時代を生きた武将たちが、それぞれ己れの影武者を必要とし、現実に用いたことは周知の事実だが、この男ほど主君に酷似した影武者もすくなかった。しかも役目を果した期間が長い。天正十八年（一五九〇）、秀吉の小田原攻め以前からだから、もう十年を越えている。

名前は世良田二郎三郎元信。齢は僅《わず》かに家康より若い。前歴は野武士。推す者があって、本多平八郎忠勝が家康に献じた男である。

本多平八郎忠勝は三河譜代の中でも最古参の家柄《いえがら》で、十三歳の初陣《ういじん》以来『いくさに赴くこと五十余度、武功すぐれて多しといへども、いまだかつて創《きず》をかうぶりしことなし』という徳川軍団きっての猛将である。徳川四天王といわれ、また三人衆とも称された武功派の筆頭であり、御旗本先手侍大将をつとめ、後に十万石を与えられた。

その忠勝が推した男である。当然、家康の信任も厚い。しかもその任務上、いついかなる時も、影の形に添うが如《ごと》く間近にいるわけだから、腹心中の腹心といっていい。権謀術数のかたまりといわれ、息子秀忠がさしむけた医師の薬さえ絶対に飲まなかったといわれるほど生涯《しょうがい》人を信じなかった家康の、只《ただ》一人心を許した友だったともいえよう。

その二郎三郎が、首をさしのべて尋ねた。

「何と仰《おお》せられました？」

「あれを見よ」

家康は鞭《むち》を上げて遠い篝火をさした。

「南宮山の毛利、松尾山の小早川、藤古川台の大谷吉継」

二郎三郎がすらすらと名をあげた。この影武者は正確に主君と同じ知識をもっている。更に驚くべき推測を述べた。

「石田は北国街道に、その隣に島津、小西行長の順。宇喜多さまは天満山に布陣なさいましょう。正に鶴翼の陣。このいくさ、殿の負けでござる」

家康は呵々《かか》と笑った。明治十八年、陸軍大学の教官として招かれたドイツのクレメンス・メッケル少佐は、図上でこの関ヶ原の布陣を見て、即座に、

「西軍の勝ち」

といったという。正に必勝の布陣だった。

「だが……？」

家康が揶揄《やゆ》するように訊《き》く。

「左様。片翼が折れては、鶴もとべぬ」

二郎三郎は家康に倣《なら》って鞭を上げ南宮山と松尾山を示した。南宮山の吉川広家、松尾山の小早川秀秋の二人が、既に家康の調略を受けていることを知っていたからだ。

「まさに。だが、まことあの翼、折れるかどうか……」

家康は鞭の柄で、脣《くちびる》を叩いた。調略に絶対はない。最後の最後まで、どちらに転ぶか判《わか》らない、危うい賭《か》けなのである。

さあっ。また雨が降りだした。

二郎三郎が家康に笠を渡し、自分もかぶる。

「難儀な雨だ」

家康は笠の紐《ひも》を結ぶ手間を嫌《きら》って、頭巾の上にひょいと置いた。

「殿。それでは……」

笠が落ちます、と二郎三郎はいいたかったのだが、家康は大儀そうに手をふって遮《さえぎ》った。

「億劫《おっくう》だ。齢だな」

次いで思いもかけぬ言葉を吐いた。

「倅《せがれ》がここにいてくれたら、少しはましだったろうに」

二郎三郎はこの言葉を後継ぎである三男秀忠のことだと察した。秀忠は三万八千の兵を率いて中山道を進み、岐阜で家康の本隊と合流する手筈になっていたが、今に至るも尚《なお》、到着していない。信州上田城、真田昌幸の老獪《ろうかい》な作戦に翻弄《ほんろう》され、いたずらに日数をくったためである。その揚句、上田城を陥《おと》すことも出来ず、関ヶ原の決戦にも間に合わなかったのだから、醜態といっていい。家康が気にかけて当然だった。

だが違った。家康は吐き出すようにいった。

「あやつではないわ。信康のことよ」

今から二十一年前の天正七年、織田信長の疑いを受け、家康がわが手で殺さざるをえなくなった長男信康のことだという。

二郎三郎の胸が凍った。我が身の安泰のためには実の子まで殺すと、非情の権化《ごんげ》のようにいわれた家康の本音を、初めて聞いたからだ。

「あれほどの倅を棄《す》てたのも、いつかこの手で天下をとりたいと願ったからだ。見よ。その天下が、目と鼻の先にある。手を伸ばせば摑めるほどに……」

家康の声が、泣いているようにきこえた。

この日に至るまでの、凄まじいまでの家康の忍苦を二郎三郎は思う。

譜代の家臣が百姓仕事までしながら耐え抜かねばならなかった今川家人質時代。

信長のちっぽけな協力者として、我が身をすりへらして諸国をかけまわり、苦しい戦闘に明け暮れた壮年期。武将としての実力と声価、三河軍団の結束の強さはこの間に培《つちか》われたが、反面、正妻の築山殿《つきやま》と長男の信康をわが手で殺さなければならなくなったのもこの時代である。

ひとあしらいの天才秀吉の下で、考えようによってはいいように虚仮《こけ》にされ、律気《りちぎ》な内府などと馬鹿《ばか》にされた豊臣政権時代。

そうして、齢《よわい》五十九歳にして、ようやく天下に手を伸ばすところまで来た。正しく今、天下は指呼の間にある。今日の日が昇り、再び沈むまでには、天下は家康の手に帰している筈である。長い長い辛抱が、やっと酬《むく》われる。その耀《かがや》くような日を、死んだ信康と共に見たかったと、心の底から思ったとしても無理とはいえぬ。

だが……天は果してそれを家康に許すか。

同じ時刻。

石田方西軍の布陣がほぼ完成している。驚くべきことに、それは世良田二郎三郎の予告通りだった。

笹尾山のふもと、石田三成の陣でも、野戦陣地の構築が終ったところである。東西に青竹をもって二重の矢来を結び、堀《ほり》をめぐらし、矢来の後方には鉄砲隊と弓組を配した。なんとここには大筒（大砲）まであった。しかも五挺《ちょう》。勿論、後年の大砲とは似ても似つかぬ代物《しろもの》である。台座もなければ車輪もない。人間が抱えて射《う》つ。筒の重さ十五キロから二十キロ。それでも三百匁《もんめ》玉を発射することが出来た。ちなみに普通の鉄砲（種子島《たねがしま》銃）の弾丸は、最大でも十匁玉、最小は一匁玉、通常は六匁玉（二十二・五グラム）を使い、有効射程距離二百メートル、人体必中射程距離百メートルという。

二重の矢来の前面には島左近とその精鋭百人が布陣し、矢来の中間には石田家のもう一人の侍大将蒲生郷舎《がもうさといえ》が部下と共に控えている。

島左近のこの日のいでたちについては『常山紀談』に記述がある。石田隊と正面から激突した黒田長政が、後年家臣と共にこの関ヶ原における左近の猛勇ぶりをしのんだ時、誰一人左近の甲冑《かっちゅう》について正確に語ることが出来なかった。そこで旧石田家出身の者を呼んで尋ねると、

「左近、冑《かぶと》の立物《たてもの》、朱の天衝《てんつき》、溜塗桶《ためぬりどう》、革胴の甲《よろひ》に、木綿浅黄の羽織を著《き》たりし」

一座の者たち全員が間違っていた。まぢかに見ていながら、そのあまりに凄まじい戦さぶりに肝をつぶし『目の魂を失い』つまり見ていなかった。一同大いに恥じ入ったと書かれてある。

左近は今、そのいでたちで、大きな瓢《ふくべ》を傾けながら大声で部下たちに話していた。

「この関ヶ原は、奇《く》しくも遠い昔、大海人皇子《おおあまのみこ》と大友皇子との合戦が火ぶたを切った土地だ。まさに東西を二分する要地だな」

七世紀末の壬申《じんしん》の乱のことである。大海人皇子とは後の天武天皇をいう。尚、この戦いの翌年、この土地には不破関《ふわのせき》が置かれている。まことにこの日の、豊臣家と徳川家の命運を賭けた一大決戦にふさわしい舞台といえよう。

島左近は一介の武辺ではない。漢学の素養も和歌のたしなみも充分な一箇の知識人である。当然わが国の歴史についても造詣《ぞうけい》が深い。部下の緊張感を柔らげるために、殊更《ことさら》にのんびりと、その造詣の一端を披露《ひろう》しながら、左近の心はこの闇《やみ》のどこかにいる甲斐の六郎への思いで一杯だった。家康の側近は、結束の固さで有名な三河譜代の武士たちである。一人一人が仲間を熟知している筈だ。その中で六郎は黒い羊のように目立つのではないか。それでも尚、家康は刺さねばならぬ。

〈頼むぞ、六郎〉

左近は胸の中で呟《つぶや》いた。

島左近は陽の男である。

本来『暗殺』という暗い手段が好きではない。出来るものなら、白昼堂々と、正面きっての合戦で勝負をきめたいと思う。

だが左近は同時に徹底した現実主義者だった。すぐれた『いくさ人』の条件である。醒《さ》めた眼《め》で敵と味方の力を見きわめる能力なくして、どうして合戦に勝つことが出来ようか。その現実主義者島左近は、この戦いを三成の負けと見た。

石田三成は高潔な武将といわれる。だがこの言葉は矛盾していないか。高潔という言葉と武将という言葉は、本来一つになる筈のない観念なのである。武将という言葉を、政治家と置き換えてみれば、現代人にもその矛盾は判る筈である。高潔な政治家。現代人は笑うだろう。同じ意味で、高潔な武将という言葉も笑われていい。

三成がその矛盾したイメージで今まで生きて来られたのは、一つには太閤秀吉の庇護《ひご》のお蔭《かげ》であり、一つには島左近と蒲生郷舎という、現実主義に徹し切った二人の側近の力である。蒲生郷舎も一万五千石を貰《もら》う侍大将だった。

三成が挙兵の意志をこの両人に打ち明けた日、二人は左近の家で夜を徹して酒を酌《く》んでいる。打合せなどではない。事実、二人ともほとんど口をきいていない。それは別れの宴に近かった。二人ともやがてこの日の来ることを知っていた。そしてその日が石田家滅亡の日であることも同時に知っていた。

三成は計数にたけている。戦いも計数だと信じている。敵味方の武将たちの禄高を計算すれば、兵力も簡単にはじき出せる。大体十万石で二千人の兵力と思えばいい。その計算によれば西軍は約十万、東軍は約八万になる。当然西軍が勝つ。

だが左近と郷舎は家康の調略の凄《すさ》まじさを熟知している。だから三成の計算が机上の計算にすぎないことを、ほとんど悲しみの心をもって知っていた。三成は自分の高潔さで他の武将も計る。裏切りの人数が計算に入っていないのである。家康がこの合戦のために外様《とざま》の武将にあてて書いた手紙の数は、今日確認されただけでも百五十五通。八十二名に対して出されている。そして関ヶ原で実際に戦闘を行った兵数は、東軍の八万に対して、西軍は僅か三万五千といわれる。六万五千の兵が全く動いていない。これが高潔な三成と現実主義者家康の計算の差だった。

長い沈黙の果てに、左近がぽつんといった。

「もし勝てるとしたら……」

間髪をいれず郷舎が答えた。

「内府家康公が死ぬしかござらぬ」

徳川軍団には一つだけ致命的な欠陥がある。武将家康の非凡さである。家康の光の中でその子らの影は薄く、なきに等しい。家康なくして徳川軍団はなく、まして外様の武将たちが徳川家に味方する筈《はず》もない。

ばりん。

左近の掌の中で、盃が微塵《みじん》に砕け散った。郷舎が小さくうなずいた。

東の空がわずかに明るくなる。

午前六時。

雨はようやくあがったが、濃い霧が立っている。

この合戦に従軍した、家康の侍医板坂卜斎《ぼくさい》はこう書いている。

『十五日、小雨降り、山間なれば霧深くして五十間先は見えず。霧あがれば、百間も百五十間先もわずかに見ゆるかと思えば、そのまま霧下がりて、敵のはた少し計《ばか》り見ゆる事もあるかと思えば、そのまま見えず』

五十間は約九十メートルである。

家康が桃配山《ももくばりやま》に陣をとったのはこの頃《ころ》だった。桃配山とは奇妙な名だが、いわれがある。壬申の乱の時、大海人皇子が野上の行宮《あんぐう》からここに出陣して、軍勢を励ますために桃を配ったというのである。標高三百八十メートル。三成の本営笹尾山までの距離約四キロ。背後に南宮山がそびえている。なんとその南宮山には、西軍の毛利秀元・吉川広家の陣がある。背後から攻めかかられたらひとたまりもない。だが毛利勢の前にいる吉川広家と家康の間には密約があった。この合戦に一兵も動かさぬことによって、毛利本家の知行を安堵《あんど》するというものだ。だが毛利秀元はそんな密約のあることを知らない。当然、討って出ようとする。だが前にいる吉川広家の軍が動かなければ、毛利軍もまた動けない。いって見れば吉川広家は襲いかかる奔流を支える一本の堤である。この堤が破られれば家康の生命はない。それを百も承知で桃配山に陣を据《す》えたのは、家康の大芝居であり、賭けであった。お主を信じているぞ。わしの生命はお主にあずけたぞ。そう家康は吉川広家にいっているのだ。桃配山の山頂に、金扇の大馬印と、『厭離穢土欣求浄土《おんりえどごんぐじょうど》』の八文字を大書した大旆《たいはい》を押したて、悠然《ゆうぜん》と床几《しょうぎ》に腰をおろした家康は、まさに大名題《おおなだい》の歌舞伎《かぶき》役者さながらだった。

その家康も、すぐ間近に、己れの死神が控えていることを知らない。

家康の死神、甲斐の六郎は、この時、百メートルもはなれぬ近さに迫っていた。だが、家康のまわりにはきちんと折り敷いた近習《きんじゆう》の武士たちの壁がある。馬蹄《ばてい》にかけて蹴散《けち》らすことも出来る壁だったし、事実六郎もその手だてをとろうかと一瞬決意しかけたものだ。だが思い返して踏みとどまった。三河武士の愚直さを知っていたからである。それは東をむいていろ、と主君にいわれれば、三日でも十日でも東を向いているという恐るべき愚直さである。彼等は馬の前に立ちはだかって平然と蹴殺されるだろう。六郎はもとより生命は捨てている。だが刃が家康に届かなければ、自分の死には一文の値打ちもない。

動きだ。動くのを待つしかない。家康が乗馬し、この近習たちも馬に乗るべく動いた時、その時をおいて機会はない。六郎は待った。息をひそめて待った。

なお霧が濃い。

東軍の布陣も、午前七時にはほぼ終っている。

一番隊は福島正則以下一万二千。天満山の宇喜多陣と対陣。

二番隊は細川忠興《ただおき》以下一万が北国街道沿いの地に並び、黒田長政以下六千が石田陣と対陣。

三番隊は井伊直政、本多忠勝以下八千。十九女《つづら》ヶ池、茨原《いばらはら》周辺に布陣。これは家康の本陣三万の前面に拡《ひろ》がって松尾山に対している。

このほかに寺沢広高以下の遊軍を加えて、その総兵力およそ八万といわれる。

更に南宮山の押さえとして池田輝政以下一万四千。大垣城の押さえは堀尾忠氏以下一万二千。

これが東軍の全容である。

開戦の火ぶたは、一番隊福島正則勢が、切って落す手筈になっていた。この秀吉子飼いの猛将は、一番槍《やり》を他人に譲るくらいなら、即座に兵を引いて郷国に帰る、といいたて、半ば強引にこの役どころを獲得したのである。だが一方で三河譜代の徳川直臣には、絶対にこの役は自分たちが果さねばならぬ、という強烈な意識がある。外様諸侯《しょこう》の力でこのいくさを勝ったといわれては、末代まで三河譜代の面目が立たぬというのだ。強硬にこの件を家康に申し立てたのは、井伊直政と本多忠勝である。特に井伊直政は、この日、家康の四男松平下野《しもつけ》守《のかみ》忠吉の後見役を命ぜられている。忠吉の妻が直政の娘だったためだ。しかも忠吉にとってこのいくさは初陣《ういじん》だった。是が非でも一番槍の功名は御曹子《おんぞうし》に、と直政が願ったのは当然であろう。

井伊直政は、武田家滅亡後、武田二十四将の一人山県《やまがた》昌景の『赤備《あかぞなえ》』の武士たちを、悉《ことごと》く自分の配下にしている。兜《かぶと》から鎧《よろい》まですべて緋色《ひいろ》の物を使ったためにこの名がある。これが猛勇のきこえ高い『井伊の赤備』になった。

その『赤備』が五十騎ばかり秘《ひそ》かに霧の中を動き出した。先頭に忠吉と直政がいる。霧にまぎれて福島隊の脇《わき》を通り過ぎ、その前方に出ようとしている。福島隊の可児才蔵《かにさいぞう》に咎《とが》められたが、大物見《おおものみ》（武力斥候《せっこう》）であると強弁し、尚も前進をやめない。やがて敵は、この緋色の異装の軍勢に気づき、慌《あわ》てて銃撃を開始した。『赤備』の面々も銃撃を返す。これが実際上の開戦となった。

福島正則は激怒したが、今更、兵を引いて郷国に帰る、とはいえない。怒りをこめた凄まじい銃撃戦を開始し、遮二無二《しゃにむに》、突進しはじめた。

遅れて、黒田長政の陣所である丸山から攻撃開始の合図の狼煙《のろし》が上げられる。ほぼ同時に石田三成の笹尾山、小西行長の天満山にも狼煙が上がり、全線に渡って、戦闘が開始された。

時に慶長五年九月十五日午前八時。

風が立ち、霧が流れだしている。

これより先。

桃配山の家康はようやく焦《じ》れて来た。

布陣が完成してほぼ一時間、いい加減に動きが出ていい頃である。だが関ヶ原青野ガ原は寂《せき》としてしずまり返っている。

霧が流れ、敵陣の旗印をちらと見せるかと思えばまた隠す。その旗印も微動だにしていない。

家康は無意識に爪《つめ》を嚙《か》みはじめていた。天下を争う武将にあるまじき悪癖である。ひどくことなった。

世良田二郎三郎は苦い顔で主君を見た。この癖が嫌《きら》いなのだ。二郎三郎は影武者である。本来なら、同じ癖を倣《なら》って爪を噛まねばならない。そのために同じ南蛮胴の鎧をつけ、同じ茶ちりめんのほうろく頭巾《ずきん》をかぶっているのではないか。だがこの男、家康と並んで床几に腰をおろしながら、頑《かたく》なに爪は噛まなかった。実物と影との間に、初めて差が生じた。それが後に重大な結果をもたらすことになるのを、二郎三郎も家康も知らない。

霧を透して、甲斐の六郎がこの二人を凝視していた。先刻からこの双生児かと見間違うほどの影武者の存在に神経質になっていた。いざ接近した時に、果してこの二人を見分けることが出来るかどうか。六郎には自信がなかった。それが今、はっきりとした。

〈爪を噛む方〉

島左近から、この家康の悪癖について、きいたことがある。

〈せかせかしている方だ〉

皮肉にも影武者の方が本物より堂々と落着いている。この一戦に賭《か》けるものが小さいためである。本物にとっては、全徳川家の興廃であり、天下の権である。影武者にとっては、たかが己れ一箇の生命にすぎない。

銃声がした。

方角は北西。

これは井伊直政の『赤備』に対する敵方の初めての発砲である。この時の相手は、島津勢だったという説と、宇喜多隊だったという説とがあるが、真相は文字通り霧の中にある。これこそこの日関ヶ原青野ガ原に初めて鳴り響いた銃声だったわけだが、家康は期待しすぎていたので、空耳かと疑った。近習に尋ねた。

「鉄砲の音がきこえたか」

近習たちも一瞬迷った。この時、永年家康の馬の口取りをつとめている、すりという仇名《あだな》の老人が、ばかばかしそうにいった。

「きまってるずら。早く馬に乗らんかね。いくさは始ったずら」

「よし。ならば鬨《とき》の声をあげろ」

近習、使番たち側近の者からはじまって、三河譜代三万の鬨の声が天地に谺《こだま》した。法螺貝《ほらがい》がびょうびょうと吹き鳴らされ、それに応じて黒田長政陣から開戦の狼煙が上げられた。

〈今だ!〉

甲斐の六郎は、馬腹を蹴った。

甲斐の六郎が測った間《ま》は完璧《かんぺき》といえた。

家康は口取りの老人すりの手助けで馬上の人となったところだった。間髪をいれず、世良田二郎三郎も馬に乗った。近習たちも、一斉《いっせい》に乗馬にかかった。多くの馬が足踏みをし、鎧が鳴り、武具が鳴った。

黒地に金で『五』の字を書いた差物をはためかしながら、やや馬を急がせて家康に近づいてゆく六郎を、誰もが単に、使番がお上に呼ばれた、としか見ていなかった。

天候も六郎に味方した。

霧はまだ充分に晴れてはいなかった。風は立ったが、濃密な乳色の霧を一気に吹き払う強さを持たなかった。

六郎は流れる霧に漂うように、家康に接近した。その姿にはたった一つ不自然な点があったのだがよほど猜疑《さいぎ》心《しん》の強い人間でなくては気づくわけがなかった。六郎は左手で槍を持っていたのである。左利《き》きでない以上、この姿勢で槍を使うことは出来ない。そして六郎は右利きだった。

実は、六郎が右手をもって使うべき武器は、その右脚にくくりつけられてあった。全長三尺三寸（一メートル）余。一見、ただの黒塗りの棒である。だが七寸（二十一センチ強）の柄《え》を握って引くと、奇妙な刃が現れる。刃長二尺五寸（七十五センチ）、地鉄《じがね》は黒い。これは磁鉄鋼を鍛えたものだからだ。この武器の異様さはその刃が刀ではなく、長大な槍の穂だったことである。つまり普通より長い槍の穂に、刀のように短い柄をつけたものだ。野々村四郎右衛門が、その最期《さいご》の瞬間、

〈槍……だがそれにしては短い〉

と感じたのは、ほかならぬこの武器だった。

古来、暗殺には斬によらず刺をもってせよ、という。

貞享《じょうきょう》元年（一六八四）八月、若年寄稲葉石見守正休《いわみのかみまさやす》が、時の大老堀田筑前守《ちくぜんのかみ》正俊を江

戸城中で殺害した事件がある。有名な浅野内匠頭《たくみのかみ》の吉良《きら》上野介《こうずけのすけ》に対する刃傷《にんじょう》に先だつこと十六年。この日の前日、稲葉石見守は家臣の剣術の達者に斬人《ざんじん》の法と武器の種類について訊《たず》ねている。家臣は一尺二、三寸の脇差による刺殺をすすめた。斬《き》るのは不確実だというのである。石見守は忠実に教えを守り、大老刺殺に成功している。

後年、浅野内匠頭が吉良上野介に斬りつけて、僅《わず》かに額に傷を負わせただけで失敗した時、大方の心得ある武士から『士道不覚悟』と非難されたのはこの理由による。

まして、六郎の場合は戦場である。暗殺すべき相手は鎧を着ている。斬ることは論外だった。刺すべき場所も二箇所しかない。首筋と左脇下である。この場合、反りのある刀では不正確だ。だからこそ刀造りの槍の穂にしたのである。

六郎は霧にまぎれて首尾よく家康の左脇に出た……。

『徳川実紀』の該当記事を、抜き書きしてみよう。

『又朝のほど霧深くして鉄砲の音烈《はげ》しく聞えければ、御本陣の人々いづれもいさみすゝむで馬を乗廻《のりまは》しつゝ、御陣もいまだ定らざるに野々村四郎右衛門某あやまりて、君の御馬へ己が馬を乗かけしかばいからせ給《たま》ひ、御はかし（佩刀《はいとう》）引抜て切はらはせ給ふ。四郎右衛門はおどろきてはしりゆく。なほ御いかりやまで御側《おそば》に居し門奈助左衛門宗勝が指物《さしもの》を筒より伏《きら》せ給へどもその身にはさはらず』（古人物語、落穂集、卜斎記）

これが全文である。『実紀』の作者は、このあとに短い感想を入れている。

『これ全く一時の英気を発し給ふまでにて、後日に野々村をとがめさせ給ふこともおはしまさざりしとぞ』

奇妙な感想ではないか。合戦が始ったばかりの時点で、一方の総大将が自分の部下を斬ろうとしたのである。理由は単に誤って馬を乗りかけて来たからだ、という。古来、合戦の記述は多いが、こんなのは聞いたことがない。誰がわざわざ開戦の瞬間に己れの部下を斬るだろうか。それも若く血気にはやる大将ならまだしも、家康はこの時、五十九歳、歴戦の武将なのである。家康は織田信長のような癇癖《かんぺき》の強い男ではない。温順できこえた人柄《ひとがら》だ。およそ考えられる行為ではあるまい。

『一時の英気を発し給ふまでにて……』

とは、まことに苦しいいいわけだが、いいわけをせざるをえなくさせるものが、この話自身にあるのだと考えた方がいい。

関ヶ原を扱った記録、小説などのほとんどが、この短いエピソードを書いている。何故《なぜ》か？　理由はその異様さにある。通常の解釈を拒否する異様さが、このエピソードを省いてはならぬ、と告げるからである。流れるように推移する合戦の記述の中で、この部分だけが異質で、よく読むと薄気味の悪いまでに、ぽつんと孤立している。

『徳川実紀』が、こと家康に関する限り、必ずしも史実に忠実な史書でないことは『実紀』自身の中に明白に書かれてある。家康は死んで東照大権現《とうしょうだいごんげん》の神号を受けた。つまり『神』になった。『神君』といわれる所以《ゆえん》だが、『神』の事蹟《じせき》を記録するには、それなりの配慮が必要だと『実紀』はいっている。『神』として不適当な記述は極力これを避けるというわけだ。

だが一方でこれは徳川幕府の公式記録である。必然的に記録としての公正と真実を要求される。野々村四郎右衛門に関する記述は、この公正さと配慮が正面からぶつかり合い、公正さが負けた最大の部分ではないか。だからこんな異様なエピソードになったのではないか。本来なら書きたくない。だが公式記録という面では、書かざるをえない。省けば史書としての資格を失う。これは読みようによっては、そうした史家の悩みが惻々《そくそく》として伝わって来る記述なのではないか。それがこの異様さの正体なのではないか。

とにかく事は起った。甲斐の六郎は己れの馬を家康の馬に乗りかけ、反射的に手綱を引きしぼろうとして大きく上げた家康の左脇下を刺した。刀仕立ての長大な槍の穂は、正確に家康の心臓を貫いた……。

甲斐の六郎を斬ったのは、世良田二郎三郎である。

流れる霧の中から、ぬっと馬の首が出て来た時、二郎三郎はちょうど家康の左へ並ぶところだった。ところが、小姓の門奈助左衛門の馬が、左外から家康に寄りすぎていたため、間に割って入る形になって、僅かに出遅れた。そこに六郎の馬が横ざまに喰《く》いこんだのである。

〈使番〉

二郎三郎がそう思った瞬間に、六郎は右手で、例の刀造りの槍の穂を抜いた。六郎の右半身は二郎三郎の眼《め》の前にある。当然、二郎三郎は見た。その異様な武器に、はっとした。無意識裡《り》に陣刀を抜いた。それを振り上げた時、六郎の異様な武器は既に家康を正確に刺していた。僅か一拍の遅れで、二郎三郎の陣刀は六郎に向って振りおろされた。だがここでも門奈助左衛門が邪魔をした。助左衛門は家康から離れようとして手綱を左に引いた。馬首が左を向き、助左衛門は家康に背を向ける形になった。風で旗差物がなびき、二郎三郎の眼前を遮《さえぎ》った。二郎三郎の陣刀はその旗差物を筒から斬り落し、更に甲斐の六郎の右膝《みぎひざ》をしたたかに斬った。これが『徳川実紀』の記述になった。家康の死は隠されたのである。六郎は傷に構わず強く馬腹を蹴ってとび出した。まっしぐらに、最前線めがけて馬を駆る。

〈御大将の下知《げじ》を得て、使番がゆく〉

誰の目にもそうとしか見えない光景である。まことに颯爽《さっそう》たる武者ぶりだった。

『五』の字の旗が激しく風に鳴る。六郎は鬣《たてがみ》に顔を埋めるようにして低く伏せている。向う先は黒田長政隊の前線。黒田隊の向うには、石田三成の陣があり、島左近がいた。

〈やった！〉

ようやく六郎の胸が躍りはじめたのは、本多忠勝隊の脇を駆け抜けて、黒田隊を目にした頃《ころ》である。それまで……馬を動かし、家康を刺し、再び馬を駈ってここまで来る間、六郎は何ひとつ、考えも感じもしなかった。まるで終始息をつめていたようだった。ここへ来て、やっと息が出来た。同時に感動が胸を衝《つ》き上げた。

〈やった！　家康を刺した！　わしが……この手で……家康を……！〉

この合戦は勝った。総大将の家康なくしては徳川方東軍に勝ちのないことを、六郎といえども知っている。

〈はやく殿にしらせなくては……家康は死んだとしらせなくては……〉

島左近なら、この驚くべき事実を、充分に利用出来る筈《はず》である。またたく間に、全軍にこの事実をしらせ、西軍の士気をあおり、遮二無二、勝ちを拾う筈である。六郎には到底そんな器量はない。

〈半刻《とき》(一時間)でも、四半刻(三十分)でも早く!〉

六郎は今や黒田隊を縦断して馬を駈っている。またたく間に、最前線に躍り出た。

激しい銃撃が起った。

六郎は射《う》たれた。味方の弾丸が、その左肩をぶち抜いた……。

気がついた時、六郎は腰ほどもある草の中に倒れていた。乗って来た馬も、すぐ傍《かたわ》らに倒れて、力なくもがいている。

倒れたまま、手早く自分の傷を改めた。左肩の一弾だけで、それも綺麗《きれい》に抜けている。出血はひどいが、内臓に異常はないようだ。二郎三郎に斬られた膝の方が、重傷だった。白い骨が見えている。

〈足を曳《ひ》きずることになるな〉

金瘡膏《きんそうこう》を塗りこめ、手拭《てぬぐ》いを裂いて緊縛し血止めをした。終始、他人の身体《からだ》を扱うような冷静さである。己れが肉体を一箇の物体として視《み》る。これが忍びとしての第一条件だった。粗末にしてもいけない。大事に扱いすぎてもいけない。あるがままに視て、正確にその能力を測らなければ、忍びは死ぬ。

馬のあがきがとまった。調べると五発の弾丸が入っている。鉄砲隊の狙《ねら》いが低い証拠だ。
〈長柄《ながえ》が来る〉
長柄とは長柄の槍のことで、転じてそれを持つ足軽組をいう。騎馬武者の振う槍は持槍《もちやり》といって約二メートル半、長柄はその倍の五メートルある。鉄砲で先《ま》ず馬を倒し、ついで徒歩《かち》の足軽組がこの長大な槍を隙間《すきま》なく並べて押して来る。これが当時の典型的な戦法だった。たまらず敵が後退すると、間髪をいれず、足軽組の後ろにいた密集隊形の騎馬隊が、人馬一丸となって襲撃をかける。馬を失い、徒歩になった敵の軍勢を、馬蹄《ばてい》にかけ、持槍で斃《たお》す。これを救うためには敵は新手《あらて》の騎馬集団をさしむけるしかない。すると忽《たちま》ち、騎馬隊は引っこみ、鉄砲隊が前面に出て、弾幕を張り、この新手の騎馬集団の馬を倒す。次いで長柄が……という繰り返しになる。

戦闘は、この連繋《れんけい》動作が潤滑且《か》つ敏速で、数の多い方が勝つ。島左近の部下たちはこの戦法に熟練していた。

喚声が湧《わ》いた。黒田長政の隊が乱れに乱れた。六郎の予測通り、長柄の足軽組が、槍ぶすまを作ってひたひたと寄せて来た。

六郎は急いで背から『五』の字の旗印をはずした。出来るだけ死んだ馬の下に押しこんだ。徳川方の『使番』と看做《みな》されて、味方に殺されてはたまったものではない。兜《かぶと》を捨て、面頬《めんぼお》もはずして、素顔をさらした。

霧はようやく霽《は》れ、雲は厚くたちこめたままだが、物を識別することが出来るようになった。

まだ午前九時になっていない。

島左近隊の攻撃は猛火の熾烈《しれつ》さだった。一隊は石田陣の柵《さく》前に防禦《ぼうぎょ》に残し、残りの一隊を左近自ら采配《さいはい》をとって攻撃に向けたのだが、その獰猛《どうもう》さは面《おもて》を向けることもかなわぬほどで、黒田長政麾下《きか》の勇将・猛将も一槍合わせるのが精一杯で、忽ち逃げださざるをえなかったという。それはさながら黒田陣に打ちこまれた一本の楔《くさび》のように、突出し、縦断し、みるみる裂目を拡《ひろ》げていった。

六郎は死馬の鬣の中に顔を埋めて耐えに耐えた。何人もの足がその身体を踏んでいった。

同じ頃。

世良田二郎三郎は桃配山を降り、現在陣場野と呼ばれているあたりまで馬を進めていた。相変らず兜はかぶらず、茶ちりめんのほうろく頭巾。面頬もわざとはずして素面《すめん》をさらしている。驚くべきことに、その二郎三郎を周囲の者は誰一人疑っていない。堅く家康だと信じている。それほど姿形が酷似していた。これは生得のものでもあるが、半分は二郎三郎の十年に及ぶ影武者としての修練の成果である。意識して家康の癖を盗み真似《まね》しているうちに、それがごく自然なものに変ってしまった。思考の方法さえ、今では家康そのままなのである。

その家康流の思考によれば、今、家康の死を公表することは不可能である。そんなことをしたら、この合戦は十中九まで徳川方の敗北に終ることになる。

現に今、最前線で闘っている、福島正則、黒田長政、藤堂高虎などは、一人として徳川譜代の将ではない。太閤秀吉恩顧の大名で、いわば家康と同格なのである。この大名たちは、武将徳川家康の力倆《りきりょう》が、西軍の石田三成に遥《はる》かにまさると信じているからこそ、東軍について闘っている。更にいえば、家康の軍事力が、口惜《くや》しいが自分より上だ、と認めているからこそ、これに味方することによって利を得ようとしているのだ。家康死す、となれば、彼等には東軍のために死力を尽して闘う一片の義理もない。寧《むし》ろ兵を温存して、自ら天下を狙う機会を待とう、とする者が多い筈だった。最前線の将が兵を温存しようとしたら、戦いは負けにきまっている。

だから二郎三郎は、何事もなかったような涼しい顔で馬を進めている。家康の遺体は馬に乗せた上に陣幕で蔽《おお》って、口取りの老人すりが曳いている。家康の死を知っているのは、二郎三郎を別にすれば、このすりと小姓門奈助左衛門ただ二人だった。濃い霧がかかっていたからこそ、これですんだ。

今、世良田二郎三郎は、すぐ前方にいる本多平八郎忠勝に、なんといって家康の死を告げようかと考える一方で、このすりと門奈助左衛門をなるべく早いうちに斬らねばならないな、と考えていた。家康なら必ずそうした筈である。

前方の本多隊から、騎馬武者が一騎、恐ろしい速さで馬を駆って来た。二郎三郎はひと目でそれが本多忠勝自身であることを知った。

忠勝は二郎三郎の前で曲馬のようにぴたりと馬をとめた。

「ご進撃が早すぎます。いま半刻、桃配山に……」

「それが出来なくなった」

二郎三郎は、あくまで家康として云《い》った。忠勝の顔色が変った。

「南宮山の毛利が……！」

「毛利ではない。わしだ」

二郎三郎は忠勝に近々と顔を寄せた。

「判《わか》らぬか。わしが死んだ」

忠勝が一瞬のけぞった。

素早くすりの曳いている馬の上の物体を見た。

「そうだ」

二郎三郎は短くいった。

「存じている者は？」

「口取りと小姓」

忠勝は二郎三郎の視線を追うと槍を上げた。忠勝が咄嗟《とっさ》に自分と同じ思考を辿《たど》ったことを、二郎三郎は知った。なにげなく忠勝の腕を抑えた。

「まだだ」

それだけで意志は通じた。

近習《きんじゅう》と『使番』が全員、御大将と侍大将本多忠勝の密談をじっと見つめている。その中で老いた口取りと小姓を突き殺せるわけがなかった。

「ど、どうする？」

さすがの忠勝が、ことの重大さに、思わず吃《ども》った。

「このまま」

「このまま!?」

「負けたくなければ……」

忠勝が小さくうなずいた。確かに、負けたくなければこのままでゆくしかない。日本最高の野戦司令官である家康の采配通りに兵を動かすしかない。だが問題はまさしくそこにあった。この家康は一度も野戦で自ら采配を振ったことがないのである。

「わしを信じろ」

とこの家康がいう。

「信じられるものなら……」

忠勝は絶句した。信じられたら、どんなに楽かと思う。だが一度も戦ったことのない男に戦闘が判る道理がない。作戦は頭脳であるが、戦闘は違う。古来、作戦通りにいった戦闘などあったためしがない。指揮系統は乱れに乱れ、命令などあってなきが如《ごと》き状態になる。現実に闘っている戦士には、目の前の刀槍、或《あるい》は鉄砲があるばかりだ。どちらに向っているかさえ判りはしない。頭にあるのは、ただただこの場を生き残ることだけである。指揮官が何を喚《わめ》こうが聞こえるものではない。そんな乱戦の中で、勝利への道を切り開くのは、けものの本能に似た直観と、不屈のねばりと、あとは指揮官の頼もしさだけであろう。この指揮官の後についてゆけば生き残れる、という信頼である。それが本物の家康にはあり、この家康にはない。

忠勝はほとんど絶望した。

「功名は棄《す》てよ」

とこの家康がいった。なんと御旗本先手侍大将に、戦闘をするなというのである。

「わしのそばにいろ」

忠勝はためらい、やがてきっぱりとうなずいた。

そうだ。それしかない。忠勝は今日まで五十余度の戦闘を闘って、いまだに身に一創もおびたことがないという強運の男である。その強運をこの家康の運に重ね、自らの采配によってこのいくさに勝つしかない。忠勝の決意はかたまった。どたんばの居直りに似ていた。

午前九時。

開戦から一時間たっている。

最前線は乱戦、混戦の極だった。

自ら戦闘を目撃した一人の武士（太田牛一）の記述を現代文にして次に掲げる。目撃した者以外には書けぬ迫真の描写だと思われるからだ。

『敵味方押し合い、鉄砲の音、矢の飛びかう音、天を響かし、地を動かし、黒煙り立ち、日中も暗夜となり、敵も味方も入りまじり、兜の垂れ（しころ）をかたむけ、槍、野太刀を抜き持ち、退きまた進んでは攻め戦う。刀槍の切っ先より火炎をふらし、日本国二つに分けて、ここを詮度《せんど》とおびただしく戦い、数ヶ度の働きこの節なり』

当然のことながら、具体的な戦闘経過は、ほとんど不明である。判っているのはどの隊がどの隊と闘ったかということくらいのものだ。軍令を破ってまで先陣を切った松平忠吉・井伊直政の隊は島津陣に向い、これに怒った福島正則の隊は宇喜多秀家隊と激戦中。藤堂高虎・京極高知・寺沢広高の諸隊は大谷刑部少輔《ぎようぶしようゆう》吉継と闘い、織田有楽《うらく》以下の七隊は小西行長の陣に向っている。そして中でも最も苛烈《かれつ》な死闘を演じていたのは、石田三成隊を攻めた黒田長政・田中吉政・細川忠興らの諸隊だった。

島左近とその配下たちの戦いぶりは、後世に長く語り伝えられたほどの凄《すさ》まじさだった。またたく間に田中吉政の隊を三百メートル余りも後退させたというから、まさに阿修羅《あしゆら》の猛進である。田中吉政はこの左近の隊に『死兵』を見たという。一人々々が死ぬことにきめた兵である。どんな猛将といえども、生者である限り、死んだ兵に勝てる道理がない。豪勇の誉れ高い後藤又兵衛でさえ、辛《かろ》うじて石田方の大橋掃部《かもん》を槍にかけただけで、一目散に味方の陣に引き返している。

この日、黒田長政は自ら石田三成を討ち取るために、十五人の精鋭を選び、その各々《おのおの》が率いる徒卒をもって、一種の特別攻撃隊を編成していた。この一隊は軍令によって敵将の首を取ることを禁止されている。そのために働きが鈍ることを恐れたためである。その選び抜かれた特別攻撃隊でさえ、島左近の猛攻の前には、ひとたまりもなく粉砕され、算を乱して退却している。

「死ねえ！　死ねえ！」

槍をかざして疾風のように馬を駆りながら、絶え間なく喚く左近の塩辛声は、さながら死神の予告のように全軍にひびき渡り、東軍の将兵は蒼白《そうはく》になって鶏のように逃げまどった。黒田・田中・細川隊の武士たちは、この恐ろしい左近の声が耳について離れず、後年に至るも悪夢の中に聞いたという。

甲斐の六郎はあべこべにその声を摩利支天《まりしてん》のもののように聞いた。はね起きて、足をひきずりながら声を目ざして走った。忽ち懐《なつ》かしい左近の顔を見た。

「殿ォ！」

左近の声に負けずに喚いた。左近が馬をとめた。その瞬間、側面の小さな丘から銃撃が起った。黒田の部将菅六之助が率いる狙撃《そげき》部隊の一斉《いっせい》射撃である。

島左近は乗馬と共に射たれた。

馬は倒れ、左近は放《ほう》り出されたが、即座に立ち上がった。

傷は三カ所。左腕と左脇腹《わきばら》、左大腿部《だいたいぶ》である。

立ち上がった左近めがけて、再度、狙撃手の銃弾が放たれた。だがこれは、甲斐の六郎が咄嗟に左近の足を払って引き倒したので、はずれている。六郎は死馬の蔭《かげ》に左近を引きずりこみ、傷をさぐった。左近がその手を払った。

「首尾は!?」

六郎の顔が、くしゃくしゃと歪《ゆが》んだ。泣顔かと思ったら、なんと笑顔だった。

〈変な男だ〉

この大事な場所でそう感じた左近の方も、変な男の部類に入る。

「六郎！」

左近が喚いた。

「やりました。家康公をこの手で……ははは」

今度ははっきりと六郎が笑った。

左近は無駄《むだ》なことは一切いわない男である。「そうか」の一言もなかった。

傷の手当を六郎に委《まか》せて、かけつけて、周囲に人楯を作った部下たちに云った。

「手当しろ」

六郎の応急手当がすむのも待たず馬にとびのると、まっしぐらに味方の陣営にとって返す。

「退《ひ》け。わしに馬を」

進むのも早いが、退くのも早い。まさに『疾《はや》きこと風の如し』だ。そういえば左近は武田信玄に仕えていた一時期がある。

そのあまりの退却の疾さに、一瞬、茫然《ぼうぜん》となった黒田隊が、慌《あわ》てて進撃を開始した時はもう左近は六郎と共に、石田陣の矢来の中に入っていた。

勢いを盛り返した黒田隊が、すぐそこまで迫っている。

左近が薄く笑って云った。

「大筒！」

五挺《ちょう》の大筒（大砲）は柵内に用意されていた。それぞれ一貫目の弾丸と、紙袋に包んだ夥《おびただ》しい散弾を装塡《そうてん》ずみである。この大筒は、石田三成が軍監として朝鮮の役に行った時、その威力を目撃し、捕獲したものを持ち帰って国友鍛冶《くにともかじ》に模倣させたものだ。

轟《ごう》！

大筒が火を吐いた。一挺ずつ、立て続けに黒田勢の中に射《う》ちこまれる。一貫目玉は数騎の人馬を肉片と化し、散弾はそれを上廻《うわまわ》る人馬の肉に喰《く》いこんだ。

阿鼻叫喚《あびきょうかん》の地獄図といっていい。

黒田隊前線の一角は、文字通り粉砕された。その一角に向って石田隊の第二陣、蒲生郷舎の隊が巨大な錐《きり》のように喰いこんでいった。

「殿に申し上げよ」

左近が伝令に大声で怒鳴った。

「内府《だいふ》家康公は死んだ、と」

左近の声はさざなみのように石田陣内に拡がっていった。

「内府が死んだ！」

「徳川殿が亡《な》くなられたぞ！」

「家康公が死んだ！」

伝令が笹尾山の三成に左近の言葉を伝えた時には、既にその噂《うわさ》は充分に陣内をかけめぐり、遂《つい》には一つの大きな歓声に変った。

　誰もが叫んでいた。誰もが興奮で顔を赤く染め、武器を天につきあげて喚いた。

「勝ったァ！」

「われらの勝ちだァ！」

　当然の反応だった。緒戦に於《お》ける敵の総大将の死は、味方の勝利以外の何物も意味しない。

　だが左近は、その歓声を圧するような大声で怒鳴った。

「気をぬくなァ！　今から一刻《とき》、攻めに攻めろ！　敵に死に狂いになる暇をやるなッ！」

　声だけではなかった。この侍大将は傷の手当が終るや否《いな》や、再び馬上に戻った。戦闘に参加するつもりである。

　甲斐の六郎が驚いてその口輪を抑えた。

「その傷では御無理です、殿。それでは手前のしたことが無に帰します」

　左近が笑った。

「無にしたくないからこそ行くのだ。それに……」

　びゅん。鋭く風を切って槍《やり》を振った。普段と変らぬ凄まじい力である。六郎が思わず首をすくめた。

「手傷を負ってなお戦える者をいくさ人という」

　六郎は無造作にはねとばされた。左近が恐ろしい勢いで馬を駈ったためだ。軽々と柵をとび越えながら、振り返って云った。

「いくさ人なら、主《ぬし》も来い、六郎」

六郎は、はね起きるなり、手近にいた騎馬武者をつき落した。かわって馬上になるや、別の武者の槍をひったくり、左近を追った。

「行かいでか」

ふつふつと身内に滾《たぎ》るものがあった。この主人は、家来の手柄《てがら》を完成するために、自ら死を賭《と》している。因果なことだ、と駆けながら六郎は思う。こんな主人に対して家来の出来ることは一つしかない。主人の馬前に立ちはだかって、主人の代りに死ぬことである。六郎は左近に追いつき、追い抜いた。六郎の行動に憤激し、火のように猛《たけ》って追って来た左近の部下たちも、六郎に倣《なら》って主人の前に出、左右についた。

「邪魔すなッ」

左近は部下を追い抜こうと、遮二無二《しゃにむに》馬を急がせる。部下たちも必死で馬を駆る。

この一丸と化した部隊は、あっという間に蒲生郷舎の隊を抜き、黒田長政隊に突っ込んだ。

「喚け！　内府殿、討死《うちじに》！」

左近が吼《ほ》える。部下の全員が槍を振いながら同じ言葉を喚いた。

「内府殿、討死！」

〈勝った！〉

石田三成は、左近の伝令から口上を聞くなり、そう信じた。あとは素早く噂を拡《ひろ》め、敵の気がくじけたところで総攻撃をかけるだけである。東軍八万の軍勢は、木ッ《こ》端《ぱ》微塵《みじん》にくだけ散るだろう。

　三成はただちに、西軍の諸隊に伝令を走らせた。駆けながら、

「家康公御討死！」

　と喚き続けるようくどいまでに念を押した。

〈四半刻〉

　と三成は計算した。三十分あれば、この噂は敵味方全軍の間に拡まるだろう。味方は勝ちを確信し、敵は動揺し戦意も萎《な》える筈《はず》である。

〈総攻撃は四半刻後だ〉

　三成は立ち上がって、戦線を見わたした。

　霧は完全に霽《は》れ、曇天の下に敵味方の激戦が手にとるように見える。

〈左近がとび出しすぎている〉

　左近の隊は黒田隊を斜めに横切り、細川忠興の隊に喰いこんでいる。蒲生郷舎の隊が必死にそれを追い戦線を拡げているが、左近の疾さに追いつけない。

　これに対して東軍の加藤嘉明《よしあき》・田中吉政・生駒《いこま》一正らの諸隊が救援に駆けつけている。三成は急いで本隊の出撃を命じながら、右横に布陣した島津豊久の隊を見た。

　異様な光景が、そこにあった。

　先ほどまで激しい銃撃戦を演じていた島津陣が、粛《しゅく》として鎮《しず》まり返っている。その前面にいた田中吉政隊と井伊の赤備の中、田中隊は黒田隊の救援に赴き、赤備は小西行長隊に向い、

今、島津隊の前はぽっかり穴が明いているのだ。

通常なら島津隊はこれを好機として、田中隊又は井伊隊の横あいから猛攻をかけるべきである。後ろを衝《つ》かれるおそれはあるにしても、充分の勝機はある。確かに島津の兵力は少ないが（千五百人）、剽悍《ひょうかん》のきこえ高い薩摩隼人《さつまはやと》に出来ないわけがない。それを……動かない。まるでこのいくさを他人事《ひとごと》のように傍観している。

三成は憤激した。すぐ家臣の八十島《やそじま》助左衛門を急使として走らせた。即刻、田中隊の側面を衝き、左近の隊と共に、両側からこの方面の東軍を磨《す》りつぶされよ、という口上である。

島津陣に駆け入った八十島助左衛門には、僅《わず》かながら心の奢《おご》りがあった。この合戦は勝ったと信じ、勝てたのは主君三成の力だと自然に思いこんでいた。その僅かな奢りが、助左衛門に致命的な行動をとらせる結果になった。助左衛門は、下馬して口上を述べる、という当然の軍礼を守らず、馬上のまま、居丈高《いたけだか》に、島津勢を責めるが如き口上を喚いたのである。

忽《たちま》ち反応が起った。手近の鎧《よろい》武者がいきなり抜刀すると、刀をかざして疾走して来た。

「下乗ばせんか、無礼もん！」

喚くなり斬《き》りつけた。助左衛門は危うく避けたが、馬が尻《しり》を斬られた。馬は猛然と走った。

三成の怒りは絶頂に達した。

八十島助左衛門は自分の無礼を報告しなかったのである。ただ、いきなり馬を斬られたことを告げた。

三成は自ら馬をとばして島津陣にかけこんだ。およそ一方の将たる者のすることではない。

馬をとびおりると、突き進むようにして島津豊久の前に立った。豊久は島津の前衛隊長であり、本陣にいる島津惟新入道義弘の甥《おい》に当る。

「内府殿は我が刺客の手にかかった」

切りつける勢いで云《い》った。

「勝利は疑いない。即刻兵を動かされよ」

「刺客？」

豊久がぎょろりと目を剝《む》いて三成を見た。

「成程」

唇《くちびる》が蔑《さげす》みのしるしにへの字になった。

「薩摩人は陰のいくさは好まぬ」

にべもなくいい放った。目に憎しみの炎がある。三成は何故《なぜ》ともなく狼狽《ろうばい》した。

「しかし……勝ちは勝ち……」

「さればお手前の手でお手前の勝ちを拾われよ。島津は一切加担致さぬ。また今更われらが力など無用のこと」

どうせ勝ったのだから、後は自分でやれ、というのである。汚い勝ちには名をつらねたくない、というのだ。

三成は無言で馬を返した。つっぱった肩が心なし悄然《しょうぜん》としていた。

実のところ、島津豊久の言葉は建前にすぎない。島津は汚い合戦を何回もして来た。むしろ得意といっていい。三成の言葉の中で、豊久を刺戟《しげき》したのは『我が刺客』の『我が』だった。三成は無意識に自分の手柄を吹聴《ふいちょう》したことになる。咄嗟《とっさ》に豊久の脳裏には、この合戦の後の三成の顔が浮かんだ。それでなくても頭《ず》の高い男なのである。常に己れの高潔さを誇り、他を見下す風がありありと見える。この合戦を己れの手で勝ちとったと思えば、その頭はより一層高くなるだろう。それがたまらなかった。今ここでその思い上がりに強力な一撃を加えておく必要がある。その直観が豊久にこの態度をとらせた。だが結果からいえば、豊久のこの直観は高くついたことになる。豊久はこの午後、敗走の中で戦死している。ここで島津勢が動いていれば、東軍の前線は切れ切れになり、やがては全面的な敗走につながったかもしれなかった。島津が動かなかったために、島左近の隊はやがて壊滅し、それは全線に及んだ。春秋の筆法をもって云えば、島左近は『家康暗殺』という窮余の手段によって、逆に自らを、そして西軍全軍を敗北に導いたといえるだろう。左近にとって、思いもかけぬ結末だった。

時に午前十一時半。

激闘が続いている。これほど熾烈《しれつ》な闘いは戦国の合戦の中でも珍しい。

西軍やや有利。

『内府死す』の言葉が全軍をかけ廻《めぐ》っていることを思えば、これは当然である。だが実際に戦闘に参加している西軍の数三万五千。

一万五千六百の兵をかかえた小早川秀秋は、まだ一歩も松尾山の陣を動いていない。

松尾山。標高三百メートル。

東西両軍の陣地を見おろせる恰好《かっこう》の位置にある。

小早川中納言《ちゅうなごん》秀秋は十九歳。激しく揺れ動く心を持った、顔色の悪い青年である。いや、むしろ少年といった方がいい。

太閤秀吉の正妻北政所《きたのまんどころ》の兄木下家定の子で、小早川隆景のもとへ養子に出され、筑前一国と筑後二郡、三十五万石を継いだ。血筋を考えれば、西軍に属して当然といえる。だが実状はそれほど単純ではない。

現に、秀秋を母がわりに育ててくれた北政所自身が、この合戦では家康の肩をもっている。その上、秀秋は秀吉に冷遇され、一時は三十五万石を没収され、越前北ノ庄(福井)十六万石に左遷《させん》された。旧領に戻ることが出来たのは、秀吉の死後、五大老筆頭だった家康のはからいによる。

まだある。小早川藩には二人の重臣がいた。平岡頼勝と稲葉正成《まさなり》である。養子の身で、しかも若年の秀秋は、この二人に頭が上がらなかった。二人の重臣の胸中にあるのは、藩の存亡だけである。秀秋個人に対する忠誠度など、なきに等しい。戦国生き残りのこの二人が、揃《そろ》ってこのいくさ東軍の勝ちと読んだ。平岡頼勝の妻は黒田如水の姪《めい》であり、稲葉正成の子も家康の近臣である。二人共、親徳川派といえた(稲葉正成の妻が後に三代家光の乳母となった春日局《かすがのつぼね》である)。だが小早川家にとっての不幸は、家康の会津攻めに参加しなかったために、石田三成の出兵要請を拒否出来なかったことだ。拒否すれば討たれるのは必定《ひつじょう》である。

藩を守るために西軍に与《くみ》せざるをえなかった。だがこの二人の重臣は、西軍として伏見城を攻めながら（城将鳥居元忠以下千八百余人玉砕）、一方で直ちに家康に使者を送り、詫状《わびじょう》と共に人質を差し出すことを提案している。家康はそれを認め、その結果としてここ関ヶ原松尾山の小早川陣営には、なんと徳川方の監察人が二人も来ていた。一人は家康の旗本奥平藤兵衛という老人であり、一人は黒田長政の家臣大久保猪之助《いのすけ》である。三成側西軍はこの事実を全く知らない。

だが家康方東軍にも知らないことがあった。それは九月十四日（即《すなわ》ちこの合戦の前日）付で秀秋に送られた西軍の誓書である。そこには、石田三成、大谷吉継、小西行長、長束正家、安国寺恵瓊《えけい》の連署で驚くべき約束が書かれてあった。

『秀頼公十五歳に成られる迄《まで》は、関白職を秀秋卿《きょう》へ譲り渡すべき事』

という一条である。二人の重臣に頭を抑えられ、内心うつうつたる秀秋にとって、これほど甘美な約束はなかったといっていい。秀秋は、関白の衣冠束帯《いかんそくたい》をつけた己れの姿を空想のうちに描いて、ほとんど陶然となった。稲葉、平岡の二人の重臣さえ、この一文がこれほど激しい影響を与えたとは思っていない。少年の心理を読むには余りに現実主義でありすぎたためだ。そこへ『家康公討死』の報が入った。

『家康公討死』

この一言は、秀秋の内心の秤《はかり》を大きく傾けさせる力をもっていた。

「石見《いわみ》！　石見！」

少年独特のかん高い声で叫んだ。石見とは平岡頼勝のことである。

頼勝がゆっくりとした足どりで近づいた。勿論《もちろん》、家康討死の噂は耳にしている。矢張り大きく動揺していた。その動揺を隠すために、わざとゆっくり歩いている。

〈策を弄《ろう》しすぎたか〉

今、この男はその思いに胸を灼《や》かれている。詫状にとめておくべきだった。人質を出すべきではなかった。まして東軍の監察を陣内に入れるべきではなかった。そうした諸々《もろもろ》の思いが心中に渦巻《うずま》いている。だがいくさ慣れしたこの男は、その動揺をちらとも見せぬ術《すべ》を心得ている。そういう時、この男の顔はひどく魯鈍《ろどん》な感じになる。

「聞いたか！」

秀秋の声は割れている。悲鳴に近い。

「何を、でございます？」

「内府殿討死！」

叩《たた》きつけるように云う。全身が小きざみに慄《ふる》えている。

〈危険だな〉

この場合何を危険と見なすべきか、確たる自信のないままに、頼勝はそう感じた。ほんの些《さ》細《さい》なきっかけで、この少年の心は、とんでもない方向に傾斜し、忽ち行動に移るだろう。暴走である。頼勝は益々魯鈍の装いを強くした。

「はて。一向に……」

「馬鹿《ばか》を申せ！」

秀秋にまできこえていることを、頼勝が知らないわけがない。

「内府討死となれば、我等の動きも、おのずから……」

正しく暴走しかけている。

頼勝が片手をあげてこの言葉を、いや、この暴走を抑えた。

「噂も作戦のうち。俄《にわか》には……」信じられぬと首を振ってみせた。

「まずこの眼《め》で見ましょう。殿もござれ」

本陣の端まで歩いていった。秀秋は走るようにして先に立った。

関ヶ原が一望の下にある。

凄《すさ》まじい闘いが左翼で展開されている。明らかに西軍が押していた。どの隊も、敵の陣内で闘っているのがその証拠だ。だが……。

頼勝が無言で一点をさした。

現在の陣場野附近に屯した、徳川譜代の旗本三万余騎。この乱戦に動ずることなく、粛として鎮まり返っている。突撃の命令を待っている姿だ。

そしてその中央に空所がある。本陣の中心。近習まで遠ざけて、家康その人と、本多忠勝の二人が悠然《ゆうぜん》と床几《しょうぎ》に腰をおろしている。

家康はせわしなく爪《つめ》を嚙《か》みながら、じろりと松尾山を睨《にら》んだ。

〈わしを睨んだ！〉

秀秋は一瞬身を引いた。それほどの衝撃だった。

「いかが？」

頼勝がきいた。秀秋は息を荒くしただけで応《こた》えない。

「内府さまにしては些《いささ》か落着きがないようで」

頼勝はわざと逆のことを云った。

「内府は爪を噛むのがくせだ」

果して秀秋が云った。

「だが、なぜ本多平八郎がそばにいるのだ？」

確かに御旗本先手侍大将のいるべき場所ではない。もっと前方で待機するか、或《あるい》は、井伊のように闘っているのが当り前の筈だ。

「それに影武者の姿がない」

家康の影武者は有名である。戦闘になれば必ずこの影武者は家康と共にいる。寄せ手側から見れば、二人家康がいるように見える。それが今は一人しかいない。家康が死んだか、影武者が死んだか、二つに一つだ。

「奇妙ですな」

頼勝は振り返って怒鳴った。

「遠目鏡を殿に……」

近習がとんで来て、遠目鏡をさし出した。秀秋がひったくるようにとって、眼にあてる。

そのレンズが、遠目にもきらり光った。

世良田二郎三郎は、その光に気づいた。

「平八郎」

声をひそめて本多忠勝に云った。

「お主、陣に戻れ」

「なんと？」

目を怒らせた。この男、図に乗ってこの大事のいくさに自ら采配《さいはい》を振うつもりか！

「秀秋殿がわしを遠目鏡で見ている。振舞に気を配れ」

本多忠勝ほどの男が仰天した。実は先刻から、この影武者の鋭さに驚かされ続けているのだ。

『内府討死！』

の噂《うわさ》がきこえた時、この影武者のとった第一の処置は、近習を遠ざけたことだった。理由は、その方が遠目で目立つからである。この処置が適切だったことは、戦闘がいまだに継続されていることで明らかである。どんなに噂が流れようと、馬上で伸び上がれば家康の姿が見えるからだ。それが闘っている東軍の武士を支えているのだ。しかもその家康は爪を噛んでいる。影武者世良田二郎三郎が嫌《きら》い、絶対に真似《まね》しなかった癖であることを、知る人は知っている。

「平八郎が本陣にいるのを疑っている」

二郎三郎のいう通りだった。家康にとって本多忠勝は、参謀ではなく斬り込み隊長だった。この大事な合戦に、斬り込み隊長を本陣に留《とど》めて置く馬鹿はいない。

「もう一つ。申しわけないことだが、殿の鎧を脱がせたてまつり、わしの影武者を作ってくれぬか。それで完璧《かんぺき》になる」

これももっともである。忠勝は大きくうなずくと、自分の陣営に駆け戻った。秀秋の遠目鏡がその姿を追っている。

「本多平八郎、陣に戻りましたな」

平岡頼勝が云った。鹿の角をつけた本多忠勝の兜《かぶと》は、派手で、遠目にもはっきり見える。

「……!」

秀秋はまだ迷っている。『関白小早川秀秋』の眩《まぶ》しいばかりの姿が、またしても、目の前にちらつく。だが、家康が健在で勝利を得れば、『関白』どころか生命が無い。

「殿」

頼勝が笹尾山を指した。狼煙《のろし》が上がっている。これは秀秋の即座の下山と出兵を促す、かねてからの合図である。

眼下の家康もこの狼煙を見たらしく、近習に何か喚《わめ》く姿が見えた。

一拍遅れて、陣場野からも狼煙が上がった。秀秋に裏切りを促す合図なのは明白だった。同じく下山して、大谷刑部隊の側面をつけというのだ。

だが秀秋は動かない。動けないといった方が正確かもしれない。

〈このまま合戦が終ってくれれば……〉

秀秋がそう感じていることは、はた目にもはっきり見えた。

頼勝が足早に本陣に戻りはじめた。見ると東軍側の二人の監察、即ち黒田長政の家臣大久保猪之助と家康の旗本奥平藤兵衛が、足踏みせんばかりの様子で、頼勝を招いている。猪之助は脇差《わきざし》の柄《つか》に手をかけていた。即座に行動に出ない気なら、刺し違えようと決心しているのだ。頼勝が近づいてしきりに二人をなだめている。

秀秋はこの様子をちらりと見ただけで、すぐ眼を家康に戻した。監察二人などどうでもいい。厄介《やっかい》なら殺すまでだ。そんなことより、問題はあの家康が本物かどうかということだ。

本多陣の方向から騎馬武者が一人疾駆して来た。馬を近習にわたすと、家康に近づき、隣の床几にどかっと腰をおろした。同じ南蛮胴の鎧《よろい》、同じ茶のほうろく頭巾《ずきん》。ただ面頬《めんぼお》をつけているので、人相は定かでない。

〈影武者か〉

秀秋は遠目鏡の焦点をしぼったが、はっきりは見えない。姿形があまり家康に似ていないような気がする。

似ていないのも道理で、これは本多忠勝だった。忠勝が自ら家康の鎧を着て戻って来たのである。

身長五尺一、二寸（一メートル五十五から五十八センチ）、自分で褌《ふんどし》をしめることも出来ないほど肥えた家康に似たいくさ人など、急場にみつかるわけがない。どうせ似ていないのなら、自分が行くべきだ、と忠勝は信じた。こうすれば、全軍の采配指揮と影武者の両方の役が勤まるわけだ。家康の鎧をつけながら、さしも剛毅《ごうき》の忠勝が不覚にも涙を流した。一生のうちにこんな場面があろうとは、考えたこともなかったのだ。

その忠勝に、世良田二郎三郎は、烈《はげ》しい語気で云《い》った。

「小早川陣に鉄砲をくらわせよ」

忠勝は仰天したといっていい。

二郎三郎の気持はよく判《わか》る。忠勝とて、煮えきらぬ秀秋の素ッ首を捻《ね》じ切ってやりたいほど、腹が立っている。相手が十九歳の少年だと思うと、余計いらだちがつのる。この天下分け目の合戦が、たかが十九歳のにきびづらの少年の行動によって勝敗を左右されるなどと、戦前に予想した者がいようか。

だが感情に流されるべき場合ではない。小早川一万五千六百の兵力は、今まさに関ヶ原の勝敗をわかつ、重大な力となっている。

「落着け！」

先刻までは家康に対すると同様の叮重《ていちょう》な言葉づかいだったのが、急に荒っぽくなったのは、家康の鎧を着けたためかもしれない。

「あの小僧を敵に廻《まわ》しては、このいくさは負けだ」

「違う！」

二郎三郎は床几を立った。

「今すぐその手を打たねば、その時こそ負ける。何故《なぜ》なら……」

二郎三郎は言葉を切って、大声で『使番』を呼んだ。

「孫兵衛を呼べ！　即刻だ！」

孫兵衛とは、家康の鉄砲頭布施《ふせ》孫兵衛のことだ。『使番』が前線に駆けた。

「何故なら？」

忠勝が叫ぶように問い返した。

「何故なら、殿ならば必ずそうされた筈《はず》だからだ！」

切り裂くように二郎三郎が応じた。

「金吾殿は今わしを疑っている。殿のなされようと違えば、一万五千の小早川勢は、この本陣に殺到するぞ」

忠勝は沈黙した。またしても二郎三郎の鋭さに圧倒されたのである。確かに家康ならばそうしたかもしれぬ。十九歳の少年はあくまで十九歳の少年である。家康から見れば小僧ッ子にすぎない。彼に一万五千六百の兵があるとはいえ、こちらにも手つかずの旗本三万がいる。秀秋が違約する気なら、ただちに松尾山に駆け上り、小早川勢を踏みつぶし、その勢いで大谷刑部隊の側面をつけばよい。

「やろう！」

一瞬の決断である。忠勝は吼《ほ》えた。

「全軍、乗馬！」

命令は走り、三万余の三河譜代の旗本たちが一斉《いっせい》に馬上の人となった。旗差物が風に鳴る。槍《やり》が一斉にあがり、鈍く光る林になった。恐ろしい光景だった。三河武士は剽悍《ひょうかん》と無類のねばり強さできこえた、恐らく日本一の戦闘集団である。その戦闘集団の一丸となった殺気は、松尾山の秀秋を戦慄《せんりつ》させた。

〈これが三河軍団か！〉

その時、激しい銃声と共に、小早川陣に夥《おびただ》しい弾丸が射《う》ちこまれた。布施孫兵衛と福島隊の堀田勘右衛門ひきいる銃隊の一斉射撃である。

時刻は十二時をすぎている。

前線の戦闘はいよいよ激しさを増していた。戦士たちにとって、昼食をとる時間は勿論、一服する暇もない。疲労はその極に達し、あとは気力一つで闘っている。

島左近の気力は、ほとんど無尽蔵かと思われた。身体《からだ》に三発の銃弾を容《い》れながら、重い大身の槍を軽々とふりまわして果てしなく疾駆を続けるのである。その馬前に立つ者は、ことごとく跳ねとばされ、或は突き落された。

〈生れついてのいくさ人だ〉

甲斐の六郎は自分も気力をふるい立たせて左近と並び、闘いながら、つくづくとこの猛将の人力を超えた働きに感じ入っている。

二人とそれに続く島隊は、今、黒田隊を突きぬけ、細川忠興と田中吉政の隊の中で闘っている。この闘いの激烈さは、指揮官の細川忠興自身が三人の息子と共に『自身太刀討《たちうち》』して闘わざるをえなかったという一事で察することが出来る（『細川忠興軍功記』）。

その左近が、ふっと馬をとめた。家康本陣の一斉射撃の音を聞いたのである。馬上で立ち上がるようにして、陣場野の方を見た。

六郎が馬を寄せて、これは猿のように鞍《くら》の上に立った。同じ方角を見ている。

「松尾山を射っているぞ」

左近が六郎を見た。二人とも、家康と忠勝扮《ふん》する影武者を見ている。

「影武者です。いま一人は明らかに別人」

六郎が切り返す。

「判《わか》っている。だが影武者にしては、いい度胸だ」

左近も、今に至るも動かない小早川秀秋に既に裏切りを読んでいる。『内府討死』の噂がその裏切りを逡巡《しゅんじゅん》させていることも察している。だから「いい度胸だ」という言葉が出た。

六郎の胸を猜疑《さいぎ》が噛んだ。ひょっとして自分が間違ったのではないか。あの時刺したのは家康ではなく影武者の方だったのではないか。遠望する家康は、馬上にあってなお爪を噛んでいる。影武者は爪を噛まなかった。だから爪を噛む方を本物と見定めた。だが……。居ても立ってもいられぬ思いだった。もう一度、家康の本陣にかけこんで、この眼で確かめるしかない。だがどうやって確かめたらいいのか。確認のきめ手は何だ？　猜疑心という心内の虫の恐ろしさは、その果てしない堂々めぐりにある。六郎はほとんど絶望した。

「いま一度……」

六郎は眦《まなじり》を決して叫んだ。なんとしてでも家康本陣に斬《き》り込む決意をしたのだ。確認の法はない。絶対ない。とる手はただ一つ。影武者を殺すことだ。

〈迂闊《うかつ》だった!〉

あの時、本物と影武者を二人とも殺すべきだった。そうしていれば自分は死んでいただろう。だが少なくともこんな迷いはなかった筈だ。六郎は後悔のほぞを噛んだ。

左近が六郎の鎧の草摺《くさず》りを摑《つか》んだ。鞍の上に引き戻した。

「やめろ!」

「行きます!」

振りはなそうとしたが、腰が動かない。左近の凄まじいまでの膂力《りょりょく》であった。

「迷うな。己れを信じろ」

左近の眼が優しかった。

「わしはお主を信じている」

六郎の胸が迫った。涙がつき上げて来た。

「合戦は生きものだ。そこが面白い」

にやっと笑った。家康暗殺でさえ、絶対の手段ではないと左近は云っているのだ。どこまでいっても勝敗は時の運である。そこが厄介なところであり、そこが面白いところだ、とこの根っからの現実主義者である『いくさ人』は云っているのだ。

「人には夫々《それぞれ》の役がある。お主の役は終った。あとは楽しめ。わしも楽しむ」

左近は天を仰いで哄笑《こうしょう》した。既に小早川勢の裏切りを確信している。小心な秀秋が、今の一斉射撃に反応しないわけがない。そして小早川勢の裏切りは西軍の敗北を意味する。勝敗の帰趨《きすう》はきまった。後は存分に戦闘を楽しんで死ぬしかない。そう覚悟をきめたのである。

「行くか」

いうなり馬腹を蹴《け》った。頭上で大きく槍を振る。槍先から炎が吹き出るようだ。さながら阿修羅《あしゅら》の姿である。馬がとび出し、ゆく手に血風があがった。

「島左近の槍が火を吹いている」

敵兵は恥も外聞もなく、算を乱してこの灼熱《しゃくねつ》の槍先をのがれた。

島左近の予想通り、徳川本陣からの一斉射撃は小早川秀秋を驚愕《きょうがく》させた。数発の弾丸が秀秋の身体を掠《かす》めた。更に一弾が僅《わず》かにその頰を掠った。鮮血が吹き出した。秀秋は呆《ほう》けたように突ったったままだ。全身が麻痺《まひ》して動こうにも動けない。

「殿！」

平岡頼勝がすっとんで来て、力ずくで本陣に曳《ひ》きずり込まなかったら、秀秋は弾丸に射ち抜かれるまで立ちつくしていたかもしれない。

幕舎の中へ入ると、急に身体が慄《ふる》えて来た。歯の根もあわぬ口から、老人のような声が出た。

「内府……内府がわしを、射った……」

「左様」

「あ、あれは……内府だ……内府でのうては……わしは射てぬ」

「左様」

「急げ！　兵を進めよ！　内府はわ、わしを殺す！　殺されるのはいやだ！　早く……」

「兵を……どちらに進めますか」

頼勝は判り切ったことを敢《あえ》てきいた。ここは明確に秀秋に命令させなければならない。

「しれたこと……大谷刑部を討つ！」

ほとんど四時間に及ぶ秀秋の動揺が終った。小早川勢一万五千六百は喚声をあげて、味方の筈だった大谷刑部隊の側面へ殺到した。

時に午後一時。

大谷刑部吉継は古今の名将である。

この日も小早川秀秋の裏切りを、かなり早い時間に読みとり、あらかじめ備えがあった。だから、小早川隊が突然鉄砲を乱射しながら殺到した時も、少しも驚かず、即座に六百の選りすぐった迎撃隊をさし向けた。

この部隊は、小早川の裏切りに怒りたけっている。凄《すさ》まじい猛気を示して奮戦し、忽《たちま》ち小早川隊の前衛を五百メートルも後退させ、三百七十余人を討ち取ったという。小早川陣に監察のために遣わされた、家康の旗本奥平藤兵衛も、この緒戦で死んでいる。

世良田二郎三郎も本多忠勝も、この見事な迎撃ぶりを見ていた。

「流石《さすが》は刑部吉継。金吾殿など相手にならぬ」

二郎三郎がほとんど惚れ惚《ぼ》れと云ったが、そんなのんきなことを云っていられる場合ではないのは勿論《もちろん》である。ただちに本陣全軍に出撃の命令を下した。三河軍団三万が、今、はじめて戦闘に参加したのである。総攻撃だった。圧倒的な兵力であり、強さだった。

この時点で、西軍の実際兵力三万五千に対して、東軍の兵力は従来の八万に更に裏切りの二万（小早川のみでなく脇坂・朽木《くつき》等を含む）、しめて十万にふくれ上がっている。実に西軍の三倍近い兵力だ。

大谷隊は忽ち潰滅《かいめつ》した。

大谷刑部は小早川軍に正対して、

「人面獣心なり。三年の間に祟《たた》りをなさん」

と叫んで腹を切ったといわれる。小早川秀秋は二年後の慶長七年（一六〇二）十月に狂乱して死んだ。

次いで小西行長の隊が崩れ、宇喜多秀家の隊も潰走した。両隊とも、それまでは勝ちいくさで、思いきり深く敵陣の中に突出していた。その伸びきった横腹に三河軍団の強烈な打撃を受けたのである。今までの勝勢がそのまま敗北の原因になる。ここに合戦が生きものといわれる所以《ゆえん》があり、面白さがあるといえようか。

笹尾山の石田三成は、茫然《ぼうぜん》自失していた。正直なにがなんだか判らないうちに、大谷隊、小西隊、宇喜多隊が潰走し、東軍は今や全力を集中して石田隊攻撃にかかっている。

〈どうしてこんなことになったんだ！〉

いくら考えても判らなかった。絶対に負ける筈のないいくさだった。兵力にまさり、緒戦に敵の総大将を斃《たお》し、それで尚《なお》かつ負けるなどと考える武将がいるわけがない。どんな軍学者にきかせても、信じて貰《もら》えないような敗戦なのである。

だが現にいくさは負けている。

全身に返り血を浴びた蒲生郷舎が馬をとばして来た。ひらりととびおりるなり云った。

「お腹を召しますか、殿」

「わしは死なぬぞ。こ、こんな馬鹿《ばか》げたいくさで死ねるか！」

三成の声は悲鳴に近い。こんな不条理な敗北は認められない。理論家の三成はそう云っているのだ。

結局、石田三成は鎧《よろい》を脱ぎ、農夫の姿に変って伊吹山方向に落ちていった。

蒲生郷舎は三成のために時を稼《かせ》ぐべく、猛烈果敢に闘った末に討死した。

ここに西軍は完全に潰《つい》え去った。島津家の古記録によれば、この西軍総敗北の時刻は『未《ひつじ》の上刻』即《すなわ》ち午後二時だったという。戦闘開始から実に六時間である。

だが東軍にとっては、まだ戦闘は終ったわけではない。奇妙にも最後まで戦闘に参加することなく傍観の姿勢を保っていた島津勢が、放胆にも東軍の中を横断して、伊勢路に向うべく撤退を開始したためである。

六十六歳の島津惟新義弘以下千五百。数こそ少ないが剽悍をもってきこえた薩摩隼人の軍団である。石田三成に対する意地から戦闘不参加をきめこんだが、思いもかけぬ西軍の大崩れによって危機に瀕《ひん》し、あくまで『島津の意地』を貫くために敢て敵中突破を計ったものである。勿論《もちろん》全滅を覚悟した『死兵』である。だが東軍にも武人としての意地がある。敗軍といえどもみすみす目前を通過させられるものではない。福島、小早川、本多、井伊などの東軍諸部隊が、一斉に島津勢を追った。

不戦の原因を作った島津豊久は、本多忠勝の手の者に囲まれ、七、八本の槍《やり》によって数度空中に投げ上げられた末、猩々緋《しょうじょうひ》の陣羽織が粉々になって四散するという無残な死をとげた。四時頃《ごろ》、辛《かろ》うじて戦場を離脱した島津義弘の周囲を守る者は僅か数十名だったという。千五百人のうち千四百数十の薩摩隼人が、関ヶ原の草原を血に染めて死んだ。

だが犠牲者は島津側だけではない。追っ手の東軍の死傷者も夥しかった。井伊直政と松平忠吉の二人は、島津勢の銃撃を受けて負傷している。井伊直政はこの時の傷がはかばかしく恢復《かいふく》せず、二年後の慶長七年に死んだ。

この島津勢の華麗ともいえる撤退作戦の間に、南宮山にいて動かなかった吉川・毛利・長束・安国寺・長宗我部《ちょうそかべ》の諸隊も、整然と、或《あるい》は散り散りに、伊勢或は近江をめざして撤退した。

関ヶ原の合戦は終った。

戦場は、午後四時頃から土砂降りの雨になった。

その雨の中を、主人を失った放れ駒《ごま》がいたずらに駆けまわっている姿が哀れだった。放れ駒の数は千五、六百疋《びき》だったと記録にある。

雨のふりしぶく草原には、旗差物が散乱し、人馬の死体が折り重なって倒れている。流れる水が赤い。この合戦の死傷者数は、諸書によってまちまちである。西軍の死者三万二千六百、というのから、八千余人、四千余人と諸説がある。どの数字をとっても、一日の戦死者数としては未曾有《みぞう》のものだ。

その死者の中から、むくりと顔をあげた者がいる。甲斐の六郎だった。槍で頭を強打され、落馬失神していたのである。身近の死体を眺《なが》め廻《まわ》したが、島左近のものはない。

東軍の本陣とおぼしきあたりで、勝鬨《かちどき》があがった。

六郎は立ち上がろうとして横転した。顔をしかめて膝《ひざ》の傷を見た。暫《しばら》く傷を撫《な》でてから、落ちていた持槍をつかみ、それを杖《つえ》にして、慎重に立った。今度はうまくいった。顔を仰向けて落ちてくる雨水を飲んだ。

もう一度、勝鬨がきこえた。六郎はその方向を見た。雨のせいで何一つ定かには見えない。

〈そうか。負けたんだな〉

ぼんやりそう思った。なんとなく現実感がない。悲愴《ひそう》感もない。思い出してみると、天目山の敗戦の時もこうだった。虚脱感というより、解放感があった。

〈とにかく終った〉

その思いが強い。唄《うた》えるものなら、唄の一つも出したいような、軽やかな気分だった。だが今度は、その気分にちょっぴり引っかかるような翳《かげ》りがある。

〈内府のことだ〉

翳りの理由はすぐに判《わか》った。自分の仕事に得心していないのである。なんとも釈然としない部分があって、それがもう一つ、気分をさっぱりさせてくれない。

〈本当にどっちだったんだろう〉

今となってもまだ六郎は迷っている。自分が刺したのは、本物の内府だったのか、それとも影武者の方だったのか、考えれば考えるほど判らなくなって来る。どんなに激しく頭を振ってみても、迷いは離れてくれない。虫歯の穴の中に何か堅い異物が入って、いつまでも舌にさわるのに似ていた。

〈こりゃァ駄目《だめ》だ〉

諦《あきら》めたのではなかった。現に六郎は片足を曳きずりながら、ゆっくり勝鬨のする方へ歩きはじめている。もう一度やるしかないと決心したのだ。そうしない限り、自分の心から痛みといらだちは生涯《しょうがい》消えることはあるまい。人は執念と呼ぶかもしれない。だが六郎にとっては、それは傷の手当と同じだった。家康をもう一度刺すことによってしか胸の痛みがとまらないならば、それを果すしかないではないか。危険など二の次である。どんなに危険な手術でも、それをしなければ死ぬというならするしかない。

だが六郎はその手術を果すわけにはゆかなくなった。

ようやく徳川方の軍勢が目に見えて来たあたりで、一人の男の死体にけつまずいたためである。それは島左近だった。それにまだ完全に死体にはなっていなかった。鎧を脱がせて胸に耳をあてて見ると、微《かす》かに鼓動が感じられた。六郎に一瞬の躊《ため》らいもなかった。

〈殺すより生かす方が先だ〉

雨の中で出来る限りの応急処置をした。呆《あき》れたことに、この初老のいくさ人は、前に受けた三発の銃弾の上に更に二発射《う》たれ、三カ所の槍傷を受けていた。六郎は左近をかつぎあげ、島津隊と同じ伊勢路に向って落ちていった。

雨は益々激しさを増し、落人《おちうど》には有難い黄昏《たそがれ》がおりて来ていた。

世良田二郎三郎は、この雨の中を陣場野から大谷刑部の陣のあった天満山に向って移動中だった。戦闘中、ついに一度も身につけなかった兜《かぶと》をかぶっている。これこそ勝って兜の緒をしめよ、という意味だなどと書いたものもあるが、馬鹿げている。それほど雨が強かったというだけのことだった。

二郎三郎は疲れていた。腰が抜けそうな疲労である。惰性で手綱を操り、馬を進めてはいるが、ただただ眠かった。どこでもいい、仮小屋を作って貰って寝ころびたい。今はそれしか頭にない。

誰かが強く身体《からだ》を押した。ものうく脇《わき》を見ると、本多忠勝が馬を並べている。心配そうな顔だった。

「気をお張り下さい」

また町重《ていちょう》なものいいに戻っている。二郎三郎は理由もなく笑い出したくなった。いつまで芝居をしているんだ。いくさは勝ったんじゃないか。

「大事な時です。お疲れの御様子を皆に見せてはなりませぬ」

冗談じゃない。ひとを何だと思ってるんだ。二郎三郎は喚《わめ》こうとした。だがそれだけの気力も出せず、呟《つぶや》くように云《い》った。

「わしの役は終った」

「違います。これからが正念場です」

忠勝も声をひそめ、だが強い調子でいった。

「首実検をしなくてはなりません。外様諸侯にもお声をかけてやらねばなりません。そんな沈んだお顔ではなく……陽気に、明るく、はずむように……それでこそ勝ちいくさの御大将……」

「御大将は死んだ」

二郎三郎は半ばやけになっている。何も彼《か》も面倒くさかった。すっぱり放《ほう》り出して、元の一介の影武者に戻りたかった。

一介の影武者！

突然、意識が醒《さ》めた。自分が既に影武者でなくなっていることに、はたと気づいた。

本物に死なれた影武者ぐらい滑稽《こっけい》で危険なものはない。なまじ本物に似ているところが厄《やっ》介《かい》である。生き残った者に、亡《な》き本物の俤《おもかげ》を思い出させるからだ。その思いは決してこころよいものではあるまい。

〈用心しないと斬《き》られる〉

自分が先刻口取りのすりと小姓の門奈助左衛門に抱いたのと同じ殺意を、例えばこの本多忠勝が抱かないとは限らないのである。

二郎三郎は横目でちらっと忠勝を見た。ひどく気むずかしい顔をしている。

〈早く逃げた方がいい〉

だが三万の旗本に囲まれた中から、どうやって逃げ出せばいいのか。十年の影武者暮らしは、自由な野武士時代の才覚とすばやい身のこなしを、二郎三郎から奪い去っていた。二郎三郎の胸を絶望が嚙《か》んだ。

〈もう少し芝居を続けるしかない〉

忠勝が二郎三郎の思念を読んだかのように、大きくうなずいた。

「すくなくとも中納言《ちゅうなごん》さまご到着までは」

忠勝がいった。

中納言さまとは中納言秀忠のことである。呆れたことに、この家康の後継者はいまだに主戦場たる関ヶ原に到着していない。この九月十五日、秀忠は三万八千の軍勢と共に中山道本《もと》山《やま》宿、現在の塩尻《しおじり》市にいた。美濃《みの》到着にはまだ四日の道程があった。

勿論、この時点では、忠勝も二郎三郎もそんなことは知らない。秀忠は今日にも着くと思っている。死んだ家康でさえ、九月六日付で福島正則に送った手紙の中で、秀忠は九月十日には美濃に着く筈《はず》だ、と書いている。

秀忠にとってこの遅参は生涯の痛恨事だったようだ。秀忠、この時二十二歳。初陣《ういじん》だった。遅参の理由は信州上田城にある。真田昌幸という老獪《ろうかい》な武将のゲリラ作戦にひっかかって、この城相手に八日間も釘《くぎ》づけにされたためである。しかも最終的には落城させることも出来ず、抑えの部隊を置いて、先を急ぐことになったのだから、何のための城攻めだったか判らなくなる。ちなみに上田城の兵力は二千余にすぎない。くり返すが秀忠の軍勢は三万八千である。合戦に慣れきった老将と、実戦経験のない若い大将の実力の差は、それほどのものだったのである。

「だが……」

二郎三郎はうしろを振り返ってみた。三万の旗本たちが、雨に濡《ぬ》れながら黙々と行進している。見ようによっては、恐ろしい圧力である。

「忠吉殿、井伊殿の目をのがれられようか」

井伊直政は忠勝と同じ徳川三人衆の一人であり、家康の腹心といっていい。松平忠吉は家康の四男である。いわば身内のようなこの二人の目を誤魔化す自信は、二郎三郎にはない。

「騒ぎになろう」

勝利をあげて本陣に伺候《しこう》してみたら、総大将が別人だったというのでは、騒ぎにならない方がおかしい。

「いや」

忠勝が力をこめて答えた。

「誓ってそうはさせませぬ」

忠勝は井伊直政に対しては自信があった。同じ御旗本先手侍大将であり、長年の友だ。それに直政は新参譜代である。もともと今川氏の家臣だったのが浪人し、天正三年に家康に見《み》出《いだ》されて仕えている。生粋《きっすい》の三河譜代の忠勝に遠慮があった。忠吉についていえば、この御《おん》曹子《ぞうし》の妻は直政の娘だ。直政さえ抑えられれば、忠吉も従う筈である。しかも忠吉はほとんど家康と暮らしを共にしていない。

二郎三郎は、みじめな笑い声をあげた。

「どちらにしても、えらい賭《か》けだな」

忠勝の目が一瞬怒りできつくなった。

「賭けをはじめたのは、わしではない」

確かに咄嗟《とっさ》に家康の死を隠したのは、二郎三郎である。

「いくさが終るまでのつもりだった」

そのいくさには勝った。もう自分の役は終った。二郎三郎はそう喚きたかった。

藤古川台地。天満山の西南である。

大谷刑部吉継の本陣のあった場所に近い。

徳川の本陣はここに移された。三ツ葉葵《あおい》の陣幕が張られ、大馬印と軍旗が立てられる。

何故《なぜ》、本陣が陣場野からここへ移されたのか、理由は不明である。雨を避けるためだったという説がある。この場所には前夜大谷刑部が身体をやすめた小屋があった。そこを雨宿りに使ったという。真偽のほどは判らない。八坪ばかりの藁葺《わらぶき》屋根で納屋《なや》に近く、入り口に戸もなく小窓があるだけ。中は土間で、土間の半分に畳が敷かれていたという。だがこれは翌十六日の宿舎だという説もある。当時、小屋道具といって、組み立て式の小屋から調度まで戦場に持ち運ぶのが流行していたが、家康はこの風潮を軟弱と見て嫌《きら》っていたそうだ。

もう一つの移動の理由は、ここが中山道に最も近い陣所だったということだ。どうもこちらの方が当っているような気がする。影武者世良田二郎三郎も本多忠勝も、それこそ首を長くして嗣子である秀忠の到着を待っていた筈である。家康の死という重大な事態に対処するためだ。これだけは、秀忠ぬきでは、決定は愚か会議することも出来ない。誰と誰を会議の列に加えるかという一事をとっても、大問題だ。徳川三人衆の一人榊原《さかきばら》康政も、家康が最も信頼していた謀将本多弥八郎正信も、秀忠の陣営にいるのである。しかも決定は急を要する。秀忠軍が現れたら即座に人払いして対面できるように、二郎三郎と忠勝の二人が慌《あわ》ててこの藤古川台に移った気持はよく判る。

二郎三郎はまさに切羽詰まっていた。

黒田長政が一番手、福島正則が二番手、以下続々と東軍の武将たちが、この本陣を訪れて来た。いずれも報告という名目で己れの武功を誇り、御大将家康じきじきの感謝とねぎらいの言葉、更にはあからさまな恩賞さえ期待してやって来る。その一人としておろそかな扱いをすることは許されなかった。少なくとも現在大坂城にいる毛利輝元を追い出し、豊臣家の遺児秀頼を己れの手中にするまでは、一人の武将といえども大切である。毛利輝元が秀頼を奉じ、四万の軍勢と共に、天下の名城大坂城に立て籠《こも》ったら、関ヶ原戦の勝利など一挙に消しとんでしまうからだ。

負傷した井伊直政と松平忠吉が本陣に現れた時、二郎三郎の恐慌《きょうこう》はその極に達した。二郎三郎を影武者と見破れる者はこの二人をおいてない。だが直政も忠吉も疲労困憊《こんぱい》、そのうえ傷の痛みのため失神寸前だった。その様子が二郎三郎を大胆にした。近習に命じて薬をとりよせ、手ずから直政の傷に塗ってやったのである。残りの薬を忠吉にやった。塗ってやってはいない。家臣には見せる愛情を自身の子には断じて見せない。それが家康の家臣懐柔術であることを、二郎三郎はよく知っていた。本多忠勝はじっとその二郎三郎を見ている。

奇妙なのは小早川秀秋だった。

この関ヶ原随一の殊勲者は、いつまでたっても家康の本陣に姿を見せなかったのである。一つには、まだ家康の怒りを恐れていた。銃撃の効果はそれほど衝撃的だった。そしてもう一つには、この少年は、自分のひき起した結果の重大さと無残さに、狼狽《ろうばい》し且《か》つ恥じていた。藤古川台は大谷刑部憤死の地である。刑部の兵が次々と自分に向って果敢な、だがはかない突撃を繰り返しながら死んでゆく様を、秀秋は現実に見ている。

〈あの眼《め》だ〉

馬を疾駆させながら、或は野太刀をふりかざして徒歩で走りながら、大谷隊の将士の眼は、ひとしく小早川本陣の秀秋をひたと凝視していた。あの夥《おびただ》しい、憤怒《ふんぬ》と怨念《おんねん》の眼。

〈あの眼は生涯わしについて廻るだろう〉

秀秋は戦慄《せんりつ》している。『裏切り』と口で云うのはたやすいが、これほどずしりと心にのしかかってくる行為だったとは、ついぞ知らなかった。

〈わしは裏切り者だ〉

西軍の将兵は勿論《もちろん》、東軍の一兵卒に至るまで、いや、自分自身の部下でさえも、蔑《さげす》みの視線を送っているように思える。秀秋は小姓さえ遠ざけた幕舎の中で、ひとり頭をかかえて呻《うめ》いていた。雨の音までが、自分を咎《とが》めているようにきこえた。少年の心が傷つきやすいのは、今も昔も変りはない。秀秋は二年後の十月に悶死《もんし》している。『裏切り』がこの少年を殺したのである。

その秀秋の煩悶《はんもん》を、一時的にせよ救ったのは、世良田二郎三郎だった。

二郎三郎はいつまでたっても秀秋が現れないのに気づいて、家臣を迎えに出した。ようやく本陣に現れた秀秋の顔を一目見るなり、二郎三郎は少年の辛《つら》さと畏《おそ》れを察した。本物の家康にはない心の優しさが、二郎三郎にはある。二郎三郎はわざわざ床几《しょうぎ》を立ってこの十九歳の少年を迎えた。秀秋はわッと声を発し、地べたに這《は》いつくばって、しどろもどろに伏見城攻撃に加わったことを詫《わ》びたという。

「やくたいもない」

二郎三郎は微笑して云った。

「貴殿の本日の働き、莫大《ばくだい》である。伏見城の遺恨などありえよう筈がない。お心を安らかにもたれよ」

秀秋の双眼から涙がほとばしり出た。二郎三郎の優しさが、心に沁《し》みたのである。歯をかみしめて嗚咽《おえつ》を抑えながら、何故ともなく首を横に振った。二郎三郎は秀秋の絶望の深さを読みとった。

「これより……」

二郎三郎はますます優しい眼になっている。

「江州《ごうしゅう》佐和山に三成の居城を攻めねばならぬ。貴殿にその先鋒《せんぽう》をお願いしたい」

秀秋はあッと顔を上げた。先鋒は武門の誉れである。『裏切り者』にこれほどの栄誉を与えてくれるとは！

「かたじけなく……」

あとは声にならなかった。小早川隊はその夜のうちに佐和山に向って進撃を開始した。

夜が急速に落ちてきた。

なおも篠《しの》つく雨である。

二郎三郎は仮小屋の中に入った。衣裳《いしょう》を替え、あたたかい食事をとると、ようやく人心地がついて来た。横になったが、疲れきっているくせに目が冴《さ》えて眠れない。こめかみを揉《も》んだ。頭痛がする。首筋もきんきんに張っている。

〈当り前だ〉

こんな思いをして、首がこり、頭が痛くならない人間がいようか。

〈秀忠殿は何をしていられるのだ？〉

夜に入っても尚、秀忠の軍勢は到着していない。二郎三郎はたまりかねて、美濃赤坂まで人をやって様子を見させるよう、本多忠勝に命じた。無駄《むだ》だった。秀忠の先鋒さえ現れていないという。秀忠が現れない以上、二郎三郎はいつまでも、この気骨の折れる芝居を続けてゆかなくてはならぬ。明日は近江に行く。石田三成の佐和山城を攻め落すためだ。以後一方で西軍の掃討を続けながら、毛利輝元を懐柔し、大坂城から穏便に退去させねばならない。それには江州から一気に大坂へ攻め込んではならない。そんなことをすれば必ず戦闘になる。どこかでゆるゆると時を消しつつ、毛利調略工作を進める必要がある。家康がその場所を、大津ときめておいたことを二郎三郎は知っていた。だからこそ、家康はこの早朝、今度のいくさにつれて来た愛妾《あいしょう》お梶《かじ》の方を赤坂に留《とど》め、後に大津で会うことを約して、出陣している……。

〈お梶の方！〉

二郎三郎は愕然《がくぜん》としてはね起きた。

問題は秀忠や三人衆だけではなかった。あくまでも家康の芝居をやり通すとしたら、当然家康の側妾《そくしょう》群をなんとかしなければならない。家康と肌《はだ》を合わせたこの女性たちをたぶらかすことなど出来る道理がなかった。

この当時、家康に正妻はない。最初の妻築山殿は天正七年（一五七九）、我が手で殺した。二度目の妻朝日姫は天正十八年に死んでいる。三男秀忠、四男忠吉を産んだお愛の方、三女振姫、五男信吉を産んだ於都摩《おつま》の方は既に亡く、江戸には次女督姫を産んだ西郡《にしごおり》の局《つぼね》と六男忠輝、七男松千代を産んだお茶阿の方、四女松姫を産んだ間宮氏の三人がいる。次男秀康の生母お万の方は、既に老いて秀康と暮らしていた。伏見城には聡明《そうめい》のきこえ高い阿茶ノ局と懐妊中のお亀の方、お仙の方、お竹の方の四人がいたが、三成の挙兵によって現在は淀《よど》城に難を避けている。最後に問題のお梶の方がいた。

お梶の方（お勝の方、お八の方ともいう）は、『徳川幕府家譜』に特に『他に勝《すぐ》れ御愛妾なり』と書かれた女性である。江戸を開いた太田道灌《どうかん》四代の孫太田新六郎康資《やすすけ》の娘で、天正六年（一五七八）十一月九日に房州湊《みなと》で生れ、天正十八年、十三歳の時召し出されて家康に仕えたとある。その寵愛《ちょうあい》ぶりは、会津討伐の遠征に伏見から江戸に随行し、今また江戸から関ヶ原まで来ているという一事からも察することが出来よう。家康が片時も手放したくなかった女なのである。

お梶の方は気性の激しい女性である。感情の振幅が並の女より遥《はる》かに大きい。非常に聡明だったが、その聡明さは家康の側妾第一といわれる阿茶ノ局とは違っていた。対照的ともいえる。阿茶ノ局はすべてに円い。身体《からだ》もたっぷりとして、けっして美人ではなく、いつもにこにこ笑っている。誠実さがそのまま顔に現れているようで、何よりも人をほっとさせる女性だった。だから男にも女にも好かれた。特に女は一目見るなり心を開き、どんな秘め事も打ち明けて相談したくなる。局は親身になって聴き、やがて非常に適切な意見を述べる。人が局の聡明さに驚くのはその時だ。この手の聡明さは絶対に敵を作らない。だからこそ家康は、奥むきの事だけでなく、政治上のことでも屢々《しばしば》局を使ったのである。一方、お梶の方の聡明さは、錐《きり》の鋭さをもつ。なにげない言葉、さりげない仕草一つから、敏感に人の心を知り、即座に反応を起す。この資質のためにお梶の方は他の側妾をしのぐ繊細な心くばりで家康を包みこむことが出来たのであり、家康の寵愛第一の地位も確保出来たといえよう。

だがそれはそのまま世良田二郎三郎にとって、最も顔を合わせたくない女性にさせる原因になっている。二郎三郎にすればごまかすことなど論外であり、下手をすれば一騒動をまぬがれえない相手である。騒がれたら最後、家康が贋物《にせもの》であることは忽《たちま》ち外部に洩《も》れる。江戸城内ならまだしも、旅先ではこうした漏洩《ろうえい》を防ぐことは難しい。

〈よりによって……〉

二郎三郎は溜息《ためいき》をついた。阿茶ノ局だったらどんなに楽だろうと思う。『徳川家の御ため』という一言で、局なら納得するし、進んで協力してくれる筈である。いや、阿茶ノ局でなくてもいい。いま淀城にいる三人の若い側室の誰でも、驚愕《きょうがく》はするだろうが、説得はたやすい。だがお梶の方だけは……。

〈その場で髪をおろすかもしれぬ〉

尼になって亡き家康の菩提《ぼだい》を葬《とむら》う……お梶の方のやりそうなことだ。先にもいったが、それほど感情の振幅が大きいのだ。尼になどなられたら終りである。なんとしてでも今までのように情のこまかい芝居を続けて貰《もら》わねばならない。

閨《ねや》の中のことも問題だった。

英雄色を好む、とは古来の定説だが、家康もその方面では仲々の男である。太閤秀吉のように手当り次第という漁色家ではなかったが、気にいった女性には執拗《しつよう》だった。絶倫といってもいい。現に、関ヶ原進撃の直前にも、赤坂の宿舎で、お梶の方と交っている。お梶の方づきの女中衆は皆そのことを知っている。常に側近にいる二郎三郎もそうだ。ついでにいえば、寝所は影武者の影働きの中で、戦場に次いで重要な場所なのである。武将が最も警戒心をとく所だからだ。二郎三郎はいつも当夜の家康と同じ寝巻を着て、寝所の隣室で寝ている。戦勝の後の大津城で、家康がお梶の方に手も触れないなどということは考えられない。そんなことをしたら先《ま》ず女中衆が怪しむだろう。だがお梶の方が贋家康と知ってそんな行為を許すわけがなかった。

二郎三郎はまさしく進退きわまったといっていい。

慶長五年九月十五日の夜を、最も困難な状況下で迎えたのは、西軍の落武者たちである。ばしっ、ばしっという音が、関ヶ原周辺のあらゆる場所できこえている。

これは落武者狩りの集団が、まるで鹿や猪《いのしし》でも探すように、丈の高い草むらや、木の蔭《かげ》などを棒で叩《たた》きまわっている音だ。集団は主として近在の農民である。当時の農民にとって、落武者狩りほど割のいい副収入はない。また自分達の農地を勝手気ままに戦場にされ、農地は散々に荒らされ、妻子を山の中に避難させなければならなかった農民たちの、せめてもの腹いせといった意味もある。

関ヶ原附近の農民の中には、一月後の十月中旬になっても、まだ山奥に隠れていた農民が少なくなかった。その証拠に十月十九日付で、奉行の間宮彦次郎が関ヶ原村の庄屋百姓に対して『帰村して麦作に従事すべし』という触れを出している。

農民たちの落武者狩りは残忍を極めた。必ず集団で、銘々が竹槍《たけやり》や鎌《かま》、斧《おの》などの得物を握りしめ、落武者を見つければ忽ち叩き殺し、鎧《よろい》、衣服を剝《は》ぎとり素ッ裸にして放《ほう》り出す。命から何から一切合財《がっさい》奪い去るのである。名のある武将と見れば、捕えて勝者側に差し出し多額の恩賞金を貰う。もはや人間扱いではない。そこにあるのは、憎しみと貪欲《どんよく》さだけだ。どんな勇将豪傑といえども、一人になって落ちてゆく時は、その力の大半を失っている。たとえ相手が兵法も知らぬ一介の農民とはいえ、その残忍さにうち勝つすべはない。戦場往来の武士たちは、誰もが常にこの落武者狩りへの恐怖を心に秘めていた。

夜半をすぎて雨が小降りになった。だが風は強く、濡《ぬ》れきった身体から、容赦なく体温を奪ってゆく。

甲斐の六郎は立ちどまって一息いれた。

まっ黒な林の中である。雨も風もここの方がしのぎやすい。

「おろせ。歩ける」

島左近が六郎の背で身体を動かした。やっと失神から醒《さ》めたらしい。驚くべき体力である。全身に五カ所の銃創と三カ所の槍傷を受け、夥しい失血にも少しもめげたところがない。短い言葉にも平常通りの力がある。

「しッ」

六郎が左近の唇《くちびる》を指でおさえた。左近を背からおろすと、濡れた地べたに耳をつける。すぐ立った。左近の耳に口をつけて囁《ささや》いた。

「登ります」

傍《そば》の木を指さす。左近がにやりと笑った。

「こりゃアいい。久しぶりだ」

黒々とした木を見上げ、嬉《うれ》しそうに幹をなでた。まるで子供のように木のぼりを楽しんでいる。六郎はかがんで自分の掌の上に左近の足をのせ、ゆっくりと立ち上がった。左近は六郎の肩を踏んで軽々と枝に乗った。すぐ六郎が追いつく。同じ動作をくり返して、更に高みへ登った。音は一切消している。

不意にあたりがぼうっと明るくなった。

松明《たいまつ》が近づいて来る。松明の数は五本。松明を持った男の前後に一人ずつとして少なくとも十五人の人数がいることになる。

六郎はちらっと左近を見た。左近は木の股《また》にまたがり、面白そうに微笑している。どこまでも遊びと思っているような気楽さである。呆《あき》れたことに、近づいて来る農民たちを認めると木の枝をゆすってみせた。ぱらぱらと雨水が落ちる。六郎は肝を冷やして、左近の腕を摑《つか》んだ。左近は大きな口を開けて、笑う真似《まね》をしてみせる。さすがに声は出さない。六郎はお生がんだ。いたずらはやめてくれ、という意味である。まったくこの御大将は扱いにくい。生死の瀬戸ぎわでも、何をしでかすか判《わか》ったものではない。それもただの悪戯《いたずら》のためにだ。

農民たちは二十人を越えた。いずれも壮年の屈強な男たちである。

「いやァ確かに話し声だった」

先頭の若者が興奮して喋《しゃべ》っている。

「わしの耳は地獄耳だ。聞きちがえるわけがねえ」

「林の中じゃ声が木にぶつかってなァ、妙な具合に聞こえるもんだ。遠くの声が近く聞こえる。方角なんか判ったもんじゃねえ」

これはかなりの老人だ。この集団の長《おさ》かもしれない。

「いや、確かにこっちだ。それに近かった」

若者がいい張る。一同は散開して、各自の得物であたりを叩き廻《まわ》りながら、ゆっくりと前進してゆく。老人が松明を高くあげさせて、木の上をふり仰いだ。六郎が選んだ木である。低い枝にいたらみつかっていたかもしれない。

「鎧兜《かぶと》で木へ登れるかよ」

若者が馬鹿《ばか》々々しそうに毒づいた。六郎も左近も鎧はぬぎすてている。

一行は、ばしばし叩きまわりながら、ゆっくりと遠ざかっていった。

六郎は僅《わず》かに気を抜いて、もう一度左近を見た。左近はこの短い間に眠っている。それだけ体力を失っているのだ。

〈しばらく眠らせておこうか〉

一瞬六郎は迷ったが、思い返した。明るくなるまでに、出来るだけ距離を稼《かせ》がなくてはならぬ。一刻も早く人間の多い町に入りたかった。どんなに衣裳を変え、髪型を変えても、農村では左近のような男は目立って仕様がない。こんな大男で剛毅《ごうき》な顔をもった百姓などいる筈《はず》がない。山伏の姿にでもして、街道を歩かせるしかないのである。

「殿」

六郎は囁いて、左近をゆすった。左近は即座に目覚めた。

「行こう」

短くいうと、木をすべり降りた。さすが、といえた。六郎の考えを即座に読み、行動によって応《こた》えたのである。六郎もすべり降りると、大事にもっていた槍を、左近に渡した。左近の方が杖《つえ》を必要としていたし、そもそもこの槍は左近のものだったのである。

二人は黙々と歩きだした。風が樹々《きぎ》の葉を激しく鳴らした。なんとも心細い夜だった。

大津城

慶長五年陰暦九月十六日早朝。

徳川家本隊は石田三成の居城のある江州佐和山に向って出発した。既に昨夜のうちに、小早川秀秋、朽木元綱《くつきもとつな》、小川祐忠《すけただ》、脇坂安治の諸隊が、佐和山攻めのために進発している。井伊直政が傷を押して、軍監として同行していた。

この諸隊はいずれも西軍の寝返り組である。関ヶ原戦の戦闘も半ばを越えてから、東軍に参加した者ばかりである。当然ひけ目があった。佐和山攻めは、そのひけ目を消し、出来る限り点数を稼《かせ》ごうという悲壮なつぐないの行為だった。

家康の芝居を続けることを余儀なくされた世良田二郎三郎は、今日は乗馬を避け、輿《こし》に乗っている。関ヶ原戦の開始まで家康は輿を使っていた。四日前の九月十一日には、風邪をひいて熱を出し、清須で二泊している。昨日はほとんど終日、雨の中だった。本物の家康だったら必ず輿を使う筈《はず》だ、というのが二郎三郎の読みである。

今日の二郎三郎は、一夜の睡眠ですっかり疲れがとれたように、活気に満ち、爽《さわ》やかな顔をしていた。動作もことさらに剽《ひょう》げているし、さかんに冗談をいっては側近の者を笑わせている。見ている者の胸の内まで、なにやら浮き立ってくるような、底抜けの明るさだった。いくさに勝った御大将はこうでなければいけない。総指揮官の明るさほど、配下の将兵の心を鼓舞するものはない。

無論、これは二郎三郎の演技だった。実のところ昨夜は、お梶の方への対応のしかたが気になって、一睡も出来なかった。朝が来て、髪を結い上げる時になって、二郎三郎は鏡の中の己れの顔に愕然《がくぜん》となった。顔色は蒼白《そうはく》で目は血走り、唇《くちびる》に色がない。こんな姿を部下に見せては、不安にさせるだけである。二郎三郎は急いで酒を飲み、更に頬紅《ほおべに》と口紅を薄く塗った。気力をふるいたたせて、剽げた所作と冗談を連発した。本当はいまにも失神しそうなほど疲労困憊《こんぱい》している。

〈ここで自分が死んだらどうなるだろう〉

そんな皮肉な考えが脳裏をかすめた。本当にいま死ねたら楽だろうと思う。だが死ねば徳川家は滅びる。

〈くそ息子にはいい贈り物ではないか〉

徳川家二代目を継ぐべき中納言秀忠は、今朝になってもまだ到着していない。まったく、くそ息子と罵《ののし》りたくもなる。雨にうたれた暗夜の行軍の中で、家康が長男信康のことを思ったのも当然だ、と今の二郎三郎は身に沁《し》みて感じている。なにもそんな不肖の倅《せがれ》に、苦労して天下の権を譲ってやらなくてもいいではないか。そんな不逞《ふてい》ともいうべき思念が、はじめて二郎三郎の心の中に、むらむらと湧《わ》き上がった。

〈結城《ゆうき》秀康殿の方が遥《はる》かにましだ〉

だが剛毅《ごうき》のきこえ高いこの次男は、上杉景勝への抑えのため遠い宇都宮にいる。

本多忠勝が馬をとばして来た。

輿に並び、二郎三郎を見た。

「今朝はことさらにおすこやかなご様子、忠勝、安堵《あんど》つかまつりました」

忠勝は本当に安心した表情になって云《い》った。

〈なにをぬかす〉

二郎三郎は指の先で頬紅を僅《わず》かにかき落し、黙って忠勝の手の甲に塗りつけた。この異様な振舞に、さすがに驚いたらしく、忠勝も無言で手の甲を見つめた。日に灼《や》けたなめし皮のような皮膚《ひふ》の上の一点の紅は、奇妙になまめかしい。やがて忠勝にも、この紅の意味が判《わか》った。さぐるように二郎三郎を見た。

「睡《ねむ》っておらぬ」

二郎三郎が囁《ささや》く。忠勝もうなずいた。

「手前も」

忠勝は徳川家の未来を思って、眠れなかったのであろう。それがそのまま言葉になった。

「問題は大坂城の輝元殿。すぐさま工作を始めなければ……」

「違うな」

二郎三郎は皮肉に口を歪《ゆが》めた。

「危機は大津にある」

忠勝の目が細くなる。大津城に関する情報を頭の中で整理している。やがて、きっぱり首を横に振った。

「それはありませぬ」

二郎三郎はいい張った。忠勝がまた首を振りかけるのへ、かぶせるように、

「お梶が来る」

「これは……」

忠勝は反射的に笑ったが、やがてその笑いが凍りついた。この時代の武将としては当然だが、さすが明敏な忠勝も、たかが一人の女が、徳川家の存亡を左右する存在になろうとは、夢にも思っていなかったのである。今、二郎三郎の指摘で初めてその可能性に気づいた。

「うーむ」

思わず唸《うな》った。思いもかけぬ伏兵である。

「誰がお梶に告げる?」

二郎三郎は追っ手をかけた。

「あれは尼になるぞ」

寵愛《ちょうあい》第一のお梶の方が尼になっては、二郎三郎の正体を隠し通すことは覚束《おぼつか》ない。

「お手討ちに……なさいますか」

恐るべきことを忠勝はいった。徳川家の存亡のためなら、正妻築山殿さえくびり殺させた家康である。愛妾《あいしょう》の一人や二人斬《き》ったところで、世間は不思議には思うまい。

「やむをえぬ時は……」

二郎三郎もうなずいた。昨夜、一晩かかった思案の末も、それしかなかった。

「男が必要だ」

理由もなく側妾を斬ることは出来ない。男と通じたという証拠が必要だ、というのである。忠勝はいやな顔をした。家康側近の前途有為の若者を一人、失うことになるからだった。

ややおくれて……。

美濃赤坂に接する岡山の頂上にある陣屋では、お梶の方が出立の用意をしていた。ここは大垣城の西北約四キロの小山で、昨日の夜半すぎまで家康の本陣が置かれてあった場所である。

お梶の方、この時二十三歳。

逸話がある。

或《あ》る時、家康が本多忠勝、大久保忠隣《ただちか》、平岩親吉を召して談笑していた時、談たまたま食べ物のことになった。食べ物の中で一番うまいものは何か、というよくある話題で、銘々が色んな意見を出し合っていい争った。家康のそばにいたお梶は、茶を煎《せん》じながらくすくす笑っていた。

「梶は何を笑っている？　存じ寄りがあるならば申せ。世の中で一番うまいものは何だと思う」

家康がきいたが、首を振って答えない。忠勝たちがはやしたてて答を迫ると一言いった。

「塩です」

一同意表をつかれ黙った。だが考えてみると味の基本は正しく塩に違いない。

「ならば天下で最もまずいものは?」

家康がまた尋ねた。

「塩です」

とお梶は答えている。確かに塩加減を間違えれば天下の珍味も台なしになる。この話は『故老諸談』にのっているが、この筆者は、『御前を始め伺公の人々、いづれも局が聡明《そうめい》に感じ、これ男子ならば、一方の大将うけたまはりて、大軍をも駆使す可《べ》きに、惜しき事かなとささやきけり』と結んでいる。

この逸話はお梶の方について多くのことを語っているように思われる。

第一にお梶の方の聡明さの種類についてである。うまいもの談議は当節もさかんだが、天下の珍味をふぐだとか、すっぽんだとか、鯛《たい》の頬肉だとかは云っても、誰も「塩です」とはいうまい。うまいもの談議の楽しさは、喧々囂々《けんけんごうごう》と争いながら、頭の中で各人のあげる素材を一々思い描き、その味を比較することによって、まるで現実に口に入れているかのような錯覚を起すところにある。「塩です」といわれては、忽《たちま》ち様々な幻想は吹っとび、白けてしまう。お梶の方の発想は抽象的にすぎる。確かに正確かもしれないが面白さがない。可愛《かわい》さがない。忠勝たちがそのことを感じなかった筈がない。それを「一方の大将うけたまはりて」と誉め上げたというのは、明らかにおもねりである。つまりそれほどお梶の方は家康に気に入られていたということになる。

ある意味では、お梶の方はいやな女だ。

抽象的にものごとを考えるというのは理が勝っているしるしであり、理の勝っている女性は、一般的にいって独善的であり利己的である。そして奇妙なことに非常に感情的である。自分の感情には極めて忠実で、それに理の裏うちをし、絶対的に正しいと思いこむやりきれなさがある。本来、理屈というものはどうにでもつくものだということを、この種の女性は知らないか、或《あるい》は知っていても知らないふりをする。同年代の男性にとって、この手の女性は、男を疲れさせ、時に破滅させる、悪女になる。だが年齢の差があると、つまり老人の男性から見ると、同じ悪女が『可愛い悪女』に変る。女性の方が変るのではなく、そうした性《さが》のすべてを見抜いた老人の目には、それがそのまま可愛くて仕様がなくなるのである。やんちゃな孫が可愛いというのと同質の感情といえようか。家康とお梶の方の年齢には、三十六歳の開きがある。この辺に、お梶の方を寵愛第一とした理由が求められるように思われる。

さきにあげた逸話には続きがある。家康の論評である。これを家康が座を白けさせるようなお梶の方のさかしらな発言を救うための言葉だったのではないかと思いながら読むと、非常に面白いので、次に掲げておく。

『君（家康のこと）また梶がこの語につきて、わが思ひ当りし事あり。凡そ天下国家を治むるものの、人の用ひ方によりて興りもすれ亡《ほろ》びもすれ。その差別をよく弁《わきま》ふべきなり。たとひ善人たりとも余りに用ひ過ぐれば、却《かへ》りて害を生ずるなり。悪人を退くるにも其《その》道道を得ざれば、思ひよらぬ禍《わざはひ》を引出すものなり。理なり。こは全く庖人《はうじん》の味をととのふると同じき亡《ほろ》びもすれ。……』

以下延々と続くのだが割愛する。家康の部下に対する間の悪さ、それをもっともらしい話で糊塗《こと》しようとする気持がみえみえで、具合の悪そうな、照れたような家康の表情までまざまざと見えるような気がするのだが、思いすごしだろうか。

とにかく、この慶長五年九月十六日の朝、お梶の方は出立を急いでいた。関ヶ原戦の勝利の報は、昨夜のうちに届いている。お梶の方は、一刻も早く、家康公のそばにかけつけたかった。身近にいて身の廻《まわ》りを世話し、労《つか》れをとってやりたいという気持からではない。勝者として、敗者石田三成の居城佐和山の陥落を誇らかに見、天下の覇者《はしゃ》の愛妾として全軍の将兵から羨望《せんぼう》の目で見られたいというのが、お梶の方の強い願望だった。このいくさに勝てば、家康が名実ともに天下第一の武将になることは、お梶の方にとって既知の事実だった。会津征伐のため伏見を発《た》って江戸に向う道中から既に、家康は閨《ねや》の中でその話ばかりしていたのである。待ちに待ったその晴れの日が来た。お梶の方が心いそいだのも当然といえる。そこへ出立中止の命令が来た。

命令は家康からだという。

九月二十日までには大津城に入るから、それまで岡山の本営に留《とど》まれというのだ。

お梶の方は怒るより先にあっけにとられた。考えられない事態だった。お梶の方は家康の生理を知悉《ちしつ》している。開戦の前夜である十四日の夜も家康はお梶の身体を激しく責めたてている。五十九歳の年齢を忘れさせるような濃厚な愛撫《あいぶ》だった。お梶がそれを口に出すと、家康は笑った。

「合戦の前はいつもこうだ。男は結局なによりも生命のやりとりが好きなのだな。合戦の予感だけで、これだけ燃え上がるのだから」

そして更に笑いながらつけ加えた。

「合戦の後はこんなものではないぞ。気が荒らぶって、もっともっと激しく交らねばおさまらなくなる。楽しみにしておれよ」

身体《からだ》がもちませぬ、とお梶がいうと、では他の女子《おなご》を呼べというのかとからかい、その言葉に刺戟《しげき》されたように、更に濃密にお梶の身体をまさぐった。細身《ほそみ》の女は閨に強いというのは古来の伝承だが、お梶の方もすらりとした柳腰の女性《にょしょう》である。当然ひとなみ以上に色好みだった。家康はそれをよく知っていたし、寵愛の理由はその辺にもあった。昼間の小憎らしいほどの気位も、男なみの勝ち気さも消しとんで、悶《もだ》えに悶えるお梶のやわ肌の正直さを、家康はこの上なく愛した。家康もまた、尋常ならざる『好き者』だったといえよう。

その家康が、二十日まで来るなといっている。これは合戦が終って、五日間も、女気なしですごすということである。家康の生理から見て、考えられうることではなかった。他に女が出来たか、それとも家康の肉体に閨に耐えることの出来ない何ごとかが生じたか、二つに一つである。関ヶ原の合戦は城攻めではなく野戦である。新しい女子を手に入れる可能性はない。だとすれば、理由は後者としか思えない。

〈殿がお怪我《けが》をなされた〉

お梶の方はそう信じこんだ。それも、五日間というのだから、軽い怪我ではあるまい。お梶の方の顔色が変っている。家康なくして、今の自分の権勢はないことを、お梶の方はよく知っている。そして、家康ほどの男を捉《とら》えられるのは、閨の中をおいてはないことも、熟知している。お梶の方には苦い思い出があった。

お梶の方は、家康に棄《す》てられたことがある。後に『智恵《ちえ》伊豆』と仇名《あだな》された老中松平伊豆守信綱の養父、松平右衛門大夫正綱という近習に、或る日、突然、嫁にやられたのだ。若いお梶の方を不憫《ふびん》に思って、同様に若い近習とめあわせたのだと解釈する人もいるが、お梶の方の気持からいえば、これは明らかに棄てられたとしか考えられない。家康はお梶が気に入らないから、まるで猫《ねこ》の子のように、家臣にくれてやったのだ。現代人から見ればひどい話だが、この当時では珍しいことではない。だが当の女性が激しい屈辱感にさいなまれることは、今も昔も変りはない。

家康が後家好みなのは周知の事実である。三男秀忠と四男忠吉を産んだお愛の方、六男忠輝を産んだお茶阿の方、九男義直を産んだお亀の方、阿茶ノ局、すべて寡婦《かふ》だ。今風にいえば、未亡人である。理由は明確ではない。家康の好色の傾向を示すものとしか、いいようがない。正に豊臣秀吉の好色と対極をなしている。秀吉は名家のしかも年少の娘が好みであり、家康は卑賤《ひせん》の、とはいえないまでも、身分の低い、しかも閨の仕草に慣れ切った熟女を好んだ。この話は成り上がり者は上淫《じよういん》（身分の高い女性との関係）を好み、名家の出の者は下淫（身分の低い女性との関係）を好むという典型的な例としてよく使われるものである。とにかく家康がかたい蕾《つぼみ》よりも熟《う》れた果実を好んだことは明白だった。

お梶の方は身体の芯《しん》まで灼きつくすような深い屈辱感の中で、身に徹してこの家康の好色の方向を感じとった。羞《は》じらいや、つつましさは家康の好むところではないのである。それこそ獣のような赤裸で激しい交りこそ家康の好色なのである。心ばえや感性の細やかさより肉体だった。これは家康の頭の中で、女性の位置が低かったという証拠かもしれない。

お梶の方は復権を誓った。それだけ自分の資質を高く評価していたともいえる。この自分がたかが近習ごときの妻として、一生を終えてたまるか、という自負である。そのためにお梶の方のとった手段が異常だった。並の女性ならあてがわれた亭主殿との閨を嫌《きら》って、徹頭徹尾ふりまくり、それによって家康恋しさを表明しただろう。そのかたくなさにうんざりした亭主が家康に愚痴をいい、それをきいた家康が、あれはそれほどわしを忘れられないのかと鼻の下を長くして、もう一度自分のもとへ引きとってくれる……そんな陳腐な絵を描いてみたかもしれない。だがお梶の方は、家康がそんな甘い男ではないことをよく知っていた。そんな『可愛さ』ぐらい家康の嫌いなものはない、ということを鋭く感じていた。

お梶の方のとった手だては、まったく逆だった。毎日毎夜、亭主殿を責めたて、房事《ぼうじ》に励みに励んだのである。いかがわしい草紙のたぐいも読み、そこに書かれてあることを悉《ことごと》く実験してみた。いわば実験台にされた亭主殿はたまったものではない。何も彼《か》も忘れて房事にうちこめるような身分ではない。神経を疲労させる男の仕事が待っているのである。松平右衛門大夫は一月もたたぬうちにみるみる痩《や》せ、顔色も病人の蒼白《そうはく》に変った。驚いた家康の問いに、右衛門大夫は正直に答えた。ことの意外さに、家康は強い好奇心を示した。お梶の方を召し返し、閨を共にしてみた。お梶の変身は家康を深い愉悦に誘いこんだ。生娘《きむすめ》の顔と、熟れた年増《としま》なみの肉体と技術。その対照の妙が、しかと家康の心と身体を捉えた。寵愛第一といわれたお梶の方がここに誕生したのである。今、その地位が危険にさらされている、とお梶の方は直感した。

「いやじゃ。なんとしてでも参る」

お梶の方は断乎《だんこ》としていい張った。使者の困惑をよそに、さっさと輿《こし》の用意をさせる。使者は家康直属の使番だったが、この事態をどう処理していいか判らなかった。実は家康（実は二郎三郎）の厳命を受けて来ているのである。

「いかようのことがあろうと、お梶を岡山から動かすな。非常の手だてをとることもさし許す」

朝一番に呼ばれて、この言葉を受けている。お梶の方がいやじゃと申されましたので、ですむことではない。『非常の手だて』とはなにか。思案をめぐらすうちに、使番ははたと家康の真意に気づき、戦慄《せんりつ》した。これは『斬ってもいい』という意味なのだ。戦場において指揮官の命令は、何物にも先行する。従わざる者は斬る。当然のことだ。だが愛妾をも斬れとは……。しかし命令は命令である。一瞬、使番の眼《め》に殺気が走った。元来が愚直といっても いいほど融通のきかぬ三河譜代の家臣である。家康の命令とあらば、この眩《まばゆ》いほど美しい女人をも斬らねばならぬ。

お梶の方は素早くこの使番の殺気を読んだ。

〈この男はわらわを殺す！〉

衝撃が眼にあらわれた。思わず一歩退った。この一歩がお梶の方を救ったといえる。使番はこの瞬間に、別の手だてを思いついたからである。

無言で身をひるがえすと輿の前に立った。陣刀を抜く。異様なふるまいにおびえて、輿の者たちはさっと下がった。使番は陣刀を八双の構えにとると、裂帛《れっぱく》の気合と共にふりおろした。輿の棒が両断され、重い響きと共に地に落ちた。気合が続き、輿の棒は次々に四本とも切断された。もうかつぐことは出来ない。

お梶の方は茫然《ぼうぜん》とこの狼藉《ろうぜき》をみつめていた。

〈まだ馬がある〉

心の片隅《かたすみ》で負けぬ気が動いた。

「馬まで斬らせないでいただきたい」

なんとこの無骨な使番は、お梶の方の心を読んで沈痛に云《い》った。この言葉の意味は、自分に女人を斬らせないで欲しい、ということだった。それは逆に、どうしてもお梶の方が我を張るなら、斬ってでも止めるという強い意志を示すものである。

お梶の方は戦慄し、折れた。それしか法がなかった。

「ゆかねばよいのであろう」

ほとんど自棄《やけ》になって云った。云いながら久しぶりに家康を憎んだ。使番にこれほどの殺意を抱かせるような指令を与えた、家康を憎んだ。

〈みているがいい〉

無意識に唇《くちびる》を嚙《か》んでいる。

〈なんらかの形で仕返ししてあげる〉

遠く、家康のいる空をみつめた。

激しい憎しみは人を醜くするとは限らない。女人の場合はまったく逆のこともある。凄絶《せいぜつ》ともいうべきお梶の方の美しさに、使番は思わず息をのんだ。

家康に扮《ふん》した世良田二郎三郎は、佐和山へ向う輿の上で、夥《おびただ》しい禁制を出した。禁制とはその土地土地で、将兵が乱暴狼藉、放火、勝手な稲刈りなどをすることを禁じたもので、今日の言葉でいえば宣撫工作である。現存する九月十六日付の禁制を見ると、それが東山道（中山道）東海道の往還に沿った地方を中心に下されていることが判《わか》る。この禁制には勿論《もちろん》家康の花押《かおう》（サイン）はなく、朱印が押されているだけだ。

この時期、家康の花押のある文書は、九月十五日付で仙台の伊達《だて》政宗《まさむね》に送った書状だけである。だがこの書状の内容を見ると、早くも佐和山に着いたとか、大垣城を落城させた（実際の落城は九月十七日）とか、宣伝臭が強く、合戦の直後に書かれたものとしては緊張感もなく具体性も少ない。或は前もって用意した書状ではないかという感じがする。上杉景勝への抑えとしての伊達政宗の存在は重要であり、一刻も早く戦勝をしらせ安心させる必要があったことを思うと、益々そんな感じが強くなる。つまり家康は前もって、恐らく九月十四日夜にこの手紙を書いておいたのではないだろうか。

何故《なぜ》こんなことを云うかというと、関ヶ原合戦の直前と直後で、現存する家康の手紙の数に落差がありすぎるからだ。八月中、つまり関ヶ原に進撃を開始する以前の手紙の数は九十三通、九月一日に江戸を発し岐阜赤坂に到着するまでが三十四通。これに対して関ヶ原戦から大坂城到着（九月二十七日）までの間は僅《わず》かに十六通である。激減といっていい。しかもこの間に出された手紙は、感情を押し殺したような形式的な文辞のものがほとんどなのだ。これは、この合戦で家康が死んだことの、間接的な証拠にはならないか。

十年の影武者暮らしの中で、世良田二郎三郎は当然家康の筆蹟《ひっせき》までも真似《まね》た筈《はず》である。特に花押については、十二分に稽古《けいこ》していたことと思う。だが稽古と本番では違いがある。明らかに贋《にせ》の花押をしなければならなくなった時、二郎三郎の手は縮み、積年の稽古の成果を示すことが出来なくなったとしても、少しも不思議ではない。これがこの間の手紙の激減となって現れたと解釈してはいけないか。

佐和山に向う輿の上で、人目を忍んで懸命に家康の花押の練習をしている世良田二郎三郎の可憐《かれん》ともいうべき姿が彷彿《ほうふつ》としてくる。恐らく二郎三郎は、自分をこんな窮地に追い込んだ昨日の一瞬の決断を自ら恨み、ぶつぶつ口の中で呪《のろ》っていたかもしれない。だがどんなに恨み呪おうと、事態は変らない。今となっては、影武者世良田二郎三郎の運命は、全徳川家の運命と軌を一にしている。勝手気儘《きまま》は許されない。現に、ぴったり輿について馬を進めている本多忠勝の異常に緊張した眼が、明らかにそれを語っていた。

二郎三郎は深い溜息《ためいき》をついた。

悔恨と共に、家康の影武者になるまでの青春の日々を思い出していた。

世良田二郎三郎元信は、ものごころのついた時は府中（後の駿府《すんぷ》、今の静岡市）の宮《みや》の前《さき》町にいた。父も母もなく、『おばば』が育ててくれた。『おばば』の話では、父母ともに死んだわけではなく、父は加持祈禱《かじきとう》を世すぎとして旅から旅を重ねる漂泊の徒であり、母は自分を産むとすぐ、他家へ嫁いでいったという。

「国松にはとともかかもいりゃァせぬ。ばばがおる。それになァ、男は所詮《しょせん》ひとりで生きるものよ。ととやかかなど邪魔になるばかりじゃよ」

『おばば』はしょっちゅう、そういってきかせた。『おばば』なりに、両親のいない国松が不憫で、慰めてくれたのだろう。国松は二郎三郎の幼名である。それに不憫に思うにはもう一つわけがあった。それは国松のもって生れた体形だった。

異常なほどの短足なのである。胴長で、顔は人一倍大きいだけに、この短足はいやでも目立った。当然、ひとより走るのが遅かったし、走るのが嫌いだった。短足でこちょこちょ走る姿は滑稽《こっけい》で、ひとの笑いを誘うからである。子供の自尊心は、大人が考えるよりも大きい。だから国松はよほどの場合でないと走らない。ことさらにゆっくりと歩く。見ようによっては堂々としているのだが、堂々たるちびが子供たちの間でどうとられるかは想像にかたくない。なんとなく面憎《つらにく》い存在なのである。

宮の前町というのは、ささら者の住む町だった。ささら者とは本来説経師である。この説経とは説経節である。『山椒太夫《さんしょうだゆう》』や『石童丸』『百合若《ゆりわか》』などの語り物のことだ。祭りの日などに、寺社の境内や門前で、竹の先を細かく割った『ささら』をじゃらじゃらすり鳴らしながら、この説経を語る者を説経師といい、『ささら者』という。もともとは祭りから祭りを追って諸国をわたり歩く漂泊の芸人だったのが、いつ頃《ごろ》からかこの町に定着するようになったらしい。一所に定着しては、説経師だけでは喰《く》ってゆけない。だから、この宮の前町の『ささら者』たちは、今川時代から牢番《ろうばん》をつとめたというし、また灯心、付木などの専売を許されていたという。歳《とし》の暮になると『ささら者』の女たちは、笠《かさ》の上に裏白の葉としめ飾りをつけたものをかぶり、八寸の破竹を叩《たた》きながら『節季候《せきぞろう》』という次のような唄《うた》をうたって市中を歩き、銭を集めたという。

さっても、めでたい、節季候、御佳例替らず、檀那《だんな》の御庭へ、飛び込め、はね込め、サッサとござれや、節季候

そんな町の子供たちが生命力が強く、敏捷《びんしょう》で喧嘩《けんか》好きなのは当然である。生き残ってゆくにはしぶとさしかないのである。彼等がこの面憎いちび助を放《ほう》っておくわけがなかった。国松は、現代の言葉でいえば、いじめられっ子になった。

いじめっ子にとって、国松という子は全く面白味のない餓鬼だった。一切反応を示さないのである。なんと罵《のの》ろうと一言も口をきかない。ぎょろりと目をむいて睨《にら》んでいるだけだ。殴っても石をぶつけても、泣きもしなければ逃げもしない。黙ってつっ立って、痛そうな顔もしない。どこまでも面憎く出来ている。だからいじめっ子たちは、益々いらだち、かさにかかっていじめる。

或《あ》る日、国松がようやく反応を示した。その反応が凄《すさ》まじかった。どこから持って来たのか、点々と錆《さ》びの浮いた鎧通《よろいどお》し(幅広の短刀、戦場で敵の首を搔《か》くもの)で、いきなりいじめっ子の大将を刺したのである。倖《さいわ》い、いじめっ子が咄嗟《とっさ》に腕をあげて胸をかばったので、鎧通しは上膊部《じょうはくぶ》につき刺さり、生命に別条はなかったが、いじめっ子は筋を切られ右腕の力を失った。

『おばば』は驚愕《きょうがく》して直ちに国松を智源院という寺にあずけた。智源院は狐ヶ崎の処刑場にあった小さな末寺で、本寺は円光院という浄土宗の無縁寺だ。無縁寺とは、現代風にいえば一種の治外法権である。どんな大罪を犯した者も、そこに入ると俗世間との縁を切られ、つまり無縁になり、世間の法や復讐《ふくしゅう》をまぬかれることが出来る場所をいう。この結果国松はいじめっ子の一家の報復はまぬかれたが、その代償として幼くして無縁になった。無縁とは血縁の者と一切関係がなくなるということだ。だから『おばば』とも縁が切れ、以後頼ることが出来なくなった。この時、国松、僅かに七歳。ものごころついて以来両親はなく、たった七歳で『おばば』まで失い、以後天涯《てんがい》孤独の身の上になったわけだ。

その国松を育て、学問の手ほどきをしてくれたのは、智源院の智短上人《しょうにん》だが、国松はここにも二年しかいられなかったらしい。殺生《せっしょう》禁断の今川家菩提寺《ぼだいじ》増善寺で小鳥を獲《と》ったため、といわれるが真偽のほどは不明だ。とにかく九歳の時、国松の身の上にとんでもない災難がふりかかったのは、資料によって確認されている。資料とは大御所時代の家康の側近だった儒者林道春の『駿府政事録』である。これは駿府引退後の家康の行動を日を追って書いた記録だが、その慶長十七年八月十九日のところに次のような記述がある。尚《なお》、原文は漢文だが読みやすくしておく。

『慶長十七年八月十九日御雑談ノ内、昔年御幼少ノ時、又右衛門某ト云フ者アリ、銭五貫ニテ御所（家康のこと）ヲ売リ奉《たてまつ》ル。九歳ヨリ十八、九歳ニ至ルマデ、駿府ニ御座ノ由、語ラレ給《たま》フ。諸人伺候ノモノミナコレヲ聞ケリ』

聞いていた側近の者たちには全く理解出来ない言葉だったらしい。だからこそ林道春はわざわざこの件を書き録《しる》したのである。何故理解出来なかったか。家康について今まで語られた史実と余りにも違いすぎるからだ。明治三十五年出版の村岡素一郎氏著『史疑徳川家康事蹟』以来、諸々の『家康別人説』の端緒となったのは、実にこの一文だった。だが、それも慶長五年関ヶ原で家康が死んだとすれば、たやすく解読出来る。つまりこの幼時の話は、家康ではなく、影武者世良田二郎三郎元信自身のことだったのである。今川家の人質となっていた松平竹千代が、銭五貫で人買いに売られるわけがない。売られたのは、世良田二郎三郎、つまり国松だった。

国松が人買い又右衛門に売られた先は、酒井常光坊という願人《がんにん》だったという。いわゆる『願人坊主《ぼうず》』である。

願人とは本来勧進聖《かんじんひじり》と呼ばれた人々のことだ。この人々は、奈良・平安の昔から、小は一つの寺の仏像や鐘をつくるために、或《あるい》は寺院そのものをつくるために、大は橋を架け、港をつくるために、全国を行脚《あんぎゃ》し、人々の喜捨を仰いで廻《まわ》ったものである。だがこうして集める金の額はたかがしれている。そのため後代になると、時の権力と手を結んで、ある時は関を設けて通行料をとり、ある時は町や村に一軒いくらと割り当てて役人に徴集して貰《もら》うようになった。確かにこの方が早く莫大《ばくだい》な金は集まるが、権力と結びつくという点が、本来の勧進の意味からはずれている。明らかに邪道なわけで、嘗《かつ》て日蓮《にちれん》が鎌倉七道に木戸を構えて銭をとりたてた良観上人忍性《にんしょう》を非難攻撃したのもこのためだ。しかし現実的に考えれば、莫大な金を集める者の方が世俗的な力をもつのは当然の成り行きで、やがて一匹狼《おおかみ》的な勧進聖は卑小化し、遂《つい》に『願人坊主』などと軽蔑《けいべつ》される境遇に堕《お》ちていった。

国松は酒井常光坊の下で、この『願人坊主』の修行をたっぷり十年間積まされたことになる。この頃の願人は、諸国を廻って、行く先々で加持祈禱を行い、お札や護符を売るなりわいと化している。恐らく人寄せのためであろう、寒中に素ッ裸になり、裸足《はだし》で町を歩き、各家ごとに手桶《ておけ》一杯ずつの水を頭から浴びてみせたという。荒行といっていい。常光坊はこの役をもっぱら国松にやらせた。大の男が荒行をしてみせるより、子供にやらせた方が効果があるのは見やすい道理である。

その上、『願人坊主』にはもう一つ役割があった。諸国隠密稼業《おんみつかぎょう》、つまり情報蒐集《しゅうしゅう》業である。時代はあたかも戦国。群雄割拠というが、どんな小さな戦国大名でも、槍《やり》働きと才覚と運次第では大大名にのしあがる可能性のあった頃である。正確な情報は何よりも価値があった。そして情報を集めるには、この『願人坊主』のような漂泊の民が一番便利な地位にいた。

中世からこの時代にかけて、全国を漂泊してなりわいをたてて歩く多くの人々がいた。『道々の者』『道々の輩《ともがら》』『公界人《くかいにん》』又は『公界往来人』と呼ばれ、時に『渡り』と呼ばれたが、この人々はほとんどが『天皇供御《くご》人』(なんらかの形で天皇家に奉仕する人々)か、神社の神人《じにん》、寺の寄人《よりうど》の肩書をもち、『諸国往反《おうばん》勝手』という特権を与えられていた。これは敵対関係にある大名相互の土地にも自由に出入りが出来るし、関所や川、港でも、とがめられることなく、金を払う必要もないという特権である。どうしてそんなことが出来たかというと、彼等が『無縁』だったからだ。つまり俗世間とは縁を切られて、一切の利害関係をもたない、中立の人間だったからだ。この時代、戦国大名同士の戦いの仲裁人として必ずといっていいくらい僧侶《そうりょ》が出て来るが、それは殆《ほと》んどが無縁の『公界僧』である。中立という点を買われたわけだ。『願人坊主』にはそれほどの力はなかったが、その同類だったことに間違いはない。

国松はこの九歳から十八、九歳までの願人暮らしによって、心の奥底から、いわゆる『道道の者』の一人になってしまった。考えてみると、国松の父親もまた、この『道々の者』だった。顔も知らない父親だったとしても、身体《からだ》の中を流れている血は同じだったのかもしれない。

『道々の者』の特性は、その漂泊性のほかに『上ナシ』の心であるといわれる。『上ナシ』とは自分の上に他人を認めない、自分が誰かに使われるのを好まないということだ。現代風にいえば、自由人でありたいということになる。つまり国松は、根っからの自由人になってしまったことになる。

だから成人すると酒井常光坊も捨てた。自ら世良田二郎三郎元信と名乗り、純粋に一匹狼の野武士になった。当時の野武士は野盗ではない。時には野盗じみた所行をすることはあっても、本来は傭兵《ようへい》である。きまった大将を持たず平時はぶらぶらしていて、いくさが始るとどちらかに、金で傭《やと》われて槍《やり》働きをするのがそのなりわいである。

青年期を迎えても、相変らずの短足で、ちびである。上半身の筋力は凄まじかったが、足はおそい。だから懸命に馬術と刀槍の術にはげんだ。馬を自在に乗りこなせなかったら、進むにも逃げるにも人におくれることになる。当然、生命がいくつあっても足りない。刀槍の術もまた己れを守るため、また『いくさ人』として認められるために、必要欠くべからざる術だった。当時新兵器だった鉄炮《てつぽう》も習った。

大怪我をしない限り、傭兵商売は気楽な稼業である。傭われたといっても、金ずくの一時的なものであり、別段自由を縛られるわけではない。いくさが始るまでは、のみくいは自由だし、女を抱くことも自由である。戦闘が始ったら適当に闘えばいい。形勢不利と見たら、馬をかっ払っていちはやく逃げ出すことだ。主君に対する忠誠心など、もともとかけらもないのだから、良心に恥じることもない。運わるく戦死すれば、それまでのことである。何を思い患《わずら》うことがあろう。

こうして二年がすぎた。国松改め二郎三郎にとってすばらしい青春だったといえよう。活力に満ち、退屈する暇はなく、なによりも風のように自由だった。

三年目、永禄六年（一五六三）九月、二郎三郎の人生を一変させる事件が起った。三河一向一揆《いっき》である。

この一揆は、二郎三郎の運命を変えただけではない。この頃ようやく三河全土の統一を果し、七月に松平元康から家康と改名した、後の徳川家康の岡崎政権にとっても、その根底から覆《くつがえ》され、破滅させられかねない一大事件だった（ちなみに家康が『徳川』を名乗るのは三年後の永禄九年のことである）。理由は、自家の家臣たちの多くが、この一揆に参加したことにある。家康は自分の部下たちと戦わねばならなかった。

一向一揆を単なる宗教上の戦いと考えることは間違いである。

三河一向一揆以前にも、一向宗・法華宗の一揆騒動は全国各地で起っている。北陸では加賀の守護富樫《とがし》家が、そのために滅亡しているほどだ。一向宗の本山である大坂の石山本願寺の勢いは全国を風靡《ふうび》し、北近江の十箇寺は城主以上の力をもっていたという。

およそこの時期から三十数年間にわたって、一向一揆は、天下を統一しようとする時の政権と執拗《しつよう》無残な戦いを繰りひろげることになるのだが、この戦いは、乱暴ないい方をすれば、『自由』の『統制』に対する抵抗の戦いであったということが出来る。

『道々の者』の特徴は『上ナシ』の心だったと先に書いたが、当時の農民もまた同じ心の傾斜をもっていた。

『諸国ノ百姓、ミナ、主ヲモタジモタジトスルモノ、多クアリ』

『主ヲモタジモタジトスル』とは税金をおさめることを嫌《きら》うということだ。検地などという余計なことをして貰いたくない。検地とは税金をとりたてるための方便だからだ。自分の田畑に自分が労働して作った作物を、何故他人にとり上げられねばならないか。それを力ずくでとり上げようというなら、土地を捨て、税金のない土地へゆくか、流浪《るろう》して『道々の者』の仲間に入ってやる。そうすれば国はつぶれるだろう。事実、この土地を捨てる行為を『逃散《ちょうさん》』といい、中世からこの頃まで、農民の国主・守護・大名に対する最も有力な抵抗の手段だったのである。

こうして『主ヲモタジモタジトスル』農民たちと、『上ナシ』を生活条件とする『道々の者』たちが、自然に集ってゆく場所はどこか。それは『(権力)不入ノ地』といわれた『公界』か、同様に世俗の権力の入らない『寺内《じない》』である。堺の町、桑名の港などがこの『公界』に当り、摂津三島郡（現在の高槻市）の富田《とんだ》、伊勢の長島などが『寺内』になる。『僧侶たちは、寺院のそばに、完全な町のようなものを創《つく》った。そこはすべて粘土壁で囲まれていて、彼等はそこでもっと自由に、乱れた快楽にひたり、不品行な生活を送る……このような種類の地所のことを、日本では寺内といっている』

これは宣教師ルイス・フロイスがその『日本史』の中で描いた『寺内』である。僧侶がそこで『不品行な生活』を送ったかどうかはしらないが、『寺内』はすべて『諸役免許（非課税）』を保証されていた。無縁の寺だったからである。富田は一向宗の富田御坊を中心にして土塁・水濠に囲まれ、人口一千を越えたといわれる。まさに治外法権の別世界だ。

三河では禅宗・浄土宗の寺院は国衆の菩提寺になり特別の保護を受けていたが、真宗本願寺派の寺院は農民と下級武士からなる信仰集団をつくり、この『寺内』を創ろうとしていた。

三河の三箇寺というものがある。

佐崎の上宮寺《じょうぐう》、野寺の本証寺、針崎の勝鬘寺《しょうまん》の三寺である。いずれも本願寺派真宗の寺で、『不入ノ地』であることを主張し、納税の義務を負わず、警察権の干渉を拒否して来た。

この上宮寺から、佐崎城主菅沼定顕が糧米を強制徴収したことが、三河一向一揆の発端となった。『不入ノ地』が権力によって犯されたのである。これは糧米の問題ではなく、自由の問題である。上宮寺はただちに起《た》った。本証寺・勝鬘寺と協力し、農民と在地武士からなる門徒兵を動かして、菅沼定顕を攻めたのである。驚いた定顕は西尾城主酒井正親に訴え、酒井正親は上宮寺に説得の使者を送ったが、斬《き》られた。寺側にとっては『不入ノ地』が認められるか否《いな》かは、生死の問題である。

当時二十二歳の家康には、事の重大さへの認識が不足していた。たかが一揆と思ったのであろう、忽《たちま》ち力ずくで抑圧しようとした。門徒側は檄《げき》文を四方にとばして更に兵を集めた。家康を驚愕させたのは、配下及び一門の武士の多くが松平家を捨て、一揆に味方したことだ。後に家康の参謀格になった本多正信、槍の誉れ高い蜂屋《はちや》貞次、鳥居忠広などがそれであり、更に城主級の武将も門徒側に加わった。元東条城主吉良義昭、大草城主松平昌久、上野城主酒井忠尚などである。これはこのいくさが一種の内乱になったことを意味する。家康にとっては苦しい戦いになった。一揆軍の総数一千余騎。その中に世良田二郎三郎もいた。だが今度ばかりは傭兵としてではない。志願兵としてである。といって二郎三郎が熱烈な信仰心を持っていたわけではない。一人の女のためだった。

女の名はせき。十八だった。三河の名もない農民の娘だったが、今川家没落後の相つぐ戦乱の中で両親を失い、農地も親族に奪われたため、宿場女郎に身を堕《おと》した女である。二郎三郎はこのせきと馴《な》染《じ》んだ。せきは二郎三郎の短足をけっして嗤《わら》わなかった。そして少女のように細い身体でひたむきにつくす閨《ねや》のしぐさが可憐《かれん》だった。

ある日、せきの姿が忽然《こつぜん》と娼家《しょうか》から消えた。上宮寺にいったのだと、朋輩《ほうばい》の一人がそっと教えてくれた。せきはいちずな一向宗の信徒だったのである。宗門擁護のためのいくさで死ぬ者は、生前のあらゆる悪行を許され、極楽浄土にゆくことが出来る。この一種の免罪は、一向一揆において常に石山本願寺が門徒に約束するものだ。女郎を職とすることで、身も魂も汚れてしまったと思いこんでいたせきにとって、これは無上の福音《ふくいん》だった。

いくさに慣れた二郎三郎の眼《め》から見れば、一揆などというものは所詮《しょせん》は無駄《むだ》な戦いにすぎない。鉄砲の伝来は戦闘様式を一変させるほどの革新をもたらした。いまや、いくさというものは素人《しろうと》に出来るものではなくなった、というのが二郎三郎の意見である。一向一揆は素人のいくさだ。その中に身を投じて、生き残れるわけがなかった。

二郎三郎はいまいましさに歯がみしながら上宮寺に走った。せきを救い出すためである。戦闘はもう始っていたが、とびかう矢弾の中を、戦争の職人である二郎三郎は簡単に上宮寺に入った。忽ちせきをみつけた。せきは闇の中と同じひたむきさで、前線に鉄砲の弾丸を運んでいた。かけつけた二郎三郎の眼の前でせきは射《う》たれた。

せきは弥陀《みだ》の称号をとなえながら、二郎三郎の腕の中で死んでいった。死顔は安らかで、少女のように美しかった。

二郎三郎はむしょうに腹が立った。せきの死はまったく無駄な死である。死んで極楽浄土にゆくなどと信じるには、二郎三郎はあまりに若く、あまりに現実的だった。二郎三郎はせきをたぶらかした一向宗を憎んだ。この可憐な娘に直接死をもたらした松平家康の軍団の非情さを、更に激しく憎んだ。自分にとって、せきがどれほど大切な女だったかということを、今更ながら沁々《しみじみ》と感じ、さっさと拐《さら》って女房にしなかった自分の愚かさを憎んだ。

二郎三郎の眼の前で、鉄砲を構えた猟師らしい男が一人、ごろんと転がった。射たれたのである。せきが弾丸を届けようとした相手だった。

二郎三郎は、せきの死体をそっと大地に横たえて、死んだ猟師のところへ這《は》っていった。その場所からは、展開してじわじわと押しよせて来る松平家の鉄砲隊がよく見えた。二郎三郎はせきのもとに這い戻って、弾丸と火薬をつめた箱をかかえた。もう一度、猟師のもとにゆくと、死体を土嚢《どのう》がわりに前に置き、鉄砲をその上にのせて構えた。

二郎三郎は、この新しい武器の扱いに熟達している。それに鉄砲隊を攻める急所をよく知っていた。鉄砲隊攻めの急所とは指揮官である。この頃《ころ》の鉄砲足軽はまだ未熟で、指揮官が細かく指示してやらないと、目標にあてることは愚か、満足に弾丸をつめることも出来なかった。当時の鉄砲は現代の銃とは全く違う。手ずから量を計って火薬をつめ、これを槊杖《さくじょう》で押しかため、おさえをつめ、その上に弾丸を入れて射つのである。標的までの距離によって火薬の量が違うし、いれすぎれば銃身が破裂する。一発射つごとに銃腔《じゅうこう》を掃除しないと、これまた銃腔破裂をひき起す。そういう厄介《やっかい》な武器だった。鉄砲隊の指揮官は、技術指導官でもあったわけだ。だから、鉄砲隊をつぶすには、まっ先に、指揮官を倒せばいい。

二郎三郎は敵陣を眺《なが》め、忽ち鉄砲隊の指揮官をみつけだした。馬鹿《ばか》な男で大きな軍扇を拡《ひろ》げ、それで指揮をとっている。二郎三郎は侮蔑《ぶべつ》の微笑を浮かべながら、じっくりと狙《ねら》って、引金をしぼった。指揮官は、踊るような恰好《かっこう》で倒れた。即死である。果して鉄砲隊は激しい混乱におちいった。当時の松平家の鉄砲隊はまだ組織が小さく、人数も少なかった。この新兵器を多量に買いもとめるほどの資力がなかったためである。だから指揮官の数も少ない。

替って軍扇を握った男も、二郎三郎は無造作に射ち殺した。あとに替る者はいない。二郎三郎は冷静に、鉄砲足軽の一人々々を、はしから射殺していった。せきを殺した可能性のある男を、一人でも残すつもりはなかった。

二郎三郎の精妙な射撃術は、上宮寺に籠《こも》った一揆勢をおどろかせた。それ以上に彼等をおどろかせたのは、二郎三郎がそのまま立ち去ろうとしたことである。ほとんど必死になって引きとめた。

「わしは野武士だ」

二郎三郎は一言そういった。意味は明白だった。只《ただ》働きはしないということである。上宮寺の大将は倉地平右衛門だった。平右衛門は即座に金を払った。二郎三郎は寺にある限り（といってもたかのしれた数である）の鉄砲を、自分によこすようにいい、更に弾《たま》丸ごめの係と運び人として、五人の人間を要求した。一挺《ちょう》の鉄砲を射つとすぐ弾丸ごめ係にほうり、次の鉄砲を受けとるのである。こうすることによって、連射が可能になった。

射手がたった一人の鉄砲隊は、凄《すさ》まじいまでの威力を発揮した。上宮寺の一揆勢は、米河内・佐崎・泉田などの出身者で約二百騎だったが、忽ち精兵の名を高くした。たかが一千騎の一揆勢がなんと翌永禄七年（一五六四）二月末まで、約半年もの間、善戦を重ねた。何度か家康の本拠地岡崎にまで攻め込んでいる。但《ただ》し大軍同士が激突する合戦ではなく、ゲリラ戦がほとんどだった。それだけに家康の方が手を焼いたという面もある。その家康自身も、二発の鉄砲玉をうけたが、鎧《よろい》のお蔭《かげ》で負傷をまぬかれたという。

ある意味では、まことに奇妙ないくさだった。たとえば、十一月二十五日小豆坂合戦の時、一揆側の槍の名人蜂屋半之丞貞次は水野藤十郎忠重と闘っていた。そこへ家康が駆けつけ、

「蜂屋推参なり」

と叫ぶと半之丞は首をすくめ槍をかついで逃げだしたという。松平金助がこれをしとめようと追ったところ、半之丞はせせら笑って、

「殿が来られたから逃げたのだ。お主のために逃げることはないわ」

いうなりとって返して、ただ一突きに金助を刺し殺したという。

また正月十一日の戦いは激戦になり、家康の身さえ危い破目に陥った。一揆側にいた土屋長吉重治はこの様子を見て、

『われ宗門にくみすといへども、正しく君の危難を見て、救はざらんには本意にあらず。よし地獄に陥るとも何か厭《いと》はん』

といって家康方に寝返り奮戦して死んだと『武徳編年集成』にある。君臣の闘いというのは、どちらにとってもやりづらかったのであろう。

この戦いの中で、二郎三郎は一族と共に野寺本証寺に拠《よ》った本多弥八郎正信と知り合った。本多家は七代目助政に定通と定政の二子があり、これが分れて定通系と定政系になる。本多平八郎忠勝は定通系で、この時は家康側についた。本多弥八郎正信は定政系であり、一揆側についた。この年、二十六歳。家康より四歳、二郎三郎より五歳の年長である。

本多弥八郎正信は武の人ではない。吏の人である。この点で、一族の本多平八郎忠勝と対

照的といっていい。元和《げんな》二年六月七日、七十九歳で死ぬまで、槍先の功名はただの一度も記録されていない。常に本陣にあって策を練る良吏であり参謀であった。中でも外交面によくその才を発揮したという。

三河一向一揆の時も、二十六歳の若さにもかかわらず、正信は一揆側の参謀をつとめている。参謀が異能の狙撃《そげき》人に気づかぬわけがない。正信はわざわざ馬をとばして、戦闘行動中の二郎三郎に会いにいった。

二郎三郎は矢作《やはぎ》川を見おろす丘の上に腹這いになって、次々と手渡される鉄砲を連射していた。正信が見ていると、一発の無駄玉もない。確実に一人ずつ、指揮官級の武士を斃《たお》してゆく。正信は戦慄《せんりつ》した。敵の前線がどどっと後退した。二郎三郎は射撃をやめた。

「移動する」

短くいってはね起きた。

正信が一瞬、「あっ」と叫んだ。

二郎三郎が鋭く見た。自分の短足に衝撃を受けたのだと思った。

「なにか？」

意地悪くきいた。銃口が正信の腹に向いている。返答次第では射つつもりだった。

「いや。別段」

正信は言葉をのみこんだ。二郎三郎は薄笑いを浮かべて、ことさらにゆっくりと去った。

二郎三郎は間違っていた。その姿が正信に衝撃を与えた理由は、短足の醜さゆえではなかった。その姿かたちが正信の嘗《かつ》ての主君松平家康に酷似していたからだった。顔は大分ちがうが鎧を着、兜《かぶと》をかぶれば、恐らく家康そのままになるであろうことを、正信は直感したのである。同時にそのことが、いつか自分にとって有利に使えるだろうということも、素早く計算している。ただ、それには、そのことを二郎三郎に知らせてはならぬ。自分だけが使える切札として蔵《しま》っておかねばならぬ。正信はなにくわぬ顔で、二郎三郎の移動に従った。

三河一向一揆の終熄《しゅうそく》は、翌永禄七年の二月末だった。家康は、自分を裏切った譜代の家臣のほとんどを、寛大にも許し、帰参を認めた。利巧な処置といえた。雨降って地固まるというが、この内乱と戦後処理の寛大さによって、君臣の間柄《あいだがら》は前よりもかたく結びついたのである。何かと不和がちだった松平家の一族、いわゆる十六松平の間もうまくゆくようになった。

だが一向宗の寺に対する処置は苛酷《かこく》を極めた。一揆に加わった門徒寺を末寺、寺内も含めてことごとくうちくだいたのである。一揆の主謀者を殺さない、寺はもとのままにするというのが、降服の条件だったのだから、これは明らかな約束違反である。寺側が抗議すると家康は平然と答えたという。

「ここは元々荒野だった。だからもとのままにしたまでだ」

世良田二郎三郎にとって、この敗戦は予定されたものだった。

こんな時、身ひとつの野武士ぐらい気楽なものはない。双方の陣営が、降服の条件とかなんとか、ごちゃごちゃいっている間に、半年間使い慣れた鉄砲一挺を唯一《ゆいいつ》のみやげに、夜に紛れてぶらりと寺を出た。忽ち、家康方の馬を一頭盗み、全速力で西に向った。夜の明けるまでに、三河の国境いを出るつもりである。

やがて二郎三郎は、自分を追って来る騎馬のいることに気づいた。放胆にも馬をとめて待った。馬蹄《ばてい》の音が一騎だけなのに気づいていたからである。相手が誰だろうと、対一で負ける気はなかった。鉄砲には、出発の時から弾丸ごめをしてある。あとは火縄に点火すれば足りる。二郎三郎は雨の時などに使う懐中用の火種をとり出して、ぷっと吹いた。火縄《ひなわ》に点火する。馬上のまま、腰だめに構えた。

追って来た騎馬武者は、火の色に気づいたらしく、慌《あわ》てて馬をとめた。

「待て。射つな。わしだ」

本多正信の声だった。

「本多弥八郎だ。近づくが射つなよ」

慎重に馬を進めて来た。二郎三郎は構えを崩さない。正信を信用していなかった。

「なにか用かね？」

さりげなくきいた。松平家の家臣は元の地位を約束されたことを、二郎三郎は知っている。ついでに二郎三郎を捕えてゆけば、家康のおぼえは目出たくなる筈《はず》である。二郎三郎の鉄砲にかかった死者の数は、莫大《ばくだい》なものだったからだ。家康に当ったが南蛮鉄の胴丸のお蔭で身体《からだ》を傷つけられずに終った二発の弾丸も、実は二郎三郎の射ったものだった。距離が遠すぎて弾丸に力がなかったのだが、二郎三郎に家康を殺すつもりが全くなかったのが主たる原因である。家康を殺したりしたら、恩賞にあずかるどころか、下手をすると寝首をかかれかねないことに、二郎三郎は気づいていた。

「どこへゆくつもりだ」

　正信がきいた。

「あてはない。三河を出るだけさ。どうしてきく?」

　正信が微笑《ほほえ》んだ。

「わしもつれていってくれんか」

「帰参するんじゃないのかね」

　鼻で笑うように二郎三郎はいった。

「わしは駄目だ。殿のお気に入りだった」

　正信の声に苦いものがまじっている。

「それに頭がよすぎる」

　ぬけぬけといってのけた。策謀型の人間は一度疑われたが最後である。正信はそのことをよく知っていた。二郎三郎にも、その点は理解出来る。

「頭のいいのもよしあしだな」

「大方は悪い方が多い」

　二郎三郎は思わず笑った。笑いながらいった。

「京へ上るかね」

永禄七年の京都は、三好長慶《ながよし》のものだった。だがそれも束《つか》の間《ま》、前年、子供の義興が二十二歳の若さで急死したのに気おちしたのか、この年の七月、四十三歳で死んでいる。義興の急死が松永久秀による毒殺であるという噂《うわさ》は、当時から今に至るまで、かなりの信憑《しんぴよう》性をもって語り続けられている。

松永久秀は身もと不明の武将である（もっともこの頃の武将には珍しいことではない）。四国の出身だともいい、京都西南郊の西岡の商人だったともいう。いずれにしても策謀型の武将の典型の如《ごと》き人物だった。長く京都の監察関係の職をつとめ、遂《つい》に京都の警察権と裁判権を掌握してしまった。ルイス・フロイスはその『日本史』の中で、

『三好殿の家来であるが、彼から裁判権と統治権を奪い……ほしいままに天下を支配し云々《うんぬん》』

と書いている。永禄七年、長慶のたった一人残った実弟安宅《あたき》冬康を長慶に讒言《ざんげん》し、飯盛城で謀殺させたのが、松永久秀だったのは明白だから、長慶自身の死（それも冬康の死後僅か二カ月）もまた久秀の手によるのではないかと疑われても仕方がない。『常山紀談』の書くところによれば、後年徳川家康が織田信長に謁《えつ》した時、信長はそばにいた松永久秀について、こう語ったという。

『この老翁《らうをう》は世の人のなしがたき事三つなしたる者なり。将軍（足利義輝のこと）を弑《しい》し

奉《たてまつ》り、又已が主君の三好を殺し、南都の大仏殿（東大寺大仏殿）を焚《や》きたる松永と申す者なり』

本当に信長がこんなことをいったかどうかは別として、『常山紀談』の著者湯浅常山が久秀を主殺《あるじ》しと考えていたことは確かである。

三河から京都にのがれた世良田二郎三郎と本多弥八郎は、とりあえず町衆の傭兵《ようへい》になった。町衆の傭兵を江戸時代の用心棒のような存在と考えるのは間違いだ。京都では町衆の自治が発達していて、京都の支配を狙う武将たちと鋭く対立していた。そのため独自の武力組織を持ち、武将同士の権力闘争にさえ介入したという。つまり町衆は立派に一個の軍隊を所有していたのである。二郎三郎と弥八郎は、その軍隊に、兵卒として雇われたわけだ。ここでも二郎三郎の鉄砲術は、大いに有利に働き、手当も一般の傭兵より余程よかった。二郎三郎は満足した。

だが本多弥八郎正信については、事情が違った。町衆のほとんどが、法華信徒だったのである。

この当時から三十二年前、天文元年（一五三二）から五年にかけて、京都では法華一揆《いっき》とよばれる事件があり、法華宗は一時、一向宗を都から追った。『娑婆即寂光土《しゃばそくじゃくこうど》』を説き、現実的な『現世利益《げんぜりやく》』を主張する法華宗を、商工業者である町衆が応援したのは当然の成り行きだった。

法華一揆は天文五年（一五三六）七月、比叡《ひえい》山と近江六角氏の攻撃に破られ、敗退して堺に逃れたが、町衆の堅固な組織は残った。

本多弥八郎正信は、主君家康にそむいてまで一向一揆に加わった信仰心の厚い一向門徒である。とても法華宗の信徒である町衆と共に生きることは出来ない。弥八郎は一向宗の勢力の強い越前か加賀へゆこうと決心した。加賀一国は七十六年も昔、一向一揆が時の加賀守護富樫政親《とがしまさちか》を倒し、

『百姓ノ持タル国ノヤウニナリ行キ候《さうらふ》』

といわれるほどになっていた。この言葉を『門徒ノモチタル国』といいかえてもいい。まさに一向宗の国だったわけである。

弥八郎はもちろん世良田二郎三郎も誘った。だが二郎三郎は乗って来ない。越前・加賀という言葉には、どうしても雪と寒冷の感覚がつきまとう。暖房の発達した今日でさえ、越前の人々は、東京の人になんか雪は判《わか》らない、といい切る。越前から見たら、東京はカリフォルニアだ、という人さえいる。まして四百年も昔の越前である。二郎三郎はきいただけで、身体がふるえた。二郎三郎は三河の生れである。願人時代には、多くの国をさすらい歩いたが、一番寒かったのは甲斐の国で、それより北には行ったことがない。その甲斐にさえ、寒さにこりて二度と行っていないのである。

「寒い」

二郎三郎は一言いっただけだ。弥八郎がどんなにかき口説いても、遂にはこの言葉で行きどまりになる。さすがの弥八郎がさじを投げた。

「やむをえぬ」

一人でゆく決意を固めたのである。

「だが京は離れろ。ここはやがてまた争乱の巷《ちまた》になる。永居すれば死ぬぞ」

これは二郎三郎も感じていたことだった。とにかく松永久秀という男の評判が良くない。三好三人衆とはことごとに対立するし、将軍義輝も裏で畠山《はたけやま》高政などの旧勢力と手を握り、久秀・三人衆の追い落しを画している。事実このために久秀は翌年五月、義輝を急襲し殺している。

「じゃァどこがいい？」

二郎三郎がきくと、

「堺だ」

弥八郎は答えた。

「それなら一緒に堺へゆけばいい」

弥八郎は断乎《だんこ》として首をふった。

「堺も法華だ。キリシタンもいる」

堺は商人の町である。京都の町衆と同じく、『現世利益』を願う富商たちが、会合衆《えごうしゅう》を名乗り、町の自治を守っている。浪人衆を雇い、その兵力は五千といわれた。しかも堺は鉄砲の町である。慶長十二年禅僧南浦文之《なんぽぶんし》が書いた『鉄炮記《てつぽうき》』によれば、堺の商人 橘屋《たちばなや》又三郎が、種子島《たねがしま》で鉄砲製造技術を習得して帰り、堺で『鉄砲又』とよばれるほどの製造業者になったという。

「鉄砲か」

二郎三郎は忽《たちま》ち目を輝かせた。

堺は貿易商人の町として有名だが、戦国期の武将たちが例外なくこの町を狙った理由は、むしろその鉄砲鍛冶《かじ》の魅力の方が大きかった。堺は隣接した我孫子《あびこ》に『吹屋』という金属工業者の集団を持ち、近くの丹南《たんなん》は中世以来の鋳物《いもの》の名産地である。我孫子の『吹屋』は鉄砲製造場だったらしい。根来《ねごろ》の鉄砲製造の中心だった鍛工芝辻《しばつじ》清右衛門も堺の出身だったし、後に鉄砲製造の中心地となった近江の国友村《くにとも》（現在の長浜市）も堺からその技術を伝えられたのである。

本多弥八郎はそのすべてを二郎三郎に語った。弥八郎の情報蒐集《しゅうしゅう》の腕は、二郎三郎をはるかに上廻《うわまわ》っていたようだ。正直、二郎三郎は感嘆した。

「堺へゆく」

身軽さが二郎三郎の身上である。即座にいってのけた。

「それがいい。だが決して死ぬな」

二郎三郎は単純に、それを友情の言葉と聞いた。鼻の奥がむずがゆくなった。涙を見せないために、わざとさからった。

「そんなことが判るか」

「いや、そうでない。構えて死ぬな。お主に死なれては、元も子もない」

弥八郎は馬鹿に執拗《しつよう》である。おまけに、真剣そのものといった顔だ。くい入るように二郎三郎の眼《め》をのぞきこんで、尚《なお》も念を押すのである。

「決して死なぬと誓って貰《もら》いたい」

二郎三郎はそのしつこさに呆《あき》れ返った。どうやら友情の言葉ではないと気づいたのは、その時である。

「わけがあるな」

「そうだ。わけがある。だが今はいえぬ」

にべもなく弥八郎がいった。

「ただこれだけは云《い》っておく。わしが殿のもとへ帰参出来るか否《いな》かは、お主にかかっている」

勝手なことをいう、と二郎三郎は少々面白くない。もっとも誰だって、面と向ってこれだけはっきりと、お前を利用する、といわれたら、面白くはないだろう。しかも、どう利用するかについては、一言もいわないのである。

「せいぜい祈ることだな」

馬鹿《ばか》にしたように二郎三郎がいった。いいながらも本多弥八郎という男はこういう男なんだと、どこかで納得はしている。手前勝手なことを、遠慮会釈《えしやく》なくずばずばいってのけ、平気でその意見を他人に押しつける。当然相手は腹を立てるが、奇妙なことにすぐおさまる。弥八郎に私心がないからである。自分が得をしようという思いが、この男には欠如していた。

ただその時の状況を打破するための一番の策をいうだけである。

今度もそうだった。

一応は、自分が家康のもとに再帰参するには、と称しているが、弥八郎の真意は別のところにある。なんとこの男の脳裏には、主君家康のことしかないのである。家康には信頼するに足る影武者が絶対に必要だと、この男は確信している。

事実当時の武将の多くがそうであるように、家康の最大の敵は身内だった。世に十六松平と称せられる同じ松平一族の間の反感反目がいちじるしい。家康が永い雌伏の時期を経て、漸《よう》く《や》三河一国を手中にするようになると、その反感反目は余計ひどくなった。嫉妬《しっと》もあろう。乗っとりというこすからい思いもあったのだろう。とにかく、家康の身辺には、常に刺客の影がちらついていた。

悪い先例がある。家康の祖父松平清康は、部下の阿部弥七郎に背後から斬殺《ざんさつ》されている。これがいわゆる『森山崩れ』であり、十六松平の一つ『桜井松平』の黒い手が背後に働いていたといわれる。そればかりではない。家康の父広忠も、二十四歳の若さで父と同様に近臣の岩松八弥に殺されている。父子二代、同じ死に方をしたわけだ。二度あることは三度ある、という。徳川譜代の直臣たちが、家康側近の暗殺者に神経過敏になったとしても、当然だった。

暗殺を阻止する一番の策は、影武者を使うことだ。常時、家康が二人いるということくらい、暗殺者を迷わせるものはない。現実に殺しにくいばかりではなく、暗殺者が疑心暗鬼にとらわれる点が、最も始末に悪い。結局、二人共殺す、と決心するしかないのだが、一人でさえ難しい暗殺を、二人まとめてするのが困難を極めることは見やすい道理であろう。従って家康に己れの夢を託した、多くの忠実な譜代たちは、血まなこになって影武者を探したのだが、ついぞ適格者がみつからなかった。

理由は、家康の異常な体型にある。極端な短足。背の低さ。そのくせ顔は大きく、自分で褌《ふんどし》もしめられないほど肥えている。こんな体型の男がざらにいるわけがない。しかも、一見したところでは武将の俤《おもかげ》を備えた堂々たる面構《つらがま》えでなければならぬ。家康の身辺の護衛も勤めるわけだから、武芸も達者でなければならぬ。機に応じて素早く適切に身を処する頭脳も備えている必要がある。こうなるともう絶望である。そんな都合のいい人間がいるわけがない。だから影武者の必要を痛感しながらも、皆、諦《あきら》めていた。それが今、まさにぴったりの男が目の前にいる。二郎三郎がその男だった。

後年の記録を見れば明白だが、本多弥八郎正信と家康の関係は、主従というより親友に近い。二郎三郎を発見した時、弥八郎はすぐ家康のもとへつれてゆきたいと思った。だが状況が悪すぎた。自分が『親友』家康に反旗をひるがえして、戦っている最中だったのである。敵対関係にあっても弥八郎の家康への思いは変らなかったが、家康がどう思っているかは不明である。それが弥八郎を躊躇《ちゆうちよ》させた。

一揆が敗戦に終った時も、弥八郎は、他の多くの家臣同様、直ちに家康のもとへ戻りたいと思った。だが『親友』であったことがそれを邪魔した。並の主従なら、信心に狂ったの一言で帰参は許されるかもしれない。だが裏切った『親友』を、男はそう簡単に許せるものだろうか。

弥八郎の側にもこだわりがある。今の家康に最も必要なもの、即《すなわ》ち『影武者』を手みやげがわりに帰参するという態度が、ひどく計算高い、うす汚れたものに見えたのである。それに、そんな形で採用された影武者は、家康の全幅の信頼を得るわけにはゆかないだろう。全幅の信頼を得ることの出来ぬ影武者など役に立つわけがない。それが弥八郎をして、京都まで落ちのびさせた理由だった。

〈殿にはこの男が必要なのだ〉

その断乎たる思いが、今、弥八郎に極めて身勝手な口をきかせている。その意味で、弥八郎には私心がないのである。そして男同士の奇妙な点は、その私心のなさを二郎三郎も素早く感じとったということにある。だから勝手なことをいわれても、不思議に腹はたたないのだ。ただ二郎三郎はまさか自分が家康の影武者候補にされているとは考えてもいない。ひたすら、鉄砲の腕を買われているのだ、と思いこんでいた。

「判った、判った。約束するよ。俺《おれ》は死なない」

二郎三郎はこの奇妙な約束に、自分でおかしくなって、ぷっと吹きだした。弥八郎の方は相変らず生真面目《きまじめ》な表情を崩さない。

「頼むぞ」

重々しくいい、二郎三郎の手を砕けるほど堅く握った。

こうして世良田二郎三郎は堺へ、本多弥八郎は雪の越前へと、南と北に分れて旅立つことになった。永禄七年冬のことである。

『堺の町は甚《はなは》だ広大にして大なる商人多数あり。此《この》町はベニス市の如く執政官に依《よ》りて治められる』

この文章は日比屋了慶の後援をうけ、堺での布教に力のあった耶蘇《やそ》会の宣教師ガスパル・ビレラが永禄四年印度のイルマンに書き送った書簡の一節である。またビレラは翌永禄五年にもこう書いている。

『日本全国当堺の町より安全なる所なく……市街には悉《ことごと》く門ありて、番人を附し、紛擾《ふんぜう》あれば直《ただち》に之《これ》を閉づる』

更に天正十四年、太閤秀吉に面会するために長崎から上京した師父長ガスパル・クエリヨも、堺の町について次のように書く。

『此市は日本全国でもっとも富み、また土地ひろくして多数の富裕なる商人が住み、かつ自由市で大なる特権と自由を有し、共和国のごとき政治を行っているので有名である。他の諸市および城がはげしい戦争最中である時、堺の市ははなはだ平和にすごしている』

これがいわゆる『公界』堺の姿だった。

二郎三郎は堺の町がひどく気に入った。堺の人間は何にも増して自由であり闊達《かったつ》だった。町には土塀《どべい》水濠をめぐらし、木戸を設け、牢人《ろうにん》衆を傭《やと》い（二郎三郎はその牢人衆の一人になった)、戦国大名の侵入には、武力をもって対抗しようという野太い気概を持っている。港の沖合には、ほとんどいつも大きな明《みん》船やぽるとがる船が錨《いかり》をおろしており、町には唐人、南蛮人が自由に往来している。エキゾチックな雰囲気《ふんいき》に充《み》ち充ち、なによりも激しい活気があった。二郎三郎の胸に、異境への憧《あこが》れが深くすみついたのは、この堺での暮らしのせいである。なんとかして、あの南蛮船に乗りこみ、呂宋《ルソン》(現在のフィリピン)暹羅《シャム》(現在のタイ)柬埔寨《カンボジャ》へ渡ってみたい。いや、もっともっと遠く、ぽるとがる・いすぱにあにまでいってみたい。海猫《うみねこ》の啼《な》く桟橋《さんばし》に腰をおろして、二郎三郎はそんな遥《はる》かな船路を思ってのんびりと日を消していたのである。

永禄八年から十一年までの四年間を、二郎三郎はこうした平穏のうちに過ごした。永禄九年、松永久秀は三好三人衆の攻撃を受け、堺に逃げこんだ。三好三人衆は一万五千の兵をもって堺の町を囲んだ。この時は二郎三郎たち牢人衆も武装して持ち場につき、一戦を覚悟したものだが、結局堺の会合衆が調停に立ち、いくさは避けられた。これはまさに堺の町の実力を示したものである。一万五千の兵力と闘って、武力的に堺が勝つという意味ではない。三好三人衆をおびえさせたのは、堺の富商たちの財力であり、更にはその武器製造業者としての能力だった。堺の町を攻め滅ぼすことは出来ても、堺の武器製造技術を滅ぼすことは出来ない。そして堺を敵に廻せば、武器、特に鉄砲製造技術陣は、以後三好三人衆の敵にのみその技術を提供する筈《はず》である。優秀な武器の供給をとめられた軍隊を待つものは敗北のみである。その恐怖が堺の町の自由を守らせたといえよう。

永禄十一年（一五六八）、織田信長は足利義昭を奉じて京に上り、その天下布武《てんかふぶ》の第一歩を踏み出した。この時、信長は堺の町に二万貫の矢銭を要求している。矢銭とは軍事費の意味だが、要するに税金である。堺はこの要求をきっぱり拒否している。堺の会合衆は信長の報復に備えて、新たに櫓《やぐら》を築き、濠を深くし、北方の出入り口には菱《ひし》を撒《ま》いて防備をかためたという。二郎三郎たち牢人も、当然、いくさに備えた。だがこの時、信長は敢《あえ》て兵を動かそうとはしなかった。

だが翌永禄十二年正月、三好三人衆は堺を拠点として戦備を整え、征夷《せいい》大将軍となった足利義昭を本圀寺《ほんこくじ》に囲んだ。このいくさは結局三好三人衆の敗北に終り、激怒した織田信長は、三好党に拠点たることを許した堺の町に使者を送り激しく詰責《きっせき》した。今度こそ堺をふみ潰《つぶ》すと威嚇《いかく》したのである。堺は屈服し、二万貫の矢銭をおさめ、以後牢人衆をもたないことを誓って、ようやく許された。

世良田二郎三郎は失職することになった。

本多弥八郎正信はこの時、越前の吉崎御坊にいた。越前一向宗の原点である。この男の才能は軍事にはない。実際の戦闘の作戦が苦手なのは、既に三河一向一揆の際に曝露《ばくろ》している。所詮《しょせん》軍師にはなれない男なのである。そのかわり、人を見抜き、その微妙な心理のひだを探り、更に進んでこれを操ることにかけては、天才だった。だからその最も得意とするところは、内政と外交である。弥八郎は吉崎御坊でまさにその得意の役を果していた。

一向一揆はその戦いぶりの強靱《きょうじん》さから、一枚岩の結束のように見られがちだが、実は違う。

様々な内紛の種をはらみ、軋轢《あつれき》の絶え間のない組織だった。弥陀《みだ》への信心と『上ナシ』という二点が一致しているだけで、様々な職業の、しかも自由な心の持ち主の集りだから、そうなるのが当然だった。そして、この種の軋轢の調停こそ弥八郎の得意中の得意である。だがその得意わざのために、弥八郎は意に反して、この土地を離れることが出来なくなった。当初の弥八郎の計画では、三年で三河に帰るつもりだったのが五年目に入っても尚、この地を離れられないのである。無理に離れれば、殺されかねない状況にあった。人はその得意わざで身を滅ぼすというが、今の弥八郎はまさにそれである。弥八郎は腹の中で焦《あせ》りに焦っていた。勿論《もちろん》、表面には露ほども出さない。吉崎御坊と加賀・越前の一揆衆のことしか念頭にない、という顔をしている。だがそういう顔を装っていることも、随分とくたびれることだった。

世良田二郎三郎の手紙が届いたのは、そういう時だ。永禄十三年の春である。

二郎三郎の方は、堺の傭兵をくびになると、同じ堺の傭兵であり、琵琶湖畔の堅田《かただ》に縁戚《しんせき》をもつ牢人に誘われるまま、この湖東と呼ばれる地に赴いた。相変らずの身の軽さである。だがこの琵琶湖畔の村々は、折から激烈な一揆の最中《さなか》にあった。相手は織田信長である。信長としては、本拠地である岐阜から京都までの交通路の確保は焦眉《しょうび》の急である。琵琶湖とその湖畔を己れの絶対的支配下に置かなければ、天下布武の野望は絵にかいた餅《もち》になる。だが琵琶湖の水上権は中世以来堅田衆が抑えて来たし、近江の農村はその肥沃《ひよく》な大地と、京都の台所という地の利から、これまた中世以来全国で最も百姓の意識の高い土地柄《がら》だった。『上ナシ』『主ヲ持タジ』を標榜《ひょうぼう》する本願寺派一向宗の浸透しやすい土壌だったわけである。信長の強引な制圧に抵抗しないわけがなかった。湖北から湖東にかけて、いわゆる江北十箇寺を中心に、織田軍団に対する一向一揆の旗があがり、やがて甲賀にまで拡《ひろ》がる激しい戦闘に発展した。

世良田二郎三郎は、まんまとその戦闘にまきこまれてしまった。元々、堺でのやり口から見ても、信長という男が好きでなかったということもある。自由を生きざまとする男にとって、こんな腹の立つ武将はいない。出来るものなら自分の手で射殺してやりたいと二郎三郎は思った。

この近江一国の信長に対する抵抗戦は、そのねばり強さと果敢さで、長く歴史にその名をとどめている。対信長という一致点で、浅井や六角という戦国大名と連合戦線を張ったこともしばしばあるが、先頭に立って闘うのは、いつも一揆衆だった。戦国大名の戦いの目的は常に『利』である。自分たちの利益を守るためである。それに対して一揆衆の戦いの目的は『自由』にあった。『自由』を守るための戦いだったのである。当然意気ごみが違う。それに大名側は出来るものなら死にたくない。死んでは『利』にならない。それに対して、一揆衆の方は、大半の者が死ねば極楽にゆけると信じている。だから先鋒《せんぽう》は常に一揆衆となってしまう。当然戦死戦傷者の数も多かった。

世良田二郎三郎は信仰を持たない男である。長年の野武士生活で、戦争は『要領』だと信じている。死ぬまで闘うという気構えがない。戦闘は商売であり、商売は生きているからこ

ある。死ねばただただ空無である。そある。死んで極楽へゆくなどと信じられるものではなかった。死ねばただただ空無である。その点、二郎三郎の死生観は、当面の敵である信長と同様に醒《さ》めきっていた。だからといって、仲間の堅田衆が先鋒をつとめれば、二郎三郎も先鋒に加わらざるをえない。二郎三郎にしてみれば、舌うちしたいほど腹立たしい状況だった。そして、仲間の者がばたばたと倒れてゆく中で、いかに要領のいい二郎三郎といえども無事でいられるわけがない。二郎三郎は負傷した。大腿部《だいたいぶ》を銃弾で射抜かれたのである。弾丸がもう少し下に当っていたら、膝《ひざ》をやられ、一生足をひきずって歩くことになった筈だ。今度ばかりは、短足が有利に働いたわけである。一揆衆は少々の傷ぐらい無視して闘うが、二郎三郎は違う。傷を完全に治癒《ちゆ》させるために休養をとりたかった。だが一国をあげて戦いのさなかにある近江で、充分な休養をとることは不可能だ。二郎三郎が、本多弥八郎に手紙を書いた理由はそこにあった。吉崎御坊を休養の地にしようという魂胆だったのである。

弥八郎は驚愕《きようがく》した。二郎三郎の負傷という一事にである。二郎三郎に絶対死なぬことを誓わせた弥八郎だが、同じ理由から負傷も困るのである。片脚をひきずっていては、家康の影武者がつとまるわけがない。

弥八郎はすぐに返書をしたためて送った。御坊にいるお蔭《かげ》で飛脚役にはことかかない。常時旅をしている『道々の者』たちが、吉崎御坊に足をとめ、休養をとり、再び旅立ってゆくからである。二郎三郎に、即刻近江を発《た》って吉崎御坊へ来るようにと誘った。自分の手で傷をなおしてやるつもりだった。それだけではない。傷が治癒したら、一緒にここを出ようと弥八郎は決心していた。三年のつもりが五年になっている。下手をすれば、この国に根を生やすことになる。弥八郎は生れ故郷に帰りたかった。三河の暖かい日射《ひざ》しが懐《なつ》かしくて仕方がなかった。

北陸街道から吉崎御坊に至る、北潟《きたがた》湖ぞいの長い長い道は、二郎三郎に生涯《しょうがい》忘れることの出来ない、強い印象を与えた。

吉崎御坊は越前と加賀の境にある。

古来、『境』という場所は、守護・国主の支配をまぬがれた土地だった。『無主・無縁』、つまり誰のものでもない場所だったのである。『境』、特に国境などというと、人と人がきめたもののようにとられがちだが、本来はそうではない。例えば谷というようなもともと自然に出来た『境』があって、後からそこを人間が国境にしたものだ。自然の『境』はヤトの神の土地であり、人が犯せばヤト神は荒れ狂い、たたりをするという呪術《じゅじゅつ》的な意味のある場所だった。だからそこにはヤト神の鎮《しず》めのため社が出来、寺が出来る。そして『上ナシ』といわれる放浪の民が自然に身をよせるようになり、彼等の便宜のため交易の市が立つようになる。その中には泉州堺（名前が示すようにここも『境』だった）のように町になるものもあった。

浄土真宗本願寺第八世法主《ほっす》蓮如《れんにょ》が、文明三年（一四七一）、この地を選んで北陸布教の拠点とし道場を開いたのは、『境』の『無主・無縁』性があったからだ。蓮如の吉崎滞留は四年二カ月余にすぎなかったが、以後この地は広く北陸における本願寺派一向宗の原点となった。

北潟湖は昔は海の入り江だった。それが口を塞《ふさ》がれて湖となった。南北に細長く、湖に沿って点々と集落がある。道は湖岸に迫る林の中を通り、小牧に向う。湖畔に出ると、遥か東に白山《はくさん》が望まれる。その白山も、湖畔のなだらかな丘陵も真っ白な雪に蔽《おお》われていた。痛む脚をかばいながらの歩行は困難を極めたが、二郎三郎の気分は上々だった。何よりも敵の軍勢のいないのがいい。うしろや、側面への警戒なしにのんびり歩き続けられるということ自体が、二郎三郎にとっては、大変な贅沢《ぜいたく》なのである。

生きものの気配はまったくない。時々、どさっと、雪が木から落ちる音がするばかりである。豪雪に耐えかねたのか、折れた木が無数にあった。

〈これなら、軍勢が近づけば、十里先からでも判《わか》るんじゃないかな〉

二郎三郎は蓮如という僧侶《そうりょ》の戦略的な眼《め》の確かさを感じた。

〈大変な軍師だぜ〉

道は小牧で終っている。そこから先は、ほとんど『けもの道』で大軍が進むのは至難のわざだ。小牧から吉崎御坊までは舟でゆく。船頭が竿《さお》と櫓《ろ》を使って、のんびり北潟湖を渡ってゆくのである。本多弥八郎の手紙のお蔭で、二郎三郎はなんの咎《とが》めも受けずに舟上の客となれたが、手形のない者にとっては、この船頭は関守の役目を果すのではないか。二郎三郎はそう察して、益々蓮如の見事な軍師ぶりに感心したものである。

永禄十三年（一五七〇）は、四月二十三日に改元され、元亀《げんき》元年になった。

寒さもようやくゆるみ、吉崎御坊での二郎三郎の生活は申し分のないものになった。傷も弥八郎の手当のお蔭で順調に治癒していっている。寒さのためか、化膿《かのう》しなかったのが何よりよかった。

北陸の春は、百花一時に咲きだす絢爛《けんらん》たる日々である。そんな一日、弥八郎は二郎三郎を水辺に誘い出し、この地からの脱出と三河帰参の望みについて熱っぽく語った。二郎三郎は呆《あき》れた顔で弥八郎を見た。

「知らんのか、お主。お主の殿様は信長と手を結んでるんだぞ」

三河一向一揆《いっき》によって、逆に三河武士団の結束を強化することに成功した家康は、永禄九年、松平姓を徳川と改め、永禄十一年から十二年にかけて今川氏真《うじざね》を攻め、今川家を滅亡させ、大井川以西の遠江《とおとうみ》一円に領国を拡げ、今や押しも押されもしない戦国大名として、信長の協力者にまでのし上がっていた。本願寺派一向宗門徒にとっては、いずれは戦わねばならぬ敵ということになる。

「関係ない。わしは武士《もののふ》だ」

これが弥八郎の本音だった。戦国という時代は、『上ナシ』を望む農民や『渡り』の自由民たちと、自ら上たらんとする武士団と、この二つの軸によって回転された時代だという歴史家がいる。一向門徒衆と織田軍団はその両者の象徴の如《ごと》き存在だった。そして弥八郎は自らいうように、本来は武士団に属する人間である。弥陀への信仰が、一時、一向一揆に味方させたといっても、帰ってゆくところは武士団しかなかった。それに、吉崎御坊での五年は、次第に弥八郎の心の中に、自由な大衆というものへの嫌忌《けんき》を育てて来た。なによりも規律が欠けている。武士にとってはごく当然な規矩《きく》にさえ縛られることを嫌《きら》う。好き勝手なことを、果てしなくうだうだと主張し、まとまりが悪い。いわば不平分子ばかりの寄せあつめである。弥八郎は門徒衆の調停にいい加減うんざりしていた。それが大衆というものの本質であり、それが自由というものなのだと認める体質が弥八郎にはない。ひとつには頭が切れすぎるのである。秀才は衆愚の正しさと恐ろしさを知らない。

「お主だって本来もののふではないか」

弥八郎はなじるように、二郎三郎にいう。

「そうかな」

二郎三郎は首をかしげてみせた。実は、既にさっきの一言で、弥八郎の本質を見抜いている。

二郎三郎は自分がもののふでないことをよく知っている。自分が骨のずいから『道々の者』であることを知っている。だが弥八郎にそれをいっても、理解して貰《もら》えるわけがなかった。だからとぼけてみせたのである。

「そうなんだよ。だから一緒に三河へ帰ろう」

弥八郎は秀才らしい独断できっぱりいった。

だが弥八郎のもくろみは脆《もろ》くも崩れた。

この年、元亀元年秋九月、一向宗の惣本山《そうほんざん》大坂石山本願寺第十一世の法主顕如《けんにょ》は全国に檄《げき》をとばし、織田軍団に対する一揆を指令したのである。協力しない者は永代破門、という厳しい檄文だった。同時に石山門徒勢は、九月十二日夜半、突然早鐘をつき鳴らして兵をあげ、当時天満森《てんまがもり》に陣を敷いていた織田軍団に襲いかかった。これが以後十一年間に及ぶ、石山本願寺と織田軍団との長い長い戦闘のはじまりだった。

石山本願寺の檄は、ほとんど日本全国にとばされた。越前もその一つである。だが当時、越前にはまだ信長の手は及んでいない。朝倉義景が近江の浅井久政・長政親子と組んで、執《しつ》拗《よう》に織田軍団と闘っていたからである。だから越前一向宗門徒が、この顕如の檄に応ずる方策は、物資と人員を大坂に送ることしかなかった。

本多弥八郎と世良田二郎三郎は、皮肉にもこの石山本願寺への救援物資輸送の采領《さいりょう》を委《まか》されてしまった。夥《おびただ》しい糧米と人員、それに見合う武器を運ぶのである。道の口から木ノ芽峠を越え、今津から大津まで舟でゆく、いわゆる『七里半越え』といわれたコースを辿《たど》る。大津から先は、織田軍団の勢力範囲である。いわば敵中突破に等しい。現に今、信長は比叡《ひえい》山を囲んでいる。石山本願寺と呼応して起《た》った朝倉・浅井の軍勢が、この聖地ともいうべき山にたて籠《こも》っていたからである。

この輸送は、ほとんど二郎三郎の独擅場《どくせんじょう》だった。二郎三郎は伊達《だて》に近江で闘っていたわけではない。琵琶湖の水上権を握る堅田衆をはじめとして、近江の門徒衆にはほとんどすべてよしみを通じ、顔を知られていた。一種の知名人といっていい。その異様とも思える体軀《たいく》は、近江では一種の手形の役を果したともいえる。困ったことがあると、誰かが必ず手を貸してくれる。誰もが、このちびで、鉄砲が上手で、底ぬけに明るい風来坊を愛しているようだった。

それに二郎三郎は呆れるほどこの辺の道にくわしい。思いもよらぬ間道までくわしく知っている。これは永年の野武士暮らしで身についた習慣と、性来の臆病《おくびょう》のたまものである。二郎三郎は新しい土地にゆくと、むやみやたらに歩き廻《まわ》って、道という道をことごとく足におぼえさせてしまう。それだけが負けいくさの場合の生命の保証になるからだ。知らぬ道を逃げるなど殺してくれといっているのと同じだ、というのが二郎三郎の持論だった。

弥八郎は感嘆した。

「お主、野武士にしておくのは惜しい。一方の将として立派につとまるぞ」

「ばかをいっちゃいけない。野武士だからこんなことが出来るのさ」

と二郎三郎はせせら笑った。野武士は己れ一人の身の上の心配だけすれば足りる。軍団の武将となればそうはゆかない。二郎三郎はそれをいっているのだ。

かつて大坂は水の都だった。

北は賀茂《かも》川、白川、桂川、淀川、宇治川、更に二、三里の間に中津川、吹田《すいた》川、江口川、神崎川が流れ、東南には道明寺川、大和川など、そして西は海である。川と州と湿地の淀川デルタ地帯である。従って、よほど治水の技術にすぐれた人々がいなければ、この土地をおさめることは出来ない。水の世界に生きる海人・舟人など、いわゆる『渡り』と称された人々が、他のいずれも本来漂泊を生きざまとする職人集団と共に、この仕事に働いたのは明白である。石山本願寺はその象徴とも思われる建造物だった。

弥八郎と二郎三郎は、この壮麗な寺、特にその中心である『水上の御堂《みどう》』にほとんど恍惚《こうこつ》となるほどの驚きを示した。

織田信長の側近太田牛一が書いた『信長公記《しんちようこうき》』に、この『水上の御堂』の記述がある。

『加賀国より城作りを召寄せ、方八町に相構へ、真中に高き地形あり、爰《ここ》に一派水上の御堂をこうこうと建立《こんりふ》し、前には池水を湛《たたへ》、一蓮托生《いちれんたくしやう》の蓮を生じ、後には弘誓《ぐぜい》の舟を浮かべ、仏前に光明を輝《カカヤカシ》』

まさに浄土がこの世に現れ出たかと思わせるような華麗さではないか。

この石山本願寺は、十一年にわたる石山合戦の末にことごとく焼き払われて今はない。『水上の御堂』も、記録から想像するしかない。後に豊臣秀吉が、この石山本願寺焼亡の跡地に、大坂城を築いた。自由の民の本拠地である石山本願寺をつぶして、その上に天下の覇《は》者《しや》秀吉が城を建てたのである。正にこの時代を象徴するような出来事だった。

石山本願寺は、この天険ともいうべき、水と湿地帯ばかりの土地に、方八町（約八八〇メートル四方）の砦《とりで》を築き、その中に年五万石といわれる年貢《ねんぐ》を蓄積し、更に五十一カ所に及ぶ出城を持っていた。下手な戦国大名の城より遥《はる》かに堅固な守備であり、軍事力だった。事実、元亀元年九月十二日の夜半、信長方の天満森の陣所を襲った本願寺の一揆勢は、簡単に織田軍団を破っている。

二郎三郎と弥八郎は、この戦闘には参加していない。大坂に到着したのは九月末だった。戦線は膠着《こうちやく》状態にあった。信長が、近江攻撃を開始した朝倉・浅井軍と闘うために、兵を京都に戻したためである。だが一月とたたないうちに、二人は伊勢長島に派遣されることになった。信長の弟、織田彦七信興《のぶおき》が、兄の命を受け、川内小木江《かわうちおきえ》に砦を構え、長島攻撃の陣をしいたのである。川内小木江は長島輪中《わじゆう》の北に相対する要地である。ここを抑えられることは、長島による一向宗門徒にとって、のど笛に匕首《あいくち》を向けられたにひとしい。長島一向一揆衆は仕掛けられた喧嘩《けんか》を買う形で決起した。そして十一月二十一日、小木江城をおとし、織田信興を自殺させた。

伊勢長島の一向一揆は、数ある一揆の中でも、その果敢さとねばり強さの点で、また敵即《すなわ》ち信長のこれに対する報復の残虐《ざんぎやく》さの点で、特筆さるべきものである。

地誌にいう。

『長島および一江島七村をさして川内といふ』

『長島の郷、四方河にして、中に包む、故《ゆゑ》にこの名あり』

つまりここもデルタ地帯であり、一度河が怒れば、忽《たちま》ち水没する土地だった。

長島の門徒たちのよりどころは長島坊願証寺だった。願証寺は蓮如の子蓮淳《れんじゆん》にはじまる本願寺教団中の名門であり『河内御堂《かわうちみどう》』と呼ばれた。二郎三郎と弥八郎は、この河内御堂に援軍として派遣されたのである。

二郎三郎と弥八郎はここで多くの『渡り』と識《し》り合うことになった。土地柄《がら》からいって、ここは農民よりも、水の世界に生きる海人・舟人などが多い。漁業と舟による運送業で成り立っている土地なのである。堺で海と異国への憧《あこが》れを植えつけられた二郎三郎は、忽ちこの海人・舟人たちとうちとけ、気心の通いあう仲になった。そして漂泊の途中にここで足をとめる夥しい種類の『道々の者』、即ち木地師、金掘り、鋳物《いもの》師、鍛冶《かじ》から傀儡《くぐつ》に至るまで、ことごとく二郎三郎を一目見るなりうちとけ、仲間扱いにした。二郎三郎の方も彼等に何のこだわりも見せず、忽ち共に酒を酌《く》み、共に唄《うた》をうたい、酔えば一緒に踊りだすのである。ちびででぶの二郎三郎の踊りは、まさに逸品と称すべき代物《しろもの》であり、一座の者は腹をかかえて笑い転げる始末になる。だが『道々の者』の笑いには、さげすみが一切ない。二郎三郎のおかしさを『芸』と認め、快く笑う。だから二郎三郎の方も気分よく踊りに熱中出来るのだった。

弥八郎は正直に感嘆していた。彼の方はどうしても『道々の者』に対してこだわりがある。心を許してとけこめないものがある。それは弥八郎の本質がもののふ＝武士だからだということを、本人が一番よく知っている。だからこそ余計二郎三郎に感嘆するのだった。お蔭も蒙《こうむ》っている。二郎三郎がいなかったら、弥八郎は忽ちこの集団から追い出されていたかもしれなかった。二郎三郎の親友であるという一点で、『道々の者』は弥八郎を許し認めていた。

「血が異なっているようだ」

ようやく弥八郎もその点に気づいたようだ。二郎三郎は笑っている。こちらはとうにその違いに気づいている。二郎三郎から見れば、弥八郎は頭は切れるが融通のきかぬ唐変木である。だが逆にそこに何ともいえぬおかしさがある。そこが好きだった。

「それでいいのさ」

二郎三郎の返事を弥八郎が理解したかどうか。

年が明けた元亀二年（一五七二）夏、織田信長は初めて長島攻撃にかかった。

この長島攻めは、織田信長にとって初めて出会ったともいえる異様な戦いだった。

常に水を意識する必要のある戦いというだけではない。その点では前年元亀元年九月の対本願寺戦で、いやというほど思い知らされている。河川の堤を切られて水攻めにあい、信長自慢の鉄砲が水づかりになって使えなくなり、一敗地にまみれているのだ。

長島の戦いで初めて出会った局面とは、信頼する部下の思いもかけぬ裏切りだった。三河一向一揆で家康がぶつかった事態と同じものだ。家中《かちゅう》に一揆に同心する者がいる、という情報は早くから摑《つか》んでいた。だからこそ、一揆にかかわる者は主人家来ともに断罪に処すと厳しく命じてあった。それにもかかわらず、いざ戦いとなると、駒野城主高木彦左衛門尉《ひこざえもんのじょう》貞久の息子兵次郎や、美濃三人衆の一人氏家卜全《うじいえぼくぜん》の家中柴原勘次郎など、一揆側に投じる家臣があとを絶たなかった。規律と統制を誇る織田軍団が、初めて内部崩壊の恐ろしさを知ったのである。信長は驚愕《きょうがく》し激怒した。だが、この対長島の第一戦は、たった五日間の合戦で織田軍団の惨敗《ざんぱい》に終っている。一揆は敗走する織田軍団を追い、豪勇をもって鳴る氏家卜全を殺し、宿老柴田勝家にまで手傷を負わせた。まさに完敗といえる。信長の怒りはそのまま恐怖に変った。一向一揆は根だやしにするしかない。後の残忍非道を極めた信長の一揆『根切り』作戦が、この緒戦における恐怖に基づいているのは明白である。

　世良田二郎三郎はこの戦いを存分に楽しんだ。舟をあやつり、或《あるい》は水に首までひたって敵陣に忍びより、敵の部将を鉄砲で狙《ねら》い撃つ。或は木の上に半日待機して敵将を撃つ。ゲリラ戦に必要欠くべからざる狙撃手《そげきしゅ》の役を二郎三郎は果し、充分の成果を上げていた。現代のベトナム戦争においてさえ、この狙撃手の役割は重要で、このために戦死した双方の犠牲者は夥しい数にのぼる。鉄砲の精密さと射程距離が変っただけで、役割の重大さは少しも変っていないのである。戦力としての二郎三郎の重さがどれほどのものだったか、容易に想像がつくと思う。

『渡り』の人々は素直に二郎三郎の踊りとは別種の『芸』に感嘆した。二郎三郎の可愛《かわ》いさは、それに奢《おご》ることなく、逆に照れるところにあった。そのために、わざわざ、戦功を隠すことさえするのだ。

「いやあ、今日はしくじった。胸を狙ったのに顔に当ってしまった。あんな殺し方は何とも気分が悪い。未熟々々」

　殺したところを目撃されている場合でも、そんなことをいって誤魔化そうとする。弥八郎などには、考えられない態度だった。もののふ＝武士にとっては、戦功がすべてだ。しかも弥八郎はおよそ戦功とは無縁な男だったから、尚更《なおさら》この二郎三郎の態度が不可解だった。弥八郎の方は、短期間にこの河内の地形をおぼえこみ、河川を利用しての作戦の立案に余念なかった。

長島一揆にもろくも敗退した信長は、矛《ほこ》を転じて近江を叩《たた》き、返す刃で比叡山を攻めた。この比叡山焼打ちほど、天下を驚愕させた事件は、この時代にはなかったといっていい。八百年の伝統と権威を持つ比叡山延暦寺を、三千と称された僧坊もろとも、一宇も残すことなく全山を焼きつくしたのである。

攻撃は九月十二日の払暁《ふつぎょう》、山麓《さんろく》の東坂本の放火に始り、四日間にわたった。信長がこれに投入した兵力三万。比叡山を冠状に包囲して上へ上へと攻め進み、出会う者ことごとくを惨殺した。学名一世にきこえた高僧も、女も子供も、一人の容赦もなく斬《き》り殺し、焼殺した。その数三千ともいい四千ともいう。信長の部下たちでさえ、あまりの残虐さに耐えかね、人々の助命を懇願したが、信長は頑《がん》として受けつけなかった。完全な皆殺《ジェノサイド》しである。

何が信長にこれほどの残虐行為をさせたのか。

確かに比叡山は岐阜（信長の本拠地）と京都を結ぶルートの咽喉《いんこう》部を抑える戦略的要地であり、更に信長に敵対する朝倉・浅井勢をその山内にかくまうなどの行為もした。悪名高い僧兵の根拠地でもあり、腐敗堕落した僧侶《そうりょ》も多かった。だが、そのどれをとっても、これほどの残虐行為の理由にはなりにくい。

理由は一向一揆によって植えつけられた信長の恐怖心にあったのではないだろうか。人間は恐怖心をいだけばいだくほど、残酷に殺す。蛇《へび》や蜘蛛《くも》などに対する行為がそうである。何の害もしない相手に不相応な力をふるって殺すのは、ただただこわいからだ。それと同じ心理が、叡山焼打ちの際の信長にあったのではないだろうか。

　勿論《もちろん》みせしめの意味もあっただろう。『悪鬼』と呼ばれ『外道《げどう》』と罵《ののし》られても信長は平気だった。いや、むしろ、そう呼ばれることを望んでいたともいえる。一旦《いったん》攻め勝ったと安心しても、すぐまた地下水のように湧《わ》き出て来るこの一向一揆という代物にほとほと手を焼いた信長が、天下に自分の意志を明白に伝えようとしたのが、この叡山焼打ちだった。この事件が長島の敗戦の直後だったことにも意味があると思う。

　ちなみに、先年比叡山開創千二百年に当って各地で『比叡山と天台美術』の展覧会が開かれたが、叡山から出品された仏像はたった一つ、小さな千手《せんじゅ》観音像だけだった。古い由緒《ゆいしょ》ある仏像仏画はことごとく、この信長の叡山焼打ちの暴挙によって、失われてしまったのである。

　さすがの楽天家二郎三郎も、本来もののふの弥八郎も、叡山焼打ちのしらせをきいて蒼《あお》ざめた。

「悪鬼外道だ。そうとしか考えられない」

　弥八郎が唇《くちびる》をふるわせていった。

「本来もののふとはそういうものさ」

　二郎三郎の方が真相を直感していた。弥八郎の必死の抗弁に耳をかす風情《ふぜい》もなく、放心したように川面《かわも》に映った秋空を長いこと見つめた末に、ぽつんといった。

「わしは信長を殺す」

だが二郎三郎の信長狙撃の願いは、果されぬままに歳月が過ぎた。

越前の朝倉、近江の浅井の圧殺に総力を結集していたためだ。首尾よくこの両家を滅ぼした信長が、二年後の天正元年（一五七三）九月二十六日のことだ。信長自ら桑名に出陣し、忽ち西別所、東別所、伊坂、萱生《かよう》と攻め進んだ。だが矢田に砦を構え、滝川一益《かずます》に備えを固めさせようとした時点で、一揆側からの凄《すさ》まじい反撃を受けた。反撃の主力は鉄砲隊だったといわれる。伊賀・甲賀からも鉄砲の上手が応援にはせ参じ、正確無比の射撃術で、織田軍団の将兵を狙撃したという。

この狙撃隊の中に、二郎三郎もいた。珍しいことに弥八郎も一緒だった。参謀という楽な仕事をなげうち、一介の弾丸《たま》はこびとしてついて来たのである。それなりの理由があった。弥八郎は二郎三郎の意気ごみを恐れたのだ。信長出陣と聞いた時、二郎三郎の目の色が変った。弥八郎はそれが気に入らなかった。二郎三郎は今、傭兵《ようへい》としての現実的な生き残りの術《すべ》を忘れている。信長を殺す、という一念にこりかたまっている。恐らく身の危険を省みることなく、信長を射程距離に捕えるまで前進するだろう。弥八郎はそれを恐れた。主君家康の唯一《ゆいいつ》の影武者候補を、むざむざと死なせてなろうか。この奇妙な、そして或る意味で勝手きわまる理由から、弥八郎は敢《あえ》て二郎三郎と同行したのである。いざという時は、背後からぶン殴ってでもつれ戻るつもりだった。

天は弥八郎に倖《さいわ》いした。二郎三郎はどうしても信長を視界に捕えることが出来なかったのである。しかも戦場は、途中からどしゃ降りの雨になった。織田軍団の誇る鉄砲隊は、肝心の鉄砲を使えなくなった。だが、伊賀・甲賀、更に二郎三郎のような狙撃手にとっては事情が異なる。彼等はどんな豪雨の中でも鉄砲を発射出来た。火種と火縄《ひなわ》を水に濡《ぬ》らさずに携帯する秘術をもっていたためだ。だからこの戦いはほとんど一方的な射撃戦になった。信長は夥しい死傷者を出し、ぬれ鼠《ねずみ》の散々の態《てい》たらくで岐阜に逃げ帰った。再び織田軍団の完敗だった。だがこの雨のお蔭《かげ》で、自分が生命を拾ったことを信長は知らない。二郎三郎の殺意は、それほど強烈だったのである。雨さえ視界をふさがなかったら、二郎三郎は本陣に突入してでも信長を射《う》った筈《はず》だ。

戦いは勝利に終ったが、長島の門徒勢の誰一人、浮かれ騒ぐ者はいなかった。二郎三郎も弥八郎も例外ではない。彼等は決してこれがいくさの終りではないことを知っていた。又それ以上に、天下が大きく変りつつあることを、肌《はだ》で感じていた。信長の最大最強の敵であった武田信玄は、この年病死している。信長にとって獅子《しし》身中の虫だった足利将軍義昭は追放され、遂《つい》に室町幕府は滅び去った。そして今や、朝倉・浅井はなく、近江の一揆はほとんど鎮圧されている。天下は漸《よう》く織田信長に、つまりはもののふ＝武士の世界に統一されようとしていた。

天正二年は長島一向一揆最後の年になった。

この年の正月、朝倉滅亡によって織田分国となっていた越前に、一向一揆の旗がたち、一揆勢は猛火のような勢いで織田軍団を越前の地から追った。だが信長は羽柴秀吉、丹羽《にわ》長秀らの部隊を敦賀《つるが》に置いて、一揆の動向を監視させただけで、積極的な攻撃に出ようとはしなかった。

信長にしては珍しいことである。これは信長の意志が、ひたすら長島抹殺《まっさつ》に向けられていたためだった。制圧ではない。抹殺である。それほど長島に対する信長の憎悪《ぞうお》は強かった。

信長は叡山焼打ちで見せた皆殺し作戦《ジェノサイド》を、今度も実行するつもりでいた。

戦闘は七月十二日に開始された。前二回の敗戦でこりた信長は、今回は全く新しい作戦をたてた。水に生きる者は水で殺せ。つまり徹底した水上封鎖作戦である。

前にも書いたように、この長島地域は、木曾《きそ》川、長良《ながら》川、揖斐《いび》川が合流する河口近くのデルタである。当時はこのデルタは七つの島にわかれており、相互の往来も舟に頼るしかなかった。この地帯に千余艘《そう》の水軍があったというが、ここの住人には小舟が普段の交通手段として、必要欠くべからざるものだった。水害の時も舟で避難する。だから各家に一艘は小舟があった。戦闘になれば、この小舟を巧みに操って攻撃する。食糧や武器の輸送にもこの舟を使う。今回はその小舟を一切使えなくしようというのが、信長の作戦だった。

志摩の九鬼《くき》水軍はじめ尾張・伊勢の軍勢が、安宅《あたけ》船という軍事用の大船や囲《かこい》船、更に各浦々の漁船まで徴発して、長島水域に乗り入れたのである。攻め進むにつれて水面という水面が、それらの船でぎっしり埋まってしまった。一揆側は小舟を使用出来なくなったわけである。これでは得意の水路を使うゲリラ戦も不可能であり、補給はとまり、忽ち弾薬と食糧が足りなくなった。

しかもこの安宅船は、大鉄砲と呼ばれる、今日の大砲に近い新兵器を乗せており、船から各砦に弾丸をぶちこんで来る。砦につめているのは兵士だけではない。女子供も加わっているのだから、当然大騒動になった。

最後に残った五つの砦の中で、大鳥居はまっ先に降服を申しこんで来たが、信長は許さない。やむなく八月三日の夜、折からの風雨にまぎれて、全員脱出を試みたが、大鉄砲と鉄砲の乱射を浴び、男女千人余りが殺された。

八月十二日には篠橋の門徒も降服を申し入れたが、長島へ逃げこむことだけ許された。信長の意図は、あえて決戦を挑《いど》まず、門徒勢を長島一カ所に追いこんで、兵粮《ひようろう》攻めにすることだったのである。既に七月末頃《ごろ》から、各砦で餓死する者が出ている。日を追って、その数は加速度的に増えていった。『干殺《ひ》し』といわれる最も凄惨《せいさん》な餓死戦法である。

二郎三郎は歯がみしたが、こんな有様では信長を捕捉《ほそく》しに出かけることも出来ない。既に『信長公記』に書かれたように『水上所なし』という状態だった。さすがの二郎三郎が今度ばかりは討死を覚悟した。逃げ口がないのである。

それでも長島一向一揆の抵抗は三カ月続いた。既に半数以上が餓死していた。長島、屋長島、中江の三砦には死者が充満し、屍臭《ししゆう》がたちこめていた。

二郎三郎と弥八郎は長島の砦にいた。弥八郎はもう死を覚悟していた。数日来、一片の食べ物も胃に入れていない。気力も萎《な》えていた。

「お主を三河につれてゆけないのが無念だ」

横臥《おうが》したまま弥八郎がいう。身動きするのも億劫《おつくう》だった。九月二十九日の朝である。

「死んじまったようなことをいうな」

二郎三郎はあたりを窺《うかが》うと、そっと何かを弥八郎の手に握らせた。見ると一握りの焼き米である。弥八郎は仰天した。

「お主、どこから……」

「最後の時のためにとっておいたんだ。当然の心得さ」

二郎三郎は無造作に応《こた》え、自分も焼き米を頰《ほお》ばった。焼き米は長く嚙《か》めば嚙むほど甘さを増し、口中に香ばしい匂《にお》いが拡《ひろ》がった。弥八郎は生涯《しょうがい》にこれほどうまい物をくったことがない。

「今日が最後の日か」

現金に力が戻って来たような感じで、弥八郎はきいた。

「降服を申し込みに、さっき使いがいったらしい」

「許すものか、あの外道が」

外道とは信長のことである。

「いや。今度は許すだろう」

「何故?」

「外へ出した方が派手に殺せるからさ。あいつは何でも派手好みだ」

二郎三郎はせせら笑うようにいった。

「殺されるために力をつけるのかね」

弥八郎はほろ苦く笑った。

「馬鹿《ばか》をいえ。勿論生きのびるためさ」

「しかし……」

「あいつはとことん追いつめられた人間のこわさを知らない」

二郎三郎は確信をもってそういった。

二郎三郎から見れば、信長は名家の御曹子《おんぞうし》である。いわばお坊ちゃんだ。これまで生きてくる上で、それなりの苦労はあっただろうが、餓死寸前の土壇場まで追いこまれた人間の凄まじい反撥《はんぱつ》力など知るわけがない。

二郎三郎はかつて同じように干殺し作戦で陥落した城に乗りこんだ時、死人だと思った城兵に、いきなり脚に嚙みつかれたことがある。仰天した二郎三郎が、何度槍《やり》で突き、ぶん殴っても男の歯はしっかり肉にくいこんだままだった。既に死人と化した男の口を、渾身《こんしん》の力をこめてこじあけた時の、身の毛もよだつような思いは、生涯忘れられまい。

「長島門徒衆は、今やことごとく死人だ。生ある者が死人と闘って勝てるわけがない」

恐らく、信長にとっては、思いもかけぬ乱戦になるだろう。これが二郎三郎の観測だった。

「砦を出るのを急ぐな。しんがりがいい」

逃げるとすればその時をおいてない。

天正二年九月二十九日の長島砦の降服は、世良田二郎三郎の予言通りになった。

降服を許すという信長の言葉を信じ、夥《おびただ》しい小舟に乗って砦を出た門徒たちは、包囲していた織田軍団から鉄砲の一斉射撃《いっせいしゃげき》をうけたのである。それでもやっと岸についたものは悉《ことごと》く斬り捨てられ、水は鮮血に染まった。さながら阿鼻叫喚の地獄図である。信長はさぞ満足しただろうと思う。

だが、それに続いて起った事態は、信長の予想もしていなかったものだった。『過半餓死』といわれ、辛《かろ》うじて生き残った者も骨と皮に痩《や》せ細り、満足に歩くことさえおぼつかないと信じられていた、半死半生の一揆びと七、八百人が、裸で水にとびこみ、なんと信長本陣への凄絶な斬り込みを敢行したのである。不意をつかれた織田軍団はみるみる斬りたてられ、夥しい死傷者を出した。織田信広・信成・信次ら、信長の一族がこの闘いで戦死していることからも、その凄まじい攻撃ぶりが想像出来ると思う。一時は信長の身辺さえ危かったという。信長が死兵の恐ろしさを過小視した結果であり、長島一向一揆衆が最後の意地を見せたものとして、後世に語り継がれた所以《ゆえん》である。

この戦闘の中から、多くの門徒勢が見事に脱出を果し、石山本願寺まで無事辿《たど》りついている。その中に二郎三郎と弥八郎もいた。

この思いもかけぬ反抗に戦慄《せんりつ》し激怒した信長は、残る中江・屋長島の砦には降服を許さず、外側から何重にも柵《さく》をめぐらせて脱出不可能にした揚句、四方から同時に火をつけて、砦に籠《こも》った男女二万人の門徒悉くを焼殺した。一揆の本拠だった長島坊願証寺の五代証忍・顕忍兄弟も戦死し、河内御堂はここにほろび去った。三カ月にわたる抗戦であり、第一回の挙兵以来、四年間の抵抗戦だった。

翌天正三年、信長は柴田勝家に命じて、長島城の修築をはじめたが、この普請《ふしん》にあたって近くの百姓たちは尚、織田軍の兵士や人夫たちに宿を貸すことを迷惑がり渋ったと記録にある。凄惨無比の皆殺し作戦の後でさえ、長島の抵抗は根だやしにはされていなかったのである。信長の秀麗な顔が、焦《いら》だちに歪《ゆが》むさまが、想像出来るような気がする。

天正三年八月十五日、信長は十万五千の兵を敦賀に進め、越前一向一揆殲滅《せんめつ》の戦いを始めた。それはまさしく、比叡山、長島の再現だった。八月十六日府中（現武生《たけふ》市）に入った信長は、たった一日で三千数百の首をとったと、得意げに京都所司代村井貞勝あての手紙（八月十七日付）に書いている。

『府中町は死がいばかりにて、一円あき所なく候《さうらふ》。見せたく候』

これから毎日の間、同じ数ほどの首が信長のもとに届けられ、遂に一週間の犠牲者は、『合せて三、四万にも及ぶべく』と『信長公記』に書かれている。そして信長は手紙でいうのである。

『まことに気を散じ候』

天正三年の大半を、世良田二郎三郎と本多弥八郎は、石山本願寺でぶらぶらしてすごした。長島三カ月籠城《ろうじょう》の後遺症はそれほど大きかった。二郎三郎三十三歳、弥八郎三十八歳。三河一向一揆から十一年の歳月が流れている。二人とももう若いとはいえない。特にこの時代では、壮年もいいところである。

三十八歳の本多弥八郎にとっては、ことさら、長島の敗北と、噂《うわさ》できく越前一向一揆の敗北が、心身ともにこたえた。その上、越前一向一揆の敗因に『一揆内一揆』があったと知った時には、正直がっくり来た。

『一揆内一揆』とは文字通り、一揆内の内紛である。朝倉義景の敗死により永年の主を失った越前に、一向一揆の旗がひるがえったのは、天正二年正月のことだ。石山本願寺の檄《げき》と指揮官としての大坊主《だいぼうず》の派遣によって始ったこのいくさは、簡単に織田軍団を越前の地から追い払い、『越前国、一揆持ちに』と信長にしらせが届いたほどの勝ちいくさだったが、一揆内部に大きな傷を残した。それは七里頼周《よりちか》を中心とする、本願寺派遣の大坊主と、土地の一揆びととの間の亀裂《きれつ》である。『加州大将』（加賀金沢から派遣されたため）と呼ばれたこの七里頼周や、大坂石山本願寺から直接派遣され『大坂殿御上使』と呼ばれた下間《しもつま》一族の下間筑後法橋《ほつきよう》頼照など、越前一向一揆の総指揮官とされた人々が、権力の掌握を目ざし、大名の如《ごと》きわがもの顔を振い始めたのがその原因だった。事実、彼等のとりたてる年貢《ねんぐ》は、朝倉領国の時より多かったという。

勿論、彼等にもいい分はあった。石山本願寺の危機という『仏法の御一大事』のために、門徒たちは重税の首枷《くびかせ》にも耐えるべきだというのである。だが一揆大衆のいくさの目的はもののふ＝武士からの解放であり、年貢夫役の拒否である。つまり自由である。

『朝倉始末記』は、この一揆大衆の怒りを次の様に書いている。

『坊主達ハ後生《ごしやう》ヲコソ頼タレ、或ハ下部《しもべ》ノゴトク荷ヲ持セ、或ハ下人ノゴトク鑓《やり》ヲカタネサセ召使ハル、事一向不㆓心得㆒次第ナリ。桂田・富田ヲ退治シタル事モ、国郡ヲ進退セント思ヒ、我等粉骨ヲ尽シテ此《この》国ヲ打取ケルニ、何トモ不㆑知上方《かみがた》ノ衆ガ下リテ、国ヲ恣《ほしいまま》ニイタス事、所存ノ外ナリ』

後生とは死後の安楽のことである。『国郡ヲ進退セント思ヒ』とは、自分たち一揆大衆の手で国を支配しようと思った、つまり『門徒共和国』をつくろうと思ったということだ。それを大坂から来た大坊主どもが統治しようとしている。怪《け》しからん。この文章の意味はそういうことである。そして天正二年閏《うるう》十一月以降、越前には公然と一揆内一揆が起り、戦闘に発達したのである。

本願寺派遣の大坊主たちは、加賀の軍勢を使って、辛うじてこの『一揆内一揆』を鎮圧したが、そのために一揆大衆から、完全にそっぽをむかれてしまった。だから翌天正三年、信長が本腰を据《す》えて越前平定の軍を進めた時、前年とは比較にならない少数の兵力で戦わねばならなかった。一揆大衆が彼等を見棄《みす》てた結果である。大坊主たちは敗れ、悉く斬られた。総大将下間筑後法橋頼照は乞食《こじき》姿に変装して三国湊《みくにみなと》から逃れようとしたが、紅絹《もみ》の下帯をしていたために怪しまれ、捕えられ斬首《ざんしゅ》された。歯にお歯黒のあとのあったのが致命的だったという。お歯黒は公卿《くぎょう》の習慣である。それは一向一揆の総大将という大坊主の心構えがどのようなものだったかを明かすものであり、更にそれが致命的な証拠とみなされたことに、歴史の皮肉を感ぜざるをえない。

本多弥八郎のような人間にとっては、この越前における一揆大衆のとった態度くらい不可解なものはなかった。確かに大坊主たちの所業にゆきすぎやおごりはあったかもしれない。だがいくさは本来組織と組織の闘いである。指揮官にそむいて、つまり組織を壊していくさに勝てる道理がない。現に越前の敗戦では、大坊主たちも殺されたが、一揆大衆の方が遥《はる》かに数多くの被害者を出しているではないか。勝利のために何故《なぜ》一時の我慢が出来ないか。話にならぬ愚劣さであり、徒労である。弥八郎は、吉崎御坊での、あの身を削るようなそのくせ空《むな》しい調停の日々を思い出している。思わず口をきわめて一揆大衆を罵《のの》った。それが珍しく二郎三郎を怒らせる結果になった。

「おおきにお世話だ」

二郎三郎が喚《わめ》いた。弥八郎の方は、きょとんとしている。どうして突然、二郎三郎が怒りだしたのか、わけが判《わか》らないでいる。

「何がおおきにお世話なんだね？」

「いくさに負けようが、何千何万殺されようが、おおきにお世話だというんだ」

弥八郎にはまだ判らない。そう告げると、

「いくさの勝ち負けでことを判断するなといってるんだよ」

二郎三郎も少し落着いて来ている。

「一揆衆はもともといくさが商売じゃない。みんな百姓や職人《じきにん》、海人や舟人なんだよ。それが仕方なく戦っているのは何故だ。いくさが商売のもののふが、手前勝手な理屈をつけて、一揆衆が自由に働けないようにしたからじゃないか。いくら仲間内だって、そのもののふの

真似事《まねごと》をして、ひとの自由を奪うようなことをすれば、見棄てられて当り前だ。そのために
いくさに負けようが、殺されようが、そりゃあ一揆衆の勝手さ。根本の考え方は正しいんだ。
大事なのはそっちの方だ」
二郎三郎にしては、珍しい長広舌である。
「でも、いくさは勝たなきゃ話にならない」
弥八郎も執拗《しつよう》である。
「現にわしらがここにこうしているのも、勝つためではないか。別してお主はそうの筈《はず》
だ」
十一年間も一向一揆の中で戦っていながら、世良田二郎三郎は今もって門徒ではない。つ
まり信仰をもっていない。弥八郎はそのことをいっているのだ。信心によるいくさでない以
上、勝つために戦っているとしか考えようがない。だが二郎三郎はいつものせせら笑うよう
な表情をして云《い》った。
「勝つと判ったいくさしかしないのか、もののふは」
「そうだ。はじめから負けると判っていて戦うわけがない。そんなことをするのは、愚者だ
けだ」
「じゃあ、お主の殿さまは愚者だな。三方ヶ原を見ろ」
三方ヶ原とは、徳川家康が元亀三年（一五七二）、三河遠江に侵入した武田信玄をむかえ
うって大敗を喫したいくさを指している。このいくさで徳川家は危うくつぶれるところだっ

たが、家康の名が『海道一の弓取り』と称せられるようになったのは、これからである。三河武士団の勇猛さは、この敗戦で逆に天下に喧伝《けんでん》された。戦死した三河武士の死屍《しし》が、ことごとく、武田軍に向いた者はうつ伏し、居城である浜松を向いた者はあおむきに倒れていたからである。つまり敵に背を向けていた死者は、一人もいなかったのだ。

さすがの弥八郎が絶句した。ようやくいった。

「わしがいれば、あんないくさはさせなかった。殺されてもとめた筈だ」

二郎三郎は嗤《わら》った。

「お主にとめられるわけがない。わしが信長を射《う》つのをとめられないのと同様にな」

この時、弥八郎は初めて、二郎三郎がこの石山本願寺に居すわっている理由を知った。

「お主……信長を射つために……ただそれだけのために、ここにいるというのか」

「悪いか」

二郎三郎がぎょろりと眼《め》をむいた。

「わしの鉄砲は、あの悪鬼羅刹《らせつ》を射つためにだけある」

今では片時も身辺から放さない鉄砲を、いとしそうに撫《な》でながら、そういった。

二郎三郎は本気だった。十一年間の戦いを通じて、二郎三郎は一向宗の教義ではなく、それを支える一揆衆の心情を深く理解し、心底共感するに至っている。人を人たらしめている条件の一つが、自由というものだということを識《し》っている。その自由をかちとるための戦いが、人として当然参加すべき戦いであり、たとえそれが果てしない負けいくさに終ろうと、戦い続けてゆくことに意味のあることを識っている。それは二十世紀、スペイン戦争に参加したアーネスト・ヘミングウエイや、アンドレ・マルローと、基本的には同じいくさというものの捉《とら》え方である。そして度重なる戦いと虐殺《ぎゃくさつ》の中から、織田信長の秀麗な顔が最大の敵、つまり悪鬼羅刹として浮かび上がって来た。それを射つことだけが自分の仕事だと今や二郎三郎は信じ切っていた。

天正四年（一五七六）四月十四日に始る石山本願寺と織田軍団の戦闘の中で、世良田二郎三郎はようやく待望の信長狙撃《そげき》の機会を摑《つか》んだ。本願寺としては、元亀元年、天正二年に続く、第三回目の合戦である。

今回の石山戦争の目玉は、紀州の雑賀衆《さいか》だった。紀ノ川下流のデルタ平野地帯にあった一向宗の寺や道場の数は、およそ百七十カ寺といわれる。その中でも雑賀はその鉄砲隊と水軍の強力さで、天下の武将たちを恐れさせるに足る存在だった。

本願寺法主《ほっす》顕如が、どれほど雑賀衆を頼りにしたかは、顕如の雑賀にあてた一連の手紙を見れば、明らかである。

『雑賀鉄炮《てっぽう》、多人数まかり立つべし』
『鉄炮五百丁、万事をなげうつて早々参上すべし』
『万事をさしおき、夜を日につぎ、鉄炮持ち参着の儀、喜び入り候』
『国へも鉄炮千丁申しくだし候』

なんとも涙ぐましくなるような、ひたむきな頼り方ではないか。

この雑賀鉄砲衆の参着のお蔭《かげ》で、二郎三郎の存在は霞《かす》んでしまった。鉄砲の上手も千人を越す数になっては、目立たなくなるのは当り前である。弥八郎はこの事態が面白くなかったらしい。二郎三郎を鉄砲組の頭分《かしらぶん》にするように交渉するといきまいたが、二郎三郎はとめた。二郎三郎には、この方が楽なのである。別に労を惜しんでのことではない。信長狙撃という念願を果す上で、むしろはぐれ鉄砲として行動の自由が確保されている方が望ましいという意味だ。

天正四年五月三日、織田軍団の三津寺攻撃が始ったが、雑賀衆の鉄砲の威力で部将原田直政はじめ、多数の戦死者を出した。一揆勢は余力を駆って天王寺に進み、明智光秀・佐久間正勝の部隊を包囲した。信長はこの報《しら》せに驚き、急遽《きゅうきょ》、佐久間信盛を先鋒《せんぽう》として自ら出陣し、一揆勢の背後をつこうとした。

二郎三郎と弥八郎は、この天王寺攻めに参加していたが、戦闘に積極的ではなかった。二人は、一揆軍のしんがり近くを進んでいた。そこへ銃弾がかためて射ちこまれた。佐久間信盛の部隊である。素早く敵状を見た弥八郎は、その部隊の後方に、信長の本陣を見た。伏せるなり、二郎三郎に怒鳴った。

「信長だ！　信長が来た！」

二郎三郎の反応は見事だった。ものもいわずに、敵陣めがけて走りだしたのである。鉄砲を大事に胸にかかえていた。銃弾が雨霰《あめあられ》のように降っている中だ。

「やめろ！　死ぬぞ！」

弥八郎もあとを追った。二人共、奇蹟《きせき》のように無傷のまま、一揆軍の最後尾に辿りついた。左手にたけの低い灌木《かんぼく》の茂みが、かなりの広さで拡がっている。

「あれだ」

二郎三郎は弥八郎の耳に口をつけて囁《ささや》くとその茂みに這《は》っていった。

二郎三郎は鉄砲を灌木にたてかけると、鎧通《よろいどお》しを抜き、それで土を掘りはじめた。手真似で、弥八郎にも同じことをするように命じる。

銃弾がとびかい、喚声と怒号の沸きかえる合戦のさなかで、二人は黙々と穴を掘った。これは今日でいう蛸壺《たこつぼ》である。蛸壺とは兵士一人が、かがめば全身が隠れる程の小さな穴である。第二次大戦中、火器の爆発力が増大して、それまで使われた何人も入れる横長の壕《ごう》では一発の砲弾で複数の死傷者が出る。これを避けるため考え出された個人用の壕である。掘りあげた土を穴の敵に面した方に積み上げ掩体《えんたい》とする。第二次大戦中の歩兵は、腹這いに寝た姿勢のまま、あっという間にこの蛸壺を掘ったものだ。二郎三郎の手ぎわも見事なもので、またたく間に穴を掘り上げ、鉄砲を握るとするっと中にもぐった。汗みずくになって、それでもまだ半分も掘れていないぶきっちょな弥八郎を、気にもかけなければ手伝いもしない。弥八郎の鼻に火縄《ひなわ》の臭《にお》いが流れた。射撃準備を終えた証拠である。

「弾丸《たま》と煙硝をよこせ」

穴から二郎三郎の声がとんだ。見ると手が一本出ている。弥八郎はむっとしながらも、弾丸と火薬入りの袋を、その手に渡した。

だーん。

銃声が穴から響き、すぐ近くで敵の足軽らしい槍を持った男が腹をかかえるようにして倒れた。弥八郎が気づかぬ間に、近づいていたらしい。

「その死体を使え」

また穴の中から二郎三郎の声がとんだ。死体を掩体がわりにしろというのだ。弥八郎は足軽の死体をひきずりよせた。足軽がのろのろした動作で槍をもち上げようとした。まだ生きていたのである。弥八郎は慌《あわ》てて、泥《どろ》まみれの鎧通しで足軽の咽喉《のど》をかき切った。咽喉からおびただしい血が流れ出し、弥八郎が折角掘り上げた穴に流れこんでくる。弥八郎は一瞬穴に入るのを躊《ため》らった。穴の底には血が溜《たま》っている筈である。

「弥八郎！」

また隣の穴から声がとんで来た。罵声《ばせい》に近い響きである。

〈よく見てるな〉

弥八郎は苦笑しながら、穴の中にすべりこんだ。何だか自分で自分を埋葬するようで、気色が悪い。穴はまだ充分の深さに達していなかったが、足軽の死骸《しがい》のお蔭で、かがめばどうやら頭まで隠れた。

〈俺は一体何をしているんだ〉

ふっと弥八郎はそう思った。どぶ鼠《ねずみ》のように穴にもぐったのはいいが、さて何もすることがないのである。二郎三郎には、信長狙撃という楽しみ（？）があるが、弥八郎の方は何一つない。強《し》いていえば、二郎三郎の成果を見届けることだろうが、この宵闇《よいやみ》の迫った戦場で、それも可能かどうか判ったものではなかった。

狙撃手の優劣は、いかに長く忍べるかという点にかかっている。身を潜めるという意味と、耐え忍ぶという意味と、その二つの意味での『忍び』である。

二郎三郎はすぐれた狙撃手だった。そもそも忍んでいるという意識がない。窮屈な穴の中にいても、まるで自分の家に坐《すわ》っているように平然としている。なんとこの男は、退屈しのぎに穴の底に更に横穴を掘り、その中に脚を伸ばせるようにしていた。こうすれば脚を折り曲げていなくてもすむ。それもほとんど鼻唄《はなうた》をうたいながら、気楽にやってのけている。

陽《ひ》が急速に沈んでゆく。やがて闇が降りて来るだろう。そうなったら狙撃など不可能になる。目標は捕捉《ほそく》出来ず、こちらは火縄の火で容易に発見されるようになる。焦《あせ》って当然の事態である。現に弥八郎は、穴の中で身体《からだ》を伸ばしたり縮ませたりしながら、気ぜわしく外の様子を窺《うかが》っている。その度に鎧のすれ合う音がきこえてくる。二郎三郎が、くすりと笑った。

「弥八郎よ」

のんびり声をかける。鎧の音がとまった。弥八郎の返事はない。人にきかれたらどうする気だ、と腹を立てているに違いなかった。まわりはすべて敵なのである。佐久間信盛の先鋒はとうにこの地域を通り越して前進している。今、まわりにいるのは、信長本陣の旗本ばかりの筈だった。いずれも若く、選りすぐった戦士ばかりである。目も耳も鋭い。声を聞かれたら万事休すだ。

くすり。二郎三郎がもう一度笑った。

「小便をちびるなよ、弥八郎」

短い笑い声がそれに続いた。からかっているのだ。弥八郎は呆《あき》れ返った。どういう神経をしているのだろうと思った。かっとなっていい返そうとした途端に、突然鋭い響きになった声がとんだ。

「動くな。来たぞ」

弥八郎は化石のように凝固した。

人馬のざわめきの中で、よく通るかん高い声がきこえたのである。

〈信長の声だ！〉

弥八郎は直感した。信長が女のようにかん高い声を出すことは有名である。信長自身、自分の声が嫌《きら》いで、だからいつも、極端に短い台詞《せりふ》しかいわないという。弥八郎は兜《かぶと》をぬぎ、乱髪の頭をそろそろと穴から出して見た。

隣の穴に同じように乱髪の頭が見える。二郎三郎だ。土の掩体の上に鉄砲を置き、じっと構えている。

弥八郎は急いで首を廻《まわ》した。灌木の茂みの向うに、数騎の騎馬武者がいた。中央に異装の男がいる。鎧が他の武者と全く違うのである。弥八郎は知らなかったが、それは南蛮の鎧だった。日本の鎧のように、鉄片を絹紐《きぬひも》でつないだものではなく、すべすべした鉄の塊である。それが残照に鈍く輝いていた。

信長の南蛮好きは有名である。この西洋鎧も宣教師からの贈り物を、身体に合うように手直しさせたものだった。兜はつけず、烏帽子《えぼし》をかぶっている。

二郎三郎は鉄砲を構えながら一瞬迷った。西洋鎧の強度をはかりかねたからである。見たところ鉄の塊のようで、非常な硬度をもつように見える。しかも表面がつるつるしていて、弾丸が当ってもすべるかもしれない。この当時の弾丸は、今のように先端のとがったものではなく、丸い鉄玉だった。距離によっては、樹木に当ってもすべって、あらぬ方向に跳ぶことがある。

〈顔しかない〉

不利を覚悟の上で、二郎三郎は決心した。

狙撃手は通常、顔や頭は狙《ねら》わない。目標として小さく、しかも動きやすいからだ。小首をかしげる、うつむく、など、ちょっとした動作で、弾丸がはずれるおそれがある。その上、鉄砲は射撃時の反動で、狙ったところより上方に弾丸がゆきがちだ。腹を狙って上にそれても、胸、または顔に当る。顔を狙って上にそれたら、射ち損なうことになる。だから狙撃手は、普通目標として、幅も充分広く、動きにくく、上方にそれても安心な、腹を狙うのである。不利を覚悟の上で、と書いたのは、そういう理由による。

二郎三郎は穴の中で、身体を弓なりにそらせて鉄砲を構えた。馬上の信長の顔を狙うには、その姿勢しかない。これも不利の一つである。反動の影響をうけやすい姿勢だからだ。

信長の顔が照星の向うに見えた。その時、それが起った。信長がまともにこちらを見たのである。二郎三郎は信長の眼を見た。さながら炎のように燃え上がる信長の眼を見た。その眼が、一瞬のうちに二郎三郎の戦意を萎縮《いしゆく》させた。恐るべき力をもった眼だった。二郎三郎の指は引金にかかったまま凝固してしまった。

〈こんな馬鹿な！〉

二郎三郎は必死で首を振った。この一年、夢に見るほど追い求めて来た、外道信長狙撃の機会である。今、それを手中にしている。二郎三郎は己れの射撃術を信じている。この距離なら、万に一つもはずすことはない。目標は叡山を焼き、長島一揆勢を皆殺しにした残虐無比の悪鬼である。射ち殺すことに何の躊いもある筈がない。それなのに二郎三郎の指は、己れの意志に逆らって凝固し、動こうとしないのだった。

〈こんな馬鹿な！〉

もう一度、己れの心を叱咤《しった》した。だが依然として射てない。それは一言でいえば、人間の格の違いというのだろうか。いかに残虐非道を極めたとはいえ、源頼朝以来初めて、この国にもののふ＝武士の天下を築き上げようという、異常な野望に己れを燃え上がらせた一箇の天才の光が、平凡人二郎三郎を圧倒し去ったのであった。

本多弥八郎の方は、そんな事態が起っていることを知らない。二郎三郎が射撃を躊っているのは、今射てば忽《たちま》ち見つけ出されて斬《き》られるからだ、と単純に信じていた。そして、二郎三郎の生得の生き残る本能に感心し、安堵《あんど》もしていた。弥八郎は二郎三郎をなんとしてでも殺したくない。生きて岡崎につれ帰りたいのである。

〈さすがに野武士だ〉

二郎三郎をほめてやりたかった。銃声が四方に響き渡り、弾丸のとびかう中だったら、二郎三郎の射撃もまぎれて、発見されることはない。二郎三郎はそういう事態を待っているのだ、と弥八郎は確信していた。

不意に銃声が湧《わ》いた。それは十挺《ちょう》や二十挺の鉄砲ではない。五、六百挺の一斉《いっせい》射撃である。前方が俄《にわか》に騒然として来た。雑賀衆の反撃が始ったのである。銃声はとぎれることなく続き、次第に近づいて来る。先鋒の部隊が押されて下がって来ている証拠である。銃声は益々大きくなり、この辺にも流れ玉が飛んで来る。信長が焦《いら》だったように、例のかん高い声で何か叫んだ。引くな、といっているのだろう。飛来する弾丸が数を増し、銃声は轟《とどろ》くような大きさになった。人馬の動きもあわただしくなり、騒音があたりに立ちこめた。

好機到来、今こそ狙撃の時である。弥八郎は緊張した。ところが、肝心の二郎三郎が動かない。まるで化石になったように、のけぞった姿勢のまま、いつまでたっても発射しないのである。弥八郎の方が慌てた。何故射たないのか。戦陣は次第に混乱を増し、折角の好機が、今にも去ろうとしている。思わず叫んだ。

「二郎三郎……」

二郎三郎が弥八郎の方を見た。きょとんとした表情をしている。まるでたった今、夢から醒《さ》めたような感じだ。

「射て！　射たんか！　二郎三郎！」

二郎三郎の表情が動いた。弥八郎の叱咤にようやく信長の呪縛《じゅばく》から解き放たれたのである。我に返って信長を見た。信長は馬をひるがえそうとしている。退却するつもりだ。信長の逃げ足の速さは、定評がある。二郎三郎は愕然《がくぜん》とした。この機会を逃しては、二度と再びこれほどの近さで信長を狙うことはあるまい。力のぬけた五体に急いで気を満した。新たな力で、鉄砲を構えた。再び照星の向うに信長の顔が浮かび上がる。二郎三郎は不覚にも、ここで眼《め》をつぶってしまった。信長の眼を見ることを恐れたのである。眼をつぶったまま、ことりと引金をおとした。轟音《ごうおん》と共に発射された銃弾は、信長の太股《ふともも》を貫通した。通常の場合とは逆に銃口が下がったためである。信長は危うく落馬しかけたが耐えた。近習の者たちが信長を囲み、すさまじい速さで後退していった。

機会は去った。二郎三郎は穴の底に尻《しり》をおとし、呆《ほう》けたように自分の震える手を見つめていた。

「二郎三郎……」

弥八郎の声が脳天から降ってくる。穴をのぞきこんでいるのだ。

「やったな。確かに信長を射ったぞ」

二郎三郎は唇《くちびる》を嚙《か》み、力なく首を振った。

「脚だ」

「なに!?」

「脚を射っただけだ。あれでは死なぬ」

二郎三郎は、ほっと息を吐いた。

「俺《おれ》の負けだ。人間の器量が違う」

陽はとっぷりと暮れ、さっきまでの戦場は闇と化している。ところどころに盛大な篝火《かがりび》の見えるのは、織田軍が野陣を敷いているのだ。

今日の合戦は結局は一揆勢の敗北に終っている。一旦《いったん》退いた織田軍は、再び勢いを盛り返し、雑賀の鉄砲衆を上廻る火力で逆襲して来た。鉄砲上手の雑賀衆も、夜ともなれば狙いは不確かになる。そうなれば、ものをいうのは結局鉄砲の数である。

堺を抑えた織田軍団は鉄砲の数だけは日本一だった。雑賀衆は不利ないくさを避けて兵を退き、石山本願寺に戻ってしまった。戦死者の数こそ織田軍団の方が圧倒的に多かったが、形の上では織田方の勝利ということになった。信長の負傷もなんの役にもたたなかったわけである。

二郎三郎は疲労困憊《こんぱい》のどん底にいた。体力的な疲れではなく、気力が萎《な》えている。信長の、あの燃え上がるような眼が、今も脳裏から離れない。もう一度向い合ってみても、俺はやはり射てないだろう。二郎三郎はそう思う。完敗といえた。悪鬼外道に勝つには、こちらも悪鬼外道にならなければならぬ。そう二郎三郎は痛感した。だが自分は到底、悪鬼外道になることは出来ぬ。善悪の問題ではなく、エネルギーの問題である。

〈所詮《しょせん》俺はこれだけの男だった〉

そういう諦念《ていねん》が、今、二郎三郎の心の底にある。その日、その場を、楽しく過ごせばいい。

そう思ってのんびりと日を消して来た自分と、身を焼きつくすような野望への執念と焦燥《しょうそう》で、さながら日々を疾駆して来たような信長との、生きざまの差が、土壇場でくっきりと現れた。目から鱗《うろこ》が落ちたような思いだった。一筋縄ではゆかぬ人の世の仕組が、まるでパノラマのように、目の前に展開していた。別の言葉でいえば、二郎三郎は醒めてしまったのである。今までの『信長を殺す』という執念は、雲散霧消していた。まるで憑《つ》きものが落ちたようだった。二郎三郎は本来の気楽な野武士に戻った。ただ前より活力が欠けている。この世での自分の居場所を明確に知るということは、一種の不幸である。そしてそれが齢《とし》をとるということなのではないか。世良田二郎三郎は、三十四歳にして、一気に老いたということが出来よう。

二郎三郎も弥八郎も、自軍の位置が判らなくなっていた。本願寺に戻るしか法がない。二人は篝火で明るい場所を避けて、暗黒の中を足をひきずりながら歩いた。なんとなくみじめだった。

この日を境に、世良田二郎三郎の様子が変った。

特にどこがどうというのではないが、なんとなく生気がなくなったのである。

二郎三郎が信長を狙撃したという話は、弥八郎を通じて本願寺に立て籠《こも》る全門徒衆に知れ渡り、大きな賞賛を浴びた。弾丸が脚を貫くにとどまり、生命まではとれなかったという一事も、その賞賛を割引く結果にはならなかった。単に、信長の悪運いまだつきず、と思われただけである。雑賀の将鈴木孫一までが、わざわざ二郎三郎に会いに来て、詳しく話をききだし、揚句の果て力強く二郎三郎の肩を叩《たた》いて云《い》った。

「われら雑賀衆を出し抜くとは、見事な鉄砲術だ。それにも増して、戦機を摑《つか》むまで穴にもぐっていたという辛抱、感に耐えた。お主こそ天下一の鉄砲衆じゃ」

鈴木孫一は、万事につけ動きが派手で、いうことも大袈裟《おおげさ》なところがある。孫一を嫌う者は多く、孫一の派手さを酷評して、

「雑賀の大ぼら吹き」

と悪口を叩いたが、鉄砲衆の采配《さいはい》の巧妙さにかけては、全雑賀衆の中でこの男の右に出る者のいないことは、何人《なんびと》も認めるところである。その孫一が手放しでほめ上げるのだから、有名にならぬ方がおかしい。二郎三郎は一躍、本願寺きっての名物男になってしまった。

それなのに、二郎三郎は終始浮かないのである。どこか、たがが弛《ゆる》んでしまったかのように、放心状態でいることが多い。ほめられ、はやされても、まるで他人事《ひとごと》のように、ぼんやりきき流している。一向に乗って来ない。さすがに、弥八郎が真っ先にそのことに気づいた。

「身体具合が悪いのじゃないのか」

心配して質《たず》ねても、「いや」とか「むむ」とか、あいまいな返事しか返って来ない。うわの空なのである。

「何か格別思案していることがあるのか」

そう訊《き》くと、けろっと見返して、

「別に」

本当に、何の思案もしていなそうな顔で応《こた》える。弥八郎も首をひねるばかりだった。

事実、二郎三郎は、何も思案に暮れていたわけではない。信長を射ち損じたことを、悔やんでいるわけでもない。ただ、二郎三郎の眼前には、今も信長の眼があった。あの切れ長の刺し透《とお》すような眼が、常にあった。

「推参なり！」

その眼がそういっているように、二郎三郎には思える。わしとお前では棲《す》むところが違う。天下の風雲に向って、生命を賭《か》けて滅法まっしぐらの一騎がけをかけている自分と、地虫のように地べたを這《は》いずって生きている貴様とでは、同じ人間とはいえ、月とすっぽんの違いがある。そもそも志が違う。世界に対する意識が違う。呼吸する空気まで違う。一介の地虫が、天馬を翔《か》ける英雄に嚙みつこうなどと、推参のきわみである。分を知れ。地虫は地虫の生を生きよ。信長の眼はそう云っているのである。

断っておくが、二郎三郎は幻に見る信長の眼に威圧されたわけではない。恐怖におののいたわけでもない。ただ、なんとなく、「ああ、そうだな」と納得してしまったのである。考えようによっては、この方が、威圧されるより始末に悪い。反撥《はんぱつ》心がないからだ。

自分で考えてもどうにも理由が判らない。叡山を焼き、全山の老若男女三千を皆殺しにした悪鬼。長島一揆で数万の門徒衆を干殺しにし、焼殺し、首をはねた外道。越前一向一揆では、門徒衆を大釜《おおがま》にいれて炙《あぶ》り殺したとさえいわれる羅刹《らせつ》。そんな男が、認められる道理がない。殺しても尚《なお》あきたりない男である。

その男に、一目睨《にら》まれただけで、どうして俺《おれ》は『納得』してしまったのか。奇怪である。信長が側近に置いている南蛮伴天連《ばてれん》の魔法にでもかけられたのだろうか。だが、あの黄昏《たそがれ》の戦場に、伴天連の姿はなかった。そして、自分がわけは判らぬまま、『納得』したことは確かな実感がある。同時に、信長への憎悪《ぞうお》も怨念《おんねん》も、目から鱗が落ちるように、一気に雲散霧消してしまった。今の自分は、いわば一箇の『ぬけがら』である。『ぬけがら』に放心する以外の何が出来るというのか。

「あの時、緊張しすぎたのだな。なあに、そのうちになおるさ」

弥八郎は慰めるようにいってくれたが、二郎三郎には、そうは思えなかった。そもそも、何が『なおる』というのか。『ぬけがら』と化した自分が、妙に気楽になり、人間として落着いたことを二郎三郎は感じている。今まで我武者羅に一向一揆のために戦って来た自分が、嘘《うそ》のように感じられる。

〈結局、若かったんだな〉

そんな老人めいた感慨にとらえられさえするのである。確かに自由のための戦いだった。だがその戦いのために、自分は長いこと、その肝心の『自由』を見失っていたのではないか。山河の眺《なが》めを楽しみながら、悠々《ゆうゆう》と街道を流れてゆく『道々の者』本来の生き方を忘れ、息せき切ってつっ走っていたのではないか。願人時代の、そして三河の野武士時代の気楽さが、いっそ恋しかった。

もともと二郎三郎は門徒ではない。つまり一向宗を信じているわけではない。娑婆《しゃば》は苦労に満ちた穢土《えど》であり、死ねば安楽と平和に満ちた浄土にゆくことが出来るなどと、一瞬といえども信じたことはない。その信仰があるからこそ、門徒衆は戦士として最強なのである。二郎三郎の戦士としての強さは、職人としての強さだった。戦闘というものを専門とする職人である。その差がここに至って大きく現れたことになる。二郎三郎は、己れの職業に飽きたのである。別のいい方をすれば、もっと気楽ないくさがしたくなったのである。そくばくの金を貰《もら》い、己れの芸を見せ、いやになればさっさと逃げだす、そんなのんきないくさが懐《なつ》かしくなったのだ。

織田信長の本願寺攻撃は、今回も失敗に終った。伊勢長島での勝利に味をしめて、天正四年四月、再度海上封鎖作戦をとり、大坂湾を三百艘《そう》の舟で埋め、兵粮《ひょうろう》・弾薬の運びこみを阻止した。例の干殺し作戦である。だが三月後の七月十三日、西国の雄、毛利氏の水軍八百余艘が、雑賀からの援軍と合流して、木津川口に進入し、織田水軍を散々に討ち負かし、海上封鎖を破り去った。織田水軍の軍船はことごとく焼かれ、数百の戦死者を出し、全滅に瀕《ひん》したという。安芸《あき》水軍の華々しい勝利であり、大坂湾と瀬戸内海の制海権の確保であった。

だが何者も、悪鬼と化した信長の執拗《しつよう》さに勝てる者はいない。信長は伊勢の九鬼水軍に最大の物資供給を続け、織田水軍を天下一のものに仕上げるように命じた。堺の代官松井友閑に、月ごとの租税の半分を『九鬼兵粮』に廻《まわ》せと命じているのがその一例である。九鬼水軍の頭領九鬼嘉隆はその知遇に応え、恐るべき大船七艘を建造した。五千人の兵士を乗せる、長さ二十五メートル、幅十三メートルの鉄の船だ。鉄砲の弾丸を通さず、逆に大砲三門と夥《おびただ》しい長銃を備えていたという。その山のような大船のまわりに無数の小舟を配し、あっという間に毛利水軍を破り、大坂湾と瀬戸内の制海権をとり返したのは、二年後の天正六年七月十八日のことである。その冬、巻き返しを計った毛利水軍六百艘も大敗を喫し、この大船作戦は、それに先だつ雑賀攻めと相俟《あいま》って、完全に石山本願寺の死命を制した。

刀折れ、矢つきた石山本願寺が、信長に降服したのは、天正八年閏《うるう》三月。形の上では、正親町《おおぎまち》天皇の叡慮《えいりょ》による勅命講和ということになっているが、実質的には全面降服である。顕如は四月九日に大坂を退去し、紀州の鷺森《さぎのもり》御坊に落ちていった。顕如の子教如が、僅《わず》かに抵抗の意志を示し、全国に五十余通の檄《げき》文を送り、徹底抗戦を呼びかけたが、これもたった三月で、大軍を動かして大坂に迫った信長の脅しに屈した。八月二日、教如は大坂を去った。教如が石山をあとにした直後の昼すぎ、本願寺内から火を放して伽藍《がらん》は残らず焼け落ちた。火は夜昼三日、黒煙を発して燃えつづけたと『信長公記』にある。興福寺の多聞院《たもんいん》英俊がその日記に、

『渡テ後、ヤクル様ニ用意シケルカ』

と書いたように、教如が手配して焼かせたものと思われる。三カ月の抵抗の間に、父顕如は信長を恐れて教如と父子の縁を切り、腹ちがいの弟光昭（准如）を嗣子とした。このため、本願寺は後に東西二派に分れることになる。

二十三歳の教如の足跡は、以後ぷっつりと絶えた。北国辺にいたという噂《うわさ》がある。越前の穴馬《あなま》の谷、飛驒《ひだ》の白川郷、越中の五箇山の谷間にいたともいう。とにかく教如は信長の死ま

で姿を現さなかった。

そして世良田二郎三郎の姿もまた、石山焼亡と共にぷっつりと消えたのである。

輿《こし》が大きく揺れた。昨日の雨で道が泥濘《でいねい》と化している。滑りやすく、足をとられる。輿の者が難儀していた。

二郎三郎は、手から筆を落しかけて、はっと我に返った。長い長い青春の日々が、走馬燈《そうまとう》のように、一瞬に脳裏を駆けめぐっていたのだ。

〈あの時……〉

二郎三郎は筆をしまいながら、くすりと笑った。

〈弥八郎はひどく慌《あわ》てたと云ってたっけ〉

くそ真面目《まじめ》な本多弥八郎の顔が、狼狽《ろうばい》に歪むさまは想像するだにおかしかった。

あの時とは勿論《もちろん》、石山本願寺焼亡の日のことだ。二郎三郎は弥八郎にさえ行く先を告げず、ぶらっと出てそのまま消えたのである。昔とった杵柄《きねづか》というが、これこそ自由な野武士時代の二郎三郎の得意わざだった。今ここにいたかと思うと、半刻後にはもう国境いに向って馬をとばしている。まわりの人間がようやく探しはじめる頃《ころ》は、既に他領に入り、馬を売って銭に替えている、といった速さである。久しぶりにこの得意わざを使って、二郎三郎はひどく若返ったような、いい気分だったのを、今でもはっきりおぼえている。どこといって行くあてはなかった。ただ、暫《しば》くいくさはご免だった。倖《さいわ》い鉄砲と火薬・弾丸だけは持ち出せたから、どこかの山の中で猟師でもしてみようかと思っていた。それも倦《あ》きたら今度こそ船に乗って、異国にいってみたい。呂宋《ルソン》、かんぼじや、いやもっと遠く、いすぱにあ、ぽるとがる。だがそれにはまず堺へゆかなければならないな、と二郎三郎は思った。それとも倭寇《わこう》の仲間に入ってもいい。石山本願寺のいくさで、二郎三郎は船にのりなれたし、船いくさでも結構こなせるようになっている。安芸水軍の中に顔見知りも出来た。その線でつてを辿《たど》れば、出来ないことではない。

〈あの頃はまだのんきだった〉

今になって見ると、そう思う。第一、山で猟師をするなどということは、根が淋《さび》しがり屋の二郎三郎に出来ることではなかった。それに信長の一向一揆《いっき》根切りの気持は、少しも減《き》えてはいなかったし、本願寺との講和後も、各地で、残虐《ざんぎゃく》な一揆皆殺しを続けていた。一揆勢に顔をしられた二郎三郎のような有名人が、おちつける場所などある筈《はず》がなかった。まして、『信長を射《う》った男』という評判がある。本願寺に籠城《ろうじょう》していた者なら、誰でも知っている。今のところ格別の手配はされていないにせよ、誰かがどこかで、織田軍団にそのことを喋《しゃべ》れば、二郎三郎はそれこそ『櫓櫂《ろかい》の及ぶかぎり』海の果てまでも追われかねない身なのである。他人に顔を見られることを恐れ、転々と居所を変えて生きるしか法がなかった。そんな暮しをしながら生き永らえてゆくには、たった一つの職業しかない。盗賊である。二郎三郎は急速に堕《お》ちていった。

天正十年（一五八二）六月、信長が本能寺で明智光秀に殺されなかったら、二郎三郎はどこまで堕ちていったか判《わか》らない。信長の死が二郎三郎の堕落に辛《かろ》うじて歯どめをかけた。まず逃げ隠れする必要がなくなった。顔を白日の下にさらして生きてゆくことが出来るようになった。二郎三郎は元の傭兵《ようへい》に戻った。有難いことに、いくさはどこかで絶え間なくあった。傭兵商売は繁盛《はんじょう》の一途を辿った。二郎三郎は、いくさを追って天下を流浪《るろう》した。九州にもいったし、四国にもいった。

〈俺は負ける方にばかりつく〉

わざわざ選んでいるわけではない。ただなんとなくそういう成り行きになる。二郎三郎を雇った方は負け、二郎三郎はいつでもただ一騎、鉄砲片手に国境いに向って馬をとばすことになるのだった。

二郎三郎は本多弥八郎が必死で自分を探し廻っていることを知らない。弥八郎が首尾よく家康のもとへ帰参したことさえ知らなかった。

本能寺の変は弥八郎にも幸いした。この事件のお蔭《かげ》で、十八年ぶりに徳川家への帰参がかなったのである。

この事件の時、家康は信長にすすめられて、僅かな供廻りをつれただけで、堺にいた。天正十年五月二十九日、家康は武田の降将穴山信君と共に京から堺にゆき、松井友閑の家で振舞を受けた。六月一日の朝は今井宗久方で、昼は天王寺屋宗及《そうきゅう》方で、夜はまた松井友閑方でそれぞれ茶会が催され、家康も穴山信君も出席している。夜は茶会の後で酒宴になった。明智光秀が本能寺に信長を襲い、信長が自殺したというしらせを家康が受けとったのは、六月二日の朝である。報《しら》せをもたらしたのは茶屋四郎次郎だったといわれる。四郎次郎はもとは三河武士で徳川家とは主従関係にあった。それが牢人《ろうにん》中に、京の商家茶屋の入婿《いりむこ》となったのである。四郎次郎の報せを検討した家康の一行は、三河への最短距離である伊賀越えの間道をとって、岡崎城に帰ることにきめた。これが、家康生涯《しょうがい》の大難の筆頭といわれる『伊賀越の御大難』である。

伊賀越えのどこがそれほどの大難であったか。明智の軍勢が踵《きびす》を接して追って来ているわけではない。問題は土地柄《とちがら》にあった。ここは近江一向一揆に呼応して起った、伊賀惣国一揆で知られた国だったのである。しかもこの一揆は前の年の天正九年、織田軍団の大軍の前に悲惨な最期《さいご》をとげている。甲賀の郡中惣《ぐんちゅうそう》も同じ目にあった。その一揆の生き残りがいる。織田信長に象徴されるもののふ＝武士を蛇蝎《だかつ》の如《ごと》く忌《い》み嫌《きら》った一揆びとの残党が、今も五百や千はいる。その一揆びとたちが、信長の盟約者だった家康を見逃すわけがなかった。十数人の側近で、一揆びとと闘ったところで、勝負はしれていた。信長のとった、残虐をきわめた一向一揆根切り作戦が、今、家康の身の上に、はね返って来ようとしていた。

本多弥八郎はこの時、たまたま柘植（つげ又はつみえ＝現在の三重県阿山郡伊賀町）の柘植三之丞のもとにいた。一向一揆に長年加わっていたお蔭で得た知己である。どこの土地へいっても、伊勢長島で戦い、石山本願寺に最後まで立て籠《こも》っていた、と判れば、一揆に関《かか》わった人々が必ず面倒をみてくれた。一向一揆衆の横のつながりは、それほど強かったし、石山本願寺の力は、それほど末端まで拡《ひろ》がっていたのである。

六月二日の夜、柘植三之丞のもとに急使が来た。それは信長の横死を告げると同時に、家康が穴山信君と共に、伊賀越えを計っていることを報じる使者だった。

「法敵討つべし！」

伊賀忍びたちが、この報に奮いたつさまを、弥八郎は慄然《りつぜん》たる思いで見た。十八年の歳月も、弥八郎の主君家康への思いを少しも減らしてはいなかった。それどころか、今の弥八郎にとっては家康のもとに帰ることだけが、唯一《ゆいいつ》の願いだった。その家康が恐らく生涯で最大の危機に立っている。

家康は宇治田原から山田村を経て行程十九里、信楽《しがらき》の小川村で一泊したという。そこまで来れたのは、主として、同行した茶屋四郎次郎が惜しげもなくばらまいた黄金のお蔭である。現に、別行動をとった穴山信君の一隊は、宇治田原に向う草地の渡しで一揆の襲撃にあい、惨殺《ざんさつ》されている。だが今その黄金は逆の作用を始めていた。家康の一行を皆殺しにすれば、自然に莫大《ばくだい》な黄金も手に入る、という噂が伊賀・甲賀の山中に、ぱっと拡まってしまったのである。家康の一行は明日、柘植・鹿伏兎《かぶと》・関・四日市を経て那古から舟に乗り、岡崎に帰る予定のようだった。行程十七里。だが、この行程の中の鹿伏兎越えが、最大の難所である。伊賀忍びはここに総力を結集して、家康の一行を惨殺するつもりだった。

弥八郎はその夜、柘植三之丞はじめ伊賀忍びの頭領たちを必死になって口説いた。武将としての家康の最大の長所は、人を殺さないことである。この年の三月、武田家を滅亡させた時も、信長は武田の遺臣をことごとく殺せと命じたが、家康は彼等をひそかに遠江《とおとうみ》に隠して危難をさけさせた。この時、家康に誓紙をさし出して家臣たることを誓った武田一門・譜代衆は八百九十五名にのぼった。三河一向一揆の時も、叛旗《はんき》をひるがえした家臣の帰参を許し、一揆の主謀者である僧たちも殺していない。一向宗の寺を壊し、以後三河での布教を禁じただけである。弥八郎の伊賀衆説得の切札は、この一向宗の寺を三河・遠江の地に再建させてみせるという言葉だった。信長の根切り作戦で、全国の一向宗寺院は破却され、法燈まさに絶えなんとしている時である。弥八郎の言葉が伊賀の一揆びとの心を動かさない筈がなかった。

翌六月三日早朝、小川村を発《た》った家康の一行は、鹿伏兎越えにかかった時点で、愕然《がくぜん》と足をとめた。棒立ちになったといっていい。

当然の処置だが、数人の斥候《せっこう》を先行させ、用心に用心を重ねての行軍だったにもかかわらず、峠にさしかかる手前で、まったく唐突に周囲を軍勢でかためられてしまったのである。軍勢は二百人あまり。これだけの人数が、どうやってどこに潜伏していたのか、家康方には全く不可解だった。ただ突然、草の中、木の上などから人影が現れた、と見る間に、びっしりと隙間《すきま》なく立ち塞《ふさ》がったのである。

家康の側近はいずれも死を覚悟した。ただ一つ、主君家康の身だけは、なんとかして助けたい。先《ま》ず茶屋四郎次郎が、黄金のつまった袋を差し出しながら進み出たが、取り囲んだ軍勢は身動きもしない。いや、四郎次郎も黄金も、見ようとさえしない。

なんとも薄気味の悪い連中だった。一様に柿《かき》色の装束に黒い半具足をつけ、持槍《もちやり》も普通の武士の使うものより、けもの狩りに使う槍に近い。大刀を腰に吊《つ》っている者はなく、いずれも背に斜めに背負っている。しかも金具の部分にはことごとく布切れが巻きつけてある。音をたてないためだ。忍びの集団であるのは明白だった。その上、この連中は一言ものをいわない。ただ、短い槍の穂を光らせて、立ちはだかっているばかりなのである。黒い威圧とでもいうべきものが、家康側近のいずれ劣らぬ猛将たちの心を、恐怖で満した。

本多平八郎忠勝は家康方の先頭にいた。この時三十五歳。この伊賀越えの采領《さいりよう》役をしていた。ともすれば絶望的になり、破れかぶれになりがちな側近を抑え励まして、ここまで無事に辿りつけたのは、平八郎の才腕によるところが大きかった。今も、斬《き》り死《じ》にを覚悟して抜刀しかける側近を制して、一人進み出たのはこの平八郎だった。落着き払って云《い》った。

「これは三河の徳川家康さま御一行である。お主たちの望みをきこう。頭領は誰だ」

軍勢の中から二人の男が出て来た。一人は柘植三之丞であり、一人は本多弥八郎である。本多平八郎は弥八郎の同族である。十八年の歳月が流れていても、その顔を見忘れるわけがなかった。

「弥八郎！　お主、弥八郎じゃないか！」

弥八郎がにたっと笑った。

その時、側近に囲まれていた家康が、まるでとび出すような勢いで出て来た。まっすぐに弥八郎に向った。怒鳴った。

「どうして帰って来なかったんだ、弥八郎！」

それが家康の第一声だった。その双眼がみるみる涙にあふれた。

弥八郎は、一瞬のうちに、家康が今も尚《なお》自分を待っていてくれていることを悟った。二人が今も尚親友であることを悟った。

弥八郎は仮面のような表情になった。総身の痺《しび》れるような感動を抑えるためである。柘植三之丞以下伊賀忍びの集団二百が、家康の伊賀越えに協力する条件について、淡々と語った。顔を仮面に変えても、眼の光を消すことは出来ない。家康は即座に弥八郎の真情を悟った。

〈弥八郎は今でもわしを思っている〉

弥八郎が受けた同じ感動が、家康を貫いた。本多平八郎以下家康の側近も、同時に弥八郎の誠実さを信じた。条件などどうでもいいのである。要は、現在の事態の中で、二百人の伊賀衆の警固がどれほど有難いものであるか、ということだった。正に救いの神だった。

家康は即座に、三河・遠江における真宗本願寺派寺院の再建を約束し、伊賀衆は一行を伊勢白子《しろこ》の浜まで、安全に送り届けた。家康は白子湊から舟に乗り、四日大浜に着岸、即日岡崎城に入った。弥八郎は自然に家康に同行した。

「二度とわしを離れるな」

家康は低く弥八郎にいった。弥八郎は小さくうなずいた。その言葉通り、本多弥八郎正信は以後生涯家康のそばにいた。僅かに離れたのは、この関ヶ原の一戦の時であり、それが弥八郎にとって、生涯の痛恨事となった。この時、弥八郎は秀忠の軍監となり、東山道を進んでいたのである。

尚、『伊賀越の御大難』に際しての伊賀衆の『忠節』に対して、家康の酬《むく》い方が少ないことがしばしば問題にされる。確かに後に江戸幕府に召し抱えられた伊賀同心達の待遇は、けっして恵まれたものではなかった。その上、服部《はっとり》半蔵など一部の伊賀者は、この時期以前に既に家康に抱えられている。それらの点から、『伊賀越の御大難』における伊賀者の援助を怪しむ説もあるが、間違いだと思う。

家康は約定をきちんと果した。

この翌年、即《すなわ》ち天正十一年（一五八三）、三河に真宗本願寺派の寺院の再興を許したのである。三河一向一揆の結果、この派の寺院をことごとく破却してから実に二十年目だ。再興の動機は、家康の伯母妙西尼《みょうさいに》の嘆願による、といわれているが、それが口実だったことは、明らかである。

十八年ぶりに家康の側近に返り咲いた弥八郎は、この伊賀忍び衆を使って、必死に世良田二郎三郎を探した。今や、十六松平の内紛の危機は遠く去っていたが、家康の影武者の必要性は、益々増大していた。『海道一の弓取り』になった家康は、機敏な動きによって信長の跡を継いだ羽柴秀吉にとって、ほとんど只《ただ》一人の目の上のこぶと化したからである。秀吉の本領は、忍び・野武士を使っての隠密《おんみつ》作戦にあることは、蜂須賀《はちすか》小六の一統を使っての墨俣《すのまた》一夜城作戦の頃から一貫している。家康の生命は日々危険にさらされていた。

だが世良田二郎三郎の足跡は杳《よう》としてつかめなかった。

輿がまた大きく揺れた。

二郎三郎は危うく転がりそうになりながら、思い出し笑いをした。

〈あの時、弥八郎にわしがみつかるわけがなかった〉

本多弥八郎が必死になって探していた時、当の二郎三郎は遠く九州の地にいた。一向宗の寺内《じない》と同じ意味で、キリシタンの寺内のようになっていた肥前長崎の町で、唐人やおらんだ人と、気楽に遊んでいたのである。あわよくば彼等の船に便乗して、異国へゆこうと思っていた。そのためには、ある程度異国の言葉が操れなくてはならない。二郎三郎はこの歳《とし》で、広東語《カントン》とおらんだ語をまなぶことに必死だった。生来の臆面《おくめん》のなさが、外国語習得には有利に働いた。短時日の間に日常会話程度なら理解しうるまでになったのである。懸命におらんだの言葉を勉強している二郎三郎の姿など、本多弥八郎の想像の外にあった。だから伊賀忍び衆も、長崎までは手を伸ばして来なかった……。

「殿。何がおかしゅうござる?」

独りでにたにた笑っている二郎三郎を横目で見ていた本多忠勝が、たまりかねたように声をかけて来た。あまりの異常な事態の連続で、二郎三郎が錯乱したのではないかと不安になったのである。ここで二郎三郎に錯乱されたら、すべてが無に帰する。関ヶ原の勝利は無意味になり、徳川家は大坂城の秀頼に忠節を誓う歴戦の武将たちの好餌《こうじ》と化する筈である。忠勝の心が不安に揺れ動くのも、当然だった。

「なに、昔のことを思い出していただけだ」

二郎三郎は無造作に応じた。忠勝の不安をいち早く見抜いている。

「心配はいらぬ。気は確かだ」

忠勝の顔が羞恥《しゅうち》で僅《わず》かに赧《あか》くなった。

「申しわけござらぬ」

溜息《ためいき》をついて言葉を継いだ。

「何分、殿お一人が、頼りでござれば……」

本音だった。忠勝は嘘《うそ》のいえぬ直情径行の武将である。その点が、同じ一族の本多弥八郎とは、根底的に違っている。弥八郎なら、家康のため、徳川家のためとあらば、地獄の羅卒《らそつ》に舌を引きぬかれようと、平然と嘘をつき通しただろうと二郎三郎は思う。その思いが言葉になった。

「弥八郎が遅すぎる」

忠勝もその点は痛いほど感じている。本多弥八郎正信は、今こそこの場にいなければならぬ人物である。戦場での往来なら、忠勝にも自信がある。だが、こんな奇妙な、しかも徳川家の命運を左右するような事態に対応する能力はない。これを捌《さば》けるのは、徳川家に人多しといえども、弥八郎正信をおいてほかにはない。

「大津城で……」

祈るように忠勝が云った。

「必ず……必ず参着致すと存ずる」

一瞬、その言葉が、悲鳴のようにきこえた。

慶長五年九月十六日夜、即ち関ヶ原合戦の翌晩、家康＝世良田二郎三郎がどこに宿泊したかは分明でない。大谷刑部の陣営の近くで、八坪ばかり、藁葺《わらぶき》屋根の粗末な納屋《なや》だったという説があることは前に書いた。

十六日の終日にわたる行軍の中で、家康＝二郎三郎のしたことは、関ヶ原とその周辺、特に中山道、東海道沿いの村々に対する宣撫《せんぶ》工作だけである。まず関ヶ原の領主竹中重門に米千石を与え、戦場の死体を収拾して首塚《くびづか》をつくることと、損壊をこうむった附近の社寺の修復を命じている。次に近江に下した禁制が五通、山城が七通ある。禁制とは住民の生命財産の安全を保障する文書のことで、大体次のような書式になっている。

近江伊香郡内十二ヶ村に下せる禁制

禁制　伊香郡内　赤尾村　石道村　古橋村　西山村　布施村　小山村　田井村　高田村　高野村　河合村　大音村　馬毛村

一軍勢甲乙人等濫妨狼藉事《らんぼうろうぜきのこと》

一放火之事

一田畠作毛苅取事

付、竹木伐取事

右堅令㆓停止《ちょうじ》㆒畢《おわんぬ》、若《もし》於㆓違犯《いぼん》之輩㆒者、可㆑処㆓厳科㆒者也《なり》、仍《よって》下知如㆑件《くだんのごとし》

（家康）慶長五年九月十六日

勝ちいくさの翌日に、これだけの数の禁制を次々と発しなければならなかったということは、裏返せば戦場となった土地及びその近くの村々が、いかにひどい目にあい、住民はおびえおののいたかということの証拠であろう。百姓・町人などいわゆる常民の被害はそれだけではない。合戦で戦死者数の一番多いのは馬に乗ることを許されない雑兵や陣夫だが、これらの人々はことごとく徴発された百姓・町人なのである。北島宗正氏はこれについて『雨窓《うそう》閑話』の文章を次のように引用していられる。

『百人行《ゆか》ば、九十人までは大方死す。（中略）たとへ生《いき》て戻《もどり》ても、飢て食ふべきものもなく、妻子も兵火の為《ため》に焼死か、又は海川に身を投《なげ》るか、自害するか、行衛《ゆくへ》しれずかなどにて、家居《かきよ》は打こぼれたれ、又は焼失して跡形もなく、親類・友達も討《うた》るるもの多ければ、生て戻ての楽《たのしみ》少し。（中略）かかるせつなき浮世に生れいでて、何を楽しみに活《いき》て有《ある》べき。少《すこし》も早く死してたすからんと思ふもの計《ばかり》也』

武士の中にもいくさの苛烈《かれつ》さを嘆き訴える者もいた。同じ『雨窓閑話』にその例がある。

『去る慶長五年、関ケ原合戦に立《たち》しものの噂《うはさ》を聞《きく》に、あはれ、うかりける（辛《つら》かった）此《この》度《たび》の軍《いくさ》かな。何しに武士に生れ来《きた》りしぞや。町人、百姓にて有《ある》ならば、かかるめにはあふまじきにと、世を恨み身をかこちて、此戦《このいくさ》治りなば、、いかなる山家、隠谷へも引籠て、世を安々と暮さんにと思ふ者多かりしと聞《きく》』

九月十七日朝、家康＝二郎三郎は馬で平田山に登り、佐和山城攻撃を観戦した。この石田三成の本城には、三成の父正継と兄の正澄及び正澄の子朝成がいた。寄せ手は小早川秀秋、脇坂安治、朽木元綱。いずれも西軍に属し、土壇場《どたんば》で東軍に寝返った大名ばかりである。裏切り者の汚名をこの一戦で晴らそうと、必死の意気込みで攻めに攻めていた。彼等の心根が、観《み》る者の心にそくそくと伝わって来るような、なりふり構わぬ必死さだった。二郎三郎は見ていて辛くなった。

〈もののふというのは哀《かな》しいものだな〉

つい、そんな風に考えてしまうのは、二郎三郎の心の核に、漂泊する『道々の者』の気象が根強く残っているためである。

〈だがあんな大将の下にいる兵卒は、たまったもんじゃない〉

一方でそうした非難めいた気持が起るのも、同じ気象から生れたものだ。妙なもので、家康が生きていた時には、こんな気持はあまり起きなかった。家康は鈍重そうに見えて、実は非常に人の気持に敏感な武将である。幼時に長い人質生活を送り、絶えず周囲の人々の気持を読まねばならなかったことを思えば、これは当然といえる。それだけに二郎三郎にとっては、こわい主人だった。家康の動きに非難がましい眼を向けることは厳禁である。だから『もののふとは……』といったことは、一切考えないことにしていた。考えなければ非難したい気分も起らない。それでまあ巧《うま》くいっていた。それが家康の死後、たった二日だというのに、もう元へ戻ってそんな非難めいた気分になっている。

〈こりゃあとても長続きは無理だな〉

二郎三郎は、眼下の戦いをぼんやり眺《なが》めながら、痛切にそう感じた。家康の代理をそう長いこと勤めるのは無理だ、という意味である。強烈に頭を抑える者がいなくなれば、人間は自然に地《じ》に戻ってしまう。当り前のことだが、二郎三郎の場合は、当り前と云ってはいられない。二郎三郎の地は、もののふ＝武士とは対立的な地だからである。何に縛られることもなく、自由に山野河海を漂泊することを信条とする『統治者』など、いるわけがない。それは相互に矛盾する、いや、それどころか相対立する生きざまだからだ。真似《まね》なら出来る。つまり影武者なら勤まる。だが本人になることは出来ない。

〈何が何でもことわることだ〉

今日明日にも開かれる会議の席での自分の態度を、二郎三郎ははっきりと決めた。決断することで、やすらぎが来た。大きなあくびを一つした。本多忠勝が、びくっとして二郎三郎を見た。

「眠い。たまらん」

二郎三郎は輿《こし》を呼ぶと、横になってこんこんと眠った。

九月十七日に家康＝二郎三郎が下した重要な決定はたった一つだけである。福島正則と黒田長政に、大坂城にいる毛利輝元へ手紙を書かせ、輝元の自発的な大坂城退去への端緒を開かせたのがそれである。

家康、というより徳川勢がもっとも恐れたのは、現在大坂城にいる輝元が、そのまま豊臣秀頼を奉じて、籠城《ろうじょう》することだ。輝元の軍勢は三万五千とも四万二千ともいう。数の上ではたいしたことではないが、立て籠るのが天下の名城大坂城となれば話が違う。後年、大坂冬の陣において、徳川方は二十万とも三十万ともいわれる大兵力でこの城を攻めたが、遂《つい》に落城させることが出来なかった。城方の兵力はせい一杯見つもっても十万だったという。城の堅固さが判ろうというものである。

それぱかりではない。もしこの時点で大坂城を攻めるとなれば、家康は逆臣になってしまう。関ヶ原合戦は秀頼との戦いではない。家康方、石田方、双方とも豊臣家のためと称した奇妙な戦いだった。そもそも会津征伐自体が、秀頼にかわって上杉景勝を討つという名目だったのだから、この上杉に呼応して起った石田方を、豊臣家への逆臣と呼ぶ家康にも、一応の理屈はあったわけだ。だからこそ、豊臣家子飼いの武将たちも協力した。だが大坂攻めとなるとそうはいかない。当の秀頼が城内にいる以上、攻める家康は逆臣としかいいようがない。そうなれば豊臣家恩顧の武将たちは、忽《たちま》ち背を向けるだろう。彼等は腹の底で家康を豊臣家の一家老としか思っていない。だから、今、大坂城の毛利輝元と事を構えることは、絶対に避けねばならぬ。

この関ヶ原合戦直後の毛利家対策ほど巧妙な外交作戦は、戦国史上例を見ないものである。最も驚くべきことは、家康自身が遂にただの一通も、自ら毛利輝元に手紙を書いていないことだ。手紙を書いたのは福島正則と黒田長政であり、後には池田輝政、浅野幸長《よしなが》、藤堂高虎である。いずれも家康の家臣ではなく、家康と同等の、豊臣家の家臣だ。家康の家臣の中では井伊直政と本多忠勝が、間にたって駆け廻《まわ》っただけだ。

そしてこの九月十七日付の、最初の福島・黒田連署の手紙にも現れている通り、関ヶ原のいくさを『奉行共逆心』の結果と書き、そのいくさで吉川広家・福原広俊が毛利家の分国安堵《あんど》と引きかえに協力したこと、従って家康は輝元に対してなんら敵意を持っていないことを強調している。以後の交渉でもこの線を貫き、結果として輝元は九月二十四日、おとなしく大坂城を退去して木津の毛利屋敷に帰っている。勿論《もちろん》、自分の分国が安堵されることを信じ切っている。だから後に八カ国八十八万六千石を削られた時の輝元の驚きは大きかった。だが考えてみると分国安堵についての家康自身の書状は一つもない。証拠がないのである。輝元は泣き寝入りするしかなかった。

この狡猾《こうかつ》な外交作戦は、勿論、世良田二郎三郎の考え出したものではない。関ヶ原合戦の前から、家康が考え、側近と協議していたものを、本多忠勝と井伊直政が実行に移しただけのことである。二郎三郎は全くかかわっていない。

この同じ九月十七日、秀忠と本多弥八郎正信は、信濃《しなの》木曾妻籠《つまご》で初めて、既に関ヶ原合戦が行われ、東軍が大勝したことを知った。秀忠の驚愕《きょうがく》は大きかった。自分がゆくまでいくさは始らないものと信じきっていたからである。弥八郎の方は内心ほくそえんでいる。さすがはわが君と思っていた。弥八郎は当初から上田城の真田昌幸攻めに反対だった。大事の前の小事である。放《ほう》っておいても、真田軍団が追い討ちをかけてくる不安はない。二千余の小勢であり、三万八千の秀忠軍相手に城を出て戦えば、玉砕あるのみだからだ。ここはまっしぐらに美濃に向うべきだ、と主張した。だが秀忠はきかず、遮二無二《しゃにむに》上田城を攻めた。結果は惨憺《さんたん》たるものだった。老練な昌幸に翻弄《ほんろう》され、いたずらに日数がかかるばかりで一向に戦果はあがらない。遂には城攻めを放棄して、先を急ぐ破目になった。これではなんのために戦ったのか、わけが判《わか》らない。その揚句が関ヶ原合戦への遅参である。弥八郎としては、ざまを見ろ、と云《い》いたいところだった。

もともと、弥八郎は秀忠が好きでない。温厚で、父親に従順で、妻女に完全に頭を抑えられている。まるで絵に描《か》いたようないい息子なのだが、弥八郎は信じていない。二十二歳の若さでそんな男がいるわけがない、と思っている。病弱というならまだしも、人並みはずれて強健な身体の持ち主である。人並みはずれた若さの爆発があって当然のお人なのだ。長男の信康にしても、次男の秀康にしても、屡々《しばしば》側近を驚愕させるような無茶をやっている。暴挙といっていい。だが弥八郎はそれを当然と見ている。若さとはそういうものだ。だから逆に秀忠について、いかがわしいと感じる。無茶一つしない青春があろうか。もしあるとしたら、それは恐ろしく抑制のきいた人物であり、冷たい眼《め》で周囲を見、計算をし、演技している者なのではないか。弥八郎は秀忠の温厚さを演技と見ている。そしてこれだけ完璧《かんぺき》な演技の出来る秀忠を、恐ろしい男だと見ている。内心はさぞ冷たく酷薄で非情きわまる冷血動物の如《ごと》きものだろうと思っている。うっかりその内心をのぞいた人間は、無事にはすむまい。そういう恐ろしさの予感がある。

弥八郎の直感は、ほぼ当っていた。秀忠は幼時から父を恐れていた。保身のためには、英雄といわれた長男信康さえ殺した父である。子供を膝《ひざ》にのせてあやすことなど、全くない父だった。秀忠は次男の秀康と仲が良かった。その秀康から父の恐ろしさについて、散々に吹きこまれている。だから心情的には、父家康を敵として育ったに等しい。

圧倒的な力を持つ敵に対して、とるべき態度はただ一つしかない。徹底的な恭順である。その範例は、当の敵である父自身が示している。織田信長、次いで太閤秀吉に対する態度がそれだ。秀忠はその範例にならった。父であり敵である家康に対して、徹底的な恭順の様を見せた。温和、親孝行、女房孝行、すべてその現れである。毒にも薬にもならない、親の思い通りになる、或る意味では安全この上ない息子。それが秀忠の狙《ねら》った人物像だった。この若くして選んだ仮面を、秀忠は生涯《しようがい》かぶり通すことになる。そしてこの仮面の裏で、秀忠が働いた所行の数々は、残忍非道の一語につきる。とりわけ、後に後水尾天皇の皇子たちに対して企てた陰謀は、その兇悪《きようあく》無残さにおいて、天人ともに許さざるものがあった。だが今はそれを詳述する時ではない。

秀忠はこの男にしては珍しいほど焦《あせ》っていた。三万八千の軍勢の尻《しり》を叩《たた》かんばかりの勢いで、遮二無二、関ヶ原へと急いだ。脳中が燃え上がらんばかりである。生れて初めての大失策だった。下手をすると、何も彼《か》もこれで終りになる。折角これまでかぶり通して来た、親孝行の仮面も、何の役にもたたなくなるかもしれない。初陣《ういじん》でいくさの場に遅参した息子を、家康が果して許すかどうか。もし許さなければどうなるか。今、秀忠は家康の後継者第一号の地位にいる。順からいえば兄の秀康がいるが、この兄は結城家の養子になっている身であり、その上、父の家康に忌《い》み嫌《きら》われている。覇気《はき》がありすぎて危い感じがするためだ。秀康の母お万の方は、正妻築山殿の侍女だったのへ家康が手をつけ、それが判って築山殿の激しい折檻《せっかん》を受けたのを、当時の城代家老本多作左衛門重次に救われた女性である。生れた秀康を家康は長いこと省みようとせず、長男信康のとりなしで、渋々我が子と認めたといういきさつがある。秀康はそれを恨みに思っている筈《はず》である。それだけに家康にとっては危険な覇気だった。だからこの兄に関する限り秀忠に心配はないのだが、油断のならないのは、弟の忠吉である。母は秀忠と同じお愛の方。問題は井伊直政の娘を妻にしている点だ。この徳川四天王筆頭人のもつ力は、あなどりがたいものがある。忠吉にとって今度のいくさは自分と同じ初陣で、勇猛をもって鳴る井伊家の赤備《あかぞなえ》と共に家康の麾下《きか》にいる。当然、合戦に参加した筈だし、戦功もたてた筈だ。忠吉にその力はなくても井伊直政がそう計ったにきまっている。肝心かなめの合戦に遅刻した自分と、華々しくいさおしをたてた忠吉。この二人を較《くら》べたら、家康の軍配がどちらに傾くかは、自明の理のように秀忠には思えた。

急がねばならぬ。一刻も早く家康のもとに駆けつけて、地べたに顔をすりつけてでも詫《わ》びを入れねばならぬ。今の秀忠にはその一念しかなかった。本多弥八郎はそんな秀忠を冷たい目で見ている。徳川家のためには、これでよかったのだとさえ思っていた。

もし家康が関ヶ原合戦に生きのびていたら、或《あるい》は二代将軍秀忠は存在しなかったかもしれない。秀忠に対する家康の失望と怒りは、先に関ヶ原進軍中の言葉からも、容易に察することが出来るからだ。

「倅《せがれ》がここにいてくれたら、少しはましだったろうに」

そう家康は云っている。秀忠のことだと思った二郎三郎が訊《き》くと、

「あやつではないわ。信康のことよ」

と吐き出すように云っている。家康はこの時すでに秀忠を見棄《みす》てていたに違いない。東軍陣営内の三河譜代の武将や、客将の手前、秀忠をこのままにしておくことは出来なかった筈である。誰もが天下分け目と感じている大事な合戦に、遅刻する武将がどこにいよう。そのために、三万八千という大軍勢が味方から欠落したのである。その皺《しわ》よせは戦う各部将の肩に、何らかの形で無理な重荷としてかかって来たのは当然であろう。倖《さいわ》い、いくさに勝ったからいいが、もし負けていたら、その責任はあげて秀忠に負わされた筈だ。

井伊直政が四男忠吉をいただいて、福島勢から無理矢理先陣の役目を奪ったり、島津勢をしつこく追って手傷をうけたりしたのも、秀忠の遅参と無関係ではない。直政は秀忠の遅参を好機到来と見た。ここで忠吉に大手柄《おおてがら》をたてさせれば、十中七、八の確率で後継者の地位が廻って来る。忠吉が正式に家康の後継者になれば、その妻の父である自分の地位もまた不動になる。この百戦錬磨《れんま》の武将に、そういう計算が働かなかった筈がない。そして冷静に見れば、事態は直政の計算通りに動いたと思われる。但《ただ》し、家康が生きていれば、の話である。その点で、秀忠は稀《まれ》に見る強運の男だったと云えよう。

家康の複製をつとめる世良田二郎三郎は、首を長くして秀忠の到来を待っていた。いや、本多弥八郎の到来を待ち望んでいた。この困難きわまる事態を解決出来るのは、弥八郎をおいて他にはいない、と思っていた。

九月十八日朝、佐和山城は落ち、三成の父正継、兄正澄、その子朝成などは自殺した。二郎三郎は内藤信正、石川康通、西郷正員にこの城を守らせ、自身は南下して午後二時に近江八幡に着いた。

翌九月十九日には、近江八幡を発《た》って近江草津に到着、一泊している。

この日、西軍の将小西行長が捕えられた。関ヶ原の庄屋林蔵主《りんぞうす》が山中で一人の落武者に声をかけられた。それが行長だった。名を名乗り内府（家康）のもとへつれていって褒美《ほうび》を貰《もら》え、と云ったという。そして、自害するべきところだが、われはキリシタンである。キリシタンの教えに自害は禁じられている、といった。イエズス会宣教師の書翰《しょかん》を集めた『日本西教史』では、この行長の行為を激讃《げきさん》し『真実の大勇を全《まつた》ふする者と謂《い》ふ可《べ》き歟《か》』と書いている。

同じ日、秀忠はようやく美濃赤坂に到着した。

九月二十日、二郎三郎は近江草津を発し、大津城に入った。これから九月二十六日の朝まで、ここに六泊している。徳川家の将来はこの一週間の間に決定されたといっていい。

昨日、九月十九日夕、美濃赤坂に着いた秀忠は、ここでお梶の方に会った。秀忠は別にどうも思わなかったが、本多弥八郎正信は顔色を変えた。家康の性癖を知悉《ちしつ》していたからである。合戦が終って四日たっている。その間家康が女なしで過ごすなど、弥八郎にとっては考えられない事態だった。弥八郎はむきつけにお梶の方に質《ただ》した。

「殿はどこで女子《おなご》を拾われた？」

それ以外にこの事態の解釈の仕様がなかった。

お梶の方が激しい表情になった。

「知らぬ」

木で鼻をくくるような返事が返って来たが、そんなことで引き退《さが》る弥八郎ではない。

「知らぬ筈がない。お調べのほどを悉《くわ》しく話していただきたい」

弥八郎はお梶の方が、関東の乱波《らっぱ》といわれる忍びを数人、ひそかに飼っていることを知っていた。乱波といっても女である。当世風にいえば『くの一』だ。太田道灌の一族であるお梶の方は、道灌ゆかりのこの乱波一族を自らの護衛と情報蒐集《しゅうしゅう》のため配下においていた。四日も家康のもとに召されず、赤坂においてけぼりをくらって、気の強いお梶の方がその乱波を使って家康の身辺をさぐらせない筈はない。そう弥八郎は読んでいる。

お梶の方が折れた。本多弥八郎の恐ろしさを側妾《そくしょう》の中で一番よく知っていたからである。武将は外面がどんなに猛々《たけだけ》しくても、内に入れば可愛《かわい》いものである。それに反して弥八郎のような能吏は、内面に冷たさがある。それが何よりこわい。

「女はおりませぬ」

「なに!?」

弥八郎が息をのんだ。事態は更に重大だった。家康の身に何事かが起ったことは、最早明白である。負傷、それもかなりの重傷を負ったにきまっている。三日前に同じことを考えたお梶の方は、素早く弥八郎の考えを読み、首を横に振った。

「殿は御無事でいらせられます。手の者が見た限り、この上なくおすこやかな御様子とか」

手の者とは勿論乱波である。弥八郎が読んだ通り、大津城に入るまで来るなと命ぜられたお梶の方は、憤激の余りすぐ乱波を放って、家康の様子を探らせたのである。

「奇怪な……」

弥八郎は腕を組んで考えこんだ。新しい女を拾ったわけでもない。怪我《けが》したわけでもない。そのくせ愛妾を四日も近づけようとしない。正しく奇怪だった。何か思いもかけぬことが家康の身近に起ったに相違なかった。弥八郎にさえ想像もつかぬ何事かが、である。

珍しく弥八郎が焦った。秀忠の尻を叩いてすぐ家康の後を追った。その後をお梶の方が追う。二十日、この両者は近江草津に着いた。

弥八郎は草津に着くとすぐ、大津城に使者を送り、秀忠の到着と対面の要請を家康の本営に伝えた。返事は予想通りだった。その地で別命あるまで謹慎せよ、というのである。そして奇妙な追加命令があった。本多忠勝と井伊直政が、今夜草津に行き秀忠並びに本多弥八郎、榊原康政の五人で軍議を開く故《ゆえ》、用意するように、というのである。

〈軍議!?〉

弥八郎は疑った。合戦が終ったのに軍議とは何か。或《あるい》は大坂城の毛利輝元との合戦に備えるものか。だがそれなら、家康の前で開くのが今までのしきたりである。家康抜きの軍議など、きいたことがない。奇怪である。家康の身に何事かが起きたことは、今や確実になった。だが一体なにが……。さすがの弥八郎が、どう考えてもその何かを想像することが出来なかった。いっそ大津まで馬をとばして……とも思ったが、秀忠の気持を考えるとそれも出来ない。中山道での秀忠の失態を、家康に讒訴《ざんそ》しにいったと思うにきまっているからだ。弥八郎はいても立ってもいられない思いで、本多忠勝と井伊直政の到着を待った。

その頃《ころ》大津城では、徳川家の命運を左右しかねない事件が、起ろうとしていた。お梶の方が到着したのである。

近習からそのしらせを受けると、世良田二郎三郎は厳重な人払いを命じた。お梶の方に侍女をつれることなく、ただ一人で来るように伝えた。近習は激烈濃厚な閨《ねや》の場面を想像して、危うく笑いをこらえたが、勿論この人払いの目的はそんなところにはない。二郎三郎はようやく決心をかためた。先《ま》ず茶色の頭巾《ずきん》で頭だけでなく顔まで蔽《おお》った。美濃赤坂では風邪をひいていたのだから、この姿は不自然ではない。次いで脇差《わきざし》を二、三度抜いてみて具合を確かめる。その手つきに、強烈な殺気があった。二郎三郎は本気で、お梶の方を刺すつもりだった。お梶の方の口から、ただ一言、

「あれ、そなた……」

という言葉が洩《も》れたら、即座に刺し殺す。それが二郎三郎の決心だった。

さやさやときぬずれの音がきこえた。お梶の方が部屋に入って来た。二郎三郎は目を上げない。脇息《きょうそく》に身体《からだ》をあずけたまま、じっとお梶の方の白い足袋の動きを見ている。足袋はとまり、長い黒髪が平伏した。

「このたびの勝ちいくさ、おめでとう存じまする」

幾分切り口上めいた口調だった。すねているということを、かすかな語調で伝えようとしているのだ。

「近う参れ」

二郎三郎の声はどことなく乾涸《ひから》びた感じである。依然として目を上げようとしない。

お梶の方が逡巡《しゅんじゅん》した。もう少し焦《じ》らすべきではないか。

「寄らぬか」

二郎三郎の声は低い。殺気を悟られぬためである。

お梶の方は動かない。とまどっていた。いつもの家康とはまるで違う。いつもはまず満足そうな忍び笑いを洩らして、きくに耐えぬ猥褻《わいせつ》で野卑なざれごとを、囁《ささや》くようにいう。お梶の方の顔を赧《あか》らめさせるのが目的である。耳をふさぐと、近よって来てその手をはずさせ、更にひどいことを耳もとで囁く。たまりかねて身をよじると、その動きにつけこんで、悪い手が裾《すそ》を割って来る。それがどうだ。今日の家康は、脇息によりかかってはいるものの、かちんかちんに緊張している。ざれごとの出る雰囲気《ふんいき》ではない。第一、いくら「寄れ」といわれても、女の身で進んでそばに寄れるものではない。それではいくらなんでも、はしたなさすぎる。殿御の方から近寄ってくれなければ、ことは進まない。

お梶の方が動かないと見ると、二郎三郎はぱっと立った。唐突な動きだったので、一瞬、お梶の方はおびえた。つかつかと近づくと、膝《ひざ》をつくなり、二郎三郎はお梶の方の首を抱き、口を吸った。呆《あき》れるほどの早わざで、お梶の方が声を出す隙《すき》もない。しかも上体を半ば押し倒し、手は裾を割っている。身をもがくとつけ入って手は秘所に届き、忽《たちま》ち指が侵入して来た。お梶の方は思いもかけぬ所作に混乱し、目で制止しようとして家康を見た。戦慄《せんりつ》が走った。

〈この人は……〉

家康ではないことに気づいた。目が大きく見開かれる。身体が堅くなった。

二郎三郎も、お梶の方が気づいたことを知った。唇《くちびる》を離すと囁いた。

「何もいわないで戴《いただ》きたい。声を出されると、刺さねばなりませぬ」

お梶の方は二郎三郎の右手が脇差の柄《つか》にかかっているのを見た。強烈な殺気を感じた。

〈この人は本気だ〉

勿論、お梶の方は世良田二郎三郎を知っている。会話らしい会話はしたことがないが、声を聞いたこともある。だがお梶の方にとって二郎三郎は只《ただ》の使用人である。ものの数にも入らぬ男である。

「指を……」

抜けとまではいえなかった。二郎三郎は逆に更に深く穿《うが》ち、強く動かした。

「殿に殺されたいのですか」

お梶の方は身をよじりその手を抑えながら囁いた。家康は嫉妬《しっと》深い方ではない。だがこの場を見たら、躊躇《ちゅうちょ》することなく、二人を斬《き》るだろう。だから間違っても大きな声は出せなかった。お梶の方はまさか家康が死んだとは思っていない。この場の仕儀は、二郎三郎の横恋慕によるものと思っている。だから次の二郎三郎の言葉は、強烈な衝撃となってお梶の方を襲った。

「殿はおわさぬ。亡《な》くなられた」

「あっ」

思わずお梶の方が悲鳴を上げかけた。その口を二郎三郎の口が素早く塞《ふさ》いだ。一瞬力の萎《な》えたお梶の方の膝を割り、引き寄せるなり侵入した。

お梶の方は家康の死という重大な情報に、天地がひっくり返ったように惑乱している。なにをされているかも分明でないままに、奇妙なことに嘗《かつ》てない快感が、身体の底から湧《わ》き上がって来た。喘《あえ》いだ。思わず、ひしと二郎三郎にしがみついた。しがみついていないと、どこか深い奈落の底へ落ちてゆくような不安があった。

二郎三郎はお梶の方をゆるゆると責めながら、耳もとで、家康横死の状況とその後のいきさつを、囁くように語った。これは二郎三郎の作戦だった。考えに考えた揚句、これしかお梶の方に語る手だてはない、と思ったのである。作戦は成功したといえる。お梶の方は柔らかく二郎三郎の所作に応じながら、涙を流し、その涙と共に深い愉悦の思いに声を上げた。考えてみればこれは死んだ家康への背信とも裏切りともいえる。だがお梶の方には、毛筋ほどもそんな思いはない。すべてがごく自然だった。まぐわいの中で、心の底から家康の死を悼《いた》み、その後のなりゆきを理解し、許した。今まで通り二郎三郎に仕え、二郎三郎の芝居に協力することを誓いながら幾度も果てた。語るべきことを語り終えると、二郎三郎にも初めて愉悦の感覚が訪れ、急速に果てた。二郎三郎は長い必死のまぐわいの果てに、一人の心強い協力者を得たことになる。

この時、隣室には、本多忠勝がいた。もし二郎三郎がお梶の方を斬らねばならなくなった場合、その後始末は迅速を要する。そのための控えである。忠勝は最初のお梶の方の短い悲鳴で、思わず腰を浮かせている。襖《ふすま》のきわまでにじり寄って耳をすませた。畳のきしむ音と、二郎三郎の低い、まるで念仏でも誦《とな》えているような声が続く。合間にお梶の方の短い悲鳴が何度もまじった。その度に忠勝は身をすくめたが、やがてそれが微妙に甘やかなものに変ってゆくのに気づいた。ほっとすると同時に、少々馬鹿《ばか》馬鹿しくなった。それにしても、これで少なくとも一つの危機はまぬがれたことになる。

〈仲々やる〉

二郎三郎の働きに満足して、忠勝はそっと部屋を離れた。

二郎三郎はお梶の方に、他の側妾の処置について相談した。お梶の方のように頭の切れる女は、立てて頼れば、どんなことでもやってくれるものだ、という確信が二郎三郎にはある。この男は家康の側妾全員の性格を知悉していた。こういう非常の際に頼りになるのは、お梶の方と阿茶ノ局《つぼね》である。お梶の方も同じことをいった。阿茶ノ局に頼れば大方の側妾は納得する筈だという。どの女ももともと家康を愛しているわけではないからだ。そして最も危険な女は、江戸にいるお茶阿の方だと告げた。

お茶阿の方はもともと遠州金谷《かなや》の鋳物師《いもじ》の妻である。そのために『金谷殿』ともいわれた。

生年は明らかでない。たっぷりしたしおきの豊満な美女だったため、処《ところ》の代官にいいよられたが、お茶阿が靡《なび》かないので、代官は亭主にぬれぎぬを着せ、これを殺した。お茶阿の凄《すさ》まじさは、目安状を掲げて、この件を家康に直訴したことだ。当時三歳の娘お初を抱き、鷹《たか》狩《が》り帰りの家康を路傍《ろぼう》で待ちうけたのである。家康は哀れに思い、浜松城につれ帰り、金谷の代官・手代・庄屋などを召し寄せ糾明したところ、代官の非義が明らかになったので、これを死罪に処したという。お茶阿は浜松城で、『御行水ノ役ヲ勤メラレシガ……』と『玉滴隠見』にあるが、家康の背中を流す役だったのだろう。

元来豊満型の美女は家康の好みである。忽ち手がついて側妾の一人となり、家康の第六子辰千代（後の松平上総介《かずさのすけ》忠輝）と第七子松千代の二人を産んだ。但し松千代は六歳で早世した。この二人の子供は江戸で生れたらしい。第八子仙千代《せんちよ》以下の子息がことごとく伏見で生れていることを思うと、ちょっと奇異な感じがするが、考えてみると、これもお茶阿の方の積極的な作戦のうちではなかったかと思われる。

身分的にみてお茶阿は側妾の中でも最も低い地位にいたし、その上、この時点で二人の男の子を産んだのは、秀忠・忠吉の生母お愛の方以外にはいない。他の側妾の嫉妬を買い、いじめを受けるのは目に見えている。この頃の家康はほとんど伏見暮らしだったから、側妾群も伏見にいる。だからお茶阿は故意に江戸から動かなかったのではあるまいか。現実的な面では極めて頭の廻《まわ》る女性だったのである。

お梶の方が、最も危険なのはお茶阿の方だといったのも、そういう理由からだ。もしお茶阿が、家康の替玉であることを知ったら、秘密を守るために、どんな条件をもち出すか、判《わか》ったものではない。それも一回や二回ではすむまい。ことあるごとに、秘密の曝露《ばくろ》を種に二郎三郎を脅し、己れの利分をはかる筈《はず》である。そういう功利的で身勝手な女だとお梶の方は見ている。確かにそう思われても仕方のない面が、お茶阿にはあった。先夫との間に出来た子供娘お初を、唐人八官の子花井三九郎（後の遠江守）に嫁がせ、先夫が他の女に産ませた子供善八郎・又八郎までひきとって木全《きまた》家の養子とし、武士にしたてている。

後にこの三人はすべて忠輝の家臣になる。お初の夫花井三九郎はもと猿楽の者だったのが、このお蔭《かげ》で五千石の家老となった。三九郎に咎《とが》があった時、お茶阿は遮二無二《しゃにむに》これをかばい罪をまぬがれさせたことがある。後世、この花井遠江守が、忠輝失脚を助けることになる。お茶阿の身びいきは結局わが子を滅ぼすことになったわけだ。そんなところに、玉の輿《こし》に乗った庶民の女の愚かさが露呈し、哀れをさそうのである。

その夜、近江草津の秀忠の陣営では、秀忠を中心に徳川家三将、即《すなわ》ち本多忠勝、井伊直政、榊原康政と本多弥八郎正信の四人が、近習まで遠ざけて、密議をこらしていた。勿論《もちろん》、家康の死とそれに対する処置の問題、特に世良田二郎三郎の処遇がかなめである。

喋《しゃべ》っているのは、ほとんど本多忠勝一人だった。秀忠を含めて他の四人は、茫々然《ぼうぼうぜん》として言葉もない。こんな途方もない局面は、想像したこともなかったからである。中でも井伊直政の茫然自失ぶりは、甚《はなは》だしかった。他の者と違って、直政は関ヶ原合戦を戦っている。勝ちいくさの直後、家康に手ずから怪我の手当までして貰っている。その家康が替玉だったとは！　永年仕えた主君が判らなかったのかと、咎められても仕方のない事態である。

だがこれはむしろ二郎三郎の影武者としての見事さを、ほめるべき場合であろう。直政にも間違えた自分を恥じる気持はない。それよりも何よりも無念だった。手傷までおいながら披露《ひろう》した忠吉の獅子《しし》奮迅《ふんじん》のいくさ働きが無に帰したからである。現にこの徳川家の命運をわける会議に、忠吉は出席していない。結城秀康もいない。いるのは秀忠だけだ。そのことは今後の徳川家の運命が秀忠を軸として廻ってゆくことを示している。それがなんとも無念だった。

同じことを秀忠も考えていた。何よりも安堵《あんど》の念があった。関ヶ原遅参という、ひょっとしたら生命とりになったかもしれない失態が、これで救われたことになる。家康の子供に対する冷たさから考えれば、これは世子《あとつぎ》たることを取り消されかねない失態だった。それが完全に逆転した。兄秀康は遠く関東宇都宮の地にあり、弟忠吉は戦傷に呻吟《しんぎん》しているという。今ここで決定権をもっているのは、まぎれもなく自分一人なのである。これで世子の座はほぼ不動になった。だがそれを更に確固たるものにするには、家康が必要だ。家康がいなければ兄結城秀康も、井伊直政の後押しをうけた弟忠吉も、一斉《いっせい》に起《た》って、関ヶ原遅参を弾劾《だんがい》するだろう。だが家康が許せば、彼等も黙するほかはない。そうして更に時をかけ、家康が秀忠をまぎれもない後継ぎとして立ててくれれば、兄も弟もどう仕様もなくなる。だから絶対に家康が必要だった。そしてこの家康は、秀忠の意志通りに動いてくれる家康でなければ困る。つまりは世良田二郎三郎を自家薬籠《やくろう》中のものにしなければならぬ。

秀忠の思念は、一瞬の裡《うち》にその点に達した。秘《ひそ》かに決意するところがあった。だが敢《あえ》て口を利《き》かない。この場合、自分の意志を先に明らかにすることは、愚の骨頂である。家臣たちに先に口を利かさねばならぬ。いや、それどころか、大いに議論を紛糾させねばならぬ。紛糾の果てに自分が口を出し、二郎三郎に有利な形で事態を収拾する。それがこの家康に恩を着せ、思いのままに操る最上の法ではないか。

長い沈黙があった。一時の自失状態から醒《さ》めると、各人の心に事態の重大さがひしひしとのしかかって来た。

「弥八郎」

沈黙の余りの長さに焦《いら》だった秀忠が、本多弥八郎正信に発言を求めた。この時、弥八郎、六十三歳。一座の中で最年長であり、家康の信頼度第一の寵臣《ちょうしん》だったから、当然最初に口を切る権利があった。だが弥八郎は首を横にふった。

「われらは合戦に遅参せし者でござる。先ず、現場にあった忠勝殿、直政殿の御意見を承ろう」

弥八郎は既に秀忠の心を読んでいる。むしろ小賢《こざか》しいと思っている。だから、遅参の件を強調し、秀忠の気をくじくために、わざわざこんな発言をしてみせた。果して秀忠は苦い表情になった。

井伊直政が憤懣《ふんまん》やる方ないという顔で、最初の発言をした。

「手、手前、陣中にあったとはいえ、合戦に追われ、その上、なんのしらせもこれなく、今はじめてこの事を耳にした次第。俄《にわか》の判断はつき兼ねます」

これは、今日までこの重大な情報を隠し通して来た本多忠勝へのあからさまな非難である。

忠勝は僅《わず》かに頭を下げた。

「お怒りはご尤《もっと》も。だが、ことは秘中の秘とせねばならぬと、一途《いちず》に思いつめたまでのことで他意はない。それでも腹がおさまらぬと申されるならそれがしの首をはねられよ。手むかいは致さぬ」

一見おとなしい言葉だが、忠勝の燃えるような眼《め》が、厳しく直政を睨《にら》んでいる。その眼は、この大事な評議に下らないことをいうな、といっている。失神しかねないほどの事件の衝撃を己れ一人で支えて、誰にさとられることもなく、無事この評議にまでもちこんだ苦心が判らないのかと責めている。忠勝、この時五十三歳。僅か四十歳の直政など到底歯のたたぬ剛《つよ》さである。

直政は恥じ、口をつぐんだ。

「平八郎殿の処置は、見事だった。誰もそれを疑う者はいまい」

弥八郎正信が仲裁を買って出た。

「同時に、このことで一番深く長く思いめぐらす立場にいたのもそこもとだ。存念を承ろう」

これは正論である。忠勝は重い口で、ぽつりぽつりと、自分の考えを述べた。この時、忠勝の眼に秀忠はない。あるのは徳川家の将来だけである。だから歯に衣《きぬ》着せず直截《ちょくせつ》に話した。

家康なくしては徳川家は絶対に天下の覇者《はしゃ》になれぬこと。秀忠は勿論、結城秀康をもってしても、今この時に徳川家を継ぐことのかなわぬこと。だとすれば、少なくとも豊臣秀頼を倒して完全に天下を手中におさめるまでは、影武者世良田二郎三郎をあくまで家康本人として扱うしかないことを語った。

意外なことに榊原康政から反論が出た。

康政、五十三歳。本多忠勝と同年である。徳川家への奉公は忠勝ほど長くはないが（その点では井伊直政も本多弥八郎も同じだ）、常に先陣を切って戦うという勇猛さのために、忽《たちま》ち徳川三傑の一人に成り上がった男だ。家康が秀吉と闘った小牧・長久手戦の終盤、家康が戦場をひきあげて岡崎に帰る時、康政は小牧山の陣所を守ることを命ぜられた。捨て城と呼ばれる、殿軍《しんがり》の役である。追尾する敵の大軍を寡兵《かへい》をもって支え、本隊が安全に引きあげる時を稼《かせ》ぐ大事な役目である。捨て城を守る将士は、大方が玉砕する。この時、康政の家臣たちは口々に、

『秀吉程ノ大敵ヲ引請《ひきうけ》、城ヲ枕《まくら》トシテ討死セバ、末代迄誉也《までほまれなり》』

といい、勢い大いに上がったと『榊原高田家譜』にある。将が将なら、兵も兵、といえようか。敵将秀吉も、この様子を見て、

『斯《かか》ル旧塁ニ楯籠《たてこも》リ、天下ノ猛勢ヲ引請ル不敵物アルカラハ、兎角《とかく》合戦難《なりがたし》レ成トテ、和睦《わぼく》』

となったという。

上州館林《たてばやし》十万石。いくさとなると五千の将だった。家康の武将中『人品尤も高し』といわれたこの武将は、文禄元年（一五九二）から秀忠付きを命じられている。だから今度の合戦でも、中山道を進んで来た。

もう一つ、康政は年齢の差を越えて、井伊直政と莫逆《ばくぎゃく》の親友だったということがある。『互に語らずいはずして、志を通する事、符を合たるが如《ごと》し』といわれたほどの心の友だった。この二点、つまり永年の秀忠付きだったということと、井伊直政の親友だったことが、この時の榊原康政の発言に微妙に影響していることは明らかである。康政はいった。

「忠勝殿にはかの者の罪は問わぬおつもりか」

一瞬、忠勝には言葉の意味が判らなかった。

「罪？」

「左様。影武者は殿を守るためにある。その役を果し損じたことは、罪でござろう」

云《い》われてみれば、その通りである。家康が刺客の手にかかったのは、誰よりも二郎三郎の責任ということになる。だがそれをいうなら、家康の本陣をかためていた旗本たちは、悉《ことごと》く罪があるということになる。家康は、鷹《たか》狩りの途中や寝所で襲われたわけではない。戦場で、しかも本陣のまっ只中で、刺されたのだ。つまり最も警備の堅い筈の場所で暗殺されたわけだ。それを二郎三郎の罪というのは、あまりに苛《か》酷《こく》にすぎるのではないか。

忠勝はむっとしていい返そうとして、弥八郎正信が僅かに首を横にふったことに気づいた。

何も云うなというのだ。弥八郎はうすら笑いを浮かべている。康政の意図を悟っているのである。

「康政殿のいわれる通りだ」

弥八郎が大きな声でいった。

「正しくかの者は大罪人である。即刻首を刎《は》ねて、殿の御墓前に備えるべきでしょう。いかがかな、忠勝殿」

忠勝にも弥八郎の芝居は見えている。だが空々しすぎてとても合わせる気にはなれない。無言で陣刀をひっつかむと立った。本気だった。すぐ大津城に引き返して、二郎三郎の首を斬るつもりでいる。徳川家の将来を卜《ぼく》すべき大事な評議の席を、徒《いたず》らに権力争奪の場とするつもりなら、そうした方がいっそさっぱりする。二郎三郎を影武者にしたのは忠勝ということになっている。それだけにかばうことは不可能だった。家康が永年築き上げた徳川家の力は空無に帰し、もう一度無から始めねばならなくなるが、それはそれでやり甲斐《がい》のある仕事ではないか。咄嗟《とっさ》にそれだけの決意をかためた。だから忠勝の全身にはまぎれもない殺気が立ち籠《こ》めている。

弥八郎は即座に自分がやりすぎたことを悟った。思わず蒼白《そうはく》になった。だが弥八郎以上に驚愕《きょうがく》したのは、榊原康政と秀忠だった。

「待て、平八郎!」

秀忠の顔も蒼白だった。この男ならやりかねない。

「短慮はならぬぞ」

「そ、その通りでござる」

榊原康政も狼狽《ろうばい》の余り吃《ども》った。

「そ、それがしが云おうとしたのは、つ、罪は……罪として……一応あの者を咎め、それを許すことによって、今後粉骨砕身……」

「それは駄目《だめ》だ」

忠勝はにべもなくいい放った。

「あの者はあの者なりに己れを責めている。咎めれば、即座に腹を切る」

さすがの康政が声が出ない。忠勝のいう通りだった。

「それに罪をのがれたい一心で出来る仕事か」

忠勝は現実に二郎三郎を見ている。たった一日の代役で、秘かに頰紅《ほおべに》を塗らなければ近習の眼をごまかせない顔色になるまで、疲れ切っている。それがこの先、何年続くか判らないとなったら、一体どういうことになるのか。病気になって倒れるかもしれない。耐えかねて逃げ出そうとするかもしれない。それほどの大役である。本人をその気にしない限り出来ることではなかった。そして、頭を抑えるという榊原流のやり方では、絶対にその気にさせることは出来ないのを、忠勝は知っている。

忠勝はちらっと弥八郎を見た。弥八郎は忠勝以上に二郎三郎の性格を知悉《ちしつ》している筈である。実のところ、二郎三郎を忠勝のところへつれて来たのは、弥八郎だった。自分よりも忠勝が推した方が、重臣たちが納得しやすいと考えたからである。その弥八郎は気のぬけたような顔をしている。二郎三郎をやっとの思いで見つけだした頃《ころ》のことを考えていたのだ。

本多弥八郎が世良田二郎三郎を再発見したのは天正十六年（一五八八）八月のことである。この年、家康は太閤秀吉と北条氏政の間にはさまって苦境に立っていた。北条氏政の嫡男《ちゃくなん》氏直の妻は、家康の娘督姫である。しかも氏直の叔父氏規は、幼時同じ今川家の人質仲間として、家康と仲よく遊び呆《ほう》けたこともある、いわば竹馬の友だった。その北条家が、なんとしても秀吉に臣従の礼をとりに来ない。五代九十年の歴史を誇る北条一族から見れば、秀吉などたかが成り上がりの一大名にすぎない。天下人などと片腹痛いという感覚がある。関東一円に敵対するものもいない大国という意識が強く、中央の情勢に暗かった。

家康は秀吉の力を知っている。最新の武器を備え、最新の戦闘術を駆使する豊臣戦闘集団の恐ろしさを知っている。旧式の戦闘術しか知らぬ北条一族のかなう相手ではなかった。だから家康は懸命に北条氏を口説き、上京して秀吉に臣下の礼をとらせようとした。この年の五月二十一日に送った手紙では、どうしても上洛《じょうらく》しないつもりなら督姫を離別してほしいとまで書いている。それでも氏政・氏直親子は動かず、十二月になったら氏政が上洛するなどと一時のがれの返事をよこす始末だった。万策つきた家康は、幼時からの親友氏規に、なんとか京へ来てくれと懇願した。さすがに氏規は家康の意をうけて上洛し、秀吉に会った。それが八月二十二日のことである。この氏規の一行に、なんと世良田二郎三郎がまじっているのを、本多弥八郎の手足となっていた伊賀者が発見した。しかも名もなき下人の一人であるという。弥八郎は驚愕した。早速、顔を隠して、首実検に向った。

二郎三郎は五条河原の掛小屋のような菜めし屋で、同僚七、八人と酒をのんでいた。葭簀《よしず》ごしに二郎三郎の姿を見た弥八郎は、そのあまりの変貌《へんぼう》ぶりに思わず落涙しかけた。二郎三郎、この年四十六歳。当時としては初老といっていい。老いすさんだ顔に無精髯《ぶしょうひげ》が濃い。髯には白いものがまじっていた。ごま塩の無精髯ぐらい貧乏たらしいものはない。弥八郎は一向一揆《いっき》の中で闘っていた頃の、二郎三郎の颯爽《さっそう》たる姿を偲《しの》んだ。短足で小肥《こぶと》りのはえない体《たい》軀《く》だったが、それはそれなりに颯爽としていた。それがなんという変り様か。おちぶれはてた友の姿は見たいものではない。

弥八郎は目をそらした。こんな負け犬に影武者が勤まるわけがない。いっそこのまま放《ほう》っておこうか、とさえ思った。だがもう一度目をやると、特徴のある体軀は少しも変ってはいない。動きもまだ敏活だ。それはまさしく家康の肉体だった。家康、この年四十七歳。齢《とし》相応に老いている。だが一向にそれを感じさせないのは、生気にあふれているからだ。そうだ。二郎三郎に欠けているのは生気だ。この顔、この体軀に生気さえみなぎれば……。

弥八郎は改めて伊賀者たちに二郎三郎の捕獲を命じた。但《ただ》し極秘裡《り》にである。

夜が更《ふ》けた。

二郎三郎がふらりと立つと表へ出た。そのまますたすたと歩きだす。都大路は真の闇《やみ》である。その中を灯火もたず、意外に確かな足どりで行く。夜目がきくとしか思えなかった。

尾《つ》けていた伊賀者五人を狼狽させたのは、二郎三郎が突然公卿《くぎょう》のものらしい屋敷の築地《ついじ》にとびつき、中に消えたことである。何をするつもりか？　二郎三郎の意図が不明だった。伊賀者たちも築地を越え、庭の暗闇に身を沈めて待った。

再び二郎三郎が姿を現した時、伊賀者たちは危うく失笑するところだった。二郎三郎は女をかついでいる。それも全裸で、明らかに失神している。なんとこの男は、女を盗みに入ったのだ。かなり見事に足音を消し、築地の方に走って来る。伊賀者の頭が、梟《ふくろう》の啼《な》き声を発した。行動を起す合図である。忽ち黒縄《くろなわ》がとび、二郎三郎の首に絡《から》みついた。急激に首を締められて、二郎三郎は声も出ない。ばたりと仰向けに倒れた。伊賀の頭がとびかかって、睾《こう》丸《がん》を一撃した。二郎三郎はうんともいわず気を失った。

「お許しを。出来心でござる。まったくの出来心で……」

弥八郎の幕舎で意識をとり戻した二郎三郎の第一声がこれだった。目はきょときょとあたりを見廻《みまわ》し、逃げ出す隙《すき》を窺《うかが》っている。

弥八郎は明りの蔭《かげ》にひっそりと坐っていた。心底なさけなかった。これが『信長を射《う》った男』か。端女《はしため》をかどわかしに公卿屋敷に押入るとは。まるっきり野盗の振舞である。徳川家の郎党だったら、みせしめのために、即座に斬《き》られているところだ。こんな男が主君家康の影武者になれるだろうか。もう一度弥八郎は疑った。

「なにとぞ、なにとぞ、お許しを……」

二郎三郎は弥八郎の黒い影に向って低頭しながら、にじり寄って来た。あわよくば弥八郎を倒し、逃走するつもりなのだ。

〈しぶとさだけは相変らずだ〉

弥八郎は苦笑し、無言で明りの向きを変えた。自分の姿が、はっきり見えるようにしたのである。二郎三郎が息をのんだのが判《わか》った。

「弥八郎！」

「人拐《さら》いにまで堕《お》ちたか、二郎三郎」

弥八郎の声は鞭《むち》の鋭さで、二郎三郎を打った。

「それが信長公を射った男のすることか」

二郎三郎が大袈裟《おおげさ》に首を縮めてみせた。昔ながらの剽《ひょう》げた所作で叱責《しっせき》をかわそうとしたのだが、白髪《しらが》まじりの親爺《おやじ》には似合わない。却《かえ》って醜く見えた。

「惚《ほ》れたんだから仕様がない」

「惚れた？」

「そうさ。昼間あの女が行水を使っているところを見たんだ。顔はともかく、抜けるように白い肌《はだ》でなあ」

ぬけぬけと二郎三郎は鼻の下をのばして言った。

二郎三郎が北条の下人になったのは、前年即ち天正十五年冬のことである。その年の夏まで、二郎三郎は長崎にいた。依然として南蛮船に乗って異国に渡ることを夢見ていたのだが、この夢は六月十九日に発せられた秀吉のキリシタン禁制によって、吹っとんでしまった。宣教師はすべて二十日以内に日本を退去せよ、という追放令は、南蛮船を忽ち満杯にさせ、二郎三郎のような風来坊の乗船する余地をなくさせてしまったのである。

それに多少ぽるとがる語が話せるようになってみると、イエズス会の宣教師は、二郎三郎が好きになれそうもない人種だということが判って来た。なんとなくいかがわしいのである。宣教師たちの気持の中には、どうしても東洋人に対する軽蔑《けいべつ》感と、本国ぽるとがるの国益を優先させる、という思いがある。この当時、日本の銀や漆器などでぽるとがる商人のあげる利益は、略奪貿易といってもいいほどの莫大なものであり、その商いの中には日本人男女の奴隷《どれい》の売買まで入っていた。その意味で彼等は日本の植民地化を狙《ねら》っていたといわれても仕方のない部分がある。

秀吉は、キリシタン大名が武器と引き換えに彼等に与えた教会領が、一向宗の寺内と同じ、或《あるい》はもっと悪質な性格をもちうることを敏感に察し、キリシタン禁制に踏み切ったのだが、二郎三郎は更に鋭く宣教師の不純な意図を肌で感じていたと云ってもいい。二郎三郎にいわせれば、一向門徒の方が彼等より遥《はる》かに純粋で一途だった。九州、特に薩摩の地では一向門徒たちは激しい迫害をさけて地下に潜り、『隠れ念仏』の徒と化したのである。彼等の生活が『隠れキリシタン』以上の厳しさだったことを、歴史は明白に語っている。

絶望した二郎三郎は、秀吉の軍勢にまぎれこんで京都にひき上げ、更に東進して小田原に住みついた。昔のように鉄砲の腕で傭《やと》われたいと思ったが、うまくゆかなかった。四十五歳という年齢が、二郎三郎が今なお優秀な『いくさ人』であることを、北条家の家臣に信じさせなかったためである。やむをえず二郎三郎は下人として傭われることにした。とりあえず口を糊《のり》するためにはそれしかなかった。そして今回、京の地理にくわしいという理由で、氏規上洛の伴を許されたのである。

弥八郎は呆《あき》れ返ってきいていた。その場その場の成り行きに委《まか》せた気楽な生きざまは、いかにも二郎三郎らしい。だが家康の影武者になるつもりなら、このゆきあたりばったりの生き方を変えて貰《もら》わねばならぬ。

二郎三郎は承知した。恰度《ちょうど》生れて初めて扶持《ふち》に憧《あこが》れていたところだったからだ。老いた野武士の生活はそれほど不安なものだったのである。そして翌九月四日、家康が京都を発《た》ち、駿府に帰った時、本多弥八郎の一行の中に、二郎三郎の姿があった。

「弥八郎殿」

本多平八郎の咎《とが》めるような声が、弥八郎を現実に引き戻した。

「左様」

弥八郎には、居眠りしながらでも周囲の話を聞き、理解することが出来るという特技がある。だからこんな時でも慌《あわ》てることがない。

「確かに忠勝殿の申される通りでしょうな。これほどの大役を委せるのに、みみっちく条件をつけるわけにはゆきますまい。それくらいなら斬り捨てて、他の代役を探した方がよろしい」

「他の代役だと!? そんな者がみつかると思うか」

秀忠がやや激していった。家康のような特殊な体型の男の代役が、そう簡単にみつかるわけがない。ましてこの急場である。不可能といってよかった。

「まず無理でしょうな」

弥八郎がしゃあしゃあといってのけた。こういうところが秀忠の弥八郎を嫌《きら》う原因になっている。自然に語気が鋭くなった。

「ならば、どうする?」

弥八郎がじろっと秀忠を見た。小僧が何をぬかすか、という顔である。冷たくいった。

「若君のお力を試すしかありません。早速に殿の喪を発し、若君の御名で盛大な御葬儀をとり行い……」

「馬鹿《ばか》な……」

思わず秀忠は喚《わめ》いてしまった。そんなことが出来るくらいなら、こんな評議を開く必要もない。諸大名が秀忠の力倆《りきりよう》を認めるわけもなく、兄秀康にしても秀忠の相続を簡単に認めない筈《はず》である。だからこそこうして苦しい評議をしているのではないか。秀忠はもう一度喚きかけて、危うく口をつぐんだ。うかつに喚くと自分の本心を曝露《ばくろ》することになる。ここはしばらく四人の武将たちの討議に委せた方がいい。部下たちに意見という意見を出しつくさせ、その上でずばりと自分の決断をいうのが、父家康の会議のやり方だったことを思い出した。

秀忠は前にのめっていた身体《からだ》を引き戻した。

「それぞれの存念を聞こう」

四人の武将たちは顔を見合わせた。彼等も、家康のやり方を思い出したのだ。秀忠が父のやり方を真似《まね》ようとしていることは、明白だった。

〈若いが仲々やる〉

それが本多忠勝、井伊直政、榊原康政の感懐であり、

〈やっぱり只《ただ》の親孝行者ではなかったな〉

というのが本多弥八郎の評価だった。狡猾《こうかつ》ともいえる秀忠の態度を、逆に買ったのである。

歴史は、秀忠が家康に許されるまで三日の謹慎を必要としたと書いている。それはこの評議がそれほど紛糾したということである。

世良田二郎三郎は、この三日間を、お梶の方の身体に溺《おぼ》れながら過ごしたといっていい。大津城の初日、即《すなわ》ち九月二十日、後陽成《ごようぜい》天皇は勅使右大弁勧修寺尹豊《かじゅうじただとよ》を遣わして、家康を慰労されているが、二郎三郎はお梶の方の助言によって、つつがなく応対している。

事件が起った。

先に本多忠勝の采配《さいはい》で、九月十七日山城山科《やましな》に関所を設け、伊奈昭綱を長として、近藤登之助、加藤太郎左衛門と共に守らせてあった。これは戦勝に昂奮《こうふん》した諸隊が京に乱《らん》入して乱妨《ぼう》することを警戒したための処置だったが、たまたまこの二十日、福島正則の使者がこの関所を強引に通過しようとして、争いが起きた。争いの原因は明らかでないが、福島の使者は伊奈昭綱の部下たちに散々に殴られたらしい。主君の使者として行動中に暴行を受けるのは、

己れ個人の問題ではない。主君の名を汚《けが》すことになる。使者は陣屋に帰ると申しわけのため切腹して果てた。猛将福島正則は烈火のように怒り、使者の首を家康の本陣に送り、伊奈昭綱の処分を要求した。

伊奈家は徳川譜代で、初代から四代まで当主悉《ことごと》く戦死したという壮烈果敢な家柄《いえがら》である。昭綱はその第五代を継いで、二千五百石の知行を受けている。この年、上杉景勝反乱の実否を糾明する命をうけ、単身会津に赴いた剛の者だった。徳川家にとっては股肱《ここう》の臣といっていい。その昭綱を処分せよというのである。

この事件ほど、関ヶ原勝利直後の家康の地位を象徴しているものはない。福島正則は家康を主君とは全く考えていない。家康はあくまで豊臣家の家老であり、自分と同等の武将である、としか看做《みな》していない。そのことを明白に示すために、敢《あえ》て伊奈昭綱の処分を迫ったのである。家康の対応の仕方いかんで今後の自分たちの態度をきめようという、いわば一種のためしだった。勿論《もちろん》、伊奈昭綱が徳川家の忠臣であることを百も承知の上での難題である。

二郎三郎は処置に窮した。家康なら遅疑なく昭綱を処分するだろうということは判っている。今は徳川家が天下をその手で摑《つか》むか否《いな》かという正念場である。何度もいうようだが、大坂城を無事に接収しない限り、徳川家の明日はない。そして大坂城接収のためには、どうしても福島正則以下の豊臣家恩顧の武将たちを味方につけておく必要があった。正に大事の前の小事である。ここはいかに股肱の臣といえども、涙をのんで昭綱を斬らねばならない時である。それが二郎三郎には出来ない。二郎三郎から見れば、昭綱は自分と同等の徳川家の臣僚である。しかも何一つ悪いことはしていない。非は明らかに主君福島正則の威を借りて、無理矢理、関所を押し通ろうとした使者の側にある。伊奈昭綱は二郎三郎の躊躇《ちゅうちょ》を自分に対する恩情と見た。恩情に酬《むく》いるために自ら腹を切った。昭綱には嫡子がなく、伊奈本家は五代で絶えた。

伊奈昭綱の切腹によって、事件はさしたる問題に発展することもなく終った。だが二郎三郎の胸には、痛みが残った。この男には、戦国武将の非情さがない。罪なき人間の死を、平然と受けとめることが出来ないのである。

お梶の方は、悩んでいる二郎三郎を珍しい生き物を見るような眼《め》で見ていた。長く家康の側近にいたために、こういう男のいることを忘れていた。悩む二郎三郎を可愛《かわい》いと思った。悩みを忘れさせるために、自ら誘って身体を開いた。二郎三郎は忽《たちま》ち溺れた。お梶の方だけが救いだった。二郎三郎の愛技に自らも燃え上がりながら、お梶の方は、自分は所詮《しょせん》不実な女なのだろうかと疑った。つい五日前に、家康の執拗《しつよう》な愛撫《あいぶ》に我を忘れた身が、今、全く違う男の下で、何の罪の意識もなく放恣《ほうし》に声まであげている。でも違う。お梶の方は首を振った。家康とのまじわりには、意を迎えよう、気に入られようという意識があった。けっして自分を忘れて溺れこむなどということはなかった。いつも醒《さ》めていた。まして家康を可愛いなどと思える筈がなかった。

今はそうではない。自分にすがりつくようにして夢中になっている二郎三郎を、お梶の方は心底可愛いと思った。気に入られようなどという気持は、微塵《みじん》も湧《わ》かない。安心して存分にいつくしむことが出来た。お梶の方のように気の強い女にとっては、それだけで一種の愉悦である。しかもこの男の生殺与奪の権を自分は握っている。自分が一言、この人は贋物《にせもの》です、と叫べば、この男の首はとび、徳川家は崩壊の危機に瀕《ひん》するのである。なんともいえず昂《たか》ぶったいい気分だった。その精神の昂ぶりが、肉体的な快楽を増大し、とろけんばかりの味と化した。

〈決してこの人を放さない〉

お梶の方は、身もだえの中で決心していた。

〈一生この人を守ってあげる〉

かたくすがりつきながら、心の中で誓った。

九月二十一日早朝、本多忠勝と井伊直政は大津城に戻っている。二人とも不眠のために顔色が悪い。直政は腕にうけた鉄砲傷が痛むと時々呻《うめ》いた。だが直政の苦痛は腕ではなく、心内にある。家康横死のしらせを、忠吉に伝えられないことが、最大の苦痛だった。評議の席で、忠吉にはかたく秘密にするよう釘《くぎ》をさされていたのである。評議が進むにつれて、秀忠の存在が、加速度的に重くなってゆくのが、直政にははっきり見えた。

それはそうだろう。家康の遺児の中で、この秘密を知る者は今のところ秀忠一人なのだから。結城秀康と忠吉にもしらせるべきだ、という直政の意見は、全員の猛反対を受けた。秘密を知る者の数が増えれば増えるほど、漏洩《ろうえい》の危険の増すことは自明の理である。しかも遺児全員にしらせることは、内紛の危機さえ招きかねない。反対は当然であり、直政としても服するしかなかった。

本多忠勝はひどい仏頂面《ぶっちょうづら》だった。

二郎三郎に拝謁《はいえつ》した時もただ一言、

「まだでござる」

といっただけで、さっさと退出している。実のところ忠勝は評議にうんざりしていた。二郎三郎を家康の替玉として使うことは、既に決定している。今のところ、そうするしか徳川家を救う方法がないのだ。問題点は二つある。第一は今後の二郎三郎を、誰が監督するかということ。第二はどの時点まで二郎三郎を使うかということである。

第二の点については、たいした問題はないように思われた。関ヶ原合戦後の身の処し方については、亡《な》き家康にははっきりとした構想があった。

実質的な武家の棟梁《とうりょう》になるために、織田信長は朝廷の力を借りる必要をほとんど認めていなかった。だから官位は右大臣のままだった。これに対して秀吉は朝廷の力を充分に利用しようとして関白太政大臣《だじょうだいじん》という宮中の最高位を求め、手に入れている。百官をひきいて国政を総攬するのが関白の役である。

この二人のやり方と家康のやり方は、明白に異なっている。家康は朝廷と武家をはっきり二つにわけ、武家階級を統率する権限を手に入れるつもりだった。源頼朝以来の武家政権の独立である。このために必要なのは征夷《せいい》大将軍という役名だった。源頼朝のように、征夷大将軍として幕府政治を開くこと。これが家康の構想だった。左右大臣や関白太政大臣では、天皇を中心とする貴族政権に権力を持つことは出来ても、武家階級を統率する権限を持たないことを家康は知っていた。あくまでも征夷大将軍として武家の棟梁になり、その上で天皇から政権を委任されるという形をとるのが必要だった。

既に朝廷に対しては、その働きかけが隠密裡《おんみつり》に行われている。一年とたたぬうちに、征夷大将軍の位が家康に与えられる筈である。家康は天皇の命をうけて、江戸に幕府を開く。その上で二、三年たったら、その職を秀忠に譲る。二代将軍秀忠の誕生である。それまでに、天下の武将たちの知行地を、将軍の権限であちらに動かし、ここに移し、或は禄高《ろくだか》を削り又ふやし、次第に豊臣恩顧の武将たちを骨抜きにしてしまう。それさえ出来れば、二代将軍を継いだ秀忠の勢力は磐石《ばんじゃく》になる筈だ。替玉二郎三郎の利用価値はそこまでである。つまり征夷大将軍になるまでに一年。なってから秀忠に譲るまでが二、三年。あわせて三、四年というのが二郎三郎の使用年限である。

この筋書きを書いてみせたのは秀忠であり、忠勝たち四将はそれを認めた。本多弥八郎正信が、最も積極的にこの案に賛成した。贋物を仮にも主君としていただく年限は、短ければ短いほどいい、とまで弥八郎はいっている。亡き家康と弥八郎の親密な関係を知っている一同は、感情的にいってもさもあろうと認めた。だが忠勝一人は、疑っていた。

忠勝は同じ本多一族の弥八郎をよく知っている。弥八郎の家康一辺倒の忠節ぶりも認めている。弥八郎は仲間まで敵のように見る、とは同じ三河譜代の同僚が異口同音にいうことだが、忠勝も何度そういう弥八郎の冷たい目の下に据《す》えられたか判らない。それでもさして腹が立たないのは、それが家康への忠節から出ていることを熟知しているからである。弥八郎のいやなところは、まっすぐにものをいわないところにある。まるで相手を吟味するかのように、思いもよらぬことを云《い》ったり、時には自分の意見と逆のことを云ってみたりする。ところが家康相手だと全くちがう。まるで禅問答のように口数が少ない。お互いに相手の考えていることが手にとるように判っているので、そういうことになる。

同じく家康側近にいた土井利勝が、後年石谷将監《しょうげん》に語ったところによると、秀吉没後、加藤清正たち所謂《いわゆる》七将の面々が伏見の家康邸に来て、先に逃げこんでいた石田三成の身柄の引渡しを要求して大騒ぎになった時、弥八郎は亥《い》の刻半ば（午後十時ごろ）参候したが、家康は既に寝所にいた。弥八郎は寝所の外で咳払《せきばら》いを一つして、

「お早い御寝《ぎょしん》で……」

といったという。

「何の用だ」

と家康が尋ねる。

「石田をどうなされますか」

「わしもその事を考えている」

「それで安心致しました。おいとま致します」

そのまま弥八郎は引き下がり、家康もそれ以上一言も云わなかったという。家康はこの時、

政敵である石田三成を八日の間、七将の手から守り通し、十日目に次男秀康を護衛につけて三成の居城佐和山まで送り届けさせている。それほどの大事についての家康と弥八郎の打合せが、たったこれだけだったというのである。君臣の意志の疏通《そつう》の早さ、思うべしとでもいうべきであろうか。

だが今度の場合は事情が異なる。なによりも肝心の家康がいない。だから弥八郎は忠勝のきらういやな癖を出しっ放しにしている。従って弥八郎の言を、云った通りにうけとることは到底出来ない。まして世良田二郎三郎は、当の弥八郎が拾って来て、忠勝に押しつけた男だ。二郎三郎とどこでどうして知り合ったか、弥八郎は細かいことは一切云わなかったが、昨日や今日のつきあいではないことははっきりしていた。主として二郎三郎の口のきき方から、忠勝はそれを感じている。忠勝は性格的に、ものごとをくだくだと穿鑿《せんさく》するのが嫌いな男である。一瞬の直観に生命を賭《か》ける。二郎三郎の場合も、一目で家康との相似を読み、そのつらだましいから歴戦の武勇のほどを計った。なんとその日のうちに、家康の前に連れてゆき、家康も気に入って即座に影武者として働かせたのである。その二郎三郎を、弥八郎は邪魔くさい屑《くず》のように扱っている。忠勝が信用出来るわけがなかった。

忠勝はまた弥八郎の秀忠への嫌悪《けんお》感を知っている。実は忠勝自身も、秀忠が好きではない。弥八郎同様、秀忠の親孝行ぶりや謹直ぶりをいかがわしいと感じている。それだけに弥八郎の嫌悪感が、手にとるように判る。その弥八郎がこの夜の評議では、終始、秀忠の肩をもつようなことばかりいっている。これも信じられぬことの一つである。では弥八郎の真意はどこにあるのか。忠勝は評議の間じゅう思案を重ねたが、どうにもそれが摑めなかった。

それが忠勝の仏頂面の原因だった。忠勝は弥八郎の膝《ひざ》を摑んで、一体なにを考えているのだ、と問い訊《ただ》したい衝動に何度か駆られた。だが、まさか評議の席で、それは出来ない。評議が懸案のまま終った時、さりげなく大津城に同行しないか、と誘ってみたのだが、弥八郎はにべもなく断っている。秀忠にべったりついているつもりなのだ。忠勝のいらだちは増大するばかりだった。

この日、九月二十一日、近江国伊香郡高時村の古橋の岩穴の中で、石田三成が、田中吉政麾《き》下《か》の者たちによって捕えられた。農夫の古いボロを身にまとい、草刈鎌《くさかりがま》を腰に差し、破れ笠《がさ》で顔を隠していたという。田中隊の者の誰何《すいか》に対して、怪しい者ではない、病のため休んでいると答えたが、一隊の中に三成の顔を知っている者がいたために、忽ち見破られ捕えられた。事実、三成は腹をこわし、激しい下痢に苦しんでいたという。今日でいえば、神経性下痢であろう。いかにも秀才三成らしい病である。

三成の逮捕については別の説がある。伊吹山中に逃げた三成は、家臣とも別れ別れになり、単身で近江に入った。子供の頃《ころ》習字を習った三重院という寺を頼ったが非情にもことわられ、山林をさまようこと数日、昔恩をほどこしたことのある伊香郡古橋村の与次郎という者の家にたどりついた。与次郎は旧恩に報いるためこの古い洞窟《どうくつ》にかくしてくれたが、狭い村落のことである。忽ち噂《うわさ》が拡《ひろ》まった。これを知った三成は逃亡を諦《あきら》め、与次郎にすすめて訴人させ、田中吉政の配下に捕えさせたという。

二郎三郎は、三成逮捕の報に動揺した。合戦のはじめに家康を刺した刺客は逃亡している。二郎三郎の一刀を受けはしたが、生命を絶つまでには至っていない。刺客が生きのびて、石田の陣営に戻ったことは、その直後に石田方から「内府殿討死」の声が一斉《いっせい》に起ったことで明らかである。しかもこの事実は、刺客を向けたのが三成であることを、同時に示している。その三成が逮捕された！　その上、田中吉政は早速この大津城につれて来る、という。三成は敵方で家康の死を知っているたった一人の男である。当然、現在生きている家康を疑っている筈《はず》だ。部下の刺客を信じていれば、そうならざるをえない。切れ者の三成のことだから、もう家康が替玉であることを見破っているかもしれない。そして三成なりの作戦を立てているかもしれなかった。

逮捕された三成は、西軍の総指揮官として、勝者家康の前に引き出されるのは、自然の成り行きである。敵の総大将の首実検を自らしない武将などいるわけがない。それは勝った者の、最大の愉悦であるといえる。三成の狙《ねら》い目は、その首実検のための対面の場にある。そこで、家康が贋物であること、本物の家康は自分の部下が刺し殺したことは確実であり、従って今現在、影武者が身替りにたっているに違いないことを、かん高い声でまくしたてる。これが三成の作戦に相違なかった。対面の場には、東軍の武将、特に豊太閤恩顧の、福島正則、池田輝政、黒田長政たち、関ヶ原合戦を勝利に導いた武将たちが、きら星《き》の如《ごと》く居並んでいる筈である。その中で喚《わめ》く。喚いて喚いて喚きつくす。沈黙させるには斬るしかないまでに喚きたてる。この三成は斬れない。斬れば二郎三郎の負けである。列席した諸侯は、三成のいい分が正しいからこそ、黙らせたと見るのは必定だからだ。同じ理由で、二郎三郎が三成をいい負かすことも出来ない。第一、首実検の場で、捕えられた敵将と口論をする総大将などいるわけがない。いたら諸侯に見下げられるだけだろう。従ってこの場は、三成が云いたいことを存分に、しかも一方的にいえる唯一《ゆいいつ》の場なのだ。

二郎三郎は三成を心の底から恐れた。お梶の方と相談して、早速に本多忠勝を呼びにやらせた。伺候した忠勝は、じろりとお梶の方を見た。これは席をはずせという意味である。だがお梶の方は無視した。てこでもこの場を動かないという気魄《きはく》が、ありありと見える。ことに二郎三郎の身に関する限り、以後自分をはずしての謀議はありえないことを、その態度で見せたのである。忠勝は露骨に顔をしかめたが、無理矢理お梶の方を退席させることは出来なかった。少なくとも当分は、この爆裂弾のような女の意に逆らうことは賢明でない。

三成の処置については、忠勝も頭を悩ませていた。勿論、既にしらせは受けている。三成がまさか生きたままで捕えられるとは、忠勝の予想もしていなかったことである。当然自害して、文字通りの首実検になるだろうと信じ切っていた。それだけにこのしらせに狼狽《ろうばい》し、恐れたのは二郎三郎と同断だった。

三人は長々と論議したが結論が出ない。とにかく武将たちの居並ぶ中で、対面する危険だけは避けなければならない。二郎三郎と忠勝、それに井伊直政の三人だけで三成に会おう。理由は敵将の体面を守るためである。武士の情けである。そういえば武将たちも納得してくれるだろう。さすがは家康公と思ってくれるかもしれない……。

評議の間に、田中吉政と三成の到着が告げられた。忠勝は、とりあえず城門の脇《わき》に畳一枚を敷き、そこで三成を待たせよ、と命じた。

二郎三郎たちが予想した通り、三成は喚きだした。首実検に立合うために、陸続と集って来た豊太閤恩顧の武将たちを、口をきわめて攻撃し罵《ののし》ったのだ。福島正則のように気性の荒い攻撃型の武将は、負けずに罵り返すのだが、例外なく、三成の次の一言で沈黙し、負け犬のようにこそこそと逃げだすのである。

「忘れるな！　わしは近日中にいやおうなしにあの世に参る身だ。あの世に参れば、当然、即刻故太閤殿下にお目にかかることになる。その時こそ見ておれよ。わしはお主の所行、言説、委細のこらず殿下に申し上げてくれるぞ。殿下の御懇篤《ごこんとく》なる御依頼にもかかわらず、秀頼さまをないがしろにし、内府に尾を振るお主の恥しらずな所行を、殿下がなんとおぼし召されるか、やがてお主があの世に参った時、身に徹して思い知るだろう。いや、殿下の御気性では、それまでお待ちになれぬかもしれぬ。夜毎《よごと》お主の夢枕《ゆめまくら》にお立ちになり、あの大声でお主を叱責《しっせき》なさるやもしれぬ。その時は、わしも殿下と共にお主の夢枕に立ってやる。殿下の御叱責にお主が身をよじって苦しむさまを、笑いながら見ていてやるぞ。さぞいい気持だろうな、ワハハハハ」

これがその、『次の一言』である。どんな猛々《たけだけ》しい武将といえども、あの世へ弁解にゆくことは出来ない。また夢枕に立つ太閤秀吉と三成を追い払うことも出来ない。彼等とて心の奥深くで、太閤を裏切っているという意識があるだけに、殊更《ことさら》この三成の一言はこたえるのだった。

もっとも悲痛を極めたのは、小早川秀秋である。この多感な十九歳の少年の眼前には、今《いま》尚《なお》、先日の合戦で自分に放射された、大谷刑部隊の諸士の怨念《おんねん》の眼差《まなざ》しが彷彿《ほうふつ》としている。

三成は正確にその点をついた。

「お主の場合にはな、中納言殿、夢枕に立つのは太閤殿下とわしだけではないぞ。お主の裏切りによって無念に死んだ大谷刑部殿とその一統、血みどろの甲冑《かつちゆう》姿で、お主をとり囲むであろう。いや、夢枕の必要もない。たった今、白昼の中にあるお主のまわりにも、その怨霊はひしめき合っているわ。きこえぬか、金吾殿。怨霊たちの呪《のろ》いの言葉が……その鎧《よろい》のふれ合う音が……槍《やり》・長巻のぶつかり合う音、肉を裂かれ、頭を割られる音が……悲鳴が……」

さながら白日夢だった。三成の一言々々につれて、鎧の音、武具の音、馬蹄《ばてい》の音が秀秋の周囲を埋め、呻き声、呪いの声が空気を満した。

「わッ！」

秀秋は一声叫び、両耳をしかとふさいで、地べたに倒れ、身を震わせた。たまたま来あわせた細川忠興が、助け起し、城内に連れ去らなかったら、秀秋は恐怖のあまり錯乱していたかもしれない。

その様子はやがて二郎三郎の耳に入った。

これは捨てておける事態ではなかった。

「治部少輔《じぶしようゆう》（石田三成の官名）殿を城内に移すしかありません。このままではお味方の動揺がひどくなるばかりです。この大事な時期に、望ましいことではありません」

　本多忠勝がそういった。『大事な時期』とは毛利輝元に大坂城を開け渡させる交渉中という意味である。お梶の方もうなずいたが、二郎三郎は躊《ため》った。

「城内といっても、どこに移す気だ？」

　忠勝は沈黙した。二郎三郎の三成に対する恐怖が、まざまざと判《わか》ったからである。この時になっても、まだ、二郎三郎がどう三成に対したらいいか、結論は出ていなかった。

「いたずらに迷って時を移すのは愚策でござる。意を決して治部少輔と対面なさいませ。今きめた通り、井伊直政と手前だけが同席つかまつるならば、治部少輔が何を喚こうと、恐れることはありますまい」

「御対面のお部屋は、なるべく奥になされることですね」

　お梶の方もいった。三成がどれほど大声をはりあげようと、武将たちにはきこえぬ場所で会え、といっているのだ。

「会うか」

　二郎三郎は重い声で、まるで独り言のように、ぽつんといった。まだ心が揺れていた。だが、考えてみれば、二郎三郎はどんな形でも、主君家康を裏切っているわけではない。秀頼などという人物は、彼にとっては無縁の男である。従って、秀頼への背信、裏切りをつかれても、二郎三郎の心が痛むことはない。家康の替玉を勤めているといっても、それは徳川家のためであり、二郎三郎自身の恣意によるものではない。省みて一点の恥ずべきものもない身である。

〈云いたいことを云わせておくさ〉

ようやく二郎三郎の腹がきまった。

対面の場は、奥にきまった。奥とは妻妾《さいしょう》のいるべき部屋である。大津城の場合は、お梶の方の部屋ということになる。お梶の方は侍女たちのすべてを遠ざけ、腹心の女乱波だけを警固のため残した。家康の近習たちにも近づくことを許さなかった。三成があばくことを、極力少数の者の耳にしか入らぬように手配したのである。

だが事態は二郎三郎たちの思惑をはずれ、意外な進展を示した。

石田三成はまったく喚かなかった。無言で長いことじっと二郎三郎をみつめていたが、やがて深々と一礼し、低い落着いた声でいった。

「お手前がいかなる履歴をもち、いかなる心をもつ御仁か、不幸にしてわしは知らぬ。だが武人として、一片の惻隠《そくいん》の心をもたれるならば、なにとぞ、天下の孤児秀頼さまをむごく扱われぬよう、三成、心の底からお願い申す」

その言葉には、なんの策謀も、なんの怒りもなかった。義の人、石田三成の赤心だけがあった。二郎三郎はほとんど感動したといっていい。

この短い会見の後、石田三成は本多正純《まさずみ》の手に委《まか》された。

「くれぐれも叮重《ていちょう》におもてなし申せ」

二郎三郎は三成の面前で、正純にきびしくそう申しわたしている。それが三成の義に対する二郎三郎の感動の反映だった。

三成は軽く顎《あご》をひくようにしてうなずくことで、二郎三郎の処置に礼を告げた。

本多忠勝も井伊直政も、内心、降将に対して寛容すぎる処置だと感じていたが、口にすることはなかった。彼等も彼等なりに、三成の義に感動していたのである。

三成の身柄をあずけられた本多正純は、弥八郎正信の嫡子《ちやくし》である。永禄八年（一五六五）三河で生れた。永禄八年は三河一向一揆平定の翌年に当る。この年、弥八郎正信は世良田二郎三郎と共に、京都にいた。だから正純は父の留守中に生れたことになる。天正十年（一五八二）に弥八郎正信が十八年ぶりに徳川家に帰参するまで、父の顔を知らずに育った。広く三河に根をひろげていた本多一族の援助で、生活に窮することはなかったが、叛臣《はんしん》の子として、辛《つら》い逆境の中に青春の日々を送ったことは間違いない。それが正純を、若いくせにわけ知りで情味のある男に仕立てていた。

他の一族の若者たちのように、徳川武士団に加えられることがなかったために、戦功は皆無であり、また資質からいっても武将型ではなかった。そのかわり、父ゆずりの頭脳は明晰《めいせき》を極めた。父が帰参すると同時に正純も家康に仕えることになったのは、天正十一年九月二十一日、甲斐《かい》の塩座を領している山下又助勝忠に家康が替地二十八貫文の地を与えた所領宛《あて》行状に、奉行として連署していることで明らかである。正純この年十九歳。幼名のまま、本多千穂と署名している。以後、父と共に事務官として、家康に近侍し、この関ヶ原合戦では、父は秀忠付きで中山道を進んだのに対し、三十六歳の正純は家康について東海道を上っている。だがこの合戦でも、正純はなんの戦功もたててはいない。彼が活躍を始めるのは、いくさが終ってからである。あくまでも事務官に徹していた。

実は正純が合戦終了後、家康に会ったのは、この日が初めてだった。降将石田三成の身柄をあずけられるという大任を、恐懼《きょうく》して拝受したものの、内心一つの疑惑を持った。家康に対して微妙な違和感を感じたからである。どこをどうとはいえないが、

〈何か違う。いつもの殿ではない〉

その思いが強い。だが一座しているのは本多忠勝と井伊直政である。妙なそぶりでも見せようものなら、一身が危い。だから、うわべは何事もなかったようにとりつくろって退出したが、三成と共に己れの宿所に歩きながら、黒雲のように疑惑が拡がってゆくのを抑えることが出来なかった。

「あまり考えすぎぬのがよろしい」

突然、三成が云《い》った。正純はのけぞるほど驚いた。同時に、城中からずっと続いていた思案顔を、三成に観察されていたことに気づいた。

「内府殿は健在におわす。羨《うらや》ましくも口惜《くや》しくもあるが……」

三成は苦っぽく微笑《わら》った。

「家臣として疑ってはならぬことだ。疑っては徳川家はない」

三成は事の成り行きを正確に見抜いていた。甲斐の六郎は首尾よくその使命を果したので

ある。家康は死んだ。だがその時点で、即座に影武者がとって替った。以後の戦闘の指揮をとったのは、この影武者である。そうした咄嗟《とっさ》の動きや、後の働きから見て、この影武者も決して凡庸の男ではない。だからこそ、側近の諸将も、徳川家の命運をこの男一人に賭《か》ける気になったのであろう。三成はそれを曝《あば》ける立場にいた。だが曝いてどうなるというのか。

確かに一時的に東軍の諸将を動揺させることは出来るかもしれない。徳川軍団の中枢を恐怖に震え上がらせることも出来るかもしれない。だがそこまでである。家康の側近は全力をあげて、三成の言葉を否定し去るだろう。豊太閤恩顧の身でありながら東軍に加わった諸将も、それを支持する筈である。家康が死んでいては、彼等の折角の戦功もまた無に帰するからだ。彼等にとっても、家康が生きていた方が得になるわけだ。そうなれば、三成の曝露《ばくろ》は、ただのいやがらせにしかすぎなくなる。

死の前にいやがらせをするなどと、義によって身を処して来たもののふのすることではなかった。むしろこの影武者の義に訴え、秀頼公の延命をはかる方が大事であろう。本物の家康に義を訴えるのは愚の骨頂だが、この影武者は家康ほど狡猾《こうかつ》ではあるまい。狡猾な男が一介の影武者の地位に満足しているわけがない。これが三成の計算であり、読みだった。三成はその計算にすべてを賭けたのである。

三成は本多正純を知っていた。好意を抱いていたといっていい。正純は三成に似ている。武功派ではなく吏僚派である。膂力《りょりょく》ではなく、明晰な頭脳と卓抜な事務能力によって主君に仕えている。だからこそ、忽《たちま》ち正純の思案顔の裏を察し、助言をする気になったのである。

正純の方も、三成を尊敬していた。その頭脳の切れ味と見事な事務能力を高く買っていた。吏を知る者は吏である。蛮勇を誇る武将型の人間には、決して窺《うかが》うことの出来ぬ三成の清潔さと、いざという時に発揮される凄《すさ》まじい力とを、正純は己れの範としていたほどである。だから、この関ヶ原戦を起さざるをえなかった三成の心情も深く理解していた。いや、そればかりか、三成の敗戦さえ正確に予知し理解していた。この時の三成の言葉は、そうした正純の心を深く穿《うが》った。

「お言葉、かたじけなく……」

正純は深々とこの降将に頭を下げた。

近江草津における、秀忠を中心とする謀議は三日で終っている。

すべてが初日に本多忠勝のいった通りにきまったが、一つだけ予想外のことがあった。常に二郎三郎の身近にあって、その所行を監視し、監督する役目が、若い本多正純に与えられたことである。誰が考えてもこの役目は、本多弥八郎正信のものだった。だが正信の一言がそれを変えた。

「これより後は諸侯との駆け引きが最重要事になろうと存ずる。若殿にはそれをかの者にゆだねられるおつもりか」

つまり自分が二郎三郎の監督者になれば、外交の中心は二郎三郎になるが、それでいいのか、といっているのだ。この言葉の裏には、弥八郎正信の強烈な自負がある。三河譜代の中で、自分をおいて、これから先の困難な外交問題を乗り切ってゆける者はいないという意識である。また事実それだけの力を正信は持っている。

二郎三郎を表にたてながら、実質的にはすべての政治を秀忠がとりしきってゆくとしたら、秀忠は正信を常時自分のそばに置いておかなければならない。外交の面ばかりではない。内政の面でも秀忠には正信が必要だった。現に今さし迫った問題として、諸大名の賞罰がある。西軍にくみした諸侯の領土を没収し或《あるい》は削り、東軍の諸侯に分配し直さねばならない。一つ間違えば不平不満を招き、再び天下の騒乱を起しかねない。その上、この分配によって、徳川家は磐石《ばんじゃく》の地位を確保しなければならぬ。正に大事業といっていい。秀忠にも忠勝たち三将にも、この大事業をやってのける器量はない。やれるとすれば正信ぐらいしかいないのである。

誰よりも秀忠がこの点で頭を悩ませていた。だから真っ先に、正信を自分の側近とし、正純を二郎三郎のそばに置くことに賛成した。秀忠が正信を嫌《きら》っていることは周知の事実である。その嫌悪感にも拘《かかわ》らず、まっ先にこの決定を下したことで、三将の秀忠を見る眼《め》が変った。

秀忠の野心と、本来のしたたかさが、この日初めて露呈したといえようか。

慶長五年九月二十三日、秀忠は許されて大津城に入った、と史書は伝えている。現実は逆である。この日こそ世良田二郎三郎に対する、家康偽装作戦の正式の任命日だったのである。二郎三郎はまるで他人事《ひとごと》のように秀忠からのこの任命を受けている。前日、本多弥八郎正信と本多忠勝の両人から、懇々と説得され、既に拒否が不可能な段階にあることを悟っていたからだ。それにしても、これから六、七年に及ぶ替玉生活をどう生きたらいいのか。二郎三郎になんの成算もあるわけがない。二郎三郎だけではない。秀忠を除いて、この作戦の前途に光明を見ている者は一人もいなかった。その秀忠でさえ、この作戦が以後十六年も続くことになろうとは、夢想もしていなかったのである。

敗　者

都大路を男が一人、血相変えて走っている。齢《とし》の頃《ころ》は二十四、五。衣服も髪型も町人のものだが、精悍《せいかん》な顔と頑丈《がんじょう》な体軀《たいく》は、武人を思わせるものがある。着物の裾《すそ》を尻《しり》っぱしょりにして、恐ろしい勢いでつっ走っている。道往《ゆ》く人は一様に、呆《あき》れたように男の姿を見送っていた。

慶長五年十月一日の朝である。

男はやがて西陣の町並に到《いた》り、ようやく走るのをやめ、着物の裾もおろした。懐中の手拭《てぬぐ》いで汗を拭いながら、それでもつんのめるような速足で歩き、一軒の小さな呉服屋に入った。看板に『武蔵屋《むさし》』とある。

「お帰りやす」

手代と次いで番頭が叮寧《ていねい》に頭を下げたところを見ると、この男は武蔵屋の主《あるじ》のようだ。

「只今《ただいま》戻りました」

男もきっちりと挨拶《あいさつ》を返すと、

「奥の客人は？」

ときいた。

「先程、朝餉《あさげ》をすまさはりました」

番頭が応《こた》えると、男はうなずいて、そのまま路地を奥へ向った。

この店は間口は狭いが、奥行きはかなり深い。そのどんづまり、もう裏通りに面した部屋の前までゆくと、男は声をかけた。

「伊兵衛どす」

障子があいた。そのきわに腰をかがめている小柄《こがら》な男は、なんと甲斐の六郎だった。

「随分早くからお出かけのようで……」

「それですがな……えらいこって……」

伊兵衛と名乗った男は、ちらっと左右に眼《め》を配ると、部屋に入った。甲斐の六郎が一旦《いったん》障子を閉め、三つ呼吸すると再び開け、路地を見渡した。これは家人の立ちぎきを防ぐための用心である。人影のないのを確かめると、六郎は次の間の襖《ふすま》をあけた。

八畳の間に蒲団《ふとん》が敷かれ、その上に島左近が足を投げ出すようにして坐《すわ》っていた。

「何かあったな、数馬」

左近は伊兵衛をじろりと見ていった。

この家の主、武蔵屋伊兵衛は、本名加藤数馬、後に浄与と名乗った仙台伊達《だて》藩の旧藩士であり、島左近の遠い血縁の一人だった。自らの咎《とが》ではなく、叔父に当る人物の不始末に連座して伊達家を致仕、京へ出た。新陰流のかなりの遣い手であり、若いが気骨のある人物だった。左近の紹介で町衆の一人を知り、その豪商に人柄を見こまれ、援助をうけてこの呉服屋をはじめた。後日の話になるが、この伊兵衛は左近の末娘珠女をひきとって秘《ひそ》かに養い、慶長十二年に柳生《やぎゅう》兵庫利厳《としとし》の側室にしている。柳生兵庫は、柳生石舟斎から正統柳生流三世を引き継ぎ、尾張藩の剣法指南役となった人物であり、高名な柳生連也斎の父に当る。珠女は連也斎の母である。更に、柳生兵庫の門弟中、剣勢第一とうたわれた佐野九郎兵衛を兵庫に紹介したのもこの伊兵衛である。かいなでの呉服屋ではなかった。

「本日……」

伊兵衛が息を引くようにいった。

「治部少輔《じぶしょうゆう》さまの御処刑が執行されます」

いつの間にか伊兵衛の京なまりが消えている。

島左近と甲斐の六郎は沈黙した。二人とも、既にこのことあるを知っていた。

家康は……というより徳川軍団は、先月の二十九日、治部少輔石田三成を、小西行長、安国寺恵瓊《えけい》と共に、首枷《くびかせ》をはめ裸馬に乗せた無残な姿で、大坂と堺の町中を引き廻《まわ》しの刑に処している。引き廻しの刑とは、囚人を右に述べたような無残な恰好《かっこう》のまま、ゆっくりと定められた通りを進ませ、辻々《つじつじ》でとまり、見物人の前で役人がその非行の条々を大声で読みあげて聞かせるというものである。引き廻しの後は斬罪《ざんざい》というのが通り相場だが、大坂、堺と引き廻しながら未《いま》だに斬罪に処していないという点が、今回の徳川軍団のあざとさである。最終的に京都でもたっぷり引き廻しをやり、出来るだけ多数の見物人にこの謀叛人《むほんにん》たちの醜態を眺《なが》めさせた上で、首をはねようとしていることは明白だった。

「引き廻しの一行は、既に堀川出水《ほりかわでみず》を出ました……」

堀川出水とは、京都所司代奥平信昌《のぶまさ》の屋敷のある場所である。奥平信昌は家康の長女亀姫（母は築山御前）の夫であり、上野国《こうずけ》甘楽《かんら》郡小幡《おばた》三万石の譜代大名だ。関ヶ原では後陣にあって戦闘に参加せず、終るとすぐ京都所司代を命ぜられ、安国寺恵瓊を逮捕している。後に美濃加納で十万石を領した。

「道筋は？」

甲斐の六郎が訊《たず》ねた。

「堀川出水より一条の辻に出、室町《むろまち》通りを下って寺町に入る。最後は当然六条河原だ」

左近が伊兵衛にかわって答えた。六条河原は古くからの京都の刑場である。

「裸馬でしょうか？」

また六郎が訊《き》く。今度は伊兵衛が答えた。

「京では馬は使わぬ。肩輿《かたごし》だ」

肩輿とは獄卒が肩でかつぐ輿であり、檻《おり》になっていて囚人はその中に坐らされている。六郎が沈黙した。勿論《もちろん》、六郎は三成を奪うことを考えている。裸馬なら、馬をおどかすか、或《あるい》は馬腹の下に忍んで傷をつけ、狂奔させることによって警備陣を攪乱《かくらん》し、その騒ぎに乗じて或は三成を奪うことが出来るかもしれない。だが肩輿では不可能だった。獄卒を斬《き》ったところで、三成を檻から出さなければ、運ぶことが出来ない。

「無用だ」

左近がいった。

「無用？」

六郎がひたと左近をみつめた。左近は眼をつぶっている。

「殿をお助け申すことは無用だといっている」

「何故ですか？」

六郎の問いは当然といえる。三成が自害もせずに捕えられたということは、最後まで家康を討つ機会を窺《うかが》っていたということであろう。なんとかして追っ手をのがれ、大坂城に入って毛利輝元の軍勢を使い、籠城《ろうじょう》して戦う。その構想のもとに関ヶ原からいち早く脱出したに相違なかった。臣たる者が、その志を承知の上で、救出の手だてをつくさないのでは、義務放棄であり、怠慢あるいは怯懦《きょうだ》のそしりをまぬかれえないではないか。

左近が首を横に振った。

「どこがいけないんでしょう？」

六郎が追い討ちをかける。

左近の眼があいた。六郎をどきりとさせるような、深い眼差《まなざ》しになっている。その眼差しが、深沈たる淵《ふち》のように六郎をのみこんだ。

「お主なら……」

左近の声に悲しみの色があった。

「志破れて六条河原で斬首されるのと、味方の手で無態に押し包まれ首かき切られるのと、死にざまとしてどちらを選ぶ？」

六郎は息を呑《の》んだ。そこまでは考えていなかったのだ。たとえ引き廻しの途中から脱出できても、三成の行く先はない。左近はそう云《い》っているのだった。

毛利輝元は既に先月二十四日、大坂城を引き払い、木津の毛利家下屋敷に移っている。家康（実は世良田二郎三郎）は、三日後の九月二十七日に大坂城に入り、秀頼と会見した上で、西の丸を居所と定め、二の丸に秀忠を置き、完全に大坂城を占領してしまった。これで三成の構想の大方は崩れたわけだ。残った手段といえば、もう一度毛利輝元をかき口説いて兵をあげさせるか、九州に落ちて加藤清正を口説くか、奥州《おうしゅう》まで逃げのびて上杉景勝を頼るか、その三つしかない。毛利輝元はもはや信頼出来る相手ではない。加藤清正はもともと三成を嫌《きら》い抜いている男だ。上杉景勝は或は三成をかくまってくれる唯《ただ》一人の味方だが、奥州の果てから天下とりに乗り出す力は持っていない。早晩三成が重荷になって来る筈《はず》だ。景勝にその気はなくても、御家大事の家臣の一団が、三成を押し包んで密殺の挙に出るであろうことは、目に見えている。

左近がそこまで読み切った上で発言していることが、六郎にもよく判《わか》った。

「でも……」

六郎は敢《あえ》てさからおうとした。さからわずにいては、己れの心を保てないような熱い思いがあった。

「そうだ。でも、だ」

左近がうなずいた。左近自身も、内心のさからう気持と闘っている。

「だから出かけよう」

左近が刀を杖《つえ》にして立ち上がったので、六郎も伊兵衛も慌《あわ》てた。まだ脚の傷がなおっていないのである。左近が落着いていう。

「殿のご最期《さいご》をしかとこの眼に焼きつけ、御冥福《ごめいふく》をお祈りするために出かけよう」

寺町の細い通りの両側は、ものみ高い京の町人たちであふれ返っていた。

島左近と甲斐の六郎は、その群集の背後にいた。うしろは小さな八百屋である。万一見咎められた時は、この八百屋の店を走り抜け裏通りに出る。六郎はその計算の上で、この場所を選んだ。裏通りには、逃走用に、鞍《くら》を置いた馬が一頭つないであった。

左近が引き廻しを見るといい出してからひともめあった。六郎と武蔵屋伊兵衛が、ほとんど必死になってとめたからである。京都には左近の知人も多い。引き廻し警固の武士たちの中にも、左近を見知っている者が二人や三人はいるだろう。それでなくても大柄で人目に立ちやすい男なのである。その男が主君石田三成の引き廻しの刑を見物に出かけるとは沙汰《さた》の限りだった。まるで捕えてくれといっているようなものだ。左近が五体満足の身ならまだしも、今は傷だらけで重病人に近い。中でも脚の傷が最も重く、ほとんど歩行は不可能である。六郎も世良田二郎三郎に斬られた右膝《みぎひざ》の傷が治癒《ちゆ》していない。つまり主従揃《そろ》って、足をひきずってでなければ歩けない身の上なのだ。町へ出かけてゆくだけで相当の危険を冒すことになる。

「なに、編笠《あみがさ》をかぶれば、どこの誰とも判るわけがない」

左近は無造作にそういって、六郎や伊兵衛の言葉になど、耳もかそうとはしなかった。もともといい出したら最後、人のいうことなどきく男ではない。結局、伊兵衛の提供したひどく贅沢《ぜいたく》な感じの小袖《こそで》と袴《はかま》をつけてゆくこと、馬を使うことを条件にして、こうやって寺町まで出むいて来ることになった。贅沢な衣服を着たのは、その方が見咎められぬ公算が大きい、という伊兵衛の計算である。身分ありげに見えて、警固の者も遠慮する筈だ、というのだが、現にこうして八百屋の前に立っていると、逆に左近の姿は目立って仕様がない。六郎は腹の中で間断なく呪《のろ》いの言葉を発していた。

ざわめきが高まった。引き廻しの一行が近づいたのである。

六郎の手が無意識に左近の袖を摑《つか》んでいる。人垣《ひとがき》の前にとび出してゆきはしないかと、警戒しているのだ。左近が閉口したような顔で囁《ささや》いた。

「放せ、六郎。みっともない。餓鬼扱いするな」

「いやいや」

六郎は尚更《なおさら》強く袖を摑んだ。

「何をしでかすか判らぬところは、餓鬼以上で……。とてものこと放せるものではありません」

左近は舌打ちをして、ふり払おうとした。その時、引き廻しの先頭が見えた。大きな板切れに、囚人の罪状を書き並べたのをかついでいる。その後から輿が来た。檻の中に、憔悴《しょうすい》した三成が、坐禅《ざぜん》を組むようにして坐っていた。

憔悴しきっているが、ひどく静かな顔だった。左近はこんな表情の三成を、久しく見たことがない。いつもいらだっている主君だった。特に近年はそうだった。義が省みられず、欲がすべてを蔽《おお》ってゆく世の成り行きに、たった一人さからっている。そのために生ずるいらだちだった。左近はよく云ったものである。

「人の世は、義だけで動くものではございません。少しお心を寛《ひろ》くお持ち下さい」

「そんなことは百も承知だ」

ますますいらだって三成が応える。

「義などといえば人は小馬鹿《こばか》にしたような顔をする。大人げないことを云う、というような顔をな。だがそんな時代だからこそ余計、義について申すべきではないか。己れ一人だけでも、滑稽《こっけい》と見られることを恐れず、義を主張すべきではないか。後世、ああ、あの時代にもこんな男がいたか、と人が感じてくれれば、わしの思いは達する」

そんな主従のやりとりが、今、左近の脳裏を走馬燈《そうまとう》のようにかけめぐっている。

左近は殆《ほと》んど無意識に、編笠の紐《ひも》をといた。六郎が驚いて左近の手を摑んだ。左近は強い力でそれをふり切ると、ゆっくり笠をぬぐ。白日の下に、その特徴のある顔をさらした。

三成が顔をあげ、こちらを見た。眼が合った。三成の眼が急になごむさまを、左近は見た。唇《くちびる》のはしに、僅《わず》かに皺《しわ》がよる。これは微笑を浮かべようとしているのだ。

熱いものが左近の身内を貫いた。

「ぐっ」

というような、声にならぬ呻《うめ》きを六郎は聞いたと思った。慌てて左近の袖を握った手に力を籠《こ》めた。だが心配することはなかった。左近は微動だにしなかった。大きな眼で、じっと三成を見つめたまま、身じろぎ一つしない。まるで眼だけで三成と会話をかわしているように見えた。

三成がけだるそうに右手を僅かに動かした。先《ま》ず抑えるように伏せ、ついで右膝の上に置き、その手を急にひるがえした。やがてその手を左手に重ね、さするようにする。最後にその手を胸に当て、ゆっくりと元に戻した。

左近は喰《く》い入るようにその所作を見届けると、大きくうなずいてみせた。

輿は左近と六郎の前を通りすぎてゆく。二人は輿が見えなくなるまで見送っていた。

「殿は何を……？」

馬のもとへ戻りながら六郎はきいた。六郎には三成の所作が全く読めなかったのである。

「まず、暴発するな、といわれたな」

これは六郎にも判った。抑える形がそれだ。

「次に家康殿は正しく贋物《にせもの》だ」

「あの手をひるがえしたのが……」

「だが、その贋物は秀頼公に好意を抱いているらしい」

左手は秀頼を指していたことになる。

「それを心において、しかと見定めよ、と殿はいわれた」

これほど重大な意志の伝達が、僅か数秒の所作で達せられたとは驚くべきことだ。

六郎がかすかに疑いの表情を浮かべると、左近は斬り捨てるように云った。

「殿とわしは、平時からこの所作の稽古をして来た。間違いはない」

「平時から、捕えられた時の稽古をですか」

六郎が呆《あき》れてきき返した。

「口のきけぬのは、捕えられた時ばかりではないわ」

いわれてみればその通りである。平時でもまわりに人がいて喋《しゃべ》ることのかなわぬ時もある。病で口のきけぬ場合もあろう。この主従は、そんな場合を想定して、彼等なりの手話の稽古をしていたことになる。

〈まるっきり子供同士の遊びだ〉

六郎はそう思った。同時に激しい羨望《せんぼう》を感じた。

子供のように遊びたわむれることの出来る主従とは、一体どんなものか。二人の間に強烈な一体感がなければ、そんなことが出来るわけがない。石田三成と島左近は、そこまで心を許し、一つに結ばれた主従だったということになる。

「六条河原に先廻りする」

さすがに、これだけは六郎の手を借りずに、ひらりと馬上の人になると、左近は当然のことのように云った。

「それは……」

辛《つら》すぎはしませぬか、といいかけて、六郎は口をつぐんだ。左近は六郎の心を読んだように応えた。

「ご最期の時に、わしがいなくてどうする？　この眼でしかと……」

あとはのみこんだ。この眼でしかと確かめねばならぬ、という重い義務を背負っていると云おうとしているのだ。辛いのは百も承知で、それに耐えるのが主従の道だといっている。

「ご辞世の歌なども、しかと聞かねばなりませんね」

それなら、出来る限り近い場所をとる必要がある。左近が、けっ、と咽喉《のど》を鳴らした。

「そんなものを殿が作られると思うか」

三成は芝居気のまったくない男である。自己顕示欲もまた皆無である。首を斬られる時に、従容《しょうよう》として辞世の歌を詠《よ》むなどという行為には、無縁だった。

事実、六条河原に着き、檻から引き出され、土壇場《どたんば》に据《す》えられた三成には、辞世はなかった。遊行上人《ゆぎょうしょうにん》が十念《じゅうねん》を授けようとしたのさえ、拒否している。

「あの世で太閤殿下にこの度のことをゆるりとお話しする。楽しみなことだ」

嘲《あざけ》るように大きく笑った。首斬り役人は笑っている三成を斬った。首はとんで、まだ大口を開けていたという。

左近と六郎は、しびれるような思いで、その首を見ていた。

その夜、左近は高熱を発した。

濡《ぬ》れ手拭《てぬぐ》いを額にのせても、たちまちばりばりに乾いてしまうほどだった。

矢張り表に出たのがよくなかったのだ、と伊兵衛は云ったが、六郎は首を横にふった。左近がそんなやわな肉体の持ち主でないことを六郎はよく知っている。あれほどの深傷《ふかで》を負いながら、関ヶ原から京都まで、ほとんど自力で歩き通した男である。馬は使えなかったし、ただの一度も宿はとっていない。

その左近が倒れた。

六郎には、それが心の痛みのためとしか思えなかった。

左近は三成の首が宙を飛ぶさまを、まばたきもせずに凝視していた。そして以後、そのことについて、一言も発していない。涙一粒見せていない。あまりに大きな衝撃は、しばしばこういう効果をもたらすことがある。逆に云えば涙を流し、泣くことの出来る衝撃など、たかが知れている、といえるかもしれない。左近は泣かず、叫びもしなかった。だが、帰るや否《いな》や、高熱を発して倒れた。

〈このお人はうわごとさえ云わない〉

つききりで介抱しながら、六郎はそう思った。これほどの高熱で、しかも心に屈することがあれば、人は十中九までうわごとをいうものである。そうしなければ、心中の痛みが去ってゆかない。今風にいえば、ストレスが消えてゆかない。それなのに、この男は、ただただ眠っている。頰《ほお》をげっそり落ち窪《くぼ》ませて、ただただ、こんこんと眠っている。まるで三成に呼ばれているかのようだった。

眠っている左近は、急激に老いていった。

〈これほどの老人だったのか〉

左近の寝顔を見ながら、六郎はしみじみとそう思った。眼《め》を開けている時には考えも出来ない、ふけこみ様だった。

〈まるで浦島太郎じゃないか〉

それも玉手箱を開いた後の、である。

三日三晩の昏睡《こんすい》の果てに、左近は目をさました。不思議そうに、部屋の中を見廻《みまわ》し、六郎を見ると、

「ああ」

と云った。やっと自分のいるところが判ったというような調子だった。

「お目覚めになりましたか」

六郎は素早く額に手を当てて、熱を計った。熱は嘘《うそ》のように去っていた。

左近が微笑した。

「そうか」

何の意味か判らない。だが真実納得がいったように、大きくうなずいた。

「腹がへったよ、六郎」

奇妙なことに、左近の傷は、その日を境に急速に恢復《かいふく》しはじめた。薄紙を剝《は》ぐように、という言葉がぴったりの、驚くべき恢復ぶりだった。

「どういうことなんでしょう」

六郎も伊兵衛も、首をかしげるばかりである。

「きまっている」

左近ひとりが、判りきったことを、という顔をしている。

「何がきまっているなんですか」

六郎が尋ねてみた。

「殿のお蔭《かげ》にきまっている。殿がこの老骨に、残りのお生命《いのち》を下さったのさ」

六郎は沈黙した。腹の中で、或はそんなことかも知れぬと半ば信じている。少なくとも、三成の刑死の光景を見たことによって、一時おとろえていた左近の生命力が、再び熾烈《しれつ》に燃え上がって来たことは確かである。生命への欲望が、といった方がいいかもしれない。精神が肉体を支配することが屢々《しばしば》あることは、むしろ現代の医学が立証するところである。三成の死は、左近の心に火をつけたということなのだろう。

「いや、老骨などとは云っておれんな。お生命をいただいたということは、それだけ若くなったということだ。わしには尚、生きてなすべきことがある」

目的があってこそ、生きる意味がある。

「それは……？」

六郎が訊《たず》ねると、逆にきき返された。

「お前の生きてなすべきことは、なんだ、六郎？」

「徳川殿のみしるしを頂戴《ちょうだい》することです」

間髪をいれず六郎は応《こた》えた。

「よせ。くだらぬ」

左近は首を横にふった。

「くだらなくはありません」

六郎の声が鋭くとがった。

「くだらないよ。あれは贋物だ。殿がはっきり申された。贋物の首をとって、何の意味がある」

「しかし……」

こればかりは六郎も引き下がってはいられない。三成が贋物だと云《い》ったからといって、それを鵜《う》のみに出来ないところが、辛いところなのである。いや、六郎がもう一度家康を見ても、贋物か本物か、判る手だてがない。だからこそ斬《き》るしかないと思い定めているのではないか。

「それにだ……殿の仰《おお》せでは、今の家康公は秀頼さまに好意を抱いていられると云う。そうだとすれば、秀頼さまのためにも、家康公を斬ることは出来ぬ」

六郎は絶句した。左近は六郎の生きる目的を奪おうとしているのだ。

「家康公のお生命を狙《ねら》うのは、一時わしがあずかる。いいな。今後の家康公のなされようをよく見た上で、わしがきめる。勝手は許さぬ」

左近は、家康の秀頼に対するあしらい方をじっくり見てみようと云う。それに、家康亡《な》きあと、誰が徳川の政権を実際に握っているのか、それも確かめねばならぬ。今の様子では、家康の喪が発せられる気配はない。それならそれで、病をえた、とかなんとかそれ相応の布石を打つべきなのに、見たところ何の手も打たれてはいない。これは、少なくとも暫《しばら》くの間は、家康を生かして置くつもりだとしか考えられない。また天下の情勢は、確かに家康を必要としている。家康がいなくては、関ヶ原の大勝も何の役にもたたない。徳川家は折角手に入れた天下の覇権《はけん》を失うことになる。だからこそ、危険を承知で贋物の家康を生かしておくことにきめたのだろう。

左近はそうした意味のことを、諄々《じゅんじゅん》と六郎に説いた。

「問題は操り人だ」

と左近は云う。

「贋物の家康という人形を、蔭で操っているのが誰か。先ずそれを見極めねばならぬ。関ヶ原の様子から見れば本多平八郎忠勝だが、あの男は策士になることが出来ぬ。資質が違う。考えられるのは本多弥八郎正信。或は忠吉公の舅《しゅうと》、井伊直政あたりか。まさか秀忠公とは思われぬ」

さすがの島左近が、秀忠を操り人に擬することを考えもしなかったのは、秀忠がかぶり通して来た、律気《りちぎ》な親孝行息子、という仮面を疑ってもみなかった証拠である。逆に云えば、秀忠の猫《ねこ》かぶりは、それほど見事だったということになる。

「その操り人の操作ひとつで、家康公の秀頼さまに対する態度が変る。といって、贋物の家康公本人の気持も、まったく無ということはあるまい。踊る人形の意志と操り人の意志。これがうまく嚙《か》み合えばよいが、万一嚙み合わなかった場合は……これは面白いことになるぞ」

左近は心底面白そうに首を振ってみせた。またいたずらが出来るという顔である。

〈このお方は、死ぬまで腕白坊主《ぼうず》なのだ〉

六郎は腹の底でそう思った。思った瞬間にばかに楽しくなって来た。

〈おれも一生、この腕白坊主のいたずらにつき合ってみるか〉

気持が吹っ切れたのである。本物か贋物か不明の家康の首をとる、という一途《いちず》な執念が、左近の遊び心によって方向をかえたのだった。

「見定めた上で、やはり首をとった方がよければとりますか」

いうことまでなんとも野放図になっている。まるで、その気になれば、何時《いつ》でも家康の首がとれるとでも云うようだった。

ちらり、左近が六郎の顔を見た。六郎の顔が心なしか明るくなっている。

〈これでいい。一途に暗殺のみを思って生きるには、この男、若すぎる〉

左近はそう思った。

左近と六郎は、当分、肉体の修理に専念しながら、家康の動きを見張ることにした。

その意味で京都は都合のいい町である。何よりも情報網が発達している。大坂はもとより西国で起ったことは、九州の島津の動静に至るまで迅速に伝えられて来る。

関ヶ原に破れた島津惟新義弘が、僅かな手兵しか残らなかったものの、泉州堺に達し、堺の商人入江権左衛門の助力を得て船を出し、無事薩摩に辿《たど》りついたことも、同じ敗軍の将、宇喜多秀家が、その島津家をたよって薩摩に向ったことも、京童《きようわらべ》たちは、いち早く耳にしていた。

ちなみに宇喜多秀家は、三年後の慶長八年八月、島津家からの報告によって徳川家に引渡され、初めは駿河の久能山に幽閉されたが、更に三年後の慶長十一年四月、八丈島に流された。この島で暮らすこと四十九年、明暦元年十一月二十日、八十四歳の長命を保って死んでいる。

京雀の話題は、暫く、家康による諸将の論功行賞と処罰でもちきりだった。

家康が最初の論功行賞を発表したのは、十月十五日のことである。勿論《もちろん》、この日にすべてを発表したわけではなく、以後一年半余にわたって逐次行われた。

当然のことながら、西軍に属した武将の運命は惨憺《さんたん》たるものだった。西軍方の武将（大名）八十八人が改易、つまり領地を残らず没収された。没収された所領の総額は四百十六万一千八十四石。更に五人の武将が減封（所領を減らされること）されているので、これを合わせると六百三十二万四千百九十四石、実に全国の総石高の三十四パーセントにのぼった。

この没収され、或《あるい》は削られた所領は、それぞれ東軍の諸将に与えられたわけだが、その与え方が尋常ではない。本多弥八郎正信の智恵《ちえ》が、隅々《すみずみ》にまでゆき届き、後の徳川家の安定は、この所領の与え方にあったとさえ評価されるほどのものだった。

関ヶ原で最も働いた、豊臣系の武将たちには、恩賞として惜しげもなく高禄《こうろく》が加増されている。例えば蒲生秀行は十八万石から六十万石に、福島正則は二十万石から四十九万八千石に、三成を捕えた田中吉政は十万石から三十二万五千石に、といった調子だ。だが問題はその与えられた土地にあった。同じ例をひけば、蒲生秀行は宇都宮から会津へ、福島正則は尾張清須から広島へ、田中吉政は三河岡崎から筑後柳川へと移されているのである。つまり高禄は与えられたが、奥羽・四国・中国・九州など遠隔の地にとばされたわけだ。

これらの武将の旧地は、悉く《ことごと》徳川一門或は譜代の大名群が引き継いでいる。その数は六十八家にのぼる。これに一万石以下の旗本の与えられた知行所を加えると、二百六十万余石になる。もう一度先の例を使えば、宇都宮には奥平家昌が、清須には秀忠の弟忠吉が、岡崎には本多忠政が入っている。そして家康自身の直轄地《ちょっかつち》は、二百五十万石だったのが、四百万石になっていた。

「見事の一語に尽きる」

島左近はこの関ヶ原論功行賞のやり口をきいて絶賛した。

「まさに大名鉢植《はちうえ》政策だな」

鉢植をあちらに移し、こちらに植えかえるように、自在に大名を転封させたことを、こう評した。

「外様《とざま》大名を、残らず僻遠《へきえん》の土地に追いやりましたね。これでは、大坂で事があっても、駆けのぼってくるのが容易ではないでしょう」

六郎も感心している。

「別に遠くではなくても、大名にとって土地替えは辛いものだ」

左近が感慨をこめて云った。乱世の中を、転々と各地の大名につかえて来たこの男には、その辺の事情が、手にとるように判《わか》る。

大名にとって領国の経営は、最も神経を使い、腐心するところである。苛斂誅求《かれんちゅうきゅう》によって、むやみに租税をとりたて、住民を人夫に狩り出してこき使うのはたやすいが、そんなことをしては国が破れるのは自明の理である。肝心の百姓に他国に逃げ出されたり、一揆《いっき》を起されたりしては、租税もとれず、国内に交易の市も立たなくなる。といってひたすら人気とりを心掛け、甘い顔ばかりしていては、これまた国は成り立たない。その意味で領民は敵以上に、しぶとく手ごわい相手だった。だから領国を安定させるには年月がかかる。領民に、うちの殿さまはいい男だといわせるには、気の遠くなるような、辛抱と努力が必要だった。

国替えは、その営々苦心の結果築き上げた地盤を、放棄することである。その上、他の大名が同じく営々と苦心して懐柔した他の土地の領民をひきうけなければならない。何かにつけて前の領主と比較されるだろうし、やりにくいこと夥《おびただ》しいものがある。たとえ前に倍する領地を得たとしても、あまり引き合うことではない。国替えされた大名は、当然かなりの期間、領国の経営にかかりきりにならなければならなくなる。これは合戦などに心を向ける余裕がない、ということである。

今度の徳川家による論功行賞は、まさにその点を狙ったものである。その意味で、見事というほかはなかった。

「これで秀頼さまの御領地が減る」

と左近が嘆いた。これは六郎には判らない。家康は今回の領地替え政策で、豊臣家の封地には一指も触れてはいないのである。またそんなことをしたら、大騒ぎになる。六郎が不審の目をすると、左近が説明してくれた。

豊臣家は当然膨大な領地を所有していたが、その領地の支配のしかたに問題があった。直接代官を派遣して統治するのではなく、各地の大名に預けて、領民の支配、年貢《ねんぐ》の徴集を行わせていたところが多かったのである。その預けておいた大名がつぶされると豊臣家の土地もまたなくなる。事実このために二百万石といわれた豊臣家の領国は、いつの間にか六十五万石に減ってしまった。

「気がついているか」

或る日、左近がなんでもない顔で、六郎に尋ねた。

「御前も？」

六郎は暫く前から、「殿」という呼び方を「御前」に変えている。無用な注意をひかぬため、左近がいい出してきめたことである。

「当り前だ。わしにも目も耳もある」

これは、いつの頃《ころ》からか、この武蔵屋に所司代の諜者《ちょうしゃ》の眼が向けられて来たことを意味する。何人かの手先が、様々の姿に身を変えて、常時武蔵屋を見張っている。

「店に密告したものがいるな」

「住みこみの手代で、長二郎という者です。顔がいたちによく似た男で……」

六郎はもうそこまでつきとめている。

「やっぱりあの男か」

左近も勘づいていた。たまに表に出ようとすると、必ず顔をのぞかせて、

「お拾いどすか」

散歩か、と女のような優しさできく男である。呉服屋の手代によくある、なよなよしたしぐさで、そのくせ目に油断がない。これでは自分で判ってくれと云っているようなものだ。要するに馬鹿《ばか》である。左近が「ふん」と鼻を鳴らした。馬鹿のお蔭で窮地に立つのは、輪をかけた馬鹿であろう。

「斬りますか」

と六郎がきく。

「ますます疑わせるだけだ」

左近が渋い顔をした。武蔵屋伊兵衛に、迷惑だけはかけたくなかった。勿論最終的に長二郎は斬らねばならない。だが今すぐはまずい。まず手先たちの目から見て、長二郎を信用出来ぬ男だと思わせなければならぬ。

六郎は思案の結果、一つの策を思いついた。

「面白いな。それでゆこう」

左近は膝《ひざ》を叩《たた》かんばかりにして賛成した。

「ちと危険が伴いますが……」

六郎は、自分がいい出したくせに、渋った。左近の乗り方に、不安になったのである。

「ない、ない、すぐかかれ」

左近は手を振りながら、せかせた。


深夜。

武蔵屋は眠っている。

武蔵屋を見張る所司代の手先たちもいない。とうに家にひき上げている。

屋根に男が立った。六郎である。天井から屋根を破って出て来たのである。端まで歩くと、鳥のように飛んだ。

行き先は四条河原だった。ここにはまだ多くの浮浪者が、夜ともなると塒《ねぐら》を求めて集って来る。それぞれ何となくきまった場所を持ち、そこへ来て横になる。その場所に新入りがいたりすると、叩き出されるのが普通だった。六郎がまっすぐ一箇所に来て足をとめた。髭《ひげ》ぼうぼうで襤褸《らんる》をまとった大柄《おおがら》な男が寝ている。その姿が島左近に似ていなくはなかった。

「おい」

六郎は低く声をかけて、男を揺り起す。

うっすらと目を開けた。文句をいいかけたが、声にもならなかった。六郎の拳《こぶし》が脾腹《ひばら》にきまっている。

失神した男を軽々とかついで、六郎はずっと離れた水際《みずぎわ》まで運んだ。男を放《ほう》り出すと懐中から鋏《はさみ》と剃刀《かみそり》をとり出して、先《ま》ず男のむさくるしい髭を刈り綺麗《きれい》に剃《そ》りあげた。次いで月代《さかやき》を剃り、ぼろを脱がせて素ッ裸にすると鴨川《かもがわ》の中に放りこむ。水の冷たさに、失神から醒《さ》めた男が、喚《わめ》こうとしたが、二度目の当て身でまた意識を失う。六郎は縄《なわ》をたばねたたわし状のもので、その身体《からだ》をごしごしと洗った。髪の毛も苦労して洗い、河原に引き上げると身体を拭《ふ》いてやり、小ざっぱりした小袖《こそで》を着せくくり袴《ばかま》をはかせた。最後に髪を結い上げる。

途中で男の意識が戻ったが、声はあげなかった。また当て身をくらうのを用心しているのだ。髪が結い上がると囁《ささや》いた。

「もう、口をきいていいか」

六郎は、これまた懐中からとり出した草履を放った。

「はけ」

男はおとなしく草履をはき、ぶるっと身体を震わせた。

「寒い」

六郎が腰に下げたふくべを渡した。中身は酒だった。男はむさぼるように飲んだ。六郎は男の前に腰をおろして、無関心に眺《なが》めている。男が、ふうっと息をついた。どうやら人心地ついたらしい。じろじろと六郎を見廻《みまわ》し、腰を上げようとした。

「ひっ」

息を引いて、また腰をおろす。咽喉笛《のどぶえ》すれすれに、刀がつきつけられている。恐ろしい速さだった。刀は家康を刺した、長い槍《やり》の穂を刀仕立てに仕込んだものである。

「なめるな」

六郎はそれだけ云《い》った。男が、がくがくとうなずくと、また酒をのんだ。

「忍びか」

暫くして呟《つぶや》くように男が云った。六郎は無言。槍の穂は、既に鞘《さや》におさまっている。

「なんのためだ、こりゃあ」

男は頬《ほお》と月代をさすりながら云う。初めてそこが綺麗に剃り上げられていることに気づいたのである。寒いのは、川に放りこまれたためばかりではなかった。

「何もきくな」

「ふーん」

「ついでに何も見るな」

「成程」

「何が起きても口を利《き》くな。黙りこんでいろ。そうしたら、まともに暮らせるくらいの銀をくれてやる」

「銀をか」

「そうだ」

「まともに暮らしたくないと云ったら？」

男がにたっと笑った。

男は『肥前』と名乗った。肥前の国の生れだということだ。名前はないのか、あっても云いたくないのだろう。案外、元は武士かもしれぬと六郎は思った。身体は鍛えた感じだし、こうして洗い出し、月代を剃ったところを見ると、仲々恰幅《かっぷく》もいい。ひとかどの男という感じだった。

六郎はこの男を見つけ出すのに、丸一日かかっている。京都の河原という河原を駆けめぐって、島左近と身体つきの似ている浮浪者を探し廻った。やっと四条河原でみつけたのが、この『肥前』だった。

六郎は、武蔵屋へ肥前をつれて帰った。出て来た時と同じ、屋根の破れから天井裏に出て部屋に入っている。

左近は男を見て目を細めた。

「よかろう。これなら間違えてもおかしくはない」

ついで奇妙な所作をした。肥前に向って、ぺこんと頭を下げたのである。

「すまんが役に立ってくれ。ひと一人、救うためだ。一刻厄介《いっときやっかい》なことになるかもしれぬが、すぐおさまる筈《はず》だ」

肥前は六郎にいわれた通り、一言も発さない。

「悪いが縛らせて貰《もら》うぞ。留守の間に、逃げ出されちゃ困るんだ」

六郎はいいわけしながら、肥前を身動きの出来ないように縛り上げ、その上で左近を助けて、再び屋根から表に出た。

寅《とら》の刻（午前四時）になっていた。


その夜明け、所司代屋敷は大騒動になった。島左近の亡霊が一騎駆けをして来たのである。

寅の下刻。突然、所司代屋敷の門に、数本の矢が音を立てて射込まれた。矢は屋敷内の柱、建具などにも次々と射込まれた。しかも射手の姿は一向に見えないのである。矢音にはね起きてとび出した奥平信昌の家臣たちは、轟《とどろ》くような大音声《だいおんじょう》を聞いた。

「これは関ヶ原に討死した、石田治部少輔三成様の家臣、島左近勝猛《かつたけ》の亡霊でござる。御主君を無残に殺した奥平信昌殿に、ひと槍馳走《ちそう》つかまつる。とくとく出会い候《そうら》え」

終夜、門前で焚《た》かれている篝火《かがりび》の光の中に、大身の槍を小脇《こわき》にかいこんだ、馬上の鎧武者《よろいむしゃ》の逞《たくま》しい姿が、くっきりと浮かびあがっている。

もとより勇猛をもって鳴る三河武士が、たかが一騎の亡霊におびえるわけがない。

「小しゃくな奴《やつ》」

とばかり、多数の武士が門を開いてとびだしていったが、この亡霊の強さはけたがはずれていた。

「かかれえ！　かかれえ！」

まるで軍勢を指揮しているように塩辛声を張り上げて馬を疾駆すると、大きく槍をふり廻し、奥平の家臣たちを、当るを倖《さいわ》い、ぶん殴り、薙《な》ぎ倒す。素肌《すはだ》に小袖姿の三河武士たちは、みるみる怪我人《けがにん》を増していった。

この時の奥平家の怪我人の数は、三十とも五十ともいう。これが京童の口にかかると、忽《たちま》ち百、二百となった。

とにかく島左近の亡霊の槍働きは、凄《すさ》まじいの一語につきた。奥平隊は、関ヶ原では後詰めの位置にいたので、島左近の隊とは戦っていない。それでも、その剽悍《ひょうかん》無比の突撃ぶりは誰しも耳にしている。この夜の騒動は、さながらその突撃ぶりの再現だった。

島左近の亡霊は、四半刻（三十分）あまりも、雄叫《おたけ》びをくり返し、所司代屋敷の内外に馬をのり廻し、小気味いいまでに槍を縦横に振うと、ようやく明けはじめた暁の光を恐れるかのように、さっと姿を消した。

あとが大変だった。怪我人の手当（不思議なことに死人はいなかった）、こわされた建具のとり片づけ、掃除。その騒ぎの中で、憤怒《ふんぬ》のあまり青筋を立てた所司代奥平信昌が、家臣たちに怒鳴り散らしていた。

「今日じゅうだ！　今日じゅうに、何としてでも島左近を捕えよ！　亡霊などいるわけがない！　あれは現実の島左近そのものだ！　草の根わけても左近を捕えよ！」

奥平の家臣の中には、この高名な武将の顔を見知っている者が沢山いた。左近は長いこと石田三成に従って伏見に住んでいた。家康も同様に伏見にいたのだから、家康の家臣団はほとんど毎日のように、左近の姿を見ていたわけだ。見知っていて不思議はない。その面々が、今朝の鎧武者がまぎれもなく左近であることを、口を揃《そろ》えて証言している。奥平信昌自身も、その疾駆する姿を認めている。見間違うわけがなかった。

所司代の武士たちは、幾組もの隊にわかれ、血相変えて、早朝から京都じゅうをかけ廻りはじめた。それだけでも噂《うわさ》を呼ぶのに充分な物々しさなのに、堀川辺の町の人間は、現実に騒ぎの様子を見ている。

「島左近様の亡霊が出やはったそうや」

「所司代のお侍はんが、百人も死なはったいうで」

噂は忽ち尾ひれをつけて、京都じゅうを駆けめぐった。元々、京都の者は太閤びいきの家康嫌《ぎら》いである。石田三成たちの処刑の仕方にも反感を持っていた。

「ええ気味や」

「罰《ばち》が当らはったんや」

内心、溜飲《りゅういん》を下げる者が多い。

それだけに所司代の武士たちは、余計、かっかと来て、島左近捜索に血道をあげる破目になった。

武蔵屋の手代長二郎は愚鈍なくせに、欲が深い。この噂をきいて、手先たちに協力するのが馬鹿々々しくなった。じかに所司代に訴えた方が、ええ銭になる。そう思った。

実は長二郎は明け方えらいものを見た。一番に起き出して、口をすすぎに井戸端へ出た途端、裏木戸があいて鎧武者が入って来るのにぶつかったのである。奥の部屋の客人だった。しかも槍まで抱えている。その鎧武者がじろりと長二郎を睨《にら》んでいった。

「他言無用」

長二郎は震えあがって、がくがくと頷《うなず》いたが、腹の中で、

〈何して来よったんや。えらい恰好《かっこう》やないか〉

胸がどきどきするほど好奇心が高まって、とても店になど坐《すわ》っていられたものではない。お顧客《とくい》はんに頼まれましたさかい、と嘘をついて、重い荷を背負って町へ出た。そこで暁の亡霊騒ぎを耳に入れた。まさしく今朝の客人の所業と一致する。

〈島左近やったんや。こら、大物や〉

武蔵屋では主人の伊兵衛が名前をいわないので、誰も左近の名を知らない。ただの『お客人』で通っている。だから先に長二郎が所司代の手先に密告したのも、単に、

「関ヶ原の落人《おちうど》らしいのがいてはります」

といっただけだった。長二郎自身が、まさかこの客人が石田三成の剛将島左近とは、思ってもいなかった。だから判った時の興奮がひどかった。先に密告した手先たちを棚上《たなあ》げして、その足で所司代に駆けこんだのは、この興奮のなせるわざである。

所司代がこの訴人を重視したのは当然である。即刻、左近の顔をよく知っている者二人を中心に、五十人の手練《てだ》れを選び、厳重に武装して西陣へかけつけた。たった一人の捕縛に五十人とは大仰《おおぎよう》だが、相手が左近ではこれでも不安なほどだった。それほど今暁《こんぎよう》の武者働きが

凄まじかったことになる。

一片の予告もなく、五十人もの鎧武者が武蔵屋を囲むのを見て、一番驚いたのは当の武蔵屋を見張っていた所司代の手先たちである。案内して来たのが長二郎なのを見て、事情はあらかた察しはついたが、今度は自分たちを袖にしたこの手代に対して、猛烈に腹を立てた。だからこの部隊の長が、朝から武蔵屋を出ていった者はいないか、訪れた者はないかなど畳みかけて訊《き》くのに、ほとんど中ッ腹で、

「人の出入りは一切おまへん。その男が出掛けてっただけですがな」

と答えている。実はこれは嘘《うそ》だった。長二郎が出かけるとすぐ、野菜を積んだ車を曳《ひ》いた百姓態《てい》の男が武蔵屋に来ている。大量の菜っ葉をおさめると、かわりに古着でも貰ったのか、俵につめたものを車に積み、主の伊兵衛にぺこぺこ頭を下げて出ていったのを、手先たちは見ている。最初の百姓は甲斐の六郎だった。身体をかがめて荷車を曳くと、身の丈《たけ》が不明になるのを利用して、この時入れ替っている。車を曳いて去ったのは左近だった。そして俵の中身は古着ではなく鎧兜《かぶと》だったのである。槍も四つに折られて入っていた。だが手先は気づかず、その上、野菜売りの来たことも報告しなかった。

所司代の武士たちは、前後から武蔵屋に踏みこんだ。伊兵衛に声を立てる余裕も与えず、いきなり奥の部屋に乱入した。長二郎の訴え通り、大柄の筋骨逞しい武士が、寝床に起き上がり、従者らしい男の手から薬湯をうけとったところだった。

勿論、これは肥前と六郎である。

島左近の顔がよく知られているという点が、今度の作戦の根底にある。所司代で大暴れするのもわざわざ暁け方《あ　がた》にした。顔をじっくりと見せつけるためである。六郎の方は絶対に顔を見られぬよう、黒装束で物蔭《ものかげ》から矢を射ていた。左近の鎧姿を長二郎に見せたのも決して偶然ではない。長二郎が顔を洗いに出てくる時刻を選んで、裏口から入ったのである。長二郎が所司代に直接訴えたのは予想外で、手先に告げ、手先が所司代の兵を連れてくるものと踏んでいた。だから長二郎が店を出るや否《いな》や、待機していた百姓姿の六郎がかけつけ、甲冑《かっちゅう》武器類と共に左近を外に出した。所司代の兵は、肥前と六郎を捕えるだろうが、下手に抵抗しなければ、殺されるわけがない。そして所司代に連行されて、顔を改められれば、肥前は即座に左近でないことが判明する。六郎の顔は全く知られていない。とぼけ通せば釈放されるだろう。

この手のこんだ作戦の狙《ねら》いは、長二郎の信用の失墜にある。

あいつはいい加減な奴だ、という評判がたてば、手先たちも武蔵屋を狙うことはなくなる筈である。有難いことに、手先は左近の顔を見ていない。左近が店を出る時は、常に編笠《あみがさ》をかぶっていたためである。だからこそ六郎は、姿形は左近によく似ているが、顔は全く違う肥前を身替りに選んだのである。

問題は肥前の素姓だった。仮にも武蔵屋に客人として病を養っている男である。それなりの氏素姓を持っていなくてはおかしなことになる。まさか四条河原の浮浪者を哀れんで引きとったとはいえないではないか。当初は六郎と伊兵衛が、適当な氏素姓をでっち上げて、肥前におぼえこまそうと用意したが、左近がとめた。でっち上げは所詮《しょせん》でっち上げであり、一《いっ》旦《たん》ぼろが出ると始末におえなくなる。肥前が話の筋を忘れて、伊兵衛なり六郎なりの話と合わなくなる可能性が大きい、というのである。

「終始、無言がいい。無言を貫き通せば、向うで勝手に解釈してくれる」

恥ある身、という言葉がある。これは武士をさす言葉だ。武士とは何よりも恥を知る者だった。主君を裏切る破目になったり、大事ないくさに遅れたり、臆病《おくびょう》のために前線から逃げ出したり、身内の問題、女の問題、銭金の問題などなど、武士がそれを終生の恥と思う要因は、数えればきりがないほどある。心の中に恥を抱き、郷国を逃亡した武士は、氏素姓を問われても沈黙を守るのみである。たとえそのために処刑されることになろうと、恥が人に伝えられるよりよっぽどましだ、と覚悟している。こうして、ひたすら沈黙を守る者は、それなりに評価されるのが、もののふの社会だった。左近のいう意味はそういうことだ。だから肥前は、踏みこまれ捕えられても、一切、無言を通すというきめになっていた。

異変が起った。肥前が勝手にこのきめを破ったのである。

所司代の兵が、武蔵屋の奥座敷に踏み込んだ時、肥前は六郎から薬湯をうけとったところだったのは、前に述べた。

その薬湯をそっと六郎に返すと、肥前は居ずまいを正し、きちんと一礼して云った。

「恐れ入り奉《たてまつ》る。お手向いはつかまつりませぬ」

従容《しょうよう》として、われから双手《もろて》をうしろに廻し、神妙に縛につく態度を示した。端然として、見るからにすがすがしい、武人らしい所作である。きおいたった所司代の兵士たちが、一瞬、縄《なわ》をうつことを躊《ため》ったほどだった。

六郎は事の意外さに、緊張した。肥前が次に何をし、何を云うかが判《わか》らない。下手をすれば、左近のことを洗いざらい自白しかねない。それでは左近と六郎のもくろみは無に帰し、武蔵屋はつぶされ、伊兵衛は処罰をくうことになる。

〈殺《や》ろう〉

六郎は決意し、右手の指をきちっと揃えた。六郎は身に寸鉄も帯びていない。ただの下人であることを強調するためだ。だが人一人殺すのに刃物など無用である。六郎の貫手《ぬきて》は、厚さ五分の板を貫く。肥前の胸を貫いて、心の臓を摑《つか》み出すことなど、容易なことだった。

その時、肥前が云った。

「手前、肥前の原田市郎兵衛と申す切支丹武士にござる。禁制を犯し、京の地にあったわけは、ひたすら病のため。他意あってのことではございませんが、禁制を犯せし罪は罪、いかようの罰もおうけつかまつる。尚《なお》、当武蔵屋の主《あるじ》は切支丹にてはこれなく、手前が黒田長政公の扶持《ふち》を得ていた頃《ころ》、知り合った者にすぎませぬ。一片の俠気《きょうき》から、手前を養いくれただけのこと、なにとぞお許しのほどを願い上げます」

所司代の兵たちが顔を見合わせた。肥前の言葉はなめらかで、とても嘘をいっているとは思われない。とすればこれは人違いである。

島左近の顔を見知っている二人の武士が呼ばれたが、一目見るなり、これまた言下に別人であると云った。

念のため、家じゅうを捜索したが、武器といえるものは、市郎兵衛の両刀だけで、槍もなければ甲冑もない。しかも確かに病人らしく市郎兵衛の両脚はむくんでいて、到底、馬にまたがって、今晩のような働きが出来るとは思われなかった。

後刻、黒田長政の京都別邸にも人をやって調べさせたが、原田市郎兵衛なる家人は確かに居り、切支丹禁制と共に改宗を命じられたが肯《がえ》んぜず、致仕したことが証明された。

原田市郎兵衛は、病の癒《い》え次第、京を離れよ、と命ぜられただけで、その日のうちに、所司代から釈放された。下人の六郎も同様である。

そして手代の長二郎は、即日武蔵屋を解雇された。

手先たちも長二郎に冷たかった。

長二郎は彼等をだしぬいて、所司代に直訴したのだから、これは当然の報復といえる。長二郎はわけの判らないままに、故国に帰っていった。長二郎の国は近江である。だがこの可哀《かわい》そうな男は、その近江に辿《たど》りつくことが出来なかった。後を追った六郎が首をかき、身体と首を別々に琵琶湖に棄《す》てた。

島左近は『肥前』こと原田市郎兵衛に、心から礼をいった。市郎兵衛が身の恥をさらして、真正の素姓を所司代に告げてくれたお蔭で、伊兵衛の武蔵屋は完全に所司代の疑惑の外に置かれた。当初の計画のように、市郎兵衛が一言も口をきかずにいたら、島左近でないことは判明したかもしれないが、武蔵屋についての疑惑は、いつまでも残った筈である。更にしつこく探索を続ければ、市郎兵衛が四条河原の浮浪人であることも、つきとめられたかもしれない。西陣の呉服屋が浮浪人を大事に養う筈はないのだから、少しでも頭の廻る者なら、これは替玉だと悟ったに違いない。武蔵屋は以後更に厳重な所司代の監視下に置かれるにきまっていた。だから左近と六郎は、そのあとすぐに武蔵屋を離れ、ひとまず大坂に落ちのびるつもりだった。

「私は武士にあるまじき臆病者でして……」

原田市郎兵衛は心底恥ずかしそうに、身体を縮めていった。

「合戦と申すものが、こわくてこわくて、どう仕様もないのでございます」

市郎兵衛の話では、臆病は齢《とし》と共にひどくなったという。若い時は無我夢中で、何も考えることなく、ただただ突進し、行きあう敵がいれば、ひたすらに槍をつき出し、野太刀を振った。敵の顔も、戦陣の様子も、一切目に入らなかった。それが齢と共に、戦場に慣れ、心のゆとりが出て来た。やっと自分と向い合った顔が見えるようになった。その顔が、自分の槍でつき通された時、苦痛で歪《ゆが》み、その表情のまま絶息するのを、何度も何度も見ているうちに市郎兵衛の心内に、一つの重大な疑惑が生じて来た。

〈この男はこれからどこへ行くのだろう〉

つまり死んだ人間はどこへゆくのか、という問いである。周知のように、人間がどこから来、何をし、どこへ行くか、の三つの問題は、人間のある限り永遠に解くことの出来ぬ根本問題である。市郎兵衛はこの問題にぶつかったことになる。

これは決して他人事《ひとごと》ではない。今日は僥倖《ぎょうこう》によって自分が敵を殺した。だが明日は自分が敵に殺されるかもしれぬ。その時、果して自分はどこへゆくのであるか。行く先のないということくらい、人を荒寥《こうりょう》たる思いに誘うものはない。市郎兵衛は必死になって、行く先を探した。僧にきき修験者にきいたが、納得出来るだけの答を得ることが出来なかった。

市郎兵衛の心に安心《あんじん》をもたらしたのは、長崎の町で出会った宣教師だった。正確にいえば宣教師に見せられた、聖母マリアの画像だった。

市郎兵衛は誰よりも母が好きだった。母以外に心の底から信じ切れる人間はいなかった。母は市郎兵衛の少年時代に、若くして死んでいる。乳飲児《ちのみご》のイエズス・キリストを抱いたマリアの像は、その母に面差《おもざ》しがよく似ていた。ひと目その像を見るなり、なんともいえぬ温かいものが市郎兵衛の胸の中に拡《ひろ》がり、深い安堵《あんど》感がその身内を満したのである。『ぱらいそ』（天国）、『いんへるの』（地獄）など、宣教師のいうことは、どうでもよかった。死ねば母のもとに行ける。母の膝《ひざ》にすがって泣くことが出来る。それだけで充分だった。その思い一つで、市郎兵衛は、再び元の剛勇の武士に戻ることが出来た。彼は同じく切支丹だった黒田如水のもとに走り、家臣の列に加えられた。

このままですめば、市郎兵衛はひとかどの切支丹武士として、それなりの栄達の階段を昇ることも出来た筈である。だが天はそれを許さなかった。市郎兵衛に再び迷いが生じたのである。『汝《なんじ》殺すこと勿《なか》れ』というイエズスの教えが、この男の胸に巨大な鎌《かま》のようにその刃《やいば》をうちこんで来たのである。殺人を躊って武士の役が果せるわけがない。結局、彼は切支丹のお蔭で、武士を棄てることになった。

武士とは融通のきかない生き物である。刀を棄てた市郎兵衛は庶民の中に立ち混じって、忽ち生きてゆくすべを失った。致仕する時に持っていたなにがしかの黄金も、またたく間にこすからい庶民に欺《だま》しとられた。せいぜい力仕事ぐらいしか、たつきの術《すべ》はないのだが、やがてそれにも倦《あ》きた。何よりも人夫たちのざらざらした荒《すさ》びた心が、耐えがたい苦痛を与えるのである。

働くことを拒否した男の行く先は一つしかなかった。四条河原である。浮浪人になってはじめて、市郎兵衛は落着いた。ぼろを着、垢《あか》にまみれ、誇りも意地もなくびた銭一枚のために頭を下げて、僅《わず》かのくいぶちを得る。それも出来ぬ時は、ひたすら飢えに耐えて眠っていればいい。戦陣で鍛えた身体《からだ》は、暑さ寒さには強かった。破れござ一枚で、雨も雪もしのげた。四条大橋の下から眺《なが》める都の人々の顔が、ことごとく欲ぼけの阿呆面《あほづら》に見えたものでござる、と市郎兵衛は云《い》う。

そういう気楽な境涯《きょうがい》の中から、甲斐の六郎に拐《さら》われ、厄介《やっかい》な役を押しつけられることになった。六郎は無事すんだら銀をやると云ったが、噴飯《ふんぱん》ものだった。銀が欲しいくらいなら、こんな姿はしていない。だから真っ平だった。隙《すき》を見て、さっさと逃げ出すつもりだった。市郎兵衛の気持を変えたのは左近の一言だった。

「すまんが役に立ってくれ」

これは立派な武士が浮浪者にいう言葉ではなかった。

左近の心の中には、武士も浮浪者もない。同じ人間と人間がいるだけである。市郎兵衛はこれまで、こんな武士を見たことがなかった。自分も含めて、武士という武士は自意識が強烈で、武士以外の者を人間とは認めていない。まして浮浪者など、道ばたの雑草と同じである。その雑草に、きちんと頭を下げ、すまないが役に立ってくれ、といった左近に、市郎兵衛は素直に感動した。市郎兵衛に当初の計画を変更させ、積極的に協力する気にさせたものは、この感動だった。だから市郎兵衛は、所司代の役人に敢《あえ》て己れの素姓を語った。恥を忍んで、ほとんどありのままを告げた。お蔭で武蔵屋は助かったわけである。

市郎兵衛は甲斐の六郎の差し出した銀を、かたくなに受けようとしなかった。そのかわり、暫《しばら》くでもいい、左近と同行させてくれないかと云う。左近と六郎は、即日武蔵屋を出るつもりでいる。危険は大きいが、大坂に移り住むつもりだった。そこで替玉家康の、豊臣家に対する態度を見ようというのが、この主従の考えだった。

市郎兵衛の同行について、六郎が難色を示した。人柄《ひとがら》の良さについては、疑念はない。だが才覚に乏しいし（才覚があれば浮浪者に堕《お》ちるわけがない）、何よりも人を殺すことの出来ぬ武士では、護衛として全くの役立たずである。

「確かに手前は役立たずではございますが、たった一つお役に立つやもしれぬことがござる」

それは地理にくわしいということだ、と市郎兵衛は云う。市郎兵衛は生来方角に敏感だった。どんな山の中に放置されようが、東西南北の方位が、勘で判る。昼でも夜でも、嵐《あらし》の日でも雪の夜でも、この勘働きに狂いはない。その上、一度歩いた道は二度と忘れないし、一度見た山は何年たっても覚えている。そして市郎兵衛の足跡は、九州から関東にまで及んでいるから、この間の脇道《わきみち》・間道、時にはけものみちに至るまで知悉《ちしつ》していることになる。

左近が感にたえたように手を打った。

「これは稀有《けう》の資質だ。是非一緒に来て貰《もら》おう」

左近は市郎兵衛が気に入ったのである。自ら、臆病だと云い、人を殺すのがこわいという武士は珍しい。在り様は、どんな武士だって、そういう気持を多少は持っている。だが正直にそれを曝《さら》しては、武士として生きてゆくことが出来ないから、必死に押し隠しているのである。市郎兵衛はまれに見る正直者だったわけだ。才覚がなかろうが、護衛として役に立たなかろうが、構ったことではない。才覚は六郎にあり、腕力は自分にある。護衛など必要ではない。それより、どんな危急の場合でも信頼出来る、底抜けに正直な人間がそばにいた方が、どれだけ助かるかしれはしない。この意見には六郎も渋々ながら同意せざるをえなかった。

大坂の町は、昔、『大坂』又は『小坂』と書き、ともに『オサカ』と発音したといわれる。元々は、淀川デルタ地帯に、石山御坊、後の石山本願寺の『寺内町』として発達した町なのである。永禄五年（一五六二）正月、この寺内町で火災が起り、町家二千軒を焼いたという記録があるところから、既にこの時期に大都市としての体裁を整えていたものと思われる。当然、町の中心は石山本願寺だった。

大坂城はその石山本願寺焼亡（天正八年八月二日）の跡地に建てられたものである。従って大坂の町の中心にある。それを日本全国の中心にしようというのが秀吉の夢だった。工事は天正十一年六月二日に始り、天正十三年四月にはほぼ完成したようだ。工事の模様を目撃したポルトガル人の宣教師ルイス・フロイスは、三十余カ国の人夫が、日夜二万人から三万人も動員され、工事の進むにつれて、その数が二倍にも三倍にもなったと驚嘆して書いている。本丸・山里丸・二の丸・三の丸、あわせて周囲三里八町（一二・六五キロ）という巨大な城である。

城下町である大坂には、伏見や堺の町人を移住させ、東横堀川、西横堀川、天満川、阿波堀川を掘削し海からの便を計った。淀川の左右両岸に大堤防を築き、治水をはかったのも秀吉である（慶長元年）。当時の大坂商人の中には海外貿易に従事する者も現れた。天満の茨木屋又左衛門は安南に、同檜皮屋《ひわだ》孫左衛門はカンボジヤに、薬屋甚左衛門はボルネオに、田那辺屋又左衛門は呂宋《ルソン》やシャムに、それぞれ秀吉の朱印状をもって往来している。大坂の繁栄ぶり思うべしといえよう。

家康（実は世良田二郎三郎）は、この大坂城に慶長五年九月二十七日から翌六年三月二十三日まで在城している。

この城には豊臣秀頼とその母淀君《よどぎみ》がいる。彼等の居る場所は本丸であり、二郎三郎は西の丸に、そして秀忠は二の丸に入った。一見、大坂城が徳川方に占領されたように見えるが、そうではない。この時の家康は、依然として豊臣家の家老である。だから城内に在って政務を見るのは、当然のことだった。従来は伏見城でその業務に従っていたのだが、関ヶ原合戦で伏見城は焼けおちた。留守を守っていた鳥居元忠以下千八百余の徳川勢は全員玉砕し、城は破却された。そのため、伏見城の修復が完了するまで、大坂城で政務を見るということになったのである。勿論《もちろん》、秀頼母子の監視と恫喝《どうかつ》の意味もあったのだろう。この間の政務なるものが、ほとんど関ヶ原合戦に参加した諸将の賞罰だったのだから。家康を忌《い》み嫌《きら》い、ほとんど憎んでいた淀君が、どんな思いでこの論功行賞をきいていたか、察するに余りがある。

十月も終ろうとする或《あ》る晩、この大坂城に潜入した男がいる。甲斐の六郎である。世良田二郎三郎はお梶の方と共に寝所にいた。二郎三郎はお梶の方がいなくては夜も日もなくなっている。

九月二十六日、大津城を出て山城淀城に入った時の緊張感は、二郎三郎にとって、思い出すのも不快なほどのものだった。なにしろこの淀城には、合戦前に伏見城にいた家康の愛妾《あいしょう》たちが、一団となって避難していたのである。才色兼備の誉れ高い阿茶ノ局《つぼね》、もう臨月に入っているお亀の方、お万の方、お夏の方、お仙の方、お竹の方の六人である。これだけの女性に、家康の替玉である事情を明かし、秘密を誓わせねばならない。それだけでも、いい加減くたびれる仕事である。その上、彼女たちには当然何人かの腰元がついている。この女たちの口まで封じなければいけないとしたら、これはもう気の遠くなるような難事になる。お梶の方がいなかったら、恐らく不可能だった筈《はず》である。

これに対する秀忠の考え方は、極めて簡単且《か》つ残酷なものだった。側妾・腰元ともに一人残らず斬《き》るべし、というのである。更にそれを石田の残党の所業と発表すべしという。さすがの本多正信が、一瞬言葉を失ったほどの意見だった。

二郎三郎は初めてまっこうから秀忠の意見に反対した。そんな残忍な処置をとるような主君の下では、自分も到底この先役目を果してゆけるとは思えない。即刻お役目を辞退する、と申し出たのである。これは一種の恫喝だった。自分の役目の重要性を充分心得ての上の発言だったが、二郎三郎はまかり間違って首を切られる破目になってもいいと腹をくっていた。考えてみれば、二郎三郎の役目は、秀忠を無事に征夷《せいい》大将軍にすることである。だがこんな陰湿で残忍な男を征夷大将軍にする必要があろうか。家康には義理があるが、秀忠には全くない。

秀忠はこれまた簡単に、自説をひっこめた。奥のことは二郎三郎に委《まか》すという。これは、やれるものならやってみろ、ということである。勿論、周到な秀忠のことだ。二郎三郎がやり損じた時の用意に、女たちは一人も淀城を出さぬように、厳重に見張らせ、いざとなれば皆殺しにする用意は万端整えていた。

そうした事情を背景に、二郎三郎は淀城に入った。秀忠の意見をきかされたお梶の方も必死だった。二人は先ず阿茶ノ局に会《ま》った。阿茶ノ局は、先にも書いた通り、聡明《そうめい》な女性であり、しかもこの当時には珍しい、事務能力にたけた人物だった。彼女は即座にお仙の方とお竹の方を腰元もろ共解雇し、親もとへ返すことをすすめた。この両人とも口が軽く性根がない。とても秘密を守れる女子ではないというのである。お亀の方については、出産まで二郎三郎は顔を見せないことにする。血の道が上ることを防ぐためだ。残りのお万の方とお夏の方は性根の坐った女子故《ゆえ》、自分が説得すれば大丈夫だという。そしてその言葉通り、ことは運んだ。誰一人、二郎三郎を見て、変ったそぶりを示すものはなかった。

「ひとつだけ、お聞き届け願いたいことがございます」

阿茶ノ局が、ふっくらと笑みを浮かべながら云った。交換条件がある、という意味だ。

二郎三郎とお梶の方は、一瞬緊張した。

阿茶ノ局は家康の愛妾中、最も重んじられている女性である。元々神尾孫左衛門の妻で、五兵衛守世という子までなした仲だったが、夫に先立たれ、家康の側妾となった。お梶の方を別にすれば、家康に最も愛され、且つ信用された女性で、ほとんどの戦陣に家康と行を共にしている。長久手の合戦にも従軍し、この時、無理がたたって流産したという。そのふくよかな人柄と聡明さで、すべての側妾に慕われ、何かというと相談をもちかけられる。諸大名は愚か家康の子供たちまで、奥向きのことになると必ず阿茶ノ局に相談する。そんな女性が交換条件を持ち出したのだから、これは緊張しない方がおかしかった。

だが阿茶ノ局の交換条件は、ある意味で至極簡単だった。残った四人の側妾を平等に愛して貰《もら》いたい、というのである。具体的にいえば、夜毎《よごと》に閨《ねや》の相手を変えて欲しいと云う。二郎三郎は内心愕然《がくぜん》とした。今更ながら阿茶ノ局の聡明さに肝を冷やした。大津城以来、二郎三郎はお梶の方に溺《おぼ》れきっていたといっていい。毎日、昼となく夜となく、お梶の方と睦《むつ》み合っている。それが将来の不安を鎮《しず》める唯一《ゆいいつ》の方法だった。その心の傾斜を、あっさりと阿茶ノ局に読まれたのである。二郎三郎は思わず、ちらりとお梶の方を見た。心なしかお梶の方の顔が蒼《あお》ざめている。今やお梶の方にとって、二郎三郎は何物にも換えがたいほどいとしい男である。何としても独占したい男である。だが、それだけに、絶対独占してはならない男でもあった。お梶の方の聡明さがそれを一瞬に読んでいた。

「阿茶さまの仰《おお》せの通りです。それでのうては奥のやすらぎは得られますまい」

お梶の方は断腸の思いで、だがきっぱりといってのけた。これは以後四日に一夜しか、二郎三郎を独占出来ないということである。お梶の方の心も肉体も、締め木にかかったように苦しんだ。だが愛しているなら、この苦痛に耐えねばならない。それがいやなら、秀忠の主張通り、奥の者悉《ことごと》くを斬《き》らねばならぬ。出来ることではなかった。それにそんなことをしたら、二郎三郎が永久に自分を許さないだろうということも、はっきり判っていた。お梶の方はこの数日で、二郎三郎の心の在りようを理解していた。

お梶の方の忍耐が、四日に一夜の閨の中で集中的に爆発することになったのは、当然の成り行きともいえた。果てしなく喋《しゃべ》り、果てしなく交った。ほとんど朝まで眠らさなかった。二郎三郎もまた喜んでそれに応じた。まるで十代の若者同士の恋だった。

甲斐の六郎が天井裏から見たのは、この凄《すさ》まじいまでの愛欲図だった。

お梶の方は二郎三郎の上にいた。勝気な女性は上位を好むとはよく云われることだが、お梶の方もこの例に洩《も》れない。だが、家康相手の時は、こんな体位をとることは出来なかった。二郎三郎にならどんな形でもとれる。だからお梶の方の閨は、日毎に奔放さを増していった。

絶えず小さな悲鳴をあげつづけながら、激しく身体を動かすお梶の方に、二郎三郎も巧みに下から応《こた》えている。これは絶対に主君と側妾の房事ではない。まさに恋人同士の房事である。

だが天井裏から、かすかな穴を通して見ている甲斐の六郎は、房事の粋などと全く関《かか》わりのない男だ。そんな男女の秘め事の機微が判《わか》るわけがない。

〈六十近いというのに激しいことだ〉

そう思っただけだ。英雄色を好むというが、この齢でこれほどの房事が出来る家康という男の精気に衝撃をうけていた。

〈ひょっとすると、本物の家康公かもしれぬ〉

影武者風情《ふぜい》に、これだけの精気があるとは考えられなかった。しかも相手は、つい一月半前までは主君の寵妾《ちょうしょう》だった女性である。こんな短時日の間に、これほど深く馴染《なじ》めるわけがない。

〈だが俺《おれ》の刺したのも、絶対本物の家康公だ〉

この日まで六郎は、それこそ毎日のようにあの桃配山《ももくばりやま》での暗殺の情景を思い描いている。その前後の情景も、思い出せる限り微細に思い出している。そしてその情景から引きだされ

る結論は、

〈おれは間違わなかった〉

それだった。それはほとんど絶対の確信にまで育って来ている。今夜、危険を冒して、この難攻不落の城に忍びこんだ理由は、少なくとも自分自身にその事実を証明したかったからにほかならない。今夜のことは、島左近にも市郎兵衛にも話していないのである。

だが……。

眼下の光景は、逆に六郎の確信をつき崩すものだった。六郎は混乱と、まどいの中にいる。確信が大きかっただけに、まどいも激しい。

〈本当に相手はお梶の方なのか?〉

遂《つい》にそこまで疑った。他の女、淀城滞在中に手をつけた新しい女なら、こんな事態も考えられなくはない。影武者の今の状態は、不安の極の筈である。その不安をまぎらすためには、酒と女しかあるまい。そうだ。それにきまっている。新しい女なのだ。だから隣室にも、普通は必ず控えている筈の腰元たちの姿がないのではないか。

その時、二郎三郎の声がきこえた。

「お梶。そなた、秀頼公をどう思う?」

房事の中休みである。

二郎三郎は枕《まくら》もとに用意された酒を、飲んでいた。その盃《さかずき》をお梶の方にさす。

「八つのお子のことなど、考えようもございません。それより難しいのは御母堂さま」

淀君のことをいっているのだ。その驕慢《きょうまん》と勝気において、当代随一の名をとる女性である。絶世の佳人として、今尚《いまなお》歴史をひもとく者の心を奪う、織田信長の妹お市の方は、優しさ一筋の女性だったように思われる。運命の流れに逆らって敢て棹《さお》さすことなく、爽《さわ》やかな風のように短い一生を渡った女性である。だがその娘三人はいずれも強力に自己を主張する女性に育った。戦国の有為転変《ういてんぺん》を幼時から味わったことがいやでも彼女たちを強い女に形成したのかもしれない。

三人姉妹の中で、長女のねね（又は茶々）つまり淀君が最も自己主張が強く、第三女於江《おごう》（於江与、小督、達子、徳子とも伝えられる）がこれに次ぐ。

於江は徳川秀忠の妻である。なんとこれが三度目の結婚であり、前夫（二度目）との間には子供までいて、秀忠より六歳年上だった。そのくせ、いや、そのために却《かえ》って驕慢で独占欲が強く、当時の風習に反して断乎《だんこ》秀忠に側妾をもつことを許さない。記録に残る秀忠の浮気はたった二回で、二人の子をもうけたが、一人（長丸）は二歳（満一歳）で灸《きゅう》に当てられたため死亡している。或《あるい》は於江の方に殺されたのではないかと、筆者は疑っている。二番目の子幸松は本多弥八郎正信の配慮で、武田見性院という女性にあずけられ、養育された。武田見性院は武田信玄の娘で、穴山梅雪（信君）の妻になった女性である。並の女と違って根性が据《すわ》っていた。幸松をひきとると、果して於江の方から圧力がかかった。すぐ養育をやめろというのである。見性院はこれをぴしりと拒否している。

「このお子はお預かりしたのではなく、自分の子にするために戴《いただ》いたのです」

と云い張り、

「縦《たと》ひ御台様より如何《いか》様《やう》の御難事候《さうらふ》とても、一たび見性院が子にいたしたる人の事に候へば、はなし申事とては、おもひも寄不レ申《よりまうさず》」

といったと古書に記されてある。更に見性院は幸松七歳の時、信州高遠《たかとお》三万石保科《ほしな》肥後守正光の養子にしてしまった。この幸松が、後に幕閣に列して、三代将軍家光を助けて功のあった保科正之である。

お市の方の二番目の娘は、京極高次の夫人で初と呼ばれる。この女性は三人姉妹の中では一番おだやかで、屢々《しばしば》平和の使者として活躍している。夫の京極高次は関ヶ原合戦に先だつ九月八日、大津城に籠《こも》って徳川方に味方することを宣言し、僅か三千の兵をもって石田方一万五千余の攻撃を受け、遂に九月十四日、つまり関ヶ原合戦の前日に、刀折れ矢つきて降服した不運の武将である。だが石田方一万五千余の兵を大津に釘《くぎ》づけにした功績は大きく、後に若狭小浜《おばま》城九万二千石を与えられている。

「御母堂さまか」

一瞬、二郎三郎は沈黙した。二郎三郎は今度大坂城へ入るに当って、一度淀君に会っただけである。確かに美人は美人だったが、そのさげすむような眼差《まなざ》しが不愉快だった。同時に、こんな母親にくっつかれている秀頼が、急に不憫《ふびん》になった。

〈さぞやり切れないだろうな〉

この年八歳の秀頼は齢《とし》にしては大柄《おおがら》で、どこか大人びた顔をしている。そのまま男共の中で育てば、ひとかどの武将になるかと思われたが……

〈あの母親がくっついていては駄目《だめ》だ〉

二郎三郎は一目でそう判断を下している。

「なんとかあの母子を切り離すことは出来まいか。秀頼殿のためには、その方がよいのだが

……」

「考えるだけ無駄というものです。秀頼さまがいらせられなければ、御母堂さまに何の力もありはしません」

子供が可愛《かわい》いのではない。子供についている権力が可愛いのだと、お梶の方は云《い》っている。女らしい厳しい見方である。

「秀頼殿のためばかりではない。わしのためにもその方がいいのだ」

二郎三郎は本音を吐いた。

「……？」

お梶の方が怪訝《けげん》そうに二郎三郎を見た。理由が判らなかったからだ。

「わしはなんのために家康公として生かされていると思う？」

二郎三郎は吐き出すように云った。

「近い将来に秀頼殿を討ち参らせ、豊臣家をこの世から抹殺《まっさつ》するためにほかならぬ」

豊臣家は一応徳川家の主君である。それを滅ぼすことは、実質はどうあれ『叛逆《はんぎゃく》』といわれても仕方がない。秀忠は『叛逆者』の汚名を背負いたくなかった。汚名は替玉の家康が冥《めい》

途《ど》まで背負ってゆくがいい。秀忠の酷薄な性情がこの一事にも滲《にじ》み出ている。勿論そればかりではない。汚名を着た合戦に勝つには、家康の力が絶対必要だった。小牧・長久手の合戦の実質上の勝者が家康だったことは、天下が知っている。家康こそ戦場で豊臣秀吉を破った唯一の武将なのである。だからこそ、家康ならば叛逆者として起《た》っても、天下は当然のこととして納得する。これこそ下剋上《げこくじょう》の戦国乱世の『ならい』だからだ。秀忠が大将ではそうはいかない。外様大名の大方が納得せず、徳川家は殆《ほと》んど独力で戦わなければならなくなる。

「わしは秀頼殿を討ちたくない」

二郎三郎の声に悲痛な感情が籠る。

「豊臣家が倒れれば、わしは不用になる。その時がわしの最期《さいご》となろう」

これはまさしく秀忠の考えである。会議に参加した本多正信、本多忠勝、井伊直政、榊原康政の四人はそれを知っている。だが誰一人として二郎三郎にこの真相を告げた者はいない。二郎三郎がこの一月半の思考の末に辿《たど》りついた結論だった。

天井裏で甲斐の六郎は、やっとの思いで身震いを抑えていた。

突然、まったく突然に、真相が一気に曝露《ばくろ》されたからである。

その歓喜と共に、

〈矢張りわしが刺したのは本物だった！〉

〈三成さまのお目の確かさよ〉

一目でこの影武者が秀頼に好意を抱いていることを見抜いた、凄まじいまでの三成の勘働きに感嘆していた。

それにしても、これは大変な秘密だった。下手に曝露されたら、徳川政権を崩壊させかねない秘事である。これを種に徳川政権を脅すことも出来るだろうし、秀頼に洩らして豊臣家の有利なように利用出来るかもしれない。だが事は六郎の思考の及ばぬほどの大事である。六郎は己れを知っていた。

〈一刻も早く殿に……〉

島左近にしらせて、その判断を仰がねばならぬ。

この時、六郎は唐突に異変を察知した。

手に入れた情報の重大さが、六郎の忍びとしての勘働きを通常より鋭くしたのかもしれない。

六郎はこの天井裏にいるのが、自分一人ではないことを、勘で知った。

〈忍びだ〉

瞬間にそう悟った。見事に気配を絶っている点は、六郎と同様である。只《ただ》の人間ではなかった。

六郎は微《かす》かに微かに動きだした。体内に磁石でも持っているかのように、なんの迷いもなく、天井裏の一角にじりじりと移動する。同時に梁《はり》の上部へ上部へと上る。

〈いた!〉

遂に相手を捕えた。天井板に蜘蛛《くも》のようにはりついている黒装束の小柄な男の姿が、目の下にある。男の方はまだ六郎の存在に気づいていないようだった。

〈誰の手の者か？〉

僅《わず》かの間、それが気になったが、すぐ、どうでもいいことだと思い返した。徳川家康が替玉だというこの秘密を知る者は、自分一人でなければならぬ。秘密を知る者が増えれば増えるほど、天下の乱れる可能性が増すことになる。替玉の家康の意図が、秀頼公の無事にある限り、六郎はこの家康を守らねばならなかった。

〈ヌ〉

男が奇妙な所作をはじめた。くない（忍者の使う小刀）を抜き天井板を音もなくけずりだしたのである。終ると腰のうしろから短い棒のようなものを抜き、その穴にあてがった。

〈吹矢！〉

棒は吹矢筒だった。この男は家康を狙《ねら》う刺客だったのである。そう思った瞬間に六郎は跳んでいた。空間で刀を抜き、男の背に着地した時には既に背後から心の臓を刺している。男は即死した。だが忍びの本能の凄絶《せいぜつ》さは、この男に、絶息する前に吹矢を吹かせていたことである。

矢は危うく二郎三郎の髷《まげ》を掠《かす》めて畳に突き立った。お梶の方は身をもって二郎三郎をかばいながら叫んだ。

「曲者《くせもの》！　曲者が天井裏に在るぞ！　出合え、宿直《とのい》の者共！」

二郎三郎は天井を睨《にら》みながら枕もとの刀をとり、同時にふっと燭台《しょくだい》の灯《ひ》を吹き消した。落着いた処置である。続いて暗がりの中で、脇差《わきざし》を投げた。

天井板をつきぬけた白刃《はくじん》を見て、六郎はにたりと笑った。

〈仲々の手利《てき》きだ〉

脇差のきっさきは、正確に忍びのあけた穴を突き透している。

六郎は男の死体を裏返すと、自分の刺した傷あとを正確にそのきっさきが刺すようにした。これで少なくとも暫《しばら》くはごまかせる筈《はず》だ。もう一人忍びがいたことを、成るべくなら知らせたくなかった。だが、家康の投げた刀がどうして忍びの背を貫いたか、いずれ疑問に思う者が出てくるだろう。その時、贋家康がどう出るか……又その操り人秀忠はどうでるか……六郎は思案をしながらも、迅速に、だが音もなく天井裏を走った。

六郎の心配は杞憂《きゆう》に終った。秀忠は武芸の心得が浅い。単純に吹矢を吹き終った忍びがはね起きようとして寝返った背を、二郎三郎の脇差が貫いたものと解した。むしろ二郎三郎の方がもう一人の忍びの存在を確信していた。だがそれについて一言も云わない。どこかで腹を据えていた。知れるものは知れるのである。こそこそ動いたり、心配しても何にもなりはしない。少なくとも自分が心配することはない。心配は秀忠がすればいい。

実はこの一月半ほどの間に、二郎三郎はひどく秀忠が嫌《きら》いになっていた。こんな男が、どうして親孝行の律気者《りちぎもの》と思われていたのだろう。それが不思議で仕方がなかった。当然、それは、秀忠が幼時からかぶり通して来た仮面だったわけだが、仮面の外と内があまりにも違いすぎた。仮面の内側の秀忠は、冷血無残、目的のためには手段を選ばない、酷薄極まる男だった。

〈こんないやな男のために、なんで辛《つら》い役をつとめなきゃいけないんだ〉

二郎三郎は正直ばかばかしくなって来た。本来『無縁の徒』であり、『七道往来人』として主をもつことをいさぎよしとしなかった二郎三郎の本性が、ここへ来て再び力をとり戻して来たのである。

〈何も彼《か》も放《ほう》り出して、逃げ出せたら、どんなにいい気持だろう〉

心底、そう思った。だが今度ばかりは、馬を駆って国境を越えたところで何にもならない。国境の向うもまた徳川家の領国であり、或はその忠実な部下の領国であったからだ。今逃げ出すとしたら、行き先は異国しかない。

島左近は長い間沈黙を守っていた。六郎の話をこと細かにきいた後である。

〈むずかしいところだ〉

六郎もこの沈黙の意味を理解している。

家康が替玉だという噂《うわさ》を拡《ひろ》めることはたやすい。だがそれはあくまでも噂である。その事実を証明することは、何人《なんぴと》にも出来ない。そして噂だけでは、決定的なものは何一つ生れはしない。諸国の大名たちの中に、いや徳川家一門の中にさえ、なにがしの動揺は起るかもしれないが、それだけのことだ。大方の者にとって、家康が生きていた方が有利に働くのなら、どんな噂が拡がろうと、家康は生き続けるだろう。

その上、この家康は秀頼の無事を願っている。秀頼が無事でいる間は、自分の生命が保てるからだという。これほど切実な動機が存在する以上、この家康は必死になって秀頼を守ろうとつとめる筈である。勿論、石田三成が企てたように、今すぐ天下を豊臣家のものにすることは不可能かもしれない。だが豊臣家が滅亡されることなく、存続してゆくことは出来る。そして存続している限り、再び天下を狙う機会もめぐって来るかもしれない。秀頼は若い。秀忠よりも若いのである。

そう考えて来ると、島左近たちにとって、この家康は貴重な存在である。絶対殺してはならない人間である。これから先、事態がどう推移してゆくにしても、この家康を生かしておくことが、秀頼のために必要になる。

〈秀忠公はいずれこの家康公が邪魔になって来る筈だ〉

徳川家の力が増大すればするだけ、そういうことになる。それは秀忠の力が増大することなのだから。

〈秀忠公の力を強くしてはならぬ〉

むしろ家康の力を積極的に増大すべきではないか。当の贋《にせ》家康もその点は充分考えている筈であり、秀忠は秀忠で、それをさまたげる手段を考えている筈である。

〈秀忠公の意図をさまたげ、この家康公の力を強大にさせるように努めるのが、われらの道ではないか〉

左近の腹がきまった。

「わしらは家康公の助っ人《すけと》ときめた」

声に出して、きっぱりと云った。

六郎は無言でうなずいた。

〈それにしても、えらいことだ〉

茫漠《ぼうばく》たる恐れの感情が、六郎の心を満した。誰も彼等を徳川の味方とは見ない筈だ。むしろ敵と見るにきまっている。敵と見られ、みつかれば斬《き》られるのを承知の上で、尚かつ敵の大将を守らねばならない。矛盾きわまる行為であり、まさしく、『えらいこと』だった。だが、そうときめた以上、あくまでもやり抜くのが左近である。六郎はかすかに溜息《ためいき》を洩《も》らした。

この頃《ころ》、一人の異邦人が家康に面会すべく大坂に向っていた。異邦人の名はウイリアム・アダムス。イギリス人である。

異邦人

ウイリアム・アダムスはイギリス人の航海士、つまり水先案内人である。一五六四年八月生れというから、この慶長五年には三十七歳。この年の三月十六日、リーフデ号というオランダ船に乗って、豊後の佐志生《さしふ》に漂着した。当初百十人いた乗組員のうち、生き残った者は僅《わず》かに二十四人。しかもその内三人は、漂着の翌日に死に、更に三人が長く患《わずら》った後に死んだという。

リーフデ号がオランダのロッテルダム港を出帆したのは、二年前の慶長三年（一五九八）初夏のことである。日本では豊臣秀吉がその華麗な生涯《しょうがい》を終えた年だ。リーフデ号は単独で出帆したわけではない。五艘《そう》からなるオランダ東洋遠征船隊の一艘としてである。旗艦はホープ号。一番大型で船隊司令官と百三十人の乗組員を乗せていた。リーフデ号が二番手で、副提督と百十人の乗組員。ウイリアム・アダムスは、出帆当初は旗艦ホープ号の航海士だった。

この船隊のなめた不幸の数々は、決して特異なものではない。東洋という遥《はる》かな地域に旅立つ船隊が、等しく覚悟しなければならない運命だった。

先《ま》ず出発の時期が予定より大幅に遅れたのが不幸の原因になった。七月、アフリカ西海岸に向う頃《ころ》、熱風が吹きすさび、病人が続出した。アフリカの西端から南アメリカのブラジル海岸に向ったのが九月。これはこの辺の海が一年中で最も荒れる時期に当っている。司令官はこの間に病死。逆風と豪雨が、船隊をいつまでもアフリカ大陸からはなさず、糧食が欠乏してくる。船員は船のロープを覆《おお》った犢《こうし》の皮までむしりとって喰《く》ったという。マジェラン海峡に入ったのが翌慶長四年四月。南極圏に近いこの地方には苛酷《かこく》な冬が訪れていた。凄《すさ》まじい寒さと烈風が船隊の行動力を奪った。新たに司令官になった副提督はこの海峡で冬を越し、春（この地方の春は八月末である）を待って太平洋に出航しようと覚悟をきめた。だが冬籠《ふゆごも》りに必要な燃料も食糧も不足している。船員はばたばたと死んでいった。船隊の内の一艘が、この状況を報告すべく本国に戻っていった。アダムスが旗艦のホープ号からリーフデ号に移ったのは、この頃かと思われる。

八月末、太平洋に乗り出した四艘の船隊を待っていたのは、激しい暴風雨だった。この嵐《あらし》で四艘の船は、別れ別れになってしまう。リーフデ号は食糧全く尽き、セント・マリア島で補給しようとしたが（補給とは掠奪《りやくだつ》である）、逆に島民に襲われて上陸部隊は全滅した。アダムスの弟もこの時死んでいる。実はこの前日、旗艦ホープ号が同様にこの島で掠奪を試み、司令官及び船長以下多数の船員が虐殺《ぎやくさつ》されていたのである。このため島民側は戦闘準備を整えていた。そこへリーフデ号が入っていったのだから、ひとたまりもなかった。

リーフデ号はホープ号と、この近くの海上でめぐり合うことが出来た。リーフデ号は錨《いかり》を巻き揚げる人数さえ足りなかったという。二艘が協力して、なんとか食糧を手に入れ、新たな針路を日本にとったのは、十一月末のことだった。日本を目ざすことにしたのは乗組員の中に日本へ来たことのある船員がいて、積み荷の羅紗《らしゃ》の売り先としてこの国が最適だといったかららしい。

余談だが、散り散りになった、あとの二艘の船は、一艘はチリのバルパライソ、一艘はチドール島（モルッカ諸島）で、前者はスペイン人、後者はポルトガル人に捕えられてしまった。スペインとポルトガルはカトリックの国であり、プロテスタント（新教徒）であるオランダとイギリスの宿敵である。東洋航路は長いことこの二国に独占されていた。スペインの無敵艦隊が、海上権を制圧していたためだ。天正十六年（一五八八）の無敵艦隊の惨敗《ざんぱい》によって、オランダとイギリスはようやく東洋に乗り出すことが出来るようになった。それでもまだ引き続き戦争が行われていた。バルパライソのスペイン艦隊は、捕えた船員たちの口から太平洋にホープ号とリーフデ号がいることを知り、捜索の船を出したという。勿論《もちろん》、拿捕《だほ》或《あるい》は撃沈のためである。

倖《さいわ》い二艘の船はスペイン艦隊には捕えられずにすんだが、三カ月後にまたも大暴風雨につかまってしまう。二艘はお互いに姿を見失いホープ号の方は以後全く消息を絶った。リーフデ号は尚《なお》二カ月の間、海上を漂い、船員はほとんど飢えと病に倒れた。こうして豊後《ぶんご》、佐志生に漂着した時には、歩ける者は五、六人しかいなかった。その中でウイリアム・アダムスが一番元気だったらしい。

佐志生は豊後臼杵《うすき》に城を構える太田重政の領内である。重政はリーフデ号の漂着を知ると、すぐ臼杵の港に曳航《えいこう》させ、生き残りの船員たちに庇護《ひご》の手を差しのべると同時に、長崎奉行寺沢志摩守広高に報告した。寺沢広高はこのしらせを大坂城に送った。九日後に、当時豊臣家の家老として大坂城西の丸にいた徳川家康の使者が、海路臼杵に現れた。船の代表者を大坂へつれてゆくという。アダムスは病床にあった船長の代理として、船員一人をつれて大坂に発《た》った。

アダムス自身の書いた、本国の妻に送った手紙によれば、アダムスが家康に会見したのは『一六〇〇年五月十二日』となっている。これは当時のユリウス暦による日付で、現在のグレゴリオ暦とは十日の差がある。つまり今の五月二十二日ということになる。更にこれを当時の日本の暦に置き換えると、慶長五年四月九日ということになる筈《はず》だが、『耶蘇《やそ》会日本年報』その他の記述によると、三月十六日となっている。これはリーフデ号漂着の日付と混同しているものと思われる。

とまれ陰暦四月初旬の一日、ウイリアム・アダムスは家康と会った。

家康がアダムスに会ったのは、単なる好奇心のためからではない。

実はこのリーフデ号の漂着は、日本にいたポルトガル・スペインの宣教師たちの間に、ちょっとした騒動を引き起していたのである。リーフデ号の漂着は、彼等が絶対に許すことの出来ないプロテスタントが日本の土地に侵入したことを意味する。この宗教上の争いの激烈さは、日本人には理解しにくいものがある。現代においてさえ、この争いは持続し、充分の力をもっている。筆者は嘗《かつ》て、妻の恩師であるスペイン人の老尼僧と話していて、談たまたまプロテスタントに及んだ時、この優しさの化身のような尼さまが、一瞬すさまじい眼にな

って、

「プロテスタント、悪魔です！」

はっきりそういってのけたのを、今でも覚えている。カトリックは無信者には寛大である。無信者はまだ救われる可能性があるからだ。だがプロテスタントについては絶対にこれを許さない。神を冒瀆《ぼうとく》する者という感覚があるためだ。特にこの十六世紀から十七世紀への転換の時期、耶蘇会の宣教師の新教徒を見る眼は、厳しさを超えてほとんど憎悪《ぞうお》に近かった。

そればかりではない。

過去一世紀の間、東洋貿易を独占していたポルトガルとスペインは、この世紀の境の前後から次第に新興国であるオランダ、イギリスにその市場を蚕食されはじめていた。オランダから東洋に送られた最初の船隊が、ジャワ島のバンタムを訪れたのは、この年から五年前の文禄四年（一五九五）のことであり、忽《たちま》ち東印度各地に商館を設け始めている。イギリスで東印度会社が設立されたのも、正にこの慶長五年（一六〇〇）だった。この両国の東洋進出は、今やスペイン・ポルトガルの脅威の的だったのである。

耶蘇会の宣教師たちは、一大宣伝作戦をくりひろげることにした。つまり知っている限りの大名、代官、大商人に呼びかけ、このオランダ船はすべてのキリスト教徒の敵であるルーテル派の海賊船であり、船員はすべて残忍な海賊にほかならない。即刻処罰すべきだと触れ廻《まわ》ったのである。特に臼杵城主太田重政、長崎奉行寺沢広高への中傷・宣伝作戦は執拗《しつよう》を極めた。大坂城内でもこの作戦は猛烈に展開され、家康もその渦中《かちゅう》にあった。

リーフデ号の船員たちにとっての不幸は、船の積み荷にあった。そこには羅紗などと共に、大量の武器弾薬が搭載《とうさい》されていたのである。青銅の大型大砲十九門、小型大砲数門、小銃五百挺《ちょう》、鉄製砲弾五千発、鏈弾《れんだん》三百発、火薬五十キンタル、火縄《ひなわ》竿三百五十五本、鎧《よろい》の大箱三箇、と当時の目録にある。これは我が国の武将たちに脅威を与えるのに充分な武器の量である。

だが奇妙なことに、この同じ武器の積み荷が、やがてアダムスたちを救うことになる。

家康が会見の席でアダムスに問い訊《ただ》したことは、主としてスペイン・ポルトガルに対するイギリス・オランダの戦争の実態と、信仰の問題だったようである。問題はまさにこの二点にあった。尚、この間、四十日もの間、アダムスは牢獄《ろうごく》につながれていた。もっとも待遇はさして悪くなかったと、アダムスは後にその夫人に宛《あ》てた手紙で書いている。

宣教師やポルトガル・スペイン商人の策動は絶頂に達した。アダムスたちは即刻死刑に処すべきである。海賊にふさわしい罰はそれしかない。万が一、彼等がこの国に住むようになり、その同国人に貿易が許されることになったら、他の国々の者は彼等海賊の徒の攻撃・掠奪を恐れて、日本の領海に近づかなくなる。そのために日本の受ける被害は、莫大《ばくだい》なものとなるだろう、等々。手を変え、品を変えての恐喝《きょうかつ》であり、勧告であり、おためごかしだった。

家康は二度にわたるアダムスとの会見の末、宣教師たちに毅然《きぜん》として答えている。

リーフデ号の乗組員は我が国に対して何の危害も加えてはおらず、また損害を及ぼしたこともない。これを死刑に処することは、道理に背き、正義にもとる行為である。アダムスたちの本国、イギリス・オランダが諸氏の国スペイン・ポルトガルと戦争をしているからといって、彼等を死刑にする理由にはならない。

これは当然の応対であり、正義である。だが家康の内心にあったのが正義の念だけだったと考えるのは、早計にすぎる。慶長五年四月という月は、家康にとって重大な月だった。会津に帰ったきり、度重なる命令にも拘《かかわ》らず、断乎《だんこ》として上洛《じょうらく》の気配を見せない上杉景勝に対して、最後の説得を行っていた月なのである。事実は、この説得も失敗に終り、翌五月三日、家康は諸大名に会津征伐の命令を下している。ということは、家康は既にこの四月の時点で、会津征討の準備を終っていたということであり、恐らくは景勝と呼応して兵を起そうという石田三成の密謀に対しても、準備が整っていた筈だということになる。つまり五カ月後の関ヶ原合戦に備える構想が、既に家康の頭の中に整っていたのだ。

この重大な時機に、リーフデ号の積んだ大砲、小銃、莫大な弾薬と火薬が、家康の関心を惹《ひ》かなかった筈がない。船員の中には専門の砲手もいた。この強力な戦力を石田一派に渡してはならない。対応は迅速を要した。事実、アダムスの入牢中に、リーフデ号は臼杵から堺の港に素早く曳航されている。そして六月半ばいよいよ上杉征討の軍を起して江戸に向った時には、同時にリーフデ号にも江戸回航の命令が発せられた。リーフデ号は堺をたって相模の浦賀の港に入った。明敏な堺の商人さえ、この事実を知らない。リーフデ号は本国に帰ったのだろうと思っていた。それほど事は隠密裡《おんみつり》に運ばれたのである。

日本耶蘇会に属するディオゴ・デ・コウトの『亜細亜誌《あじあし》』には、

「最も健康であったオランダ人たちは、カンゲチカ（景勝の意であろう）と呼ぶ叛臣に対して行うように命じた戦闘に、砲手として参加させた』

と書かれてある。つまり家康は会津征伐に際してリーフデ号の大砲、砲弾、火薬を使用し、オランダ人の砲手まで参加させたということになる。とすれば、その後に引き続いて繰り拡《ひろ》げられた関ヶ原合戦に際しても、同じ大砲・砲弾とオランダ人の砲手が使われたのではないか、と考えることは極めて自然であろう。だがそのような記録は、耶蘇会側にも日本側にも、史料としては残されていない。ただ、リーフデ号の乗組員たちの中に、後に平戸の松浦家にかかえられて、大砲の鋳造や砲術の教授に当った者がいるという記録と、ウイリアム・アダムスについて『相中留恩記略』という書物に、

『砲術に妙を得て、その術を諸士に相伝し……』

と書かれてあるのが、僅《わず》かにこの間の事情を伝えているばかりである。

だが事実はアダムスは浦賀にとどまっていたのではないかと思う。リーフデ号の乗組員の中で、一番元気だったのは、彼アダムスである。そしてアダムスは、大砲術よりももっと重要な技術を持っていた。船の建造である。彼はロンドンから三十一哩《マイル》離れたジリンガムという小さな町で永禄七年（一五六四）八月九日に生れ、十二歳の時から十二年間、ロンドン近郊のニコラ・ジッギンスという、大きな造船工場を経営していた男の下で徒弟奉公をしている。ジリンガムという町も、住民の大半はチャタムの造船所の労働者だったというから、アダムスは生れながらに海の男だったといえよう。

その後、エリザベス女王の艦隊に、航海長として、また時には艦長として乗り組んだ。天正十六年に、スペインの無敵艦隊がイギリス本土を襲った時には、高名な提督フランシス・ドレイクの率いる艦隊の中で、リチャード・ダフィールド号という百二十トンの船の艦長をつとめ戦っている。乗組員数七十人だったといわれる。その後バーバリー貿易会社に十一、二年つとめ、次いでこの東洋遠征隊に参加したのである。

この履歴で明らかな通り、アダムスはこの時のリーフデ号にとって、頼みの綱の如《ごと》き人物だった。まず、大破した船を完全に修理し航海に耐えられるものにする技術がある。第二にすぐれた水先案内人として、この船を誘導する能力を持つ。第三に、長い海上勤務と海戦の経験から、乗組員を統率し、必要な場合にはスペイン・ポルトガルの船と戦闘を交えてでも、再び船を母国の港に辿《たど》りつかせる力を持っていた。

生き残ったリーフデ号の乗組員たちにとって、最大の希望は本国に帰ることである。見知らぬ異国で、自分たちとは全く関《かか》わりのない戦争に巻きこまれ、生命《いのち》がけで大砲を射《う》つことなどでは断じてない。そして母国に帰るためには、リーフデ号の修理が絶対条件だった。更に、その修理のためにアダムスは不可欠の男である。そう考えて来ると、アダムスが一介の砲手として、会津征伐、更には関ヶ原合戦に参加したとは考えにくいのである。

当時、ベテランの船員ならば、誰でも大砲を射つことは出来た。ましてや遥々《はるばる》、東洋にまで遠征して来る船の乗組員なら尚更である。東洋航路はまだスペイン・ポルトガルの制海権の中にある。海上でこれらの国の船と遭遇すれば、即海戦になるのは目に見えている。遠征隊の船員の一人々々が、優秀な戦士であることを条件に選ばれたことは明白だった。だから、たかが大砲を射つくらいのことなら、どの船員でも役に立った。だが造船技術となるとそうはゆかない。どう考えても、リーフデ号がアダムスを手放したとは思えないのは、以上の理由による。

アダムスは浦賀の港で、鋭意リーフデ号の修理に当っていたと思う。だが船の破損状態は絶望的だった。堺から浦賀まで曳航されて来る間も、絶えず沈没の危機にさらされていた。特に遠州灘《えんしゅうなだ》では激しい暴風雨にあい、危機一髪の目にあったという。徹底的な修理が必要だった。だがそのための資材を手に入れることは、至難のわざだった。まず金がなかった。積み荷は既にすべて没収されている。物々交換すべき品物さえないのである。それに、仮に金があっても、資材を購入するには殿様の許可が必要だった。つまり家康の許可がなくては、船の修理は不可能だった。そしてその家康は戦場の最前線にいる。

アダムスは浦賀の浜に、何度、絶望の思いでたたずんだか判《わか》らない。果てしなく拡がる海原の向うに、懐《なつ》かしい母国がある。たとえ千里の向うでも、母国は確実にある。船さえあれば、それがたとえ五十トン、百トンの小船であろうとも、しっかり艤装《ぎそう》を施した船でさえあれば、この海原を渡って、母国に帰り着くことが出来る。材木があれば、まきはだ（板の隙間《すきま》につめるもの）があれば、水洩《みずも》れを防ぐタールとセールさえあれば、それが出来る。だが、どの品物も、ここでは入手不可能なのである。

無人島に漂着したよりも、もっと始末が悪かった。人一人いない無人島ならまだ諦《あきら》めがつく。この国には多くの人間がおり、富み栄えてさえいる。しかるべき手段さえとれば、必要な資材はすべて整うのである。だが、その肝心のしかるべき手段というのが判らない。身を焼くような焦燥が、アダムスをじりじりと痩《や》せさせていった。その時、一つの救いが来た。救いをもたらしたのは、徳川家船手頭向井兵庫正綱《ふなてがしらむかいひょうごまさつな》である。

向井兵庫又は兵庫頭正綱は、元々は武田の家臣だった。天正十年（一五八二）武田家没落の際、駿州用宗《もちむね》の城を守り、一族悉《ことごと》く討死した。たまたま城外にいた次男の兵庫正綱だけがひとり生き残り、本多作左衛門の手の者となり、徳川家に仕えることになった。天正十八年、船手頭となり、三浦半島の津久井その他で六千石を貰《もら》っている。この当時はほとんど三崎の役所に詰めっきりだったらしい。

関ヶ原合戦の直後、その向井兵庫が浦賀にリーフデ号を見に来て、アダムスに会った。兵庫には同じ海の男として、アダムスの苦衷《くちゆう》がよく判った。修理用の資材は自分のところにある。それを融通してやればいいのだが、こればかりは兵庫の独断では出来なかった。資材を貸せば、リーフデ号の修理は完成する。そして修理が終ったリーフデ号は母国を目ざして出帆してゆくだろう。その点が困る。リーフデ号に対する家康の意志が不明なためだ。つまり何よりも先《ま》ず、家康の意志を確認する必要があった。

関ヶ原合戦は勝利のうちに終り、世は十中九まで徳川家のものになった。当然家康の機嫌《きげん》は上々であろう。今、家康に直訴して、リーフデ号の修理と帰国を懇願すれば、或は簡単に許可がおりるのではないか。それがこの時の兵庫の読みである。倖い、兵庫は秀忠の命令で大坂に回船する必要があった。その船に同乗してはどうか、と兵庫はアダムスにすすめた。アダムスにとっては願ってもない機会である。こうして、アダムスは向井兵庫と共に、海路大坂に向うことになった。

勿論、兵庫もアダムスも、家康が別人とすり替っていることなど知るわけがない。だから以後の推移は誰のせいでもない。運命のいたずらとしかいいようのないものだった。

世良田二郎三郎は、接見を望む者の中にアダムスの名を見た時、四月初旬の家康とアダムス会見の日のことを思い出した。その日も二郎三郎は、影武者として次の間に控えていて、会見の様子を耳で聞いていたのである。先に書いたように、二郎三郎は異国に渡ろうとして、長崎に住んだことがある。スペイン語とポルトガル語は、若干だが話すことが出来る。耶蘇会の宣教師に、何とはないいかがわしい臭《にお》いを嗅《か》ぎとり、異国行きを断念した男である。カトリックと敵対するプロテスタントの国というものが、興味をひかない筈がなかった。家康の質問に対するアダムスの返事は、直截《ちょくせつ》でまぎらわしいものがない。淡々と事実を告げているだけだという感じが伝わって来て、気持がよかった。宣教師の言葉には、常に何か余計な要素が加わっていて、二郎三郎にはひどくわずらわしかった。おためごかしと説教臭である。アダムスには、見事にそれがない。

二郎三郎は自ら進んでアダムスに会ってみたいと思った。

アダムスはポルトガル語の通辞《つうじ》と共に二郎三郎に会った。英語の通辞がみつからなかったからだ。勿論、アダムスもポルトガル語で話すことになる。不便だが仕方がなかった。会談は長時間にわたった。肝心のアダムスの願い、即《すなわ》ち、リーフデ号の修理と帰国については、

「考えておく」

というだけで、はっきりした返事をしない。そのくせ会見を切りあげるわけではなく、種々雑多な質問を、次から次へと発するのである。ヨーロッパ全般の地理と情勢について、東洋に至る航路について、カトリックとプロテスタントの相違について、そして特に科学全般について。アダムスはこの君主の好奇心の多様さと旺盛《おうせい》さに、正直驚いていた。だがこれはアダムスの認識不足だった。西洋科学の日本への伝わり方を知らなかったためである。

西洋の科学、当時のいい方によれば南蛮の科学が初めて我が国に伝えられたのは、この時から五十年ほど前だった。伝えたのは耶蘇会の宣教師である。彼等は宣教の方便の一つとして科学を伝えた。科学の智識《ちしき》を追求しようとする人々は、いつか信仰の道にひきずりこまれる。そういう仕組だった。天文学、医学、航海術、更には砲術までが、信仰への導きに利用された。つまり布教の方便としての科学だった。天正年間に京都の名医曲直瀬道三《まなせどうさん》が、西洋医術のすぐれた療法に感嘆するあまり切支丹になったという事実が、よくこの辺の事情を伝えている。

ところがアダムスの語る科学の智識には、宗教の色彩が全くない。例えば日蝕《にっしょく》は神のお怒りのためであるなどと、決していわない。元々アダムスは、数学と天文学を得意としていた。

この二つは航海士として不可欠の学問である。更に測量術にすぐれ、航海術に通じ、造船術にも詳しい。二郎三郎にとって、さながら科学の宝庫である。しかもその智識には一切信仰の色彩がない。清新な科学そのものだった。

またアダムス自身、頭脳の緻密《ちみつ》な人間の通例として、かなり冷徹な人物だった。感情を表に出すことなく、必ず理性を通して事を処理する。外面を見ると、実直だが事務的という印象になる。宣教師の多くが持つ、過度に情熱的な態度を見慣れた二郎三郎には、これが逆に非常な信頼感を与えることになった。

〈この男を手放してはならぬ。常時、そばにおいておく必要がある〉

二郎三郎はそう決心した。リーフデ号を修理させ帰国させるなど、思いもよらぬことである。だがこの時点ではそのことは云わなかった。ただこのまま大坂城内に住み、いつでも自分の呼び出しに備えよ、と命じただけである。つまり文字通り側近にしたわけだが、これはスペイン・ポルトガルの宣教師・商人にとって、一大事件になった。

アダムスに対する非難中傷は、それこそ雨霰《あめあられ》のように、二郎三郎のもとにもたらされた。ほとんどが耶蘇会の宣教師によるものである。二郎三郎はこれを全く問題にしなかった。まるでそのために逆に寵遇《ちょうぐう》が増したかのように、ほとんど毎日のようにアダムスを召し寄せては、長時間にわたって楽しそうに語らうのである。

アダムスはその書簡の中で、家康（二郎三郎）に幾何学と数学を教えたと書いている。つまり二郎三郎は、日本で初めて幾何学と数学を習った男ということになる。この前途暗澹《あんたん》たる時期に、大坂城内において、ひとり幾何の図形を案じている二郎三郎の姿を想像すると、若干滑稽《こっけい》なイメージの中に、二郎三郎の抱いていたであろう、なんともいえぬ寂寥《せきりょう》感が惻々《そくそく》と伝わってくる思いがする。

非難中傷が役に立たないどころか逆効果だと知ったスペイン・ポルトガルの人々は、次にアダムスを帰国させようとした。得意のおためごかしでアダムスに近づき、近日ヨーロッパに帰る船があるから同乗したらどうか、貴殿の国の近くで降ろしてさし上げるが……というのである。つまり、天下の実力者家康のそばから追い払おうという魂胆である。

だがこれもまた不調に終った。アダムス自身は大分心が動いたらしいのだが、二郎三郎が断乎《だんこ》としてアダムスの帰国を許さなかったからだ。

宣教師たちは最後の手段として、アダムスをカトリックに改宗させようと全力をあげた。だがこの面では、結果は初めから知れている。アダムスのように根っから理性的な男を改宗させられるわけがなかった。

遥か後年のことだが、馬鹿《ばか》なことを考えた宣教師がいた。いくらアダムスでも、目の前で奇蹟《きせき》を見せれば改宗するだろう、というのである。この『奇蹟屋』は、水の上を歩いてみせると広言したが、勿論《もちろん》アダムスが信ずるわけがない。溺《おぼ》れるだけだからやめろと強くいったが、『奇蹟屋』は聞き入れず、到頭浦賀近くの海岸でそれを実行することになった。千人近い見物人が集ったという。

実は『奇蹟屋』は法衣の下に、腰から足もとまでの大きな木の十字架をさしこみ、間違っても溺れることのないようにしていた。水泳の達者でもあった。ところが、いよいよ奇蹟の実演という段になると、水上を歩くどころか、またたく間に溺れてしまった。用心のための木の十字架が、逆に錘《おもり》となって、自慢の水泳も役に立たなかったのである。あとをついていった小舟のお蔭《かげ》で、危うく溺死《できし》はまぬがれたが、見物人たちはこぞって嘲笑《ちょうしょう》し罵倒《ばとう》したという。

アダムスが気の毒に思って見舞いにゆき、だからやめろといったではないかと云《い》うと、この『奇蹟屋』は、アダムスが奇蹟を信じないからこんなことになったのだと答えた。『奇蹟屋』は宣教師たちからも猛烈な非難を浴び、遂《つい》にフィリピンに去ったと伝えられる。

アダムスとの親交は、二郎三郎に三つの効果を及ぼした。

その一つは、これまでのスペイン・ポルトガルとの交易が、いかに一方的で掠奪《りゃくだつ》的ともいえるものだったかという認識だった。彼等は世界的な商業地図に対する日本人の無智につけこみ、不当な価格での取引を押しつけることによって、巨額の利益を得ていた。だからこそ、オランダ・イギリスが新たな交易の相手として現れるかもしれないという予測に、これほどおびえたのである。その上、彼等の交易相手は、主として九州の大名だった。絶えざる戦闘は、大名たちに莫大《ばくだい》な出費を強《し》いていた。だから大名たちは、切支丹に改宗までして、目前の僅《わず》かな利を得ようとした。交易商人から金を借りる者までいた。

更に魅惑的だったのは新来の武器である。当時のわが国の鉄砲製造はほとんど堺と、後に長浜に堺から伝えられた国友の二カ所に限られていたが、この二カ所は信長と秀吉によって独占されていた。他の諸大名にとっては、この二カ所から大量の鉄砲を手に入れることは、不可能に近い。スペイン・ポルトガルの商人はそれを無造作に与えてくれる。大砲まで譲ってくれる。このような状況で、まっとうな交易が出来るわけがなかった。

二郎三郎は日本全体の利益を考えるなら、個々の大名に交易を許さず、一手で、しかも公正にすべきであることを痛感した。だがそれには時が必要である。今すぐそんな処置が出来るわけがない。さし当ってなすべきことは、オランダ・イギリスの船を誘致し、スペイン・ポルトガル商人と対抗させることだ。競争相手が出来れば、従来のような掠奪貿易が成り立つわけがない。

だがこの企てさえ、そう簡単にことは運ばなかった。アダムスやその他のリーフデ号乗組員の本国に出した手紙は、残らずスペイン人とポルトガル人とによって握りつぶされたらしい。アダムスたちにしてみれば、手紙を託すべき相手は彼等しかいなかったのだから、ひどい話である。アダムスの消息がオランダ東洋艦隊のもとに伝えられたのは、慶長十年（一六〇五）のことだ。この時から五年後である。そして二艘のオランダ船が平戸港外に初めて碇《いかり》をおろしたのは、更に四年後の慶長十四年五月末のことだ。これだけのことに九年の歳月がかかっていることになる。

二郎三郎がアダムスから得た第二の重要な情報は、銀の精煉《せいれん》法である。この頃《ころ》の西洋式精煉法は水銀を使ったいわゆるアマルガム法である。この法を使うことによって、従来の法に数倍する銀を得ることが出来ることを二郎三郎は知った。

二郎三郎はこの頃、ようやく富の蓄積について関心を持つようになった。今までの二郎三郎にとって、富は何の意味ももっていなかった。だからさしたる関心もなかった。だが今は違う。富が力であることを知ったのである。

現在、二郎三郎は多くの側近にかしずかれ、守られている。日々を過ごしてゆく上で、金など全く不必要だった。だがこの側近は、実は二郎三郎に仕えているわけではない、という点が重要だった。家康に仕えているのである。二郎三郎が何か変ったことをしようと思えば、この人々は本多正純に告げるだろう。正純は当然、父正信に報告する。結果として二郎三郎の意志は忽《たちま》ち秀忠に知られることになる。そしてその意志が秀忠の意志とぶつかることになれば、即座に圧力のかかって来ることは、はっきりしていた。

〈自分だけの腹心がどうしてもいる〉

それは秘密の腹心ということになる。だがこれだけの正式の腹心の目をのがれて、どうして蔭の腹心がもてようか。それにその蔭の腹心をどうして養えばいいのか。金が必要だった。秀忠の意に反して、一年でも二年でも長く生きのびるためには、自分の手足となる蔭の腹心がいる。そしてそれを養う金がいる。だがその金をどうやって作ればいいのか。その問題が常に二郎三郎の頭の中にあった。焦眉《しょうび》の急としてあった。この西洋の新しい精煉法は、この問題に一筋の光をさしこませたものだった。

今までも各国の武将は鉱山の経営につとめた。太閤秀吉は殊《こと》のほか熱心で、各地の金・銀山を自分の直轄《ちょっかつ》地にしていたほどである。家康も同様で、伊豆の金銀山の開発に力を入れていたが、現在までさしたる効果を発していない。各地の金銀山の産出量もたかがしれていた。だから秀忠も他の老臣たちも、この時機、鉱山の経営などということは頭になかった。全国の大名の配置がえで手一杯だった。いかに徳川家が安泰な地位をえられるかは、この大名配置にかかっている。それに較《くら》べれば、金銀山の直轄問題など、二の次三の次である。

二郎三郎は形式上、この配置転換の謀議には必ず出席している。それでなければ、会議が成立しないからである。二郎三郎はこの特権を利用した。さりげない口出しで、先ず石見《いわみ》銀山を手に入れたのである。秀忠も老臣たちも気にもしなかった。身分の低い影武者らしく、ちっぽけな欲だと思って軽蔑《けいべつ》したほどである。二郎三郎は自ら大久保長安という男を抜擢《ばってき》し、石見銀山奉行とした。これは、お梶の方の入れ智恵によるものだった。

大久保十兵衛長安は、本来武士ではない。父は大和の金春座猿楽《こんぱるざさるがく》の大蔵大夫《おおくらだゆう》金春七郎喜然である。喜然は大和を去って甲斐に来《き》たり、武田信玄に仕えて猿楽衆の一員となった。男の子が二人いた。兄は信玄の家老土屋右衛門尉直村にとりたてられて土屋姓を与えられ小姓衆になったが、長篠《ながしの》の合戦で戦死した。弟十兵衛（初めは藤十郎といった）も同じ土屋直村にとりたてられ、蔵前衆となった。年貢《ねんぐ》のとりたてや、鉱山の仕事を勤めたのである。

十兵衛長安が甲斐を去って駿河に移った年と事情は明らかでない。『佐渡風土記』によれば、信玄の死後、勝頼に恨みを含み、甲州を逐電《ちくてん》し三河に住んだ。能の好きな大久保相模守忠隣《ただちか》にとり入り、忠隣の伯父忠佐《ただすけ》から大久保の姓を貰って大久保十兵衛長安と名乗った、という。

『大久保家記別集』には、勝頼滅亡後、駿府《すんぷ》で町人に謡・小鼓《こつづみ》・仕舞などを教えていたが、能楽師として家康に召され、弁舌爽《さわ》やかな利発者だったため、遂に御家人の列に加えられた、とある。

とにかく長安は、初めは農村相手の租税取り立てをやっていた、たいしてうだつの上がらない男だったようだ。それがこの時、石見銀山奉行に抜擢されることによって、後に『怪物』と異名をとり、六万石とも十三万石ともいわれる扶持《ふち》を受けた男に出世するのである。表向きの理由はたった一つ、彼が奉行になることによって、これまで年間わずか数百貫にすぎなかった銀の産出量が、なんと四、五千貫に急増したためである。続いて但馬《たじま》の生野《いくの》銀山、佐渡の相川金銀山の奉行をつとめ、佐渡では銀の産出額だけで年間一万貫余に達したという。この突然の産出額の激増は長安の甲州流採鉱法のためといわれるが、実は二郎三郎の示唆《しさ》によって、アマルガム精煉法(水銀ながし)を行ったためだった。同時に長安は、二郎三郎の腹心第一号となり、自己の管轄内にある多量の金銀を、ひそかに二郎三郎個人のために蓄積していった。つまり二郎三郎の蔭の財産管理運用係になったのである。これが大久保石見守長安の当時でさえ異常と思われた急速な出世の真因だった。

この結果は、僅か三年後の慶長八年(一六〇三)の『耶蘇会日本年報』に明確に報告されている。そのまま引用してみよう。

『内府(家康のこと)は、日本においても、京都においても、関東においても、歴代の中にて最も富裕なる君にして、巨額の金銀を集積し、これがため、到《いた》る処《ところ》に、頗《すこぶ》る人々に恐れらる。内府の京都方面に在る時の住居なる伏見の第に、貨幣を貯蔵したるに、数月前その重量のために、梁《はり》折れて一室陥落したり。此《こ》の莫大なる財宝は、独り諸人よりの数多《あまた》の豊富なる献上物によるのみならず、おもに日本に在るところの数多の金銀鉱山より来るものにして、内府は悉《ことごと》くこれを独占す。しかのみならず、近頃発見せられ、毎年非常の富を掘り出すこととなり。其《そ》の他には其の領する国々の経常収入あり』

これはまさに、秀忠と重臣たちの意表をついた財産づくりだった。そして二郎三郎はこの金銀を使って、第二、第三と次々に彼自身の腹心を増やしてゆくことが出来た。二郎三郎の秀忠に対する初めての勝利といえよう。

十三年後の慶長十八年（一六一三）、大久保長安が死んだ時、秀忠が生前に不正ありと弾《だん》劾《がい》し、長安の一族、近親・縁者まで悉く罰したのは、この時の怒りのためである。

二郎三郎がアダムスとのつき合いで得た第三のもの、それは北西航路探険への夢だった。

北西航路とは、イギリスから北極圏を経由し、アメリカ大陸の北端を巡って東洋に通ずる航路をいう。イギリスでは、この北西航路開拓の探険が、幾度となく試みられ、その度に挫《ざ》折《せつ》の歴史が繰り返されている。

理由があった。

この当時、ヨーロッパから東へ進み、アフリカ大陸の南端を経て、印度・東印度地方に通ずる航路は、ポルトガルが独占していた。

また西へ向い、マジェラン海峡を経て太平洋上を東洋に達する航路は、スペインが握っている。

新興国であるイギリスとオランダは、このために、東洋の莫大な富の分け前にあずかることが出来なかった。スペインの強力な制海権の及ばない北の海を経て、太平洋に出る航路を発見すること。これが両国に課せられた、最大の課題だった。

オランダは、このため、シベリアの北海岸を伝って東洋の海上に出る航路を、なんとか見つけ出そうとした。これが北東航路である。

そしてイギリスは北極圏からアメリカ大陸の北を巡る北西航路の探険に、生命《いのち》を賭《か》けていた。

十七世紀に入って、イギリスがスペインの制海権を奪取し、従来のスペイン・ポルトガルの東洋航路を使うことが出来るようになっても、まだこの探険は続けられている。それは熱帯地方の航海は、不健康で病に倒れる船員の多いことと、日数がかかりすぎることを嫌《きら》ったためだ。地図の上からだけ見れば、北廻《きたまわ》りの航路は（北西・北東とも）距離が短く、航海日数も少なくてすむ。

セバスティアン・カボト、サー・マルチン・フロビッシャー、ジョン・デビス、ヘンリー・ハドソン（ハドソン湾の発見者）などによって、十数回の莫大な経費と多くの人命を犠牲にした探険航海が試みられた所以《ゆえん》である。

ウイリアム・アダムスは、オランダの試みた北東航路の探険に参加したことがある。一五九三年から九五年にかけてというから、我が国の文禄《ぶんろく》二年から四年、つまり太閤秀吉の起した文禄の役の頃に、ウイルレム・バレンツの北東航路探険船隊に乗り込み、北緯八十二度の地点まで達したという。夏の盛りだったが、夜は二時間しかなく、寒さは酷《きび》しく、氷と雪の巨大な塊が崩れて海峡を鎖《とざ》し、船の行く手に立ち塞《ふさ》がったため、涙をのんで帰帆したという。この時以来アダムスにとって北方航路の開発は生涯《しょうがい》の夢となった。北東航路、北西航路、いずれでもいい。とにかく北の海を渡って東洋に通ずる新航路を発見したい。アダムスは痛烈にそう思った。これは男子一生の夢として、十二分に生命を賭ける甲斐《かい》のある仕事である。アダムスはリーフデ号に乗り込んだ時、一箇の地球儀を持っていたが、そこには北緯八十二度までの前回探険の航跡が、克明に書きこまれてあったという。

このアダムスの北方航路への夢は、二郎三郎の胸に火を点じたといっていい。イギリスから発した北西航路を、逆に日本の方から開発することが可能なのではないか。

アダムスは例の地球儀を二郎三郎に示して、この航路の可能性と困難さについて、長々と語り、二郎三郎はアダムスに蝦夷《えぞ》(北海道)について語った。当然のことだがアダムスは蝦夷について全く知らない。名前をきくのも初めてである。後年、慶長十八年、アダムスに会うために日本に来航した、イギリスの東印度会社の東洋船隊司令官ジョン・セーリスが、アダムスから聞いた蝦夷地についての報告が、その航海日記に書かれてある。

『蝦夷は日本の北西方、本土を隔たる約十里の地点に在る島である。住民は色白く身体剛健、全身毛深く……武器は弓と毒矢とである。……銀と砂金とを多く産出し、彼等はこれによって日本人のもたらす米その他の支払いを行う。……日本人が主に居住しその市場を有している町をマッチマ（松前）と呼ぶ。そこには日本人が凡《およ》そ五百戸居留し、城があってその支配者はマッチマ・ドンナ（松前殿）と呼ばれる。このマッチマの町は全蝦夷地中、最も主要な市場地であって、土民の売買のために来り留《とど》まる者が多い。殊に九月の候に多いのは、冬季に備える物資を得るためである、云々《うんぬん》』

これがわが北海道について、ヨーロッパ人によって書かれた最初の史料である。

アダムスは書簡の中で次のように書く。

『皇帝（家康のこと）はもし出かけるなら、エゾの土地に堅固な市街と城塞《じょうさい》とをもっている彼の親しい臣下に宛《あ》てて紹介状を書いて渡そうといわれた。その紹介状によれば、三十日間、土人と親しく交わりながら旅行を続けることが出来るのである。その土人はカム（汗）すなわち契丹《きったん》の辺境に住む韃靼《だったん》人だと思われる。私は単純に判断して、もし北西航路が発見されるものとすれば、きっと日本のこの航路から拓《ひら》かれるものと考えている』

アダムスが北海道を通っての北西航路の発見に、夢をふくらませている様が、目のあたりに見えるような感じがする。それは同時に、二郎三郎の夢となった。

二郎三郎は既に、あらゆる狡智《こうち》を使って、秀忠の意図を挫《くじ》き、出来る限り長く生きのびてやろうと決意をかためていた。自分が長く生きるには、大坂の秀頼を長く生きさせればいい。豊臣家を討つ時期を先へのばせばいい。だがそれにも限度がある。いずれは大坂城を討たねばならぬ。討てば二郎三郎の役目は終る。待つものは死だけである。逃げたところで日本六十余州は悉く徳川家の支配下にあり身を隠すべき場所はない。その窮極の行く先が出来たの

いかに。

である。役が終ったらアダムスと共に船に乗り、北西航路の発見の旅にのぼればいいではないか。

アダムスの『未知の同国人に宛てた手紙』によれば、二郎三郎はクヮケルナック船長はじめリーフデ号生き残りの乗組員に対して、生活費として、一日に米二ポンド、年俸《ねんぽう》十一、二デュカットを与えていたという。そしてアダムス自身に対しては、一日米二ポンドは同じだが、年俸は七十デュカットを給していた。二郎三郎がどれほどアダムスを買っていたか、この一事でも判《わか》る。

アダムスには二年後の慶長七年、相州三浦郡逸見《へみ》村に領地が与えられている。二百二十石とも二百五十石ともいう。このために彼は三浦按針《あんじん》と呼ばれることになる。三浦に住む按針の意味で、按針とは水先案内ということである。この逸見村は現在は横須賀市逸見町となっている。

『それは丁度イギリスの大侯にも比すべきで、八十人、九十人ほどの農民が私の奴隷《どれい》か従僕のように私に従属しているのである。このような支配的な地位は、この国ではこれまで外国人に対して与えられたことがない』

とアダムス自身、手紙の中で書いている。

そればかりではない。江戸では日本橋に近い小田原町の一角に屋敷を与えられ、後にその一帯は安針町と呼ばれた。寛永版の武州豊島郡江戸庄図に出ている（『あんし町』とある）のが最も古い記録である。

アダムスは本国にマリイという夫人と二人の子供をもっていたが、後年、日本でも妻を持ち、二人の子を儲《もう》けた。女の児《こ》をスザンナ、男の児をジョセフと名付けた。ジョセフはアダムスの死後、三浦按針の名をついで、長く海外貿易に参加していたようだ。アダムスの夫人については、日本橋大伝馬町の名主馬込勘解由《まごめかげゆ》の娘という説があるが、馬込家の後裔《こうえい》がつたえている記録や過去帳には、そのような記載はない。

アダムスはまた平戸で、別の女性と家を持ち、こちらにも男の子を一人儲けていたことが、商館長リチャード・コックスの日記によって判っている。詳細な点は一切不明である。

余談になるが、リーフデ号の乗組員でオランダ人のヤン・ヨーステンは、アダムス同様に二郎三郎に仕え、江戸に屋敷を与えられて、日本人の妻を持っている。その屋敷のある町は、ヤン・ヨーステンをなまって八重洲河岸《やえすがし》と呼ばれた。また、メルヒヨール・ファン・サントフォルトも、日本人妻を持ち泉州堺で家庭を営み、後にアダムス等と共に南洋貿易に参加しているし、ギルバート・ド・コニングという水夫も浦賀で家庭をもっていた。このコニングは、豊後臼杵に漂着直後、ポルトガル人たちが豊後太守太田重政に、この『オランダの海賊共』を死刑にするように懇願した時、恐怖にかられ、乗組員一同を裏切ってポルトガル人に生命乞《いのちご》いをした男だという。

伏見城

二郎三郎が大坂城にいたのは、慶長五年九月二十七日から、翌六年三月二十三日まで、ほぼ六カ月の間である。

この間の公務といえば、ほとんど東軍に属した部将たちの増封転封に終始した。前半即《すなわ》ち慶長五年の年末までは、外様大名のそれであり、年を越えて慶長六年に入ると、三河譜代の部将たちの増封、新規取り立てである。こうして出来上がった日本地図は、徳川家にとってまさに理想的ともいえる配置図になっている。禄高《ろくだか》は増えたものの、或《あるい》は辺境の地にとばされ、或は国替えによって旧主への恩愛の念の強い土地に転封された外様大名。関東一円は譜代大名と天領（徳川直轄領《ちよつかつりよう》）及び旗本の知行地でかため、西の要衝にも譜代大名が巧妙に配置されている。将来脅威となりそうな外様大名の隣国には、すべて徳川家に忠実な譜代大名が明らかに監視のために配備されていた。そして京都、堺、長崎のような重要都市はすべて直轄地として所司代、或は奉行が置かれている。

更に東海道、中山道の伝馬《てんま》制度の整備。この主要な二つの街道の重要な宿駅に、伝馬掟《おきて》朱印状を下し、徳川家の朱印状がなければ一切、馬も人足も使えないようにした。これは東海道を主線とし、中山道を副線とする東西交通路線の整備と安全のための処置だが、この安全には『徳川家にとって』という但《ただ》し書きがつく。

実はこの伝馬制度の整備は、秀忠の年来の腹案だった。つまり、秀忠が家康の死によって裏の人間として天下の政権を握って以来、初めての施政だった。それだけに力のいれ方も一通りではなかったし、同時にこれまで秘められていた秀忠の残忍酷薄ともいえる性格が、この伝馬掟朱印状のそこかしこに、見え隠れするのである。

例えば慶長七年（一六〇二）二月二十四日、中山道の宿駅美濃可児《かに》郡御嵩《みたけ》宿に下された伝馬掟朱印状は次のようなものであった。

『囮（印文伝馬朱印）御朱印無レ之《これなく》して、人馬押立者あらば、其《その》郷中出合打ころすべし、若《もし》左様にならさる者在レ之者、主人を聞届《ききとどけ》、可レ申《まうすべき》者也』

伝馬朱印を持たないで人馬を徴集するものがあれば、郷中（宿じゅう）のものが出合って打ち殺せ。それが出来ないものは、主人の名を聞き届けて上申せよ、というのである。激烈この上ない。宿駅の者はさぞかし戦慄《せんりつ》したであろう。岐阜町及び木曾谷中代官山村道勇に対しても、ほぼ同文の伝馬掟朱印状が下されている。秀忠の意気込みと、苛烈《かれつ》さが、充分にくみとれると思う。

大坂城にいる間、二郎三郎はこうした公務には、ほとんど関《かか》わってはいない。会合に出席はしていても、意見を求められることがないのだから、これは関わったとはいえないではないか。

この時期の二郎三郎を慰めたものは、お梶の方であり、ウイリアム・アダムスであり、最後に五郎太丸だった。五郎太丸、後の尾張五十三万石の太守大納言《だいなごん》義直である。母はお亀の方。お亀の方は父が石清水《いわしみず》八幡宮の神職だったため関ヶ原合戦中、懐妊の身をこの八幡宮に隠していたとも、他の側妾《そくしょう》たちと共に淀城にいたともいう。関ヶ原合戦後二カ月、十一月二十八日、伏見の徳川家の屋敷で、五郎太丸を産んだ。

五郎太丸は家康の第九子にして最後の子供である。この後に生れた第十子頼宣、第十一子頼房、更に女子市姫の三人は、二郎三郎の子供ということになる。

二郎三郎にとって、五郎太丸は自分の子供ではない。主君家康の子であるが、生れたばかりの赤ン坊の可愛《かわい》さは、そんなことを忘れさせる力をもつ。二郎三郎は、無性にこの子が可愛かった。こわれものでも抱くように、抱き上げては頰《ほお》ずりをして泣かせ、眠れば飽きずにいつまでもその寝顔を見ていた。

大体、家康という人物は、子供を可愛がるタイプの男ではなかった。ほとんど産ませっ放しといってもいい。男の子ならすぐ守役をつけ、その男に一切を委《まか》せてしまう。膝《ひざ》にのせるとか、抱くとかいうことは、一切しなかった男である。

一説によれば、それこそ武将の心得だという。戦国乱世の武将の子（特に男子）ほど、哀れな存在はない。それは人質要員だからである。家康自身がそうであったように、戦争と外交の必要から、いつ、どこへ人質に送られるか判らない。武将は人質によって、相手の信頼を買う。その信頼関係が崩れれば、人質は代償として即座に殺されるのである。

子供という存在がそのようなものである限り、子供を愛するのは考えものである。情愛が深ければ、子供を手放すのが辛《つら》いのは当然である。人質として出してやるのを躊《ため》うこともあろう。まして、人質に出したわが子を、みすみす見殺しにすることなど、出来るわけがない。だがそれが出来なければ、武将は生き残ってゆくことが出来ない。だからこそ、家康は決して子供に情を移すことがないように普段から心掛け用心をしていたのだというのである。なんとも辛《つら》く厳しい生きざまではある。だが戦国武将のすべてが、そのように冷血、或は冷血たることを心掛けたわけではないことを、我々は歴史の中で知っている。だから矢張り、家康は生来、そういう冷血さを備えていた人物だったのではないか。彼の情愛は、三河譜代の腹心に向けられることはあっても、決して身内の女子供に向けられることはなかった。それは一種使い捨ての生き物だったのではないだろうか。自分を援《たす》け、自分のために死んでくれる者への情愛を、功利的とは思わない。それは男としての生きざまの根幹にある一つの事実である。だがそこにはどうしても、冷たさの印象が残る。

二郎三郎はその意味で冷血な男ではなかった。だからしがない影武者にしかなれなかった、ともいえる。

五郎太丸という名前には意味がある。

『城郭・櫓《やぐら》・井楼《せいろう》の石壁に、大石巨石を積重ぬるに、草尾《くさび》（楔子）に五郎太石を以《もつ》てせざれば叶《かな》はざる事なり。その如《ごと》く天下の草尾は此子也《このなり》』

家康（二郎三郎）がこう云《い》ったと『柳営婦女伝系巻六』にある。

『天下のくさびはこの子なり』とはなまはんかな言葉ではない。この子の将来によほどの期待がなければ、こんな言葉は吐けないものである。まさか、この子がそれだけの素晴らしい天稟《てんぴん》を備えて生れて来たというわけではあるまい。赤ン坊に天稟もへったくれもあるわけがない。とすればこの言葉の意味するものは、この赤ン坊の生れて来た状況をさすとしか思えない。ではその状況とは何か。

五郎太丸が生れたこの慶長五年に、家康の子の中で、生きている男の子は五人である。即ち次男秀康二十七歳、三男秀忠二十二歳、四男忠吉二十一歳、五男信吉十八歳、六男忠輝九歳、である。七男松千代は前年、八男仙千代はこの年の三月に夭死《ようし》している。この五人のうち、忠輝だけは九歳の幼児だが、他の四人は年齢が接近している。

このうち秀忠を除く三人の男子の死亡した年を見てみよう。

秀康、慶長十二年閏《うるう》四月八日死す、三十四歳。忠吉、同じく慶長十二年三月五日死す、二十八歳。信吉、慶長八年九月十一日死す、二十一歳。つまり三人とも、家康（二郎三郎）の生きている間に死亡しているのである。

これに対して、この時九歳だった忠輝は天和《てんな》三年、九十二歳まで生きのびている。但し元《げん》和《な》二年家康（二郎三郎）死亡の年に所領を没収され、以後六十七年にわたって、配所におずけの身だった。つまりほとんど一生の間、日蔭《ひかげ》の身だったのである。

この四人の家康の子供たち（秀康、忠吉、信吉、忠輝）の運命を、偶然の結果であると見ることが筆者には出来ない。特に揃《そろ》って慶長十二年に死んだ忠吉と秀康の死については、どうしても偶然とは思えない。はやり病にかかったわけではないのである。二人の死因はいずれも瘡《そう》と書かれてある。瘡とは今日でいう梅毒である。三十四歳と二十八歳の、今日ならまだ青年ともいうべき齢頃《としごろ》の二人が、揃ってしかも同じ年に梅毒で死ぬものだろうか。

秀忠の隠された性格と、関ヶ原合戦における家康の不慮の死とその後の推移を思えば、これらの死の背後に、秀忠のどす黒い魔の手を感ぜずにはいられないのである。

二郎三郎は、こうした事態が起ることを、読んでいたのではないだろうか。秀忠が自分の競争者たりうる兄弟を始末せざるをえない日がいつか来ることを察知していたのではないか。五郎太丸は関ヶ原合戦の後に生れた、家康最後の子供である。秀忠にとっては末弟に当る。血筋を大事にする当時の気風から見れば、これは恐ろしく重大な地位ということになる。先々で、万一、自分の血脈に男子が生れなかった場合のことを考えない武将はいない。もし秀忠が、自分の競合者であり、武の点で自分にまさる兄弟たち（秀康も忠吉も武将としては秀忠よりすぐれていたことは万人の認めるところである）を抹殺《まっさつ》する意図を持っていたとしたら、別してその地位は重要なものになった筈《はず》である。

その上、五郎太丸は、家康の顔を知らない唯一《ゆいいつ》の子である。他の兄弟たちは、何かのはずみに二郎三郎が替玉であることにハタと気づく危険性をもっているが、五郎太丸にはそれが全くない。ものごころつく頃から、二郎三郎を父と見て育つわけだから、当然のことである。その点で、二郎三郎にとっても、秀忠にとっても、安全無比な子供、ということになる。

〈この子だけは、秀忠は決して殺さない〉

その確信が二郎三郎にはあった。そうだとすれば、二郎三郎が一番頼りに出来るのは、この子だということになる。この子を味方につけることによって、将来、冷血な秀忠と闘うことが出来るかもしれない。

慶長五年の暮というこの時点で、そこまで二郎三郎が計算しつくしていたかどうかは疑わしい。だが、この子を『くさび』である、といった時、莫《ばく》たる予感という形だったとしても、なにかが二郎三郎に、この子の重要性を教えたに違いないと思うのである。


二郎三郎の五郎太丸に対する愛情は、思わぬ副産物を産んだ。生母お亀の方は当然として、他の側妾に至るまで、二郎三郎に好意を抱くに至ったのである。二郎三郎の天性の優しさが、この大奥の女たちの心をうった。これを裏返して考えれば、それまでの家康の女たちに接する態度には、およそ優しさなどかけらも見られなかった、ということになろうか。だがそれも当然といえば当然である。わが子さえ愛することをこばんだ家康が、側妾を愛する筈がなく、接するに優しさをもってする必要もなかった。側妾はどこまでも慰みにすぎず、子供を産んでくれる存在というだけだったのである。

二郎三郎にとっては事情が全く異なる。側妾たちの好意は、一種の力である。由来、情報蒐集《しゆうしゆう》において、男は絶対に女にかなわない。どんなに堅固な障害があろうと、女は油の如《ごと》く、又は煙の如く、僅《わず》かな隙間《すきま》から浸透してゆくすべを知っている。

四面ことごとく敵という今の二郎三郎にとって、女たちのもたらす情報は最も貴重なものだった。やがてその女たちの情報網が奇妙な事実を捉《とら》えた。

奇妙な事実は二つあった。その一つは、二の丸にいる秀忠に女が出来たということである。

相手は身のまわりの世話をつとめる名もなき者だという。

秀忠が当代の武将に似合わず、側妾をもたぬことは有名である。六歳も年上の正妻於江《おごう》の方に首根っ子をしっかり抑えられているからだ、と人々は噂《うわさ》しあったが、これは違っている。秀忠は於江の方に気兼ねしたのではなく、父家康に気兼ねしたのである。といって家康が側妾をもつことを禁じたわけではない。秀忠が家康に対して、覇気《はき》のない、律気《りちぎ》なだけがとりえの息子という印象を植えつけようと、懸命に努めていただけのことだ。正妻に義理をたてて側妾さえもてぬ男、そういう印象を固定することが、秀忠の狙《ねら》いだった。

戦国の世の親子関係というものは、現代とは全く異なっている。父親にとって息子とは、血筋を伝え、成長すれば自分を援けてくれる強力な味方であると同時に、まかり間違ったら自分の敵となり、寝首をかきにくるかもしれぬ強力な競合者でもあった。事実、父を倒して後を継いだ戦国武将の数は一人や二人ではない。従って父親は絶えず己れの息子の力倆《りきりょう》を計り、息子の側近に気を配り、謀叛《むほん》の意志がないかどうか警戒している必要がある。少しでも危いと感じたら、なんらかの形で先制攻撃をかけ、未然に謀叛を潰《つぶ》す必要があった。

こうした父子関係から見ると、優秀な子供ほど危険も多いということになる。家康が次男の秀康を、易々として太閤秀吉の養子にさし出したのは、秀康が猛気にすぐれた勇将の器《うつわ》だったからである。秀吉もまた秀康の勇猛さを嫌《きら》い、養子縁組をといて、結城家の養子にしてしまった。下総《しもうさ》結城家は名門ではあるが、たかが五万石である。いかに勇猛な秀康といえども、五万石の身上ではたいしたことは出来はしない。

秀忠は兄秀康に対する父の処置を見ている。父に自分のすぐれた資質を見せることは、徒《いたず》らに警戒心を呼ぶことだと確信していた。凡庸でなければならぬ。一切の覇気を消し、律気な親孝行者でなければならぬ。それが世子たる地位を守る最高の道である。律気な親孝行者はまた女房孝行である筈だ。だから秀忠は側妾を持たなかったのである。

それが今、初めて女房以外の女に手を出した。これは、秀忠が長いことかぶり通して来た仮面をぬいだということを意味する。つまりは、父家康を気にしなくてもよくなったということだ。

〈だんだん素顔が出て来る、恐ろしい素顔がな〉

二郎三郎は、ここ数カ月の間に、既にその恐ろしい秀忠の素顔の片鱗《へんりん》をいくつか見ている。女が出来たということは、素顔をさらす覚悟が出来たということだ。二郎三郎はほとんど戦慄した。

もう一つの奇妙な事実とは、井伊直政がおびえているということだった。関ヶ原合戦でうけた鉄砲傷の予後がはかばかしくない、という理由で、屋敷に籠《こも》り、部下に厳重にいくさ支度を命じ、きびしい警備を固めているという。まるで今にも合戦が始るような意気込みだそうです、と報告した腰元は云った。

徳川勢は、今、見ようによっては敵地にいるといっていい。だから警備が厳重なのは怪しむに足りない。だが常時いくさ支度でいるというのは尋常でない。そんなことをすれば、それでなくても疑心暗鬼の強い淀君の神経をいらだたせ、それこそ不測の事態を引き起しかねないのである。歴戦の勇将井伊直政に、それくらいのことが判《わか》らないわけがない。それを敢《あえ》てするというには、それなりのわけがある筈だった。

二郎三郎の心に閃《ひらめ》くものがあった。

〈あの忍び！〉

吹矢で自分を狙った忍びの者のことである。自分の投げた脇差《わきざし》が、その背から心の臓を刺し、即死させてしまった。近習たちは、凄《すさ》まじき殿の御手並み、とほめそやしたが、二郎三郎は自分の腕を知っている。鉄砲でなら射とめたかもしれないが、偶然にせよ投げ太刀《たち》で殺せるわけがなかった。誰かがいたのだ。もう一人、恐らくは同じ忍びの者がいた。その男が刺したのである。その傷口に自分の脇差の切尖《きつさき》を巧みにはめた。そうとしか思えなかった。その忍びの者が、死んだ男の敵であるか仲間であるかは不明である。仲間を葬《ほうむ》ってでも逃れるのが忍びの道であるという。どちらにせよ、あの忍びを放ったのが井伊直政であることを、二郎三郎は確信した。

直政であれば、動機は明白である。替玉の家康を殺し、後継者問題を白紙に戻す。それが狙いに違いなかった。後継者問題が白紙に戻れば、十中九まで秀忠の出る幕はない。大事な合戦に遅参したという失態が、もう一度むし返されるからだ。家康の後継者は秀康か四男の忠吉かという点にしぼられる。この場合、結城家の養子であるという点と、関ヶ原合戦に参加していないという点が、秀康には不利になる。関ヶ原で勇戦した忠吉が最も有力な候補者になるのは明らかだった。そして井伊直政は忠吉の舅《しゆうと》である。

〈暗殺が狙いだったのだ。それにしくじったのでおびえているのだ〉

天井裏で死んだ忍びの者の死体は極秘裡《り》に葬られ、近習には箝口令《かんこうれい》が敷かれていた。調査もごく一部の者たちによって進められているが、これまた極秘扱いになっている。これは秀忠の慎重さを示すものだった。秀忠にとって、今、なにが恐ろしいといって二郎三郎の素姓が知られることほど恐ろしいことはなかった。だから敢てこの処置をとったのである。

放《ほう》っておける事態ではなかった。

井伊直政は徳川三将の筆頭である。他の二人（本多忠勝、榊原康政）が三河譜代なのに対して、井伊家はもと今川家の家臣であり、直政の代に初めて徳川家に仕えた、いわゆる新参譜代である。甲州経略に功をたて、勇猛のほまれ高い武田氏の旧家臣の多くを寄子《よりこ》としたことから益々力をつけた。特に武田の赤備《あかぞなえ》で知られた山県昌景の配下を（山県衆といった）吸収し、そのまま『井伊の赤備』と称したことから、天下にその名を知られるようになった。赤備とは鎧《よろい》から兜《かぶと》まで赤一色を使ったまことに派手やかな戦闘集団のことをいう。その井伊直政が主君家康の寝首をかこうというのだからえらいことだった。

　秀忠にしらせるという考えは、全く起きなかった。しらせれば秀忠の蔭の魔手が、井伊直政に迫るであろうことは目に見えている。関ヶ原戦随一の功労者を、そんな形で葬り去ることは二郎三郎には出来なかった。二郎三郎は本来『道々の輩《ともがら》』の一人であり、自由人である。『もののふ』という者が好きではない。だが自由人は公正な眼《め》を持つ。その眼で見れば、秀忠による直政暗殺はあまりに不公正である。己れの不手際《ふてぎわ》から、合戦に何の寄与も出来なかった男が、合戦最大の功労者をひそかに殺す、という図式に、不公正を感じるのである。自分の生命を狙《ねら》った相手ではあるが、確証があるわけではない。それに動機は秀忠に対する嫌《けん》悪《お》にある。その嫌悪という点については、自分も全く同感なのである。

二郎三郎は思案に思案を重ねた末、一日、不意に直政の屋敷を訪れた。表向きは傷の見舞いである。僅かな供廻《ともまわ》りをつれただけの身軽な恰好《かっこう》だった。

井伊屋敷はまさに臨戦態勢にあった。赤い鎧を着た武士たちが、屋敷の各所を固めている。一触即発の感があった。

〈こりゃァしくじったかな〉

二郎三郎は一瞬そう思った。我から望んで死地に入ってしまった。

〈今更仕方がない。死ぬ時は死ぬさ〉

あっさりそう覚悟した。この辺も『道々の輩』、つまり自由人の身軽さである。遺《のこ》すべき家柄《いえがら》もなく、血筋もない。守るべき家屋敷もなければ財宝もない。世間との縁を見事にたち切ったところに、この種族の特性がある。死は完全に己れ一人のものである。極めて簡単に棄《す》てることの出来る荷物のようなものだった。

『もののふ』の方はそうはゆかない。守るべき家があり、家族があり、主君があり、家臣がいる。

二郎三郎を迎えるべく慌《あわ》ててとび出して来た井伊直政の顔には、この寒空に汗が光っていた。『もののふ』の世界では、『主殺し』は大罪である。その思いが直政に汗をかかせていた。

〈勝ったな〉

直政の汗を見るなり、二郎三郎はそう思った。気が軽くなり、微笑した。

その笑いが、いよいよ直政を狼狽《ろうばい》させたようだ。しどろもどろの口上で、見舞いの礼をいい、奥に招じた。

「寝ていなくていいのかね」

気軽く訊《き》いた。

「な、なんの、鉄砲傷ごときで……」

妙に力んで直政が応《こた》える。二郎三郎は吹き出しそうになった。そんなことを云っちゃ、駄《だ》目《め》じゃないか。引き籠っているのが傷のせいでないとしたら、どういうわけだ、と訊かれたら、どう答えるつもりだ。秀忠の陰険さにくらべて何という無邪気さかと思う。だが無邪気な人間は危険である。短絡さが暴発につながるからだ。ぴしりと抑えるところは抑えておく必要があった。

「二人だけで話したいな」

また軽くいって様子を見る。直政の汗は益々ひどくなった。この分では全身ぐっしょりの汗であろう。だが眼が据《すわ》って来た。これは危険な徴候である。長居は無用だった。人払いがすむと、二郎三郎はずばりと本論に入った。

「過日、わしを殺そうとした者がいる。吹矢を使った」

淡々といったが、眼はひたと直政を見つめている。

「吹矢は武田の忍びがよく使うそうだな」

　事実、直政が二郎三郎暗殺に派遣したのは武田忍者である。不覚にも手が大きく震えた。

二郎三郎は目をそらせて、その手を見ないようにしている。

「気の毒に、しくじって生命《いのち》を落したが……」

　まるで狙われたのが他人であるようないい方だった。

「ふ、ふらちな……。その忍びを放った者、く、草の根わけてもさぐり出さなくてはなりませんな」

　あんまり力みすぎてわざとらしさが目立つ。もっとうまく芝居が出来ないのか、と二郎三郎は苦笑した。

「しらべはとりやめにさせたよ」

　目をむいた。

「な、何故《なぜ》でございますか？」

「下らぬことで怪我人《けがにん》を出したくないんでね。それに……」

　二郎三郎は不意に疲労を感じた。

「わしを殺してもどうにもなりはしないよ。徳川の天下が危うくなるだけでね。ま、それでも殺したいのなら、殺せばいいのさ。どんなことになるか、ある意味では面白いがね。だがどうせ殺すなら、中納言殿（秀忠のこと）を殺せば簡単なのにな」

　秀忠を殺せないのは主筋だからである。秀忠は殺せないが家康なら殺せるということは、家康が替玉であることを知っていることになる。

家康が替玉であることを知っているのは、秀忠と三将のほかには本多正信だけである。そしてこの五人の中で、替玉を殺す動機を持つ者は井伊直政以外にはいない。榊原康政は秀忠付きであり、本多忠勝はほかならぬ替玉作戦を実行した男である。本多正信は何があっても、暗殺などという過激な手だてを使う性質ではない。

直政の手の震えが、今や全身に及んでいる。

二郎三郎は、顔をそむけるようにしていった。

「中納言殿は恐ろしいお方だ。忠吉殿の御身辺、呉々《くれぐれ》も用心が大切」

直政の顔にぎょっとした表情の現れるのを見届けて、二郎三郎は立った。

二郎三郎を送り出した直政は、奥の間へ戻るとどっかと坐《すわ》りこんだ。太い溜息《ためいき》が出た。総身が汗にひたっている。それがなんともいまいましかった。完敗である。見事に首根っ子を抑えられた。中でも最後の一言が効いた。

「くそッ」

思わず声が出た。

「影武者風情《ふぜい》がえらそうに……。今に見ておれよッ」

この言葉を、床下で聞いている男がいた。甲斐の六郎である。

六郎は二郎三郎について井伊屋敷へ来た。島左近が二郎三郎を守るという基本方針を確定した日から、六郎は大坂に小さな武具屋を開いた。鎧や刀槍《とうそう》、まれに鉄砲まで扱う。これなら六郎にも市郎兵衛にも出来る商いである。そして店先には市郎兵衛を置き、六郎は刀箱をかかえて、大坂城に通った。大坂城在住の下級武士に、せっせと刀を売った。ちょうど文禄の役と関ヶ原合戦で、刀への認識が改まった頃である。それまでは優美な姿と繊細な切れ味を持つ古刀か、三尺を超える野太刀風の長刀が重んじられていたのだが、この最近の戦闘は両者の不利を明白にしていた。南蛮鉄を多く用いるようになった胴丸は余程の腕を持った者以外には古刀の切れ味を受けつけず、長刀は関ヶ原のような長時間の戦闘では、到底ふりまわせるものではなかった。従って、繊細さに欠けるところはあっても、刃が厚く、めったに折れず曲がらず、南蛮鉄さえ切ることが出来、しかも軽い刀、例えば胴田貫《どうたぬき》のような刀が新しい流行になりはじめたのである。その上、下級武士たちの懐《ふところ》は、恩賞によって豊かだった。刀は面白いように売れて、六郎にはむしろ迷惑だった。二郎三郎の動きを、それとなく探るのが目的の大坂城通いだったからである。

今日城に入ると、突然上様が井伊家お成りをいいだされたということで、ごった返している。六郎は異変を察知した。茶店に刀箱をあずけると、町人姿のまま井伊屋敷に忍びこんだのである。大胆不敵といえた。

島左近は六郎の報告をきいて眉《まゆ》をひそめた。

〈井伊直政は危険だ〉

娘婿《むすめむこ》の忠吉かわいさに、盲目になっているとしか思えなかった。

今、家康の替玉を殺すことが、徳川家の存亡にとってどれほど危険なことであるか、直政ほどの武将に読めないわけがない。思い切った大名鉢植《はちうえ》政策は、多くの外様大名にとって不満の種であろう。それでも黙々と従っているのは、天下一のいくさ人家康が睨《にら》みをきかせているからだ。その肝心の家康の暗殺を企《たくら》むとは、逆上しているとしか思えなかった。そして逆上した武将ほど危険なものはいない。武将は作戦を立てるのが仕事である。暗殺を考えたからには、それに続く一連の作戦を立てている筈《はず》だった。暗殺が逆上の結果なら、それに続く作戦も逆上の結果に違いない。つまり極めて独りよがりの、非常識で無鉄砲な作戦、ということになる。

現在の時点で、非常識で無鉄砲な作戦とは何か。そこまで考えて来て、左近はほとんど戦《せん》慄《りつ》した。井伊直政のもくろみを理解したと思った。無意識に声に出した。

「秀頼公を殺すつもりだ」

六郎は愕然《がくぜん》と左近をみつめた。途方もない観念の飛躍である。だが左近には確信があった。

「家康公を暗殺する以上、それ以外にうつ手はない」

今、徳川勢の大半は、大坂城内にいる。この軍勢が一気に立てば、秀頼と淀君の首をあげることなど、楽な仕事である。誰もが、家康はそんなことはしないと信じているのは、それが明らかに謀叛《むほん》であり、後見人が八歳の幼児を殺すという残虐《ざんぎゃく》この上ない所行だからだ。そんなことをして、天下に覇をとなえることが出来るわけがない。人気のない覇者が短命に終るのは、明智光秀、松永久秀の例で明らかである。それを敢てやってのけるには、世人を納得させるに足る筋書が必要だ。

その筋書はこうだ。淀君が不安と嫉妬《しっと》のあまり、前後の分別なく、刺客を放って家康を暗殺した。親孝行な秀忠は烈火の如《ごと》く怒り、報復の念から淀君だけでなく秀頼まで殺そうとする。それを阻止せんとした忠吉に、秀忠は兵を向け、忠吉もやむなく井伊の赤備に頼り、この軍勢は秀忠を斃《たお》す。だがとき既に遅く、秀頼公母子は秀忠の手で殺されていた……。

この筋書は忠吉を完全に無罪の場におくことになる。しかも二郎三郎、秀忠、秀頼母子を殺して将来の禍根を断つことが出来る。一石三鳥の案である。

だが井伊直政に、その先の作戦はあるまい。あまりに流動的で作戦のたてようがないからだ。その作戦の立てようのない混乱の中で、忠吉と井伊の赤備がどれほど力を発揮するか。そこが問題であり、直政の作戦が非常識なゆえんだった。忠吉が天下の武将に認められるわけがないからである。

井伊の赤備とて同様である。赤備は徳川軍団の一部であり、軍団と合体してはじめて強さを発揮するものだ。その一部分が独立し、残りの徳川軍団と闘うことになったら、どうなるか。秀忠を殺すからには、それだけの覚悟を固めておく必要がある。その時、残りの徳川軍団を指揮するのは、次男の結城秀康の筈である。太閤秀吉の養子になりながら、馬場で自分の馬に並んだというだけで、その秀吉の家臣を一刀のもとに斬《き》って捨てた猛気のかたまりのような男である。

「たとえ太閤殿下の御家人といえども、この秀康と馬を並べる無礼を致す法があるか」

時に秀康十五歳である。戦国生き残りの武将たちは、この手の猛烈な生きざまをする男が好きだった。だから、加藤清正、福島正則などがこの秀康に肩入れしている。福島正則などは、天下に変あらば必ず秀康に味方すると誓ったほどの惚《ほ》れこみようだった。後年大坂城の秀頼さえ、この秀康を兄のように慕い頼りにしたという。徳川一門の中で、武将として最も天下の人気を集めた男だった。その秀康に本多忠勝と榊原康政が味方することになる。

この新たな秀康軍団と闘って、忠吉と井伊直政が勝てる道理がない。とすれば井伊直政のこの作戦は、全く成立しないことになる。非常識で無鉄砲なひとりよがりの作戦と評した所以《ゆえん》であり、直政がどれほど逆上して平常心を失っているかの証拠だった。

島左近にとって直政がどれだけ逆上しようと、そんなことはどうでもいい。だがその逆上の過程で、秀頼公は確実に殺されてしまう。家康（二郎三郎）と秀忠を討つ口実として、この殺人は不可欠である。そしてこの場合の死はまったく無意味な死である。犬死といってもいい。秀頼公にそんな死に方をさせることは、左近には断乎《だんこ》として出来なかった。急遽《きゆうきよ》なんらかの有効な手をうつ必要があった。直政にこの作戦を断念させるような手を、である。

こういう時の島左近の決断と行動力には、胸のすくようなものがある。

左近はその夜のうちに、甲斐の六郎を松平忠吉の屋敷に送りこんだ。そして熟睡している忠吉の髷《まげ》に、石田三成から拝領した、石田の紋入りの小柄《こづか》をつき刺して来させた。これは勿《もち》論《ろん》、威嚇《いかく》である。その気になればいつでも寝首をかくことが出来るんだぞ、という示威である。

果して忠吉は恐慌《きょうこう》を来《きた》した。早朝、舅である井伊直政の屋敷に報告がとぶ。直政も蒼然《そうぜん》となった。なんといっても、昨日の今日である。二郎三郎が暗《あん》に刺客のことは判《わか》っているぞ、と告げに来たその晩の出来事である。意図は明々白々だった。小柄は刺客の出所を隠すための目くらましであることは明白だった。石田の旧臣が忠吉を狙《ねら》う理由がない。見えすいた手だった。もっとも島左近はそこを狙ったのだが。とにかく忠吉の屋敷の警備は倍に増やされた。だが次の朝、目をさました忠吉は、再び髷につき刺された小柄を発見した。

慶長六年（一六〇一）三月二十三日、二郎三郎は修築終った伏見城に移った。秀忠も翌二十四日に移動している。

これに伴って側近の家臣たちも、伏見に移ったが、この側近に微妙な変化が起っている。これまでの家康の周りには、本多正信は格別として、常に三将即《すなわ》ち井伊直政、榊原康政、本多忠勝の影があった。三将は御旗本先手侍大将という軍司令官であると同時に、家康にとって欠くべからざる司政官でもあったわけである。軍人であると同時に政治家であり官僚でもあるという、三役を兼ねていたわけだ。もっとも三人とも官僚の役割は苦手だったらしい。だからこそ本多正信・正純親子の進出を許すことになった。三人が後に秀忠政権の帷幕《いばく》に残ることが出来なかったのも、一つにはこのためである。

その三将が徳川家の施政の中心からはずれてゆく、或ははずされてゆくのが、恰度《ちょうど》この時期なのである。

この頃《ころ》、徳川譜代大名の封地も確定し、人々はその新しい領土経営のため、封地に赴かなければならなかった。三将のうち、井伊直政は、上州高崎十二万石から、六万石増封されて近江佐和山十八万石を領することになった。これに対して、関ヶ原戦の軍監として、直政と全く同様の働きを示した本多忠勝は、上総《かずさ》大多喜から伊勢桑名に移されただけで、禄高《ろくだか》は変らず十万石。榊原康政は館林《たてばやし》の領地もそのまま、石高も十万石に据《す》え置きのままである。つまり三将の内で関ヶ原戦により加増されたのは井伊直政ただ一人ということになる。

ちなみに本多弥八郎正信はこの頃、僅《わず》か一万石の扶持《ふち》しか受けていない。勿論、関ヶ原戦による加増もない。もっともこの点は正信の確乎たる信念によったもののようだ。政治の中心で働く者は、絶対に高禄をはんではいけない、といつも息子の正純に云《い》っていたという。政治というものは多くの場合むごいものであり、人々の反感と時には憎悪《ぞうお》まで呼ぶものである。その反感と憎悪の矢おもてに立つ人間が、殿様の恩寵《おんちょう》を受け高禄をはみ、私の生活で贅《ぜい》をつくしては、政治の正当さを人々に疑わせることになる。担当者が何ひとつ報われることなく、清貧の中にあってこそ、厳しい政治も渋々ながら認められるものだ、と云うのである。史上、謀臣とよばれ佞臣《ねいしん》といわれ、本多正信の評価は必ずしもよくないが、その清廉《せいれん》潔白と私心のなさについては、一点の曇りもない。そうした点から逆に見ると、正信は徳川家のために悪評を甘受し、これに耐えた無二の忠臣だったのではなかったか、とさえ思われる。

井伊直政にとって、己れ一人の加増は素直に喜べぬ種類のものだった。婿の松平忠吉は尾張清須五十七万千七百二十石を貰《もら》っている。二人とも明らかに大坂城の秀頼の抑え役である。見方によっては第一線勤務であり、家康の本拠となるべき江戸からは遠くにあった。しかも新領国経営のため早々に領地に赴任する命を受けていた。

直政は忠吉の髷に刺さっていた二本の小柄の脅威を、忘れることが出来ない。彼はこの恐《きよう》喝《かつ》の裏に秀忠の姿を見た。一介の影武者にすぎない二郎三郎に、手足になって働く人間がいる筈がない。また本多忠勝や榊原康政なら、こんなもって廻《まわ》ったやり方はしない。いきなり馬を乗りつけて、強《こわ》談判に及ぶ筈である。本多正信か秀忠、或《ある》いはこの両者の相談の結果の処置、そう考えるのが最も自然だった。片方の手で直政の警備力をあざ笑うかのように、二度までも恐喝の小柄を送り、もう一方の手で六万石の加増を与える。まさに秀忠だった。秀忠以外に、こんなに効果的且《か》つ陰湿な恐喝をやれる者はいない。直政は震え上がったといっていい。

直政は忠吉に、ただちに清須城に入り、当分の間、新しい封地の経営に専念するようにすすめ、自分もまた急遽佐和山城への移転を完了し、近江一国の経営に心を砕いた。伏見城へ移ってしまっては、淀君の側近が二郎三郎を狙うという仮定は成立しにくい。おまけに秀忠は伏見城には半月ばかりいただけで、四月十日には江戸に向けて出発している。これで、怒った秀忠が秀頼を討つという仮定もまた、けしとんでしまった。大事は去ったのである。井伊直政の暴発は、二郎三郎の果敢さと島左近の恐喝によって、未然に抑えられたことになる。そして以後、井伊直政は徳川家の政治から遠ざけられ、この翌年、佐和山で失意のうちに死ぬことになる。

だが、失意のうちに死ぬように運命づけられたのは、井伊直政一人ではない。大津城で家康替玉作戦の謀議に加わった三将すべてについて、ことは同様である。本多忠勝も桑名という嘗《かつ》ての『十楽の津』つまり自由港を領国として与えられたために、ひときわ領国経営に苦心しなければならなくなった。『十楽の津』の十楽とは、極楽をさす。具体的にいえば、この港では一切税金がかからなかったのである。今日の自由貿易港だ。だから港によって生きる人々にとって、ここは極楽だったのである。しかも『十楽の津』には、支配者がいない。いわゆる『上ナシ』である。そこへ『上』として忠勝はゆくのである。税金だって一切とりたてないというわけにはゆかない。つまりは織田信長と一向宗一揆《いっき》の長い闘争の縮小版を繰り返す危険があった。本多忠勝の苦心が並大抵のものでなかったのは当り前だった。そのため江戸へゆくのが容易ではなくなった。

榊原康政は秀忠付きの武将である。その康政さえ、秀忠は以後政治の場に使うことをしなくなった。その武力を新しい政権づくりの背景としてしか使っていない。

そもそも伏見城在城一カ月にも足りずに、四月十日、秀忠が急遽江戸に帰ったのは、三将が領国経営に忙しい間に、自分に都合のいい新しい政権をつくるためだった。

秀忠にとって好都合なことがあった。

家康が天下人《てんかびと》だったことである。天下人とはいずれ天下を争い或は手中にするかもしれぬと、世間から思われている人物のことだ。天下人は常に時の政治の中枢《ちゅうすう》にいなければならない。家康の時代、それはもう一人の天下人秀吉の居た大坂であり伏見だった。当然家康は領国に帰る暇がない。領国の経営は江戸の留守居役だった世子秀忠に委《まか》されていた。正確には秀忠の家臣団にである。このため、秀忠は関ヶ原合戦以前から、比較的強固にまとまった自分自身の家臣団を持っていたことになる。

その家臣団の筆頭は勿論榊原康政だが、これは秀忠の家臣とはいえない。本来家康の直臣であり、命ぜられて秀忠付きになっているにすぎない。

純粋に秀忠の家臣団といえるものの筆頭は、大久保忠隣《ただちか》だった。秀忠付き老職として、小田原六万五千石を与えられた。大体、大久保一族は三河譜代の中でも最も強固な族党組織を構成し、世に『大久保党』と呼ばれる人々である。一族の数が多く、その力を結集してことに当る風がある。そのため、個々の才腕が必ずしもすぐれていなくても、一族の力で大概のことはやってのける強さを持っていた。忠隣、この年四十九歳。あぶらの乗りきった年頃である。家康が老臣たちを集めて、世子《あとつぎ》を誰にすべきかを諮問《しもん》した時、秀忠を推したのはこの忠隣一人だったという。秀忠としては、誰よりも信頼のおける老職だった。

次いで、天正十八年（一五九〇）以来秀忠の家老をつとめたのは酒井忠世である。武蔵川越五千石。この年三十歳。もともと酒井家は松平別流と呼ばれ、家康とは親戚《しんせき》筋になる特殊な家系である。酒井家の者が常に譜代の最上席を占め、後代まで大老、老中など重要な政治的地位を与えられ続けたのは、この血脈のためだ。

この忠世に莫逆《ばくぎゃく》の友がいた。それが土井利勝である。知行一千石。この年二十九歳。

土井利勝は土井利昌の子ということになっているが、実は養子である。実父は三河刈屋城主水野下野守《しもつけのかみ》信元。この信元は家康の生母伝通院於大の方の兄である。つまり利勝は年こそちがえ、家康の従兄弟《いとこ》に当る。水野信元は天正三年十二月二十七日、利勝三歳の年に、家康に殺されている。織田信長が信元が武田勝頼に内通していると疑い、家康に厳命して殺させたのだ。この内通事件は後にまったく事実無根と判明し、信長自身でさえ後悔したといわれるのだから、家康にとっては痛恨甚《はなはだ》しいものがあったであろう。利勝が七歳になった天正七年、土井利昌の養子となり、生れたばかりの秀忠に付けられたのは、家康のせめてもの贖罪《しよくざい》だったと思われる。だから利勝は秀忠と共に育ったようなものだ。秀忠の腹心第一号といえる。

土井利勝、酒井忠世、このいずれ劣らぬ名門の出が、車の両輪のように息を合わせて、以後の秀忠の政治を展開してゆくことになる。

秀忠には、他に二人、忠実な家臣がいる。一人は青山常陸介《ひたちのすけ》忠成、もう一人は内藤修理亮《しゆりのすけ》清成である。この二人は『徳川政界の双生児』と仇名《あだな》された。いつも離れることなく一緒にいたからである。

青山忠成は天文二十年（一五五一）岡崎生れ。いわゆる三河譜代である。三十歳の時、内藤清成と共に当時二歳の秀忠付きになった。内藤清成は二十六歳だった。関東国替えの時、この二人は先に江戸に入り、一種の地ならし役をした。その功績のためであろうか、伝説によれば、或《あ》る日鷹《たか》狩りに出た家康は、

『赤坂の上より西原野村に至り、御目の及ぶ限りの宅地にたまふべき旨《むね》』仰せられたので、忠成は馬を馳《は》せて巡視し木に紙を結びて境界の標《しるし》としたという。『赤坂の麓《ふもと》より渋谷の西川に至るこの地はもと原宿』といったが『これよりのち青山宿と呼ぶ』とある。これが現代の東京の青山の起源である。関ヶ原合戦当時、忠成、五十歳。内藤清成、四十六歳。忠成は七千石、清成五千石。二人揃《そろ》って江戸町奉行であり、関東惣奉行《そうぶぎょう》だった。このすぐ後に、本多正信が江戸に帰ると、同じく関東惣奉行になり、この奉行職は三人ということになる。これは本多正信が秀忠の政治体制に打ちこんだ強力な楔《くさび》だったが、これはもっと先で述べよう。

とにかく秀忠は、この大久保忠隣、酒井忠世、土井利勝、青山忠成、内藤清成、更に安藤対馬守《つしまのかみ》重信（当時四十五歳）、六人の腹心によって、新しい秀忠政権を運営してゆくべく、急遽江戸に帰ったのである。そして、本多忠勝は新しい領国桑名に、榊原康政は旧領地館林《たてばやし》に戻り、本多正信だけが、伏見に残った。

ありていにいえば、本多正信の残留は監視役である。伏見城の二郎三郎の役目といえば、既にきめられている、主として徳川譜代の者の論功行賞の発表と、ただ一つ残った島津家への処罰だけである。だがそれは表向きの役目だった。その辺の事務は本多正信が一切とりしきっている。二郎三郎が口をはさむところでもなく、またその必要もなかった。

真の意味での二郎三郎の役目は、やがて下ることにきまっている朝廷からの内示を受けることだけだった。勿論、源氏の長者に補し、征夷《せいい》大将軍に任ずるという内示である。この内示をつつしんで受け、一刻も早く征夷大将軍就任の儀式をあげ、江戸に幕府を開くことを天下に宣することだけが、二郎三郎の役割だった。そして、一、二年のうちに、将軍職を秀忠にゆずり渡すこと。それで二郎三郎の第一期の任務は終るのである。

だが二郎三郎には、この任務を秀忠の予定通りに進める意志が全くなかった。出来うる限り引きのばすつもりだった。それには本多正信の助力が必要だった。

もともと本多弥八郎正信と二郎三郎は莫逆の友である。三河一向一揆以来、石山本願寺焼亡まで、長い長い一向一揆を戦い抜いて来た戦友である。だが二郎三郎が家康の影武者になって以来、二人の交りは絶えていた。正信の側から二郎三郎への接近を断っていたようだ。弥八郎正信は自分が能吏であること、そして能吏が人に嫌《きら》われ、誤解されることの多いことをよく知っていた。その自分が近づいては二郎三郎も誤解され、嫌われるおそれが多分にある。それでは影武者の勤めは果せまい。そういう思いが、正信に二郎三郎に近づくことを禁じていたのである。家康に推挙するのさえ、親戚に当る本多平八郎忠勝に頼んだほどだ。それは弥八郎正信の、二郎三郎に対する最大の友情の現れだったといえよう。

今、その二郎三郎が家康の身替りになっている。ひどく微妙な事態である。正信はとうの昔に、秀忠の猫《ねこ》かぶりと、その裏に秘めた残忍な本性を知り、嫌忌《けんき》している。東山道を進んで肝心の関ヶ原戦に遅れた責任も、正信に押しつけようとしている秀忠である。遅参の原因となった上田城攻撃に、真っ向から反対したのは他ならぬ正信だったのにも拘《かかわ》らず、である。どこを押せば正信の責任だなどという言葉が出て来るのか、さすがの正信にもわけが判らない。勿論、秀忠は正信の前でそんなことをいったことはない。だが大津城にいた頃から、そういう噂《うわさ》が立っている。噂の出所を確かめると、秀忠の側近にゆきつくのだった。

だが秀忠が嫌いだからといって、徳川家の将来がどうなってもいい、とは正信にはいえない。正信には家康に対する純粋無比ともいえる友情がある。それは正しく忠節というよりも友情だった。二郎三郎に対するよりも、遥《はる》かに強い友情である。家康の死は正信に、相貌《そうぼう》を一変させるほどの衝撃と悲嘆を与えた。だが同時に、家康のやり残したことを、何が何でもやりとげてみせるという決意も生れている。秀忠は家康とは較《くら》べものにならぬ劣悪な素材である。その劣悪な素材を使って、家康の夢を実現させること、それが正信の悲願となっていた。

家康の夢、それは徳川政権下に於《お》ける永遠の平和である。思えば応仁の乱以降、世の中は長い長い戦乱の只中《ただなか》にあった。下剋上《げこくじょう》の思想、天下はまわり持ちという武士の思想が、この長い戦乱を生んだのである。今こそ、その思想を変える時に来ていた。人心はとうに、この不毛の思想に倦《あ》き倦きしている。恒久的な平和こそ、世の中が望んでいるものだ。それを確立することこそ、家康の夢であった。だがそれには力がいる。仮に下剋上のいくさを起そうと思い立っても、絶対勝てないと絶望させるほど、強大な力が必要である。そしてそれほどの力を、秀忠は絶対に持つことが出来ない、というのが正信の考えだった。

二郎三郎はある夜、伏見城の奥深く、本多弥八郎正信を呼んで、二人だけで酒を酌《く》んだ。久し振りだった。思えば昔は、よくこうして二人で酒をのんだものである。京都で、越前の吉崎御坊で、伊勢長島の輪中《わじゆう》で、石山本願寺で……。

二人は黙々と、まるで水のように酒をのんだ。往時茫々《ぼうぼう》。過ぎ去った日々が、まるで走馬燈《そうまとう》のように二人の脳裏をかすめ、哀切の思いが、二人の胸を満した。

「昔はものを思わざりけり、か」

二郎三郎がぽつんといった。実感だった。昔、酒を共にのんだ時には、昨日はなかった。今日と、そして明日だけがあった。今日は何とか生きのびた。明日も何とかして生きてやろう。それだけだった。ものを思う暇も余裕もなかった。ただただつっ走っていた。それが今では……。

不意に正信が泣きだした。声はあげない。ただ大粒の涙が次から次へと湧《わ》き、その皺《しわ》の多い頰《ほお》を伝った。正信は屹然《きつぜん》と顔を上げ、何物かを見据《みす》えるようにしながら、泣いていた。涙を拭《ぬぐ》おうともせず、酒を口に運んだ。

二郎三郎は不思議なものでも見るように、そんな正信を見ていた。

「倅《せがれ》がここにいれば、といわれたよ」

「……？」

正信がじろりと二郎三郎を見た。

「赤坂から関ヶ原に向う、まっ暗な道の途中でね。雨が降って、泥《どろ》んこの、いやな道だった……」

正信は見つめたままだ。

「中納言さまのことかと思って、おっつけ追いつくでしょうと申し上げたら、あやつではないわ、といわれた」

こくんと正信がうなずいていった。

「亡《な》くなられた信康さまだ」

「そうなんだ。あれは虫が知らせたのかな」

二郎三郎は手酌《てじやく》で盃《さかずき》を満した。

「にべもないいわれ方だったな。あやつではないわ、とね」

正信が盃を置いた。

「何がいいたいのだ」

「別に」

二郎三郎はとぼけた。勿論《もちろん》、意図があって云いだしたことなのである。

「中納言さまの不為になることは、許さんぞ、二郎三郎」

押さえつけた声で正信がいう。

「いいとも。何も云わないよ。徳川家が生きようが死のうが、俺《おれ》の知ったことじゃない」

正信の頬がこわばった。二郎三郎の言葉はさながら矢のように、正確に正信の不安を突いたのである。

「いいたいことをいえ」

「いやだね」

二郎三郎はそっぽをむいた。

「何故《なぜ》だ」

正信は摑《つか》みかからんばかりの形相だった。

「判らないのか」

二郎三郎がきき返す。真顔で正面から正信を見つめた。

「俺はね、今、友として酒を酌み、友として喋《しゃべ》ったよ。だが、弥八郎、お主の答は徳川家の重臣としての答だった。おえらい重臣さんに影武者風情《ふぜい》が云《い》えることなんかありゃしないよ。そうじゃないかね」

正信が黙った。二郎三郎を見つめたままである。不安の色が濃く浮かんでいる。

「お主……」

云いかけてやめた。二郎三郎は知らぬ顔で酒をのんでいる。

「お主……」

また正信が云いかけた。今度は耐え切れず最後まで続けた。

「また逃げるつもりじゃあるまいな」

二郎三郎がにやりと笑った。

「それだけはやめろ！」

正信がせきこんでいう。

「殺されるぞ、お主」

「そうして徳川家は潰《つぶ》れる」

二郎三郎は平然といって、また酒を注《つ》いだ。

「お主、お家をおどすつもりか！」

悲鳴のように正信がいった。

「まさかね」

二郎三郎は嗤《わら》った。

「お家をおどしたって、一文の得にもならん」

その通りだった。お家をおどすとは、秀忠をおどすことである。言葉一つで秀忠をおどしたところで、どうなるものでもない。破滅を早めるだけのことであろう。破滅するのは二郎三郎と徳川家の双方なのだが、思い上がった秀忠はそうは思うまい。問題は正しくそこにあった。

「ではなんだ。なんでそんなことを云う？」

「お主だよ」

さらりと云ってのけた。

「俺がおどしているのは、お主だ。本多弥八郎正信をおどしてるんだ」

「……！」

正信が沈黙した。

「お主、今のままでいいと思っているのかね。たった今、中納言さまが江戸で何をしているか、知っているのかね」

「知っているさ」

正信の口もとにうすら笑いが浮かんだ。

「腹心の部下をかき集めるのに必死だよ。その連中にしみったれた禄《ろく》をくれてやり、ご自分の思いのままに動く、まつりごとの場をつくろうとしているのさ」

現代風にいえば、内閣改造中ということだ。

「それで平気なのか」

「大久保忠隣、酒井、土井、青山、内藤。どれもこれも、のみのきん玉ほどの度胸しかない小物だ。百人寄ったところで、何も出来やしないさ」

本多弥八郎の声には自信があふれていた。

「そうかな」

二郎三郎は必ずしもそうは思っていない。確かにいま弥八郎のあげた名前は、いずれも小物といえば小物である。だが小物には小物の恐ろしさがある。特に団結した場合そうだ。

「江戸へ帰ってみたら、お主の居る場所がなくなっていた、という事にならないか」

秀忠にとって、亡き家康の側近第一号だった弥八郎正信ほど邪魔な存在はない。弥八郎をはずさない限り、思い通りの政治は出来ないのである。だからこそ、秀忠は慌《あわ》てふためいて江戸へ帰ったのではないか。

「ありうるな」

正信は平然といった。

「だが気にするな。そんなものは、すぐぶっこわしてやる。名門の小倅どもに何が出来る」

二郎三郎は感心したように弥八郎を見た。同時に、長い一向一揆の中での弥八郎の生きざまを思い出していた。思えば弥八郎にとってあの期間は、果てしない権力闘争と謀略の季節だった。勿論、自分自身の栄達や利害の問題ではない。一揆をいかに効果的に、いかに長く闘うかの方策をめぐっての争いではあったが、それがうんざりするほど果てしない衆愚との闘いだったことを、二郎三郎のような男でも、よく知っていた。弥八郎正信はその中を闘い抜いて来た男である。筋金入りの政治家といえた。秀忠側近の、いわばお坊ちゃん育ちの官僚とは比較にならない一種の凄《すご》さを持っている。それがこの男の自信だった。

「それより、わしをおどして、どうしようというのだ」

開き直ったように尋ねた。

「どういうことに手を貸せというんだ」

二郎三郎がくすっと笑った。

「誰が手を貸せといった？」

「しかし……」

「今までに一度だって、俺がお主に手を貸してくれといったことがあるか？」

これは本当だった。助けて貰《もら》ったことはあるが、それは弥八郎が勝手にやったことだった。

それも二郎三郎を家康の影武者にしたい一心でである。今では二郎三郎にも、その辺の弥八郎の気持とかけひきは判っていた。

弥八郎がばつの悪そうな顔をした。同じことを思い出したに相違なかった。

「それはそうだが……。しかし……」

「俺はね、判って貰いたいだけなんだよ。これから俺のすることをね。判って、それを巧く利用して欲しいんだ。それだけだよ」

「お主……何をするつもりだ？」

弥八郎の声が尖《とが》った。不安がぶり返したらしかった。声の調子も上がっている。二郎三郎の落ちつき払った態度がそうさせるのである。

二郎三郎は酒を一口のみ、驚くべきことを云った。

「俺はね、征夷大将軍にはならないよ」

「なんだと」

「少なくともここ数年はね」

二郎三郎は、驚愕《きょうがく》する弥八郎正信の顔を尻目《しりめ》に、そうつけ加えて、また酒を含んだ。

「だ、だが、どうやって……」

驚きと焦《あせ》りのあまり吃《ども》った。

「そ、そんなことは出来んぞ！　そりゃあ裏切りだ！　中納言さまが黙っては……」

いいかけて声を飲んだ。確かに秀忠は黙ってはいまい。だがどうすることも出来ない筈《はず》である。今の秀忠の構想はすべて、家康、つまり二郎三郎が征夷大将軍に就任することの上に築かれている。二郎三郎が将軍になり、江戸に幕府を開き、その将軍職を秀忠に譲る、という既定事実の上にである。その既定事実が崩れれば、秀忠の手前勝手な構想はこっぱみじんにくだかれてしまう。

弥八郎は本気で二郎三郎が恐ろしくなった。十年の影武者暮らしも、この男の牙《きば》をすべて引き抜いたわけではなかった。二郎三郎は今でも『信長を射《う》った男』だった。

「恐ろしいことを云う男だ」

深々と溜息《ためいき》をついた。

「だがそんなことは出来ぬ。朝廷への工作はもう始ってるんだ。やがて綸旨《りんじ》が下って……」

「辞退するさ」

無造作に言った。

「なんだと。そんなことが……」

「出来るさ」

「綸旨だぞ！　いやしくも天子の……」

「病気だったらどうなんだ？」

「病気!?」

「そうさ。頃《ころ》あいを見はからって、俺は病気になる」

「医者がいるぞ！」

むきになって弥八郎は喚《わめ》いた。

「仮病《けびよう》なぞ、立ちどころに……」

「医者に何が判《わか》る。それが上さまの口ぐせだったじゃないか。忘れたのか」

これは本当だった。家康は稀代《きたい》の医者嫌いで、大概の病気は自分なりの療法でなおして来た。それは戦国の世に生きた武将の用心深さでもあった。医者の投薬による暗殺が最も多かったのは、この時代だった。

弥八郎は沈黙した。考えこんでいる。やがて云った。

「だが、なんのために？」

「時を稼《かせ》ぐためだ」

「時を稼いでどうする？」

「黄金をためる」

「黄金？」

弥八郎は苦笑した。黄金などに惹《ひ》かれているようでは、この男もたいした男ではない。

「黄金がなんになる」

「その黄金でわし自身の腹心をつくる。道々の者たち、七道往来人、公界の者たち。それらを集めてわしの腹心をつくる」

これは自由人を集めるということだ。弥八郎は瞠目《どうもく》した。

「そんなものが……」

「出来る。いや、必ず作ってみせる」

二郎三郎の声に初めて熱がこもった。

「それで？　腹心を集めて、何をやる気だ」

「別に」

「嘘《うそ》だな」

あっさりと云った。目が据《すわ》って来ている。

「中納言さまのまつりごとに、風穴あける気だな」

二郎三郎は無言。せわしく酒を飲んだ。

「お主、百姓の持ちたる国をつくろうというのじゃないだろうな」

長享《ちようきよう》二年（一四八八）、守護富樫《とがし》家を滅ぼした加賀の一向一揆は、この地に加賀惣国という、門徒共和国ともいうべき、前代未聞の国を作った。以後この国は『百姓ノ持タル国ノヤウニナリ行キ候《さうらふ》』と『実悟記拾遺《じつごきしゆうい》』に書かれてある。弥八郎はそのことを云っているのだ。

「まさかな」

二郎三郎は笑った。『百姓ノ持タル国』は武士政権の否定の上にしか成り立たない。今の世にそれを望むのは絵空事以外の何物でもなかった。

「中納言さまに好きなようにさせたら、息も出来なくなるぜ。俺はちっとは風通しをよくしようと思っているだけさ」

そしてつけ加えた。

「お家のためにもその方がいいんだぜ、おい」

弥八郎が黙っていると、更に云った。

「俺は己れを知っているよ。中納言さまとは違う」

この一言が弥八郎正信を決断させたといってもいい。

確かに二郎三郎は『信長を射った男』である。だが同時に『信長を殺せなかった男』でもある。弥八郎は、あの黄昏《たそがれ》の戦場での出来事を、今も尚《なお》、鮮明に記憶している。二郎三郎は、殺そうと思えば信長を殺すことが出来た筈だ。二郎三郎の鉄砲の腕なら、目をつぶっても射殺出来る距離だった。それが殺せなかった。当時、弥八郎は「何故？」という疑問に苦しんだものである。だが年月と共に漸《ようや》く理解して来た。その後の二郎三郎を見ていることで判って来たともいえる。あの瞬間、二郎三郎は正しく己れを知ったのである。自分が天下人の器ではないことを知ったのである。天下人とは正確には天下をとった男のことではない。己れの行動で天下の動向を左右し、天下の覇権《はけん》を争うに足る男のことをいうのである。一敗地にまみれて屍《しかばね》を野にさらそうとも、天下人は天下人である。あの時、二郎三郎は己れが一介の流浪《るろう》の徒にすぎないことを、肝に銘じて知った。それが「人間の器量がちがう」という言葉になった。その二郎三郎が秀忠を抑えて天下人になろうなどと思うわけがなかった。

「判った」

弥八郎正信は云った。

「島津との交渉を出来る限り引きのばしてやろう」

関ヶ原合戦の後始末は、去年の十二月でほとんど終っている。あとは島津を残すのみだった。史上、家康は、この島津に手をかえ人をかえ、ねばり強く交渉を続け、徳川家への謝罪と臣従を誓わせようとした、ということになっている。そのために本多弥八郎正信は伏見城に残されたのである。

ところが島津は、言を弄《ろう》して、これに応じなかった。交渉はほとんど文書によって行われているが、現存するこの間の文書の数は七十四通にのぼるという。島津の頑強《がんきょう》な抵抗の姿勢が読みとられることと思う。島津の云い分は次のようなものである。

『内府様（家康）の御恩は忘却していないが、秀頼様に対して忠節をつくすべき誓書をさし出していたことをとらえて、奉行衆ら（石田三成たち）が迫ったので、君臣の道からもこれを拒絶することが出来ず、ついに西軍に参加するに至った。もちろん我々に対する御懇情は決して忘れてはいないから、御諒解《ごりょうかい》をいただけるようにお取り成し願いたい』

これは慶長五年十月二十二日付、唐津藩主で長崎奉行である寺沢広高にあてた島津竜伯（義久）の書状を意訳したものである。竜伯は関ヶ原で戦った惟新の兄である。ついでにその島津惟新自身の手紙も意訳しておこう。同じく慶長五年十一月四日付黒田長政に宛《あ》てたものだ。

『自分は石田三成らの陰謀とは無関係である。内府様の御恩義は忘却していない。秀頼様に対して誓書をたてまつっていたため、君臣の道に背くことができず西軍に加担をした。敗戦の後、大坂に赴いてこれらの事情を申し上げるべきであったが、あのような混乱の状況下において、無事に取り次いではもらえそうもないので、国元から申し上げようと思ってひとまず帰国をした次第である。自分は当分の間謹慎するから、委細は兄竜伯が申し上げるであろう。内府に対し、然《しか》るべくお取り成し願いたい』

要するに自分の非を全く認めていないのだ。そして島津竜伯、忠恒（惟新の子）に上洛《じようらく》して直々謝罪せよという徳川方からの要求にも、ぬらりくらりとかわして応じようとしない。

慶長六年十二月の惟新の手紙は傑作である。

『少将こと（息子忠恒のこと）、尤《もつと》も早々上洛致し、御礼申し上ぐべく候と雖《いへど》も、爰許《ここもと》余り不如意《ふによい》きはまる身、罷《まか》り上る事今少し延引つかまつりたき……』

つまり金がないので上洛をのばしてくれといっているのだ。大名のことわり状としてはまさに前代未聞であろう。

こうして強硬外交をとり続け、遂《つい》に家康から領国安堵《あんど》のお墨付きをとりつけたのは、慶長七年四月十一日のことだ。関ヶ原合戦から実に約一年半後。全くお咎《とが》めなしの処置である。

そういう風にことを運んでいったのは、実は本多弥八郎正信だったわけだ。

慶長七年二月、朝廷は前権中納言山科言経《さきのごんちゆうなごんやましなときつね》を伏見に遣《つか》わして、源氏長者に補するの内旨《ないし》を家康に伝えしめたが、家康は辞《じ》して拝さなかった。源氏の長者に補するとは征夷大将軍にするということである。後世の史家はこの事実に当惑を隠さない。理由がまったく不明だからだ。どう考えても落ちつく先は一つしかなかった。つまりこの時点ではまだ島津家の問題が片ついていなかったからではないか、というのだ。征夷大将軍になるのを断る口実としては極めて薄弱だが、何もないよりはましであろう。後世の史家が判らないくらいだから、当時の諸大名にこの事情がのみこめる筈がない。彼等もまた、島津問題の結着がつかないためだ、と思ったに違いない。家康公らしい慎重さであり、完璧《かんぺき》主義だと、感心したかもしれない。

その大事な口実を弥八郎正信は、この夜、二郎三郎に与えたことになる。

二郎三郎は即座に理解した。

「判ってくれたのだな」

「ふん」

弥八郎は鼻で笑った。

「お主の夢などわしの知ったことではない。だがただ今のところは、まだお家は中納言さまには委《まか》されぬ。だから幾分か手を貸すまでのことだ」

「それで結構」

二郎三郎は弥八郎に酒をついだ。

「これから当分、中納言さまに苦労していただくことになるな」

くすっと笑った。これは二郎三郎の中納言秀忠に対する宣戦布告にほかならなかった。そしてこの決して歴史の表面に浮かび出ることのない激烈な戦いは、なんと、以後十五年の長きに渡って続くことになる。

弥八郎もくすりと笑った。

二郎三郎の笑いが声になった。

弥八郎の笑いも大きくなる。

遂には二人とも大口あけての哄笑《こうしょう》に変った。

深夜の伏見城内に、二人の哄笑が、いつまでも響いた。

この年、慶長六年六月、二郎三郎は病に倒れた。お梶の方はじめ、側妾《そくしょう》たちが、交替で病床に詰め、徹夜の看護を続けた。例によって医師は、側妾たち特に阿茶ノ局及びお梶の方からの病状についての相談は頻繁《ひんぱん》にうけたが、実際に診察することは許されなかった。投薬した薬もすべて棄《す》てられた。鍼灸《しんきゅう》の治療は行われたが、これも専門の鍼灸師は使われていない。お梶の方付きの女忍びがするのである。だが看護にやつれた側妾たちの顔を見れば、病状の重いことは一目で判《わか》る。弥八郎正信でさえ、これは本物の病気ではないかと思いこみかけたほどだ。

朝廷では、家康の病を心配し、六月二十七日、諸社寺に命じて快癒《かいゆ》の祈禱《きとう》をさせたと記録にある。

二郎三郎の病は七月いっぱい続いた。

朝廷は七月四日、紫宸殿《ししんでん》前庭で千反楽を奏し、病の平癒を祈らしめたと、『御湯殿上日記』にも『言経卿記』にもある。

二度にわたる朝廷の病快癒の祈禱は普通ではない。これは秀忠の命令による朝廷工作が成功していたことを物語っている。朝廷はこの年、つまり慶長六年に、家康を征夷大将軍に任じようという意向があったのではないかと思われる。その矢先の病気である。朝廷が狼狽《ろうばい》したであろうことは目に見えている。

なにしろ家康は齢《とし》だ。この年六十歳である（二郎三郎は一歳若い五十九歳）。当時にしては老齢もいいところだった。太閤秀吉が死んだのは六十三歳。前田利家は六十二歳、長宗我部元親は六十一歳で死んだ。九州では大村純忠が五十五歳、大友宗麟《そうりん》が五十八歳。更に武田信玄、五十三歳。上杉謙信に至っては四十九歳で死んでいる。

朝廷としては、征夷大将軍を贈って、すぐ死なれなどしてはたまったものではない。権威を疑われることになりかねないからだ。慎重論が勝ったのはむしろ当然のことだった。

江戸の秀忠がどれほど口惜《くや》しがったかは、想像にあまりあるものがある。だが、この時は、さすがの秀忠も諦《あきら》めるしかなかった。まさかこれが二郎三郎の作戦とは思ってもいない。よりによって一番大事の時に病気になるとは、なんたるどじだと思っていた。もともと二郎三郎を馬鹿《ばか》にしていたのである。秀忠が初めて二郎三郎を只者《ただもの》に非《あら》ずと思い知ったのは、その年の八月に入ってからのことだ。

八月三日に漸く病癒《い》えて、すこやかな顔を表（奥に対する表である）に見せた二郎三郎を、次男秀康が訪れたのは、八月八日のことだ。秀康は会津藩主上杉景勝を伴っていた。

上杉景勝は関ヶ原合戦の端緒を開いた男だ。再三のすすめにも拘《かかわ》らず上洛して家康に会おうとせず、会津領内の城を整備し兵備を整えていた。もともとは景勝の旧領越後に入部した堀秀治を、一揆《いっき》を煽動《せんどう》して悩ましたらしい。その訴えに対して、上洛して申し開きをせよというのに応じなかったのである。家康は会津討伐を決意し、小山に至ったところで石田三成の挙兵を知ったということになっている。

討伐をうけ滅ぼされて当然だった。事実、大坂平定の後、上杉討伐が決定されたが、結城秀康がこれをとめた。上杉家は名家であり、それに石田三成と共謀したという証拠がない。三成が勝手に会津討伐を利用したにすぎないかもしれないのである。疑わしきは罰せず。これが秀康の意見だった。秀康は関ヶ原合戦の時、上杉への抑えとして宇都宮に残留している。当然上杉討伐となれば、その最高指揮官になるべき人物だ。その秀康の言葉には、千金の重みがあった。

慶長六年八月八日、上杉景勝を伴って伏見城を訪れた結城秀康の意図は明白である。

秀康が恐れたのは本多正信だった。秀康はこの謀臣が、家康の側近筆頭であると同時に、最近では秀忠の意を迎えようと腐心しているという情報を得ていた。家康の死と二郎三郎の交替を知らなければ、確かに正信の動きはそういう風に見えたに違いない。秀康は同時に秀忠の小心さを知っている。小心というより今でいうせこ、、さである。せこい秀忠にとって上杉景勝の助命が面白い筈《はず》がない。討てば会津百二十万石がまるまる手に入るし、そこに譜代大名を配置すれば、油断ならぬ仙台の伊達政宗を挟撃《きょうげき》する態勢がとれる。そろばんずくで考えれば、どうしてもそうなる。

だが秀忠は秀康がこわかった。この勇猛果敢な兄の恐ろしさは、明日何をしでかすか読めないところにある。少なくともそろばんずくで考えては、絶対に判らない凄《すさ》まじい果断さにある。そして正しくその果断さが、秀康を世の人気者にしていた。

特に戦場往来の戦国大名の間で、秀康の人気は抜群だった。彼等は果断さこそ戦闘の要諦《ようたい》であることを経験上知っているからである。秀忠はその果断さがこわい。同時にその人気が邪魔である。家康の後継者として、いつか秀康の果断さと人気が大きな障碍《しょうがい》となって秀忠の前途に立ちはだかることになるという予感があった。今のうちに秀康をへこませ、徐々にその頭を抑えてゆかねばならない。その役割を背負っているのが本多正信なのだ。秀康もそれくらいのことは読んでいる。だから正信一流の策略で、土壇場で家康の気が変らないように、わざわざ上杉景勝について来たのだ。

秀康に対する二郎三郎の態度は、秀忠を切歯《せっし》扼腕《やくわん》させるていのものだった。不機嫌《ふきげん》に、怒りさえ見せて秀康と景勝に対すべし、と本多正信を通じて指令をしておいたにも拘らず、二郎三郎はまったく正反対の態度をとった。まるでわが子秀康を敬うような態度で叮重《ていちょう》にこれを遇し、関ヶ原合戦中、よく北方に備えたことをほめ上げた。上杉景勝に対しても終始機嫌よく接し、会津百二十万石をとりあげるかわりに、出羽置賜《おきたま》郡米沢と奥州《おうしゅう》福島において三十万石を無造作に与えた。

これは破格の処遇といっていい。毛利家に対する扱いとほぼ同じなのである。毛利家も百二十万石を三十六万石に削られている。だが毛利家の場合は、一族の吉川広家が当初から家康と内通して、関ヶ原において一兵も動かさなかったという大きな功績がある。その上でのこの数字である。上杉景勝にはその意味で何の功績もない。依怙《えこ》の沙汰《さた》といわれても仕方がないほどの好遇である。そしてこの好遇の原因は当然秀康に求められる。秀康が口をきいたからこそ、ということになる。秀康は上杉家の大恩人になった。いや、ひとり上杉家だけではない。今度の賞罰について過敏になっている全外様大名にとって、秀康は頼り甲斐《がい》のある実力者ということになった。

二郎三郎はそれだけのことを、たった一日でやってのけたわけだ。

秀康にしたところで、家康（二郎三郎）が自分にどれだけのことをしてくれたか、判らぬ筈がない。心の底から感謝して、新しい任地である越前に発《た》っていった。これで二郎三郎は、まさかの時の強力な味方を手に入れたことになる。秀忠が理不尽な強圧を加え、或《ある》いは二郎三郎殺害を意図した場合、逃げ込む先が出来たわけだ。

秀忠は敏感にそれを察して愕然《がくぜん》となった。

〈こいつ意外にやる〉

二郎三郎に対して、初めておそれの如《ごと》き感情を抱いた。すぐさま本多正信に対して、それとない叱責《しっせき》の手紙を送ったが、正信の返書はそっけなかった。

「仮にも上様に対し奉《たてまつ》り、あれこれ指図がましきことが出来る筈がありません。中納言さまが御同席なさるべきだったのではないでしょうか」

暗に、さっさと江戸へ引きあげて動かない秀忠を、非難するような口ぶりである。読みようによっては、自分の意のままにならない二郎三郎に対して忿懣《ふんまん》を訴えているようにも思われる。どちらにしても、正信ほどの男をこれだけいらだたせ、怒らせる二郎三郎という男の才幹は、仲々のものと認めざるをえない。

〈油断出来ない男だ〉
秀忠の二郎三郎への目が漸く変ろうとしている。

甲斐の六郎は伏見にいた。単身である。島左近と市郎兵衛はそのまま大坂に残っている。伏見は左近には危険すぎた。町も狭いし、長年住んで顔見知りが多すぎる。六郎一人が同じ刀屋として、伏見城にほとんど自由に出入りしている。

大坂城に較《くら》べて伏見城は忍びこみやすい城である。急いで建てたせいもある。城のつくりそのものに忍びに対する備えがない。当初はお梶の方に属する関東の乱波《らっぱ》、女忍びだけが警備を受けもっていたようだが、ここに来て様子が一変した。急に男の忍びが加わって来たのである。六郎が観察したところでは、伊賀・甲賀の者ではなく、すべて旧武田の忍びらしい。実はこれは、二郎三郎が石見銀山のために抜擢《ばってき》した大久保長安がかき集めた連中なのである。長安は元武田の家臣であり、しかも猿楽《さるがく》師の倅《せがれ》だ。天下を流浪《るろう》する猿楽師は、元来いわゆる『道々の者』の一人であり、忍びとの間に普通人には理解しがたい連帯をもっている。時に応じて声をかければ、忽《たちま》ち忍びが集って来る。長安を二郎三郎にすすめたのはお梶の方だが、そのお梶の方は乱波たちから長安の名を聞いた。地域を別にし、族党を異にし、時に激烈に闘うことはあっても、忍びは忍び同士、常民や武士たちとは違った親近感を持っている証拠である。

やがて甲斐の六郎は、この武田忍びの中に旧知の顔をみつけた。

旧知の名は甲斐の飛助。六郎の大伯父である。もう六十を大分越している筈だった。六郎は幼時、この大伯父の家へ通って、術を仕込まれたことがある。飛助は名前の示す通り跳躍の名人だった。真田の忍び猿飛と同じ術である。むささびのように木から木へ跳び、城の天守からとびおりて、足ひとつ挫《くじ》くことがないという。

六郎は伏見で二度、飛助を見た。一度は伏見城の天井裏。二郎三郎の寝所のま上である。寝所では二郎三郎とお万の方の痴戯がくりひろげられていた。

お万の方、この時二十一歳。相州三浦出身の三浦頼忠（後に正木と名乗りまた三浦に戻ったという）の娘で、兄の為春は慶長三年家康に仕え三千石を貰《もら》っている。お万は理由は不明だが蔭山長門守氏広の養女になり、家康の側妾になった。二郎三郎はお梶の方の次に、このお万を愛した。お万はどこまでも心やさしい女である。お梶の方のように気の強い女性を愛していると、男は時にひどい疲労感をおぼえることがある。そういう時にお万のような女が、無性に恋しくなる。閨《ねや》の中でもお万はひたすら受け身である。柔らかく二郎三郎を包みこんで、いわれるままに軀《からだ》を動かす。それがなんとも可憐《かれん》で、いとしいという思いがつのるのである。

飛助は天井裏から、よだれを流さんばかりの表情で、その痴態を見つめていた。忍びとしては失格である。現に六郎が同じ天井裏にいることにも気づいていない。

〈大伯父はぼけたな〉

六郎はかすかな悲しみと同時に、こんな忍びに守られている二郎三郎の身が心配になった。

六郎が二度目に飛助を見たのは、伏見の遊廓《ゆうかく》だった。傾城屋《けいせいや》からつき出されて来るところだった。なにか余程いやらしい仕草を傾城に要求したらしく、傾城は口をきわめて飛助を罵《ののし》っていた。飛助は一言の抗弁もせず、肩をすぼめて人々の嘲笑《ちょうしょう》の中をのろのろと歩み去った。とても跳躍の名人といわれた忍びとは見えなかった。色ぼけの醜い老人というだけだった。

六郎は飛助を尾行して、伏見城内の長屋にいることをつきとめた。

島左近とも相談の上、六郎が飛助の家を訪れたのは、九月初めのことだ。飛助は六郎を見て狂喜した。天目山の戦いで死んだものと思っていたのである。

六郎は正直に、石田三成に仕えていたこと、関ヶ原以後刀屋をやっていることを語った。勿論《もちろん》島左近に仕えたことと家康を討ったことは云《い》わない。ただの下人として仕えていたと云った。そして忍びの仕事に戻りたいこと、城内で飛助を見かけて以来、その望みが益々強くなり、遂に今日、頼みに来たことを語った。

「おれもな、齢で身体《からだ》がきかんようになった。武田忍びは皆老いた。若い者が欲しかったんだよ」

飛助はそう応《こた》え、その日から六郎は二郎三郎を守る武田忍群の一人になった。

甲斐の六郎は飛助につれられて、二郎三郎にお目見えした。六郎に一抹《いちまつ》の不安はあった。桃配山で六郎が家康を刺した時、抜き討ちにその脚を斬《き》ったのが二郎三郎であることは、今や明白だった。ひょっとすると二郎三郎は、六郎を記憶に残しているかもしれないのである。面頬《めんぼお》をかぶっていたから、人相は判《わか》らない筈だった。だが姿形は鎧《よろい》をつけていても、隠しようがない。

杞憂《きゆう》だった。二郎三郎は六郎を見ても、なんの表情も浮かべなかった。

「頼むぞ」

一言そういっただけである。六郎は拍子抜《ひょうしぬ》けした。そして、家康を刺した自分が、贋《にせ》家康を護《まも》ることになった皮肉に苦笑した。

確かにすぐには判らなかった。二郎三郎はやはり六郎をおぼえていたのである。

だが六郎は間違っていた。ただ、どこかで見たな、という感じだけがあった。それきり忘れていたのだが、深夜、お梶の方との濃厚な房事のあと、うとうとと眠りかけていた時、不意に六郎の姿が鮮明に浮かび上がって来た。それは昼間会った六郎ではない。桃配山で横合いから馬を乗りかけて来た男である。その手に脇差《わきざし》じたての槍《やり》の穂が鈍く光っていた。その光が、驚いて竿立《さおだ》ちになりかけた馬を抑えようとした家康の、左脇の下にすべり込む様を、幻のように、だがはっきりと二郎三郎は見た。その姿は、二郎三郎の潜在意識下にずっと眠っていたと云えよう。それが、この深夜、夢とうつつの境で、突然甦《よみがえ》って来たのである。甦った理由は明白だった。

〈あの男だ!〉

二郎三郎は昼間見た甲斐の六郎という男の顔と姿態を思い出しながら、きっぱりと断定を下した。勿論、証拠はない。捕えて拷問《ごうもん》にかけたところで口は割るまい。いや、捕えようとした瞬間に、自殺するかもしれぬ。忍びというのがそういう種族であることを、二郎三郎は遠い昔、気ままな野武士であった頃《ころ》から知っている。なりわいその他『道々の者』に酷似していながら、決して『道々の者』ではない。その理由は一族の結束の堅さと一族への忠誠にあった。一族のためなら、たやすく自殺するというのが、そのあかしである。彼等は『道々の者』の基本的な条件『無縁』と『自由』を欠いていた。

二郎三郎は、眠られぬままに考えを重ねた。

甲斐の六郎は、なんのために伏見城に入ったのか。何故《なぜ》、こともあろうに、二郎三郎の護衛になったのか。自分を暗殺するためか。だがなんのために？　石田三成の復讐《ふくしゅう》というのは考えられない。忍びは一族の長《おさ》以外に主を持たない。仕事をくれた相手はあくまでも契約を交した雇い主というだけのことだ。死んだ雇い主の復讐ほど、忍びの思考から遠いものはなかった。

六郎の目的が自分の暗殺であるなら、雇い主は誰か？　反射的に大坂城内で死んだ忍びのことが頭に浮かんだ。あの時もう一人忍びがいた筈である、あの忍びを殺した忍びが。あれが六郎だったのだろうか。死んだ忍びは井伊直政が雇った男だった。だが今となっては直政に自分を暗殺する理由がない。大事は既に去ったのである。だから六郎は直政に雇われた忍びの筈がない。それならあの時の殺しも自分の逃走のためではなく、二郎三郎を救《たす》けるためだったということになる。

では六郎は自分の護衛だったのか？　だが誰に命じられて？　またしてもその問題になる。秀忠ではない。秀忠なら伊賀か甲賀の忍びを使う。立場からいえば、本多忠勝か本多正信ということになるが、この二人は忍びを使うような男たちではない。行きづまりだった。堂々めぐりの思案が、うっとうしくもなって来た。

〈あの男に訊《き》いてみよう〉

最後に二郎三郎はそう決心した。そうきめた途端に、安心したようにことんと眠りに落ちた。


甲斐の六郎が飛助から、二郎三郎との対面を命ぜられたのは慶長六年十月二日、二郎三郎の江戸下向より十日前のことである。さすがに多少胸さわぎがしたが、格別のこととは思わなかった。六郎がこれはと、思ったのは、飛助の別れぎわの一言だった。

「殿様はわしらを贔屓《ひいき》して下さるようだ」

これが飛助流の話し方である。

「毎夜、天井裏にいる者の名を、十日前に書き出して見せろ、とよ。今夜は誰々が上にいるな、と判った方が心強いそうだ」

六郎は愕然とした。これは贔屓などというものではない。むしろあべこべではないか。天井裏に潜む者の名を知っているということは、その名によって、側妾や近臣との会話など、己れの行動を規制出来るということだ。それは二郎三郎が特定の忍びを警戒しているということを意味する。

〈忍びの動きを、別の忍びに調べさせているのではないか〉

これは考えられることである。護衛が最高の刺客であることは、各国の歴史に明らかだ。現代でさえ、クーデターで元首を斃《たお》す役割は、大方護衛隊の隊長が果している。だから護衛に対する調査は絶えず行う必要がある。何時《いつ》、どんな理由で、突然護衛が敵方に寝返るかしれたものではないからだ。

六郎は二郎三郎の護衛役になってから、二度、非番の日に大坂へいって島左近に会っている。今、六郎はその道中を微に入り細にわたって思い出そうとしていた。ない。断言出来た。どんな尾行もどんな見張りも絶対なかった。慎重の上にも慎重を期した筈である。まっ先に廓《くるわ》にゆき、遊女と寝、その遊女を薬で眠らせた上で脱け出し、大坂の店へいった。数刻で戻って、又、女と添い寝している。店へ入るのも屋根からである。見られていた筈がなかった。

その夜、六郎は天井裏から、二郎三郎が自分に向って手招きしているのを見た。添い寝の役はお梶の方だったが、隣室の腰元もろとも姿を消している。放胆きわまりない態度である。六郎を刺客と疑っているのなら、こんな処置をとるわけがない。六郎は幾分警戒心をといて、音もなく寝所に降り立ち、平伏した。

「酒をやるかね」

二郎三郎は屈託なげに云う。六郎はことわった。任務中の忍びが酒をのむ筈がない。この殿は何を考えているんだと思った。

「酒でものんだ方が、楽に話せると思ってな」

にこにこ笑っている。女の話かな、と六郎は一瞬思った。側妾の誰かについて、疑心でも生じたのか。だが二郎三郎の次の言葉が、六郎をほとんど跳び上がらせた。

「お主、どうして、家康さまを刺した？」

六郎は反射的に刀に手をかけていた。二郎三郎が馬鹿《ばか》々しそうに手をふった。六郎も自分の行為の馬鹿々しさに気づいた。刀を鞘《さや》ごと抜き二郎三郎の方に押しやった。

「持っていろ。今この瞬間、刺客が来たらどうする気だ。わしを守るのは、お主しかいないんだぞ」

これは最大の信頼の言葉である。六郎は無言で刀をとり返し背に廻《まわ》して差した。

「返事がまだだな」

二郎三郎が催促した。

「頼まれたからです」

「誰に？」

「云えません」

二郎三郎はちょっと黙ったが、平然といった。

「それはそうだな」

六郎がちらっと二郎三郎を見た。この殿さまは確かに当り前の武士とは違っている。

二郎三郎がにやっと笑って云った。

「そのくらいのことは知っているよ。影武者になる前には方々流れ歩いたからな」

六郎は慌《あわ》ててあたりの気配をさぐった。誰が聞いていても一大事である。二郎三郎は今、はっきりと自分の正体を見せたのである。

「気にするな。女たちはとっくに知っておる」

考えてみればこれは当然である。毎晩むつみ合っていて、気がつかない女がいるわけがなかった。だがこれでいいのだろうか。忍びにまで正体を明かしてしまうほど開けっぴろげで大丈夫なのか。

「腰元は知らない。男では中納言さま、本多弥八郎、侍大将三人。それとお主だけだ」

六郎の肩にずしりと重みがかかったような感じだった。顔色がちょっと変った。

「どうして手前だけに……？」

「お主はとうに知っているわけじゃないか」

二郎三郎は声をあげて笑った。

赤心ヲ推《お》シテ人ノ腹中ニ置ク、という言葉がある。自分のまごころを相手の体内に置く、つまり深く信頼するという意味だ。

今、二郎三郎がやっているのは、それだった。もっともこれは今初めてのことではない。二郎三郎はずっとこのやり方で生きて来た。本多弥八郎のような策の多い面倒な生き方は真っ平ごめんだったし、出来もしない。裏切られたところでたいしたことはない。せいぜいが死ぬだけではないか。

だが六郎の方は違った。

〈参ったな〉

心底そう思った。忍びは本来こういう人間に弱い。彼等自身の生きざまが策略の多いものだけに、却《かえ》ってこの手の男が苦手だった。特に六郎はそうだった。彼が今もって島左近の意のままに動いているということが、それを証明している。全面的に信頼されるということに弱いのだった。そして今、二郎三郎が六郎の一番弱い点をついて来ていることになる。

「今も誰かに雇われているのか」

二郎三郎が訊いた。六郎は黙っている。

「わしを殺すためか」

「違います」

これははっきり答えられる。

「わしを護るためか」

「はい」

「矢張りな。そうではないかと思っていた。大坂城で吹矢を使った忍びを殺したのは、お主だな」

「はい」

「あれの雇い主を知っているか」

「井伊さまでしょう」

今度は二郎三郎の方が驚いた。

「さすがだな。どうだ、井伊はまだわしを狙《ねら》っているか」

「いえ」

「どうして判る？」

六郎は一瞬躊躇《ちゆうちよ》したが、井伊直政を脅すために松平忠吉の髷《まげ》に二度小柄《こづか》を刺しにいった話をした。これは二郎三郎には初耳だった。

「驚いたな。そりゃァ直政は蒼《あお》くなっただろう」

六郎がにたりと笑ってみせた。

「それはお主の智恵《ちえ》か？　それとも雇い主の……？」

六郎は無言だ。

「たいした男らしいな、お主の雇い主は」

依然、無言。

「一度会わせてくれないか。出来ればわしの腹心になって貰いたい」

これは本音だった。六郎は首を横にふった。

「どうしても駄目《だめ》かね」

六郎は悲しそうな眼《め》で、二郎三郎を見た。これはその雇い主が知名人であるという意味だ。恐らく石田方に属し、伏見城内に現れれば、忽《たちま》ちひっ捕えられるほどの人物だということになる。だが生き残りの西軍諸将の中に、それほどの人物がいるとは思えなかった。

「判った。無理は云わぬ。だが、あと一つだけ」

真っすぐに六郎を見た。

「なんのために、わしを護る？」

六郎はまた躊《ため》った。暫《しばら》く思案して答えた。

「秀頼さまをお護りするため」

「成程」

二郎三郎は苦く笑った。それなら筋が通る。淀君を除いて、今の二郎三郎ほど、大坂城の秀頼に長生きして欲しい人間はいない筈《はず》だった。秀頼の死は即《すなわ》ち自分の死を意味するからである。それをこの男の雇い主は見抜いている。

「いいだろう」

六郎はこの言葉を天井裏に戻れ、という意味にとった。腰を浮かす。

「待て」

二郎三郎は手箱の中からかなりの大きさの革袋をとり出して六郎の前に置いた。重そうだった。

「銀だ。もってゆけ」

これは大久保長安が、部下を使って秘《ひそ》かにもちこんで来た石見大森銀山の銀の一部である。

六郎がことわりかけると、

「ことわるな。人を集めるための銀だ。今の人数では足りぬ。忍びでなくともよい。お主の目で見て役に立つ男ならな」

更につけ加えた。

「飛助たちとは全く別の組を作れ。あれはあれで一生懸命だが、年をとりすぎている」

六郎はうなずいて、銀をひきよせた。二郎三郎の云ったことは、当初から六郎の感じていたことである。だが新しい護衛を集めるのは、楽な仕事ではない。まして完全に信頼のおける人間ということになると、困難を極めた。

「時にお主の雇い主に相談したいことが起きるかもしれぬ。その時はよろしく頼む」

二郎三郎がちょっと頭を下げた。

〈参ったなァ〉

天井裏に戻りながら、六郎は腹の中でもう一度呻《うめ》いた。事態がこんな展開を見せるとは、考えもしなかったことである。家康公を殺した自分が、贋家康公の文字通りの腹心になってしまった。

〈ものごとを簡単に考えすぎるんじゃないか〉

二郎三郎に毒づいてもみる。確かに二郎三郎のやり方は、軽率といえば果てしなく軽率である。だが、どんな人間でも対等の立場で扱うという二郎三郎の魅力は、充分認めねばならない。替玉にせよ徳川家の頂上にある身が、一介の忍びに頭を下げるとは、出来ることではない。要するに素直なのだが、六十まで素直なままでいられる男は数少ない。ある意味で非凡な男と云えた。

〈とにかくすぐおしらせしなくては〉

今や二郎三郎は六郎にとっては重すぎる荷物である。一刻も早く、島左近にこの荷物を替って貰わなければ、たまったものではない。

六郎は非番になるや否《いな》や、大坂へとんだ。

島左近の反応は六郎の予想とは違った。六郎は何故か、まっ先に左近は大笑いするだろうと思っていたのである。逆に左近は黙りこんだ。異常なほど長い時間、黙念と考えこんでいる。六郎は不安になって来た。自分が何かとんでもない間違いをしでかしたのではないか、と思った。考えてみると、喋《しゃべ》らなくていいことまで、かなり喋っている。二郎三郎の率直な態度がそうさせたのだ。

「その仁の顔だち、体型を詳しく話してみてくれ」

不意に左近がいった。六郎は不安なままに二郎三郎の異常とも思える短足小肥《こぶと》りの体型と円くはち切れそうな顔だちを語った。

「似ている」

左近が唸《うな》るようにいった。

「まこと家康公そのままでございます。別して姿、形があれほど似ているとは……」

「家康公にではない」

左近がうるさそうに云った。

「信長公を射《う》った男にだ」

六郎は仰天した。途方もない名前がとび出したからだ。

石山戦争の末期、左近は大和の筒井順慶に仕えていた。筒井順慶は信長の死後、例の『洞《ほら》ケ峠《とうげ》』で秀吉と光秀のどちらが勝つか日和見《ひよりみ》をして、結局優勢な秀吉についたといわれ、日和見主義者の代表のようにいわれるが、そんな優柔不断な男ではない。光秀側から秀吉側に変節しているのは事実だが、それは秀吉のいわゆる『中国大返し』の情報をいち早く摑《つか》んだからにすぎない。光秀の側の情報蒐集《しゅうしゅう》が遅すぎ、それが山崎敗戦の原因となったわけで、これは光秀の迂闊《うかつ》であり、順慶を責めるのは筋違いであろう。

　左近はその筒井家にあって、本願寺内部の情報蒐集の長をしていた。いち早く信長が射たれた話をきいた。その男が一揆《いっき》勢の中で『信長を射った男』として急速に有名になったことも知った。左近は興味をひかれて、その男についての詳細な情報を集めさせた。世良田二郎三郎元信、三河の出身らしい。異常なまでの胴長短足で、顔は狸面《たぬきづら》、年齢は三十代の後半、鉄砲を手放したことがなく、凄《すさ》まじいまでの巧者だという。三河一向一揆、近江一向一揆と転戦し、伊勢長島の一揆の生き残りであるという。きいただけでも、筋金入りの戦士であることが判《わか》る。常に三河以来の一揆仲間と行動を共にしているという。その男の方は、二郎三郎元信とは対照的に鶴のように痩《や》せこけた、これも風采《ふうさい》の上がらない男で、年は四十を越えている。名前は本多弥八郎。

〈本多弥八郎！〉

　左近は愕然《がくぜん》となった。本多弥八郎正信は、かくれもない家康の謀臣ではないか。

〈そうだったのか〉

　左近はようやく世良田二郎三郎と家康の接点を見つけ出した。

〈そうか。糸をひいているのは、本多正信か〉

左近がそう信じたのは、無理からぬことだ。

〈それにしても大胆なことを……〉

感心したように首を振った。だが徳川家としては、これしか方策がなかったのだろうということも理解出来た。

〈だがいつまで隠し通す気だ〉

勿論《もちろん》、家康が不要になるまでにきまっている。つまりは大坂城を滅ぼし、名実ともに徳川家が天下の権を握った時だ。奇怪なのはその世良田二郎三郎が秀頼をかばうつもりでいるらしいということだ。それに井伊直政が二郎三郎を暗殺しようとした事実を、なんと解釈すればいいのか。

〈後継者争いしかない〉

左近はうなずいた。考えてみれば、家康が天下の権を握っただけでは、二郎三郎の役は終らない。二代目が徳川家の主として天下に覇《は》をとなえられる日まで、生きている必要がある。そしてその後継者に誰がなるか。

〈今のところ中納言秀忠ということになる〉

だが秀忠は統領の器ではない。それは左近だけでなく、天下の武将ことごとくがそう思っている筈である。そこに井伊直政の強引な暗殺計画の意味があったのではないか。

そうした渦《うず》の中で、世良田二郎三郎は、己れの腹心を作りたがっているらしいという。

〈生き延びるためだ〉

これは容易に理解出来る。二郎三郎がこの渦中《かちゆう》で生き延びるには、自分自身の手勢がどうしても要る。そして、自分自身の必要性を出来得る限りひき延ばさねばならぬ。そのためには秀頼に生きていて貰《もら》わねばならぬ。そこまでは左近も読めた。問題はその先にあった。

〈果してそれだけだろうか？〉

二郎三郎と本多弥八郎正信の狙いが、ただ延命にあるだけとは、どうしても思えなかった。二人共、筋金入りの一向宗門徒ではないか。

〈何かやる気だ、何か途方もないことを〉

それが何なのかは、さすがの左近にも判らなかった。だが確実に何かが起る。それこそ驚天動地のことが起る！

六郎は、左近の顔が次第々々に笑み崩れてゆくのを茫然《ぼうぜん》と見ていた。ひどく嬉《うれ》しそうだった。なんと揉《も》み手《で》までした。次いで、相撲でもとるように、手に唾《つば》をかけた。

〈殿は何を考えていられるんだ〉

その瞬間、六郎はいやというほど、肩をひっぱたかれた。

「ぼやぼやしちゃァおれんぞ、こりゃァ」

昂奮《こうふん》した声だ。顔がうっすら赤くなっている。

「わしも永生きせねばならんな。これが見逃せるか！」

六郎はわけの判らないままにうなずいた。

慶長六年十月十二日、二郎三郎は伏見をたって江戸へ向った。

江戸

二郎三郎は江戸に入ることを大分渋った形跡がある。途中のんびりと鷹狩《たかが》りなどに日を費やし、江戸に入ったのは、なんと伏見を発してから二十四日目、十一月五日のことだった。奇怪なのは本多弥八郎正信だ。根っからの官僚としては、帰るときまった以上、一刻も早く江戸に入りたい筈《はず》だった。そこで起っている事態を確認把握《はあく》し、これに対応する処置を早急にきめなければならない。それがちがう。二郎三郎と一緒に、涼しい顔で鷹狩りに興じているのである。

これには迎える側の秀忠の方が、逆にいらいらする始末だった。

秀忠はこの七カ月(四月から十月まで)くらい忙しく働いたことがない。とにかく二郎三郎が本多正信・正純父子と共に江戸に入るまでに、新しい内閣を組織し終えようと、しゃかりきに動いていたのである。既に重要な人間の配置はほぼ終っていた。来て見て驚け。秀忠は本多正信に対して、そんな気持でいた。それが来ない。まるで我、関せず、といった顔で、のうのうと鷹狩りなどされていると、今度は逆に秀忠の方が不安になって来た。正信が投げてしまったのではないかと思いだしたのである。今の時点で正信に投げられてはえらいことになる。島津をはじめ外様大名たちとの外交に正信は必須の人物である。律気《りちぎ》一筋の大久保忠隣などに、戦国生き残りの、したたかな外様大名が扱えるわけがない。まして酒井、土井は若すぎて話にならず、青山、内藤は器が小さすぎた。やりすぎたかもしれぬ。秀忠は内心後悔のほぞを嚙《か》んだ。

二郎三郎と弥八郎正信が江戸に入るのを遅らせていた理由は、完全な現状把握のためである。この旅に同行して来たお梶の方手飼いの女乱波《らっぱ》からの要請で、関東の乱波たちが一斉《いっせい》に活動を始めていた。風魔一族と呼ばれたこの乱波たちは、徳川家の忍びである伊賀衆・甲賀衆より、少なくともこの関東の土地では、強力だった。二郎三郎の手もとには続々と情報が集り、そのまま弥八郎に伝えられた。さすがの弥八郎正信が瞠目《どうもく》するほどの情報の量であり、迅速さだった。

「お主のやり方は、これか」

弥八郎は幾分畏怖の表情で、二郎三郎を見た。二郎三郎が笑った。

「道々の者のやり方だ」

そしてそれは野武士の戦いの仕方でもあった。

「みろ。やはりお主、しめだされているぞ」

二郎三郎がいった。情報を分析すればそうなる。今更弥八郎正信がくいこむ余地のないほどしっかりと、体制づくりが整っていた。

「紙の上のことだ」

無造作に弥八郎がいう。

「事件が起れば、忽《たちま》ち無能が曝露《ばくろ》される。がたがたになるさ。その時がわしの出場《でば》だ」

「委《まか》せておけ」

二郎三郎がにたっと笑った。

弥八郎正信にとって必要だった事件は、二郎三郎が江戸城に入ってから一カ月後に起った。慶長六年閏《うるう》十一月二日、駿河町から出火した火事が、ほとんど江戸全域を焼き払ってしまったのである。

新しい幕府の中核となる（秀忠はこの年に幕府が出来ると予想していた）江戸の町割りは、秀忠が前年の大坂在城の頃《ころ》から秘《ひそ》かに用意していたものだ。二郎三郎にも弥八郎にもしらせることなく、秀忠がこの年三月頃から着手させ、既にかなりのところまで出来上がっていた。それがたった一晩で灰になった。

『十一月二日巳《み》の刻、駿河町幸之丞家より火を出す。此《こ》の大焼亡に江戸町一宇も残らず、人多く死す。畢竟《ひつきやう》町中草葺《くさぶきゆゑ》故火事絶えず、云々《うんぬん》』

と『武江《ぶこう》年表』にあるように、当時の家の屋根が草葺だったため、火の廻《まわ》りが早かったようだ。この大火事の後で、屋根をみな板葺《いたぶき》にするようにという命令が出されている。逆にいえば、秀忠の江戸都市計画は、そんなことも考えていないほど杜撰《ずさん》なものだったということになる。

本多弥八郎は鋭くその点を追及した。江戸の町割りの如《ごと》き重要問題を、何故《なぜ》一握りの近臣にしか相談せず、実行に移したか。そんなやり方で徳川の政権が永続すると思うか。

秀忠はほとんど震え上がったといっていい。

大久保忠隣、酒井忠世、土井利勝の三人も同様である。土井利勝などは危うく切腹の覚悟を固めるところだったという。

「まつりごとは遊びではござらぬ。思いつきや気まぐれでなされては、民百姓の迷惑すること、この上ない」

弥八郎の論調は峻烈《しゅんれつ》を極めた。それは家来が主君にいう限界を遥《はる》かに越えていた。だが二郎三郎が同席している限り、大久保たちには、うかつにとりなしの言葉もいえない。それが判《わか》っているだけに、余計秀忠としては腹が立つ。だが反論の方法がなかった。それに実のところ、秀忠の腹の底には、大きな恐怖がひそんでいる。

〈自分は将軍の器ではないのではないか〉

この強烈な疑問だった。それは結局のところ、

〈自分は徳川家を滅亡させるのではないか〉

その巨大な疑いに到達してしまう。周囲の人間が一斉に立ち上がって、自分を指さしながら、罵《のの》りと呪《のろ》いの言葉を発している。その中で自分だけが、ひたすら身を屈して頭をたれているしかない……そんなおぞましくも屈辱的な光景が、ぱあっと秀忠の脳裏に展開するのである。要するに秀忠は、よくも悪くも、度胸がない。本多弥八郎のような人生経験の豊富な筋金入りの男に、面と向って罵られては、とても太刀《たち》うち出来るわけがなかった。

秀忠が我に返った時は、既に本多弥八郎は関東惣奉行《そうぶぎょう》の一人となっており、関東、近畿など枢要《すうよう》の地の奉行乃至《ないし》代官の人事は、弥八郎のいいなりに決定されていた。

弥八郎正信は二郎三郎と二人きりになると嚙みつくように云《い》った。

「お主の仕業だな！」

二郎三郎はにやりと笑っただけである。

「なんという無茶なことを……。何人死んだと思ってるんだ！」

二郎三郎が怨ちしょげ返った。

「いやぁ、あんなに燃えるとは、夢にも思わなかったんだよ。信じてくれ。本当なんだ」

火事は関東の乱波の得意業《わざ》の一つである。彼等は、ちゃんと命令さえすれば、何町四方のみ焼いて、その外には火の粉もとばない、というような名人芸ともいうべき見事な放火をしてみせる。だから今度の場合は明らかに二郎三郎の失策だった。火事の規模を限定しなかったのである。二郎三郎は、その点を甲斐の六郎から指摘され、本気で悔やんでいた。

弥八郎は呆《あき》れ返って、つくづくと二郎三郎を見た。

「中納言殿に申し上げたことを、お主にもいわねばならんな。まつりごとは……」

「思いつきや気まぐれでやるな。判《わか》っているよ。二度とこんな無茶はやらん」

怪しいものだ、と弥八郎は思う。この男は必要とあれば、何度でも江戸を焼払いかねない。そういう無茶苦茶なところが、この男の恐ろしさである。それにしても、どうやって、誰に指令を発して、江戸に火を放つことが出来たのか。

「乱波だ」

訊《き》くと無造作に答えた。

「思い出した。さっき並びたてた代官連中だがね、あの中で甲斐の代官を、大久保長安に替えてくれ」

「大久保長安？　あの石見銀山奉行の……」

「もともと武田の代官だった男だ。うまくやるよ」

これは乱波からの連想である。長安のお蔭《かげ》で銀がたまった。その銀で、乱波も雇える。長安は役に立つ、実際的な男だった。後に『日本一のおごり者』といわれた大久保長安の異常な出世は、この時に始る。

代官頭として百二十万石の支配所を持ち、佐渡金山、石見大森銀山、伊豆の金銀山、但馬《たじま》の生野《いくの》銀山、甲州の黒川金山などに奉行として関与し、東海道・中山道などの修理や伝馬制度の整備を行い、江戸城・名古屋城などの普請《ふしん》には、資材の調達に活躍した。まさに怪物なみの馬力である。長安が諸国の金銀山を査察する時には、男女二百五十名にのぼる行列をしたて、一同きらびやかに装わせて練り歩いたという。だが二郎三郎の恩だけは忘れず、死ぬまでつくした。当然、秀忠にとっては面白からぬ人物である。

この時の二郎三郎の江戸城在城期間は、慶長六年十一月五日から、翌慶長七年正月十九日まで、ほぼ三カ月半の短期間である。

この間、公《おおやけ》の世界で二郎三郎が成しとげたことは、ほとんどない。二郎三郎は、本多弥八郎正信の恐るべき辣腕《らつわん》ぶりを、にこにこ笑いながら見ていただけである。それはまさに壮観といえた。秀忠とその腹心が頭だけでこしらえ上げた政策上の腹案を、弥八郎は片っぱしからぶちこわし、練り直していった。弥八郎の智恵《ちえ》には経験の裏うちがある。そして論争となった場合、常にものをいうのは理屈ではなく、この種の智恵である。

「お坊ちゃま育ちに何が出来る」

と伏見で弥八郎はうそぶいたものだが、それがただの大言壮語ではなかったことを、二郎三郎は知った。

この期間、二郎三郎が精力的に励んだのは鷹狩りである。秀忠から見れば、これは遊びにすぎない。当然苦々しい思いで見ていたが、考えてみれば、なまじ城内にいて、秀忠の腹心が弥八郎につっこまれて周章狼狽《ろうばい》する現場を、皮肉な微笑を浮かべて見ていられるより、よっぽどましである。だから秀忠は鷹狩りについては一言の文句もいわず、放置しておいた。二郎三郎はごく少数の供廻りをつれてせっせと鷹狩りに出かけてゆく。だがこの鷹狩りには裏があった。二郎三郎は鷹狩りの際、きまって土地の名主、百姓と話し合いの場をもった。世の中の声をじかにきくと称し、百姓たちの要求をこまめにかなえてやっているのだが、実はこれは偽装だった。えたいの知れぬ人間たちが、百姓・郷士を装って、二郎三郎と対面している。それは或《あるい》は乱波であり、或は武田・北条の旧臣であり、或はすり・盗賊の頭《かしら》であった。甲斐の六郎が江戸じゅうを駆け廻って発掘して来たいずれもひとかどの人材だった。その中のある者は六郎の組下になり、ある者は家臣としてとりたてられ、ある者は二郎三郎の密命を帯びて地にもぐった。二郎三郎は、いずれは幕府の中心になる江戸の街を、裏から支配することを企《たくら》んでいた。

昔、古着の町として有名だった日本橋富沢《とみざわ》町の起源について伝説がある。家康が江戸に入った時、関東でも名高いすりの頭目鳶沢《とびさわ》某を捕え、その鳶沢に、

「生命は助けてやるから、お前の働きで盗賊どもが江戸に入りこまぬように工夫しろ」

と命じた。鳶沢は応《こた》えた。

「屋敷地を下されば、そこに手下共を呼び集めて住まわせ、盗賊共の吟味をさせましょう。但《ただ》し手下共を正業につける必要があります。手前を古着買いの元締におおせつけられたい」

これが富沢町の起りだという。二郎三郎はこの種の人間を多用して、江戸の裏の世界をひそかに抑えていったのである。

実のところ、二郎三郎は現在、異様な昂奮《こうふん》状態にいる。秀忠は勿論《もちろん》、本多弥八郎にさえ告げぬ秘密をかかえていた。それがこの昂奮の理由だった。

秘密とはお万の方にかかわるものだ。お万の方は妊娠していたのである。出産予定日は来年（慶長七年）の三月上旬。明白に二郎三郎の子だ。これればかりは、さすがの二郎三郎も予想だにしなかった事だった。

五十九歳にもなって子供が出来るとは、どういうことであるか。この齢《とし》まで、二郎三郎は子供をもったことがない。若いうちは娼婦《しょうふ》しか抱いたことがなかったし、一向一揆の戦いの間に、時に夫を失った寡婦《かふ》や、門徒の女房と寝たことはあっても、到底永続きする関係ではなかった。また、そういう明日も知れぬ極限状況だからこそ出来た関係だったとも云える。家康の影武者時代は、ときたま侍女を与えられ、寝所を共にすることはあったが、そのたび

ごとに相手が違った。一人の女に情を移すことを、家康が警戒したためである。情が移れば、人並みに世帯《しょたい》を持ちたくなるかもしれない。ひとかどの侍身分を欲するようになるかもしれない。家康はそれを恐れた。欲が出ては影武者は勤まらない。影武者は文字通り影の存在であり、絶対に表に出ることを許されぬ身分である。それでなくては何の役にもたたない。しかも、いくつになっても独り身でなければならぬ。妻子を思ってひるむようでは困る。だからこそ二郎三郎は強力なセックス・コントロールを受けていたわけであり、子供を持つことなど考えられもしない状態だった。

それが今、自分の子が生れようとしている。子供の可愛《かわい》さは、前年に生れた五郎太丸でよく判った。まして今度はほかならぬ自分自身の子である。二郎三郎の胸は大きくふくらんだ。

だが喜んでばかりいられる事態ではなかった。こんなことは秀忠も考えてもいないに相違ない。秀忠ばかりではない。本多忠勝、榊原康政、井伊直政の三将も、本多弥八郎正信でさえ、一片の考慮も払わなかった新しい事態である。生れてくる子が女ならまだいい。男だったらどうなるか。表向きは家康の第十子ということにならざるをえない。つまりは秀忠の弟である。あの秀忠が、名もなき影武者の子を、自分の弟と認めるわけがなかった。その上、血統の上からいっても、これは徳川家とはまったく関《かか》わり合いのない血筋ということになる。そんなものをうかつに認めては、徳川家の将来に大きな禍根を残すことになる。お万の方妊娠の事実が知られれば、即座に腹の子を処分されることは目に見えていた。

〈断じてそんなことはさせぬ〉

二郎三郎はこの時点で腹をくくった。

二郎三郎にお万の方の妊娠を告げたのは阿茶ノ局《つぼね》である。さすが、といえた。阿茶ノ局は先夫神尾孫左衛門忠重との間に一子五兵衛を儲《もう》け、家康の側妾《そくしょう》となってからは長久手の戦に従軍し、家康の子を流産している。つまり女性としてのベテランだったわけだ。それだけにお梶の方はじめ他の側妾が全く気づかないうちに、お万の方の懐妊を察したのである。お万の方自身が半信半疑だったのを、

「間違いありませぬ。これからは一層御身お大切になされませ。大事のお身体《からだ》でございますよ」

優しく背を撫《な》でて、すぐお万の方付きの侍女たちを集め、食事の献立から入浴、睡眠のことまで、こと細かに指示し、その上、絶対に秘密を守るように命じた。

「ことをあらわす者には直ちに死んでいただく」

きっぱりとそういった。阿茶ノ局は丸顔でいつもにこにこ笑っている。嶮《けわ》しい表情など出来ない女人である。その局が、殊更《ことさら》声を高めるでもなく、相変らずにこにこしながら、この恐ろしい言葉をすんなり吐いた。それは嶮しい顔でいわれたより遥かに恐ろしく、侍女たちはしんそこ慄《ふる》えあがった。女ながらも幾度かの戦場に従軍した阿茶ノ局である。いい加減な言葉ではなかった。やるといった以上、必ず実行する。それだけの重みがあった。

局はこの妊娠の持つ意味を誰よりも早く洞察《どうさつ》していた。万一、秀忠の知るところになれば、即座にやや子を堕《おろ》すように指令が出される筈である。ことによれば、お万の方殺害が命ぜら

れるかもしれぬ。厳しい箝口令《かんこうれい》を奥の者全員に守らせる必要がある。だがその前にまず二郎三郎に告げねばならぬ。局はそれを自分の閨《ねや》の順番が来るまで待った。房事の合間に、二郎三郎の首にしがみつきながら、耳もとで口説のような小声で事実を語った。二郎三郎が驚いて行為を中断しようとすると思い切り尻《しり》をつねり、続行を強《し》いた。それが局のたった一度の嫉妬《しっと》の表現だった。

「まずお梶殿におしらせにならなくては……」

落着くと真っ先にそういった。二郎三郎はきなくさい顔をしながら、局の眼《め》の鋭さに今更ながら感嘆した。正しくこのことをお梶の方に知らせるのが、二郎三郎にとっては緊急且《か》つ最も辛《つら》い仕事だったからである。

「余人ではなりませぬ。殿御自らのお言葉でなければ……」

局は二郎三郎の心を読んでぴしりといった。二郎三郎は、うなずくしか法がなかった。

驚くべきことにお梶の方が泣いた。あの気の強いお梶の方が、泣きに泣いた。どうして自分ではなく、お万が妊娠しなければならなかったのか。それは二郎三郎の気持が自分よりお万の方に向いていた結果ではないのか。それはどうしようもない運命に対する怨《うら》みであり嘆きだった。二郎三郎は言葉もなく、お梶を抱きしめているしかなかった。

いっとき、理不尽ともいえる恨みつらみを思い切り吐き出してしまうと、お梶の方は鎮静した。やがて涙を拭《ふ》き、はにかむように微笑《わら》った。

「ごめんなさい。無茶苦茶なことを申し上げました。もう気がすみました」

そういう時のお梶は、小娘のように可愛らしい。二郎三郎はそっとその背を撫でた。

「すまないな。だがわしの本意でないことだけは信じて欲しい。子が出来るのなら、お梶に欲しかった」

お万の方にはむごい話だが、これは二郎三郎の本音だった。お梶の方をより強く愛しているからではない。お梶の方が、生れて来る子供を、より強力に守る力を持っているからである。お梶の方には男まさりの才智と決断力と、更に関東の乱波という一種の軍事力まである。自分の子となれば、それこそ必死にあらゆる力を総動員して守るだろう。お梶なら二郎三郎はある程度安心して子供を委《まか》せておくことが出来る。だがお万ではそうはいかない。自分一人では何をする力もない、無力な女なのである。子供を守るつもりなら、二郎三郎が何も彼《か》も采配《さいはい》を振らねばならぬ。困るのは二郎三郎にも、どうやればこの子を守り通すことが出来るか、細部まで考えつくすことが出来ない点だった。

「嬉《うれ》しい」

お梶が二郎三郎に抱きついて来た。のしかかるようにして、長いこと口を吸っていた。離れると、もういつものお梶に戻っていた。

「このこと、阿茶さまとわたくしにお委せ下さいますか」

ひたと二郎三郎の目を見据《みす》えていった。

「委すとも。わしには判らぬことばかりだからな。子供というものを、持ったことがないのだよ」

二郎三郎は自嘲《じちよう》するようにいった。自分の半生が、常人とはかけ離れた異形のものであり、今日までそれを異形の生として認識することもとりたててなかったことへの自嘲である。

「男手が必要なら、六郎を使え」

甲斐の六郎のことは、お梶と阿茶ノ局にだけはしらせてある。

「いいえ。六郎は殿をお守りして江戸へ参らねばなりませぬ。ここはわらわの手の者で充分。それに殊更《ことさら》守りを厚くすれば、何事があるのかと、却《かえ》って中納言さまのお疑いを招くことになりまする」

これはお梶のいう通りだった。何事も平常通りにしなければならぬ。変ったことは何一つしてはいけない。

「江戸へはお夏殿をおつれなさいませ」

お夏の方は代々勢州北畠《きたばたけ》氏の家臣だった長谷川藤直の娘である。慶長二年十七の年に家康に見出《みいだ》され、側妾となった。兄の長谷川左兵衛藤広は後に（慶長十年から十九年まで）長崎奉行となった人物である。

そのお夏の方を江戸へつれてゆけとお梶は云う。

「何故《なぜ》だ。お梶がゆかねば、皆が不審に思うぞ」

「病ということになさいませ。わらわが行かねば、伏見へのお帰りを急がれても、さほど怪しまれぬと思います。但し……」

お梶の方が、にたりと笑った。

「わらわの女忍び三人を、殿におつけ致します」

「なに？　それは一体……」

「悋気《りんき》でございます。わらわがひと一倍悋気の強い女子なのは、ご存知の向きは御存知です。殿に浮気目付もつけず、江戸へおたたせしたと判れば、却って怪訝《けげん》に思われるでしょう。それに……」

ちかっと太腿《ふともも》をつねられた。

「本当に浮気をされたら大変」

二郎三郎は苦い顔で太腿をさすった。阿茶ノ局には尻をつねられた。この懐妊騒ぎのお蔭で、あといくつくらいつねられることか。

「でも……」

お梶の方が真顔に戻った。

「お産のことばかり心配しても駄目《だめ》。生れてからでも、その気なら、いくらでも亡《な》いものにさせることがお出来になります」

秀忠のことをいっているのは、明白だった。

「判《わか》っている」

「お育ちになる間じゅう、警固の者をつけたところで、とても防ぎきれるものでは……」

「それも判っている」

「どうなさるおつもりです」

「一札とる。中納言殿に誓紙を入れて貰《もら》う」

「……！」

「わしの子を亡き者にするようなことは決して せぬ。成長しても、真実の弟同様に扱う。この二点についての誓紙をとる」

「そのようなもの、中納言さまがお書きになると思《おぼ》し召《め》すか？」

「書くさ」

「でも……」

「書かねば……」

「書かねば……？」

「書かねば、中納言殿は、将軍家にはなれぬ」

二郎三郎がにたりと笑った。

「そんなことをなさったら……」

「わしを殺すことは出来ぬ。まだ暫《しばら》くはな。殺せぬとなれば、誓紙を書くしかない。守るつもりもない誓紙でもな」

二郎三郎は低く笑った。

「でも中納言さまが将軍におなり遊ばした後は……」

「それまでにわしは城を築く。本物の城と、心の中の城の双方をな」

「心の中の城とは……？」

「信頼だ。諸将と庶民のな。その連中が家康殿の方が信じられると思っている限り、わしもわしの子も殺すことは出来まい」

二郎三郎は本気だった。本気で夢を見るようになっていた。思えば関ヶ原で、やむなく家康の代役をつとめた時とは、大きな変りようである。それは永い永い影武者生活への、反動だったのかもしれない。

だが、男をつまずかせるものは、常に夢である。他ならぬ自分の夢によって滅びてゆくのが男という生きものなのだ。

男と女の違いという問題が論ぜられると、必ずこの点が指摘される。男は途方もない夢を見るから不完全であり、女は現実的に可能な夢しかみないから完全だ、というのである。時には男がロマンチックなのは不完全な証拠であり、女が常にレアリストなのは完全な証拠である、などともいわれる。それほど夢は危険な代物《しろもの》だった。

二郎三郎はレアリストである。常に身一つで、身体を張って生きて来た男が、夢想家であるわけがない。戦闘のさなかに夢を見た者は、必ず死ぬ。勿論、その場合の夢とは、己れの力倆《りきりよう》について、敵味方の強弱について、都合のいい天変地異について、等々の夢である。危くなれば神風が吹く、などというたぐいの夢である。その二郎三郎が夢を見、しかもそれを育てようとしている。そこに危険があった。

子供が出来た、という一事は、少々夢見がちだった二郎三郎の頭から冷水をぶっかける役目を果した。生れて初めて我が子を持つということは、現実的な上にも現実的な出来事である。それは生れて初めて、他人に対して責任を負う立場に立ったことだった。二郎三郎は現実的に思案を重ね、やがて己れの夢を生れてくる子供への犠牲に供してもいいと思い定めた。つまり自分自身の独立国（敢《あえ》て共和国とはいわないが）を持つ夢を、秀忠にしらせ、それを代償に生れてくる子供の安全を買ってもいいと決心したのだ。だがそれさえも甘いかもしれぬ。秀忠は自分の都合のためなら平気で裏切りの出来る男である。その場合にとる手は一つしかない。夢と百も承知の上で、つまりいつ挫折《ざせつ》しようと構わないという決心の上で、やはり己れの独立国をつくることである。子供が自分で我が身を守れるだけの力を持つ日まで、際限なく秀忠としのぎをけずり合い、秀忠に子供に手を出す余裕もなくさせることである。そのために必要なのが城だった。現実的な城については既に心当りがあった。駿府《すんぷ》である。二郎三郎の生地であり、最も土地勘が強く、しかも願人坊主《がんにんぼうず》など嘗《かつ》ての『道々の者』たちが数多く居住している温暖の地である。三河譜代の侍たちも、そこに帰れば親族身内が多い。まるで地べたをつるが這《は》うように、駿府の町もその周辺も、今風にいえば、組織化することの出来る土地柄《とちがら》なのだ。二郎三郎はそこに目立たない、だが天下無双の城を築くつもりだった。

伏見をたって江戸に向う直前、二郎三郎はふと思いたって、甲斐の六郎を呼び、彼の蔭《かげ》の人物に、駿府を鑑定するよう依頼して欲しいといった。理由も告げた。

島左近はこの奇妙な申し出を、二つ返事で引きうけた。生来動くことの好きな男が、足腰に不自由もないのに、みみずくのように夜しか表に出られないのではたまったものではない。しかし、伏見ほどではないにしても、大坂はやはり危険な土地だった。夜歩きの間でさえ、両三度、顔見知りと危うくぶつかりかけている。だから余程息苦しくならない限り、表には出ないことにしている。今風にいえば、ストレスがたまるのは当然だった。

左近と原田市郎兵衛は、二郎三郎が江戸へたったすぐ後に、駿府に向けて出発した。左近は諸国を流れ歩いたこともあり、合戦では朝鮮までいった男だが、関東については弱かった。市郎兵衛の方は二度江戸までいっている。この男は自分のいうように地理狂いなのだから、二度もゆけば、東海道の主要な城下町・宿場は勿論《もちろん》のこと、別れ道から在方の方まで克明に調べ上げ、それを悉《ことごと》く記憶している。左近はまるで、コンピューターを連れて旅しているようなものだった。

別段、急ぐ旅ではない。旅費と調査料はたっぷり銀と小判で渡されている。これは慣行上上方では銀が、関東では金が主要な通貨となっていたからだ。二人は主要な城下町は充分に観察した上で、駿府の町に入った。

半日町をぶらぶらすると、市郎兵衛の頭には町割りから各町の臭《にお》いまで、すっかり入ってしまっている。

左近は宿に帰るといきなりいった。

「この町は駄目だよ」

「どうしてでしょう？」

市郎兵衛は暗記は得手なくせに、こういう判断には弱い。

「あの川だ、あれがいかん」

「安倍川ですか」

「そうだ。それだ。あれが、ほれ、町へ入るといくつにも分れてるな」

「北川、横雄川、妹川、稲川……」

「もういい。とにかくあの支流が町を寸断している。まるで水郷だ。あれじゃこの町に城下町としての発展はないな。おまけに大洪水《だいこうずい》が来たらどうする気だ」

「しかし今の城は家康公御自らお造りになった城ですが……もっとも今川屋形を改築したものとも考えられますが……」

「五年しか住んでいないじゃないか。城として出来がよくないからそうなったんだ。ちょっと図を描いてみてくれ」

市郎兵衛は忽《たちま》ち精密な駿府の図を描き上げてみせた。

左近は暫くこの地図を睨《にら》んでいたが、安倍川の上をとんとんと叩《たた》いた。

「やはりこれだ。これをいっそ町の外へ移したらどうだ」

これは正に暴論といえた。

駿府は府中と呼ばれた昔から、今川、武田、徳川と領主が替るたびに戦場となった。

永禄三年（一五六〇）桶狭間《おけはざま》の戦いで父義元を討たれた今川氏真は、永禄十一年、武田信玄と戦って遂《つい》に駿府から追われ伊豆に逃げた。天正十年（一五八二）には、その信玄を失った子の勝頼が、織田信長、徳川家康の連合軍のために滅び去ったが、この二回の合戦のたびに、駿府は焼払われたらしい。

『府中多く焦土となれり』(『駿国雑志』)

『今川の館《やかた》をはじめ諸士の宅地、神社、仏閣、民屋まで一宇を残さず焼払』(『甲陽軍鑑』)

とあるのは永禄の戦いのためであり、『駿河記』には、

『永禄・天正の兵火にて、昔の家居は残りなく失《うせ》たり』

とあり、その他の史料を見ても、この二度の合戦で駿河は壊滅状態になり住民は離散してしまったらしいことが判る。その後、家がぽつぽつと建つようになったが、住む人は『三河・伏見の者も移りしぞ』とか、『天正より以前ここに住せしと云者《いふもの》あることなし』と書かれているように、すっかり変ってしまったようである。

天正十四年(一五八六)に家康は城を浜松からこの駿府に移し、駿府城をほとんど新築している。その時の町並は、ほとんどそれ以前の町割り通りだったらしい。家康は天正十八年江戸に移るまで足掛け五年間、ここにいた。

「しかしこれは……」

原田市郎兵衛は、自分で描き上げた駿府の町割り地図をあれこれと検討しながら、呟《つぶや》くようにいった。

「大変な工事になりますなァ。費用も莫大《ばくだい》なものになりますが……」

上目づかいで、ちらっと左近を見た。左近が苦笑した。

「貧乏くさいことを云うな。お主の財布でするわけではない」

次いで真顔になっていった。

「徳川家の財布でもやるまい。この度のいくさに敗れた西軍の諸将、そうだな、まず毛利か島津にやらせるだろうな。両家の財布を空にさせるのが、徳川家の狙《ねら》いだろう」

左近の予測通り、この時期以降、江戸の町割り、江戸城新築、名古屋城新築、駿府の町割りと駿府城の新築と、相継ぐ建設工事で、関ヶ原の敗将だけでなく豊臣家恩顧の武将の財布は空にさせられてゆくことになる。そしてこの安倍川の流れを変えるための大堤防の建設という大工事は、これまた左近の予測通り、薩摩島津家に命じられた。これが所謂《いわゆる》『薩摩土手』である。『修訂駿河国新風土記』に云う。

『籠鼻妙見山下より有渡《うど》郡中野新田に至るの大堤あり、高三間・敷拾弐《じふに》間《けん》・馬踏六間・長弐千四百余間と駿府旧図にみえたり、この堤は慶長年中安倍川の水流今の所に流され為に築く所なりと云、川表の方方面三四尺の石を積て駿府の城市の囲とす、其《その》石㊉を刻めるありて島津家の功役にて築く所なりと云伝ふ』

「その土手が石垣《いしがき》の替りだ」

左近が愉《たの》しそうに酒を酌《く》みながら云う。

市郎兵衛は下戸である。焼《や》き餅《もち》を頰《ほお》ばった。

「安倍川の土手が……？」

口をもごもごさせながら訊《き》き返す。

「そうだ。そして安倍川が濠《ほり》よ。つまり駿府という大きな城の外曲輪《そとぐるわ》というわけだ。西への備えはそれで万全だろう」

「南は海ですか。しかし東は？」

「東には箱根山がある。天下の嶮《けん》といわれる箱根山がな。どちらが先に箱根山を抑えるかが、攻防の分れ目だろう」

左近は遠い目になった。この会話が、秀忠の江戸軍と、二郎三郎の駿府軍の合戦を想定していることは明白である。

勿論、圧倒的な兵力を結集して攻撃してくる秀忠軍団に対して、二郎三郎の駿府軍団はとるに足らぬ少数の軍でしかあるまい。だが箱根山を先に抑えれば、話が違う。平地に於《お》いてこそ大軍はその力を発揮するが、山岳戦はゲリラ戦である。地の利に通じ、敏捷《びんしょう》な兵が勝つ。勝たないまでも、かなりの期間、持ちこたえることが出来る。そして仮に一月持ちこたえれば、戦さの様相が変る。北からの軍勢が江戸をおびやかすことは確実だからだ。中でも徳川政権にあきたりない伊達政宗を中心に結集した奥羽《おうう》軍団と、米沢の上杉、秋田の佐竹、加賀の前田等の北陸軍団は、まっしぐらに江戸に殺到するだろう。

西についても同様のことが云える。浜松から名古屋までに配置された徳川譜代の大名たちが、仮に悉く秀忠の側につくとしても、安倍川を挟《はさ》んでの対峙《たいじ》が長びけば、やはり後方からの脅威にさらされることになる。西には徳川に怨《うら》みを持つ大大名が多いのである。その西国軍団の殺到を徳川譜代の大名だけでどれだけ防ぐことが出来るか。

しかも秀忠には致命的な弱点がある。この合戦が成功すれば父殺しの汚名を着ることになるという一点である。二郎三郎が一介の影武者にすぎぬとは、秀忠は口が腐っても云えない。云えば朝廷を偽って征夷《せいい》大将軍の地位を奪ったことが明らかになるからだ。そして事情を知らされていない徳川譜代の家臣たちが、父殺しの合戦にどれだけ積極的に参加してくれるか、危いものである。

その時、勝敗の帰趨《きすう》はまったく不明になると思われる。

「そうは思わんか、市郎兵衛」

市郎兵衛は、焼き餅を喰《く》いながら、恐れ入って左近の長広舌を聞いていた。この男には左近のような想像力がまったくない。だがその市郎兵衛でさえ、左近の言葉を聞いているうちに、箱根山と安倍川を主戦場とする二郎三郎と秀忠の激闘の様が、ありありと見えて来た。大砲が吠え、鉄砲が鳴り、弓が唸《うな》る。雄たけびと喚声がきこえて来る。臆病者《おくびょうもの》市郎兵衛の血さえ躍った。

そして二郎三郎は、まさしくその合戦の下準備を、江戸にいながらにして整えようとしていた。甲斐の六郎と、お梶の方配下の女忍者を使って、風魔一族の棟梁《とうりょう》である風魔小太郎と対面する機会を作ろうとしていたのである。

風魔一族はもと高麗《こま》の民であったといわれる。伊勢新九郎の知遇を得、北条家創立以来、蔭からの援助を続けて来たが、同家滅亡と共に、箱根を根城とする本来の乱波に戻った。

伊勢新九郎は元来、出自不明の人物である。乞食《ほいと》の出だという説まである。当時、出自不明といわれる人物は、ほとんどが流浪《るろう》の民であった。いわゆる『道々の輩《ともがら》』、『道々の者』と呼ばれる自由の民である。高麗から渡って来たという風魔一族は、当然、この『道々の輩』だった筈《はず》だ。同じ自由の民同士として、伊勢新九郎となんらかの交流があった筈であり、それが盟約の基となったのではないか。

二郎三郎はそう確信している。二郎三郎は自由な野武士時代に、何度か風魔一族と接触している。敵だったこともあり、味方だったこともある。山中でのゲリラ戦で、この一族と対等に闘える者はいない、というのがその当時からの二郎三郎の評価だった。伊賀、甲賀、武田の忍びといえども、山中では彼等に及ぶまい。

一族の数は三百人といわれるが、実数は不明である。実数を把握《はあく》するには彼等の中に潜入するしかないのだが、これが全く不可能だった。諸国の忍びが何人となく、この使命を帯びて潜入を試みたが、一人として帰る者はなかった。理由は簡単である。風魔一族は一族の間では依然として高麗の言葉を使用していたからだ。だから仲間を装って近づくことは出来なかった。

一族の棟梁風魔小太郎の人相についても不明である。世に伝えられたところでは、身長七尺二寸（二メートル十八センチ余）、眼はさかさまに裂け、四本の牙《きば》が外へ出ている。顔は鼻高く、福禄寿《ふくろくじゅ》のように長い、と云う。こんな馬鹿《ばか》々々しい人間がいる筈はないのだから、一族の捏造《ねつぞう》にきまっている。つまり誰も小太郎を見たことがない、と云うことだ。

その誰も見たことのない人物に、二郎三郎は会いたいと思っている。そのためには自分の正体を乱波に告げてよい、とさえ六郎に命じた。二郎三郎が本来『道々の輩』の一人であることをしらせ、風魔の共感を呼ぼうという魂胆だった。それほどまでして、風魔一族を手なずけたい理由はたった一つ。彼等の根城が箱根山だという点にあった。

風魔一族を味方につけ、一族の指導によって兵を動かす者が、箱根山を制する。二郎三郎はそう確信していた。北条一族が脆《もろ》くも秀吉に敗れたのは、兵力・軍備の差もさることながら、それ以前に位におごり、奢侈《しゃし》に流れ、風魔の信頼を全く失っていたことが大きな原因の一つだと、二郎三郎は見ている。

甲斐の六郎はこの二郎三郎の密命を受け、お梶の方配下の女忍び一人と共に、箱根山に向った。女忍びの名はおふう。歳《とし》は二十八歳。風魔の一族だった。どう見ても美人とはいえない。小ぶとりで顔はおかめの面に似ている。垂れ目で愛嬌《あいきょう》はある。おかめは美人の典型といわれるから、もう少し時代を溯《さかのぼ》れば、或《あるい》は美人の範疇《はんちゅう》に属したのかもしれない。おふうのいいところは、その明るさと怜悧《れいり》さにあった。どんな困難な局面に立ってもにこにこと笑っている。驚くべきことに剽《ひょう》げたしぐささえしてみせる。それで自分も味方も気を楽にさせるのである。

そのおふうが、今度の旅では妙に寡黙《かもく》だった。いつもは果てしないお喋《しゃべ》りで、仲間を辟易《へきえき》させる女なのである。箱根に近づくにつれて、ほとんど口をきかなくなった。珍しく眉間《みけん》にたて皺《じわ》など刻んで、何かじっと思案を凝らしているように見える。

甲斐の六郎はそれを風魔の棟梁に会おうとするための緊張ととった。さすがは風魔だと思った。配下の忍びにさえ、これだけの緊張を強《し》いるとは、風魔小太郎がよほどの人物である証拠である。おふうの言によれば、配下といえども棟梁の姿を見たことがないと云う。小頭《こがしら》と呼ばれる直属の長《おさ》しか知らない。おまけに横の関係もない。つまりおふうは、他の小頭もその部下も知らないのである。従って、仮に捕えられることがあっても、おふうが告げられるのは、数人の仲間と自分の小頭の名前だけである。他の仲間や長については、本当に何も知らないのだから喋りようがない。それでは急に助《すけ》っ人《と》を頼んだり頼まれたりした時、確認が出来なくて困るのではないかと思われるが、そういう場合にこそ高麗語が役に立つことになる。高麗語で、きめられた言葉を告げれば初対面の人間でもそれが味方ということになる。実によく出来た組織というべきだった。

小田原に着いた時、おふうが一泊することを主張した。足を伸ばせばすぐ箱根山だが、山に入るにはそれなりの手続きが必要だという。六郎は承知した。今度の旅の宰領は、すべておふうに委《まか》せてある。またそれしか法がなかった。委せた以上は全面的に信頼する。それで裏切られれば身の不運というだけのことであり、咄嗟《とっさ》の働きで生き残る道を探すだけである。それで道がなければ死ねばよい。六郎の生きざまは極めて簡単だった。

かなりの上宿をとった。その方が怪しまれずにすむ。二人は鳥見役人とその妻という手形を持っている。鳥見役人は鷹狩《たかが》りに使われる猟場の視察と整備を職としており、鳥を追ってどんな地域にも入ってゆける権限を持つ。後代まで隠密《おんみつ》役を兼ね、大名たちに恐れられた存在だった。

その晩、おふうが六郎の臥所《ふしど》に忍んで来た。

「夫婦《めおと》になって下されとは申しませぬ。でも六郎殿と男と女の仲にならなければ、風魔の長に引き合わせることがかないませぬ」

そう、おふうはかき口説いた。

風魔一族は、何よりも血の盟約によって結ばれた組織だった。全員が文字通り一族だった。いわば大家族だ。そこに風魔一族の強固な団結力の源があった。どんな理由があろうと他人は一切入れない。そしてそこにおふうの悩みがあった。

勿論、そういう都合だけではない。おふうは伏見城以来六郎を思っていた。だがおふうは自分が醜女《しこめ》なのを知っている。しかも、忍びに男女の情けは法度《はっと》である。だからじっと耐えて来た。それが今度の任務によって、否応《いやおう》なく破られることになった。

六郎は風魔の掟《おきて》を理解した。無言でおふうを抱いた。そして意外なことが起った。六郎はおふうの肉体に溺《おぼ》れたのである。

六郎にとってこんなことは初めての体験だった。だがおふうの身体《からだ》は素晴らしかった。肌理《きめ》のこまかな肌《はだ》は、しっとりと六郎に吸いつき、無限に六郎を受け入れるように思えた。吐く息もかぐわしく、身体全体がいい匂《にお》いを放っている。そしてほとんど無毛だった。六郎は夜の明けるまで、おふうに溺れていた。

「わしは忍びの値《あたい》が無い」

夜明けに至って、ようやくおふうから離れた時、六郎は自嘲《じちょう》するようにいった。

「だが構わぬ。わしはおふうなしには生きられぬ。江戸に帰ったら、上様にお願いして、そなたと夫婦になろう」

「うれしい」

おふうはしっかりと六郎を抱いた。

「では六郎殿は私の夫《つま》だと、長にいってよいのですね」

「いいとも。それに相違ないのだから」

なんの後悔もなく、六郎は答えた。

おふうの変貌《へんぼう》は瞠目《どうもく》すべきものがあった。顔形が変るわけはないのだが、一夜にしてすべてが花のように咲き誇る感じになった。おふうは初めて男を知ったのである。眩《まぶし》いような強烈で清純な色気が、おふうを包んだ。誰が見ても、おふうの身に何が起きたかは一目瞭然《りょうぜん》だった。

「おふう」

何年ぶりかで会った風魔の長は、愉しげに笑いながらいった。

「どうやら女になったようだな」

「亭主をつれて参りました。小田原に待たせてあります。父上が御自ら御鑑定下さい」

風魔の長、風魔小太郎はうなずいた。おふうは六郎もお梶の方も欺《あざむ》いていた。小太郎の実の娘だったのである。

「おふうが選んだ男、わしに試させろ」

同席していた小柄な老人が、愉しそうにいった。これは二代目風魔小太郎、おふうにとっては祖父に当る。隠居して風斎という。六十五歳。北条氏の滅亡と共に、風魔一族の棟梁の地位を息子に譲った。以後、長い朝鮮ぎせるをくゆらしながら、終日日だまりにうずくまって、ぼけっと穏やかな日々を送っているが、それが単なるみせかけに過ぎないことを、少なくとも当主の小太郎は知っている。体力智力《ちりょく》ともに、まだまだ若い風魔には及びもつかぬ底力を秘めている。

「どうする、おふう?」

小太郎がおふうにきいた。

「おじじ殿の試しはきついぞ。その男、耐えられると思うかね」

おふうが顔を染めながら、それでもはっきりとこくんと頷《うなず》いた。

風斎と小太郎が顔を見合わせた。おふうの仕草が自信満々に見えたのである。

「おふうの考えている通りならいいが……」

小太郎が危ぶむようにいった。小太郎は風斎の試しの凄《すさ》まじさを知っている。確実に受けとめない限り男は死ぬことになる。親子の仲といえども、風魔は何の手加減もしない。たわむれにさえ生死を賭《か》ける。それがこの一族の恐ろしさだった。

甲斐の六郎は旅籠《はたご》でひっくり返っていた。おふうの連絡がいつ入るか判《わか》らないので、出歩くわけにはゆかない。六郎は休む時は徹底して休む。まるで呆《ほう》けたように、頭の中は空っぽにし、身体の筋肉という筋肉を弛緩《しかん》させている。はたから見たら、とんでもない怠け者か愚者に見えただろう。

その弛緩しきった筋肉が、一瞬で緊張した。

「宿改め」

という声が階下でした。

小田原藩の武士が宿改めをするのは、格別珍しいことではない。関ヶ原以降、天下は浪人で満ち満ちている。改易の憂《う》き目《め》にあった大名の家臣たちは悉《ことごと》く失業したからだ。彼等が職を求めて江戸へ集って来るのは当然の成り行きだった。そして江戸への道中に当る藩にとって、この手の浪人は常時、きびしい監視下に置く必要がある。金もなく未来もない、あるのは身についた殺人の術だけという男共は、常に厄介事《やっかいごと》のもとである。だから、絶えず宿改めをして、この連中の動静を把握し、厄介事を未然に防がねばならぬ。

今の六郎は幕吏の一人だという正式の手形を持っている。だから宿改めにあっても何の支障も起る筈がない。鳥見役人という肩書は、見廻《みまわ》り役人たちを警戒させるかもしれないが、却《かえ》って叮重《ていちょう》な扱いを受ける筈だった。だから六郎は、のんびり偉そうに構えていればいいのである。それが出来なかった。六郎の勘がこの宿改めを、異常ととらえたのである。

六郎は一挙動で起き上がると、先《ま》ず、新しい草鞋《わらじ》を履いた。荷物と大刀はわざと置き去りにして、忍びの道具袋と小刀だけ身につけると、忽《たちま》ち押し入れから天井裏に出た。天井板に小柄《こづか》で穴を穿《うが》ち、下の様子を窺《うかが》う。

やがて番頭に案内されて、五、六人の目付らしい武士が廊下に立った。六郎が障子を明け放しにしておいたので、部屋の様子は一目瞭然である。

「おらぬではないか」

かしら分の者が番頭に文句を云《い》った。番頭は首をひねりながら、さっきまで確かに居たし、外出するところを見ていないと、さかんに謝っている。目付たちは荷物を調べたが、おざなりである。やがて不満そうに出ていった。

六郎は屋根下地を破り、屋根に出た。

目付たちが旅籠から出て来るのが見える。集って何か相談していたが、ばらばらに散った。帰るのではなく、旅籠をとり囲み、張り込みをするためだった。

六郎はするすると屋根を降り、目付たちの包囲が完成する前に、その外に出た。

本来ならさっさと逃げだすところだが、おふうとの連絡待ちでは、それも出来ない。それに目付たちの言動が奇妙だった。

これが通常の宿改めでないことは、明らかだった。目付たちは他の部屋を改めることなく、まっすぐに六郎の部屋に来ている。これは初めから六郎が目当てだということだ。

小田原は秀忠側近の筆頭大久保忠隣の城下町だ。その小田原藩の目付が、宿改めに名を借りて六郎を恐らく逮捕に来たとなると、事は重大になる。これは野盗、関ヶ原の落武者などの詮議《せんぎ》のやり方ではない。名指しという点が特に不審である。甲斐の六郎などという名前が、落人詮議にのぼる筈もなく、名のきこえた野盗の中にもある筈がない。あるとすれば隠密詮議である。ということは、大久保忠隣が六郎の名を家康（二郎三郎）の隠密として知ってい
るということになる。忠隣が知っているということは、秀忠も知っているということだ。だ
が絶対にそんなことがあるわけがなかった。

二郎三郎が江戸城に入った時、六郎はくまなく江戸城中を探り、伊賀者・甲賀者による江戸城の警備状況と、彼等の隠密活動を知ろうとつとめた。その結果、江戸城の警備が意外に杜撰《ずさん》であること、それは秀忠が伊賀衆・甲賀衆をあまり信用していない結果であり、秀忠は寧《むし》ろ剣術指南役である柳生一門を重用し、隠密役もほとんど柳生一門に委せていること、などを知った。そして柳生は六郎の存在さえ知らなかった。

そう考えて来ると、小田原で急に六郎が詮議の対象になるのは不可解である。この疑問の答は一つしかない。この目付たちが本物か贋物《にせもの》かは別として、彼等を動かしている者は大久保忠隣ではなく、風魔一族だということである。今のこの時点で六郎の存在を知っているのは、風魔しかいなかった。

荷をおろして休んでいる飴屋《あめや》がいた。かなりの老人で足腰も弱っているらしく、地べたに足を投げだすようにして、腰を落していた。疲労の色が濃い。

六郎は老人にかなりの金をやって、飴屋の荷を借りた。衣裳《いしょう》も自分の着衣と交換する。小刀は背筋にそって差すと、外からは判らなくなる。もともと直刀（そりのない刀）の忍び刀なのである。

その衣裳で飴の荷台をかつぎ、鉦《かね》を叩《たた》きながら町内を一巡した。呆《あき》れたことに何人かの子供に口上宜《よろ》しく飴を売っている。これが忍者の芸である。廻りながら、六人の目付を仔細《しさい》に鑑定した。

〈目付ではない。だが小田原藩士には違いない〉

これが六郎の鑑定である。乱波が化けているにしては、彼等はのんきすぎた。現にその中の一人は知人と出会って立ち話までしている。だから本物の藩士であることに間違いはない。恐らく金で動かされているのだろうが、それにしても本物の小田原藩士を抱きこんで自在に動かすとは、風魔一族の力は尋常のものではない。

だがこの武士たちが本物だとすると、風魔はどこかで、武士たちを見張っている筈である。武士たちに委せっ放しにしたとは考えられない。その見張役の風魔はどこにいるのか。

六郎は油断なく周囲に目を配りながら町内一巡を終えた。どこにもそれらしい影は見当らない。

〈そうか〉

腹の中で合点した。自分がまんまと罠《わな》にはまったことを知った。

老人の飴屋は元の場所にいた。六郎の衣服を羽織っただけで、相変らず足を投げ出している。

「有難う。荷物を返すよ」

六郎は荷を横に置いた。

「着物を返してくれ」

飴屋の衣裳を手早く脱ぐと、老人に放《ほう》った。

同時に忍び刀を抜いている。飴屋の衣裳と一つになって老人を斬《き》った。だが六郎は自分の着衣を切り裂いただけだった。

老人の姿が、一瞬に消えている。

驚くべき跳躍だった。足を投げ出した姿勢から、一跳ねで、老人は築地《ついじ》の上に立っていた。裸ではない。六郎の着衣の下に、町家のご隠居さんといった感じの、渋い着物をきちんと着ていた。

六郎の方は半裸だった。

六郎は暫《しば》らく老人を見ていたが、忍び刀をおさめ、自分が切り裂いた着物を着た。

「裸になった分、わしの負けだ」

苦笑しながら六郎がいった。

「よく見破った。剣も仲々鋭い。わしでなければ斬られていただろう」

にこやかに笑いながら、風斎がいった。

風斎はひどく六郎が気に入ったようだ。古着屋で六郎の衣裳を買い（切り裂かれた着物では疑われるのは必然である）、旅籠へ入って残して来た大刀と荷物をとり戻し、旅籠賃まで払って来てくれた。

箱根山の間道から間道へと案内しながら、絶えず機嫌《きげん》よく喋っている。話は主としておふうのことである。おふうの人柄《ひとがら》をどう思うか、おふうの味はどうだったか、子供は何人産ませるつもりか。

六郎は辟易していた。ほとんど返答不可能な問いばかりなのである。だが六郎の帯びている使命についての質問が全くないのは助かった。或《あるい》はおふうが、その点については一切話していないのかもしれないと、六郎は思った。ただ単に、自分の選んだ亭主を一族に見せ、一族の承認を得るために帰山したと思わせているのかもしれない。六郎の使命は、小頭ごときに話せる内容ではなかった。風魔の棟梁風魔小太郎じきじきでなければ、打ち明けることの出来ぬ秘事である。おふうは見事にやっていると、六郎は満足だった。

六郎はまだ、風斎を小頭と信じている。風斎にはいかにも小グループの長らしい気易《きやす》さと人の好《よ》さがある。だがこの齢《とし》で、先程見せた手練はただごとではない。小頭がこれほどの技《ぎ》倆《りょう》の持ち主だとしたら、棟梁の小太郎はどれほどの腕か、と肌寒くなる思いだった。

蜿蜒《えんえん》と深い林の中の道を辿《たど》った。

ふっと六郎の足がとまる。

人の気配を感じたのである。

だが殺気はない。

「見張りじゃよ。気にされるな」

風斎は呑気《のんき》に手を振って先へ進む。そういうことが三度あった。いずれも僅《わず》かに人の気配が感じられるだけで、姿は見えない。樹《き》の上に潜んでいるに違いなかった。いずれも『猿《さる》

飛《とび》』の術の達者であろう。地べたにまったく足跡がない。樹から樹へとび移って移動すると
しか、考えられなかった。そして恐らくは弓の達者だ。侵入する者があれば、一旦《いったん》やりすご
して背後から襲う。うしろの者から順に矢をうけて斃《たお》れるという仕組のはずだ。この方法だ
と、十人や二十人の小部隊は忽ち全滅する。
不意に、六郎が高く、しかも横に跳んだ。落葉の下に仕掛けられた綱に、僅かにひっかか
ったのである。
恐ろしい物が飛んで来た。木に吊《つ》るされた等身大の藁《わら》人形である。藁人形には先尖を削《そ》い
だ竹が、全身に無数に埋めこまれてある。綱にひっかかった者は、この人形と抱き合う形に
なる。それは全身に竹の切尖《きっさき》を受けるということだ。即死に間違いなかった。
ほっ、ほっ、ほ。風斎が愉《たの》しそうに笑っている。
「ご老人」
六郎がいまいましそうに訊《き》いた。
「箱根全山、くまなくこのような仕掛けが……？」
「まさかな」
風斎がまた笑った。
「多少、奥まった場所だけじゃよ」
それにしても驚くべき防衛処置である。なまなかの軍隊では、風魔一族の影さえ見ないう
ちに、全滅させられてしまうだろう。現代のベトナムでのアメリカ軍の惨憺《さんたん》たる敗北がその

例証である。アメリカ軍は大型ヘリからナパーム爆弾まで動員しても、尚《なお》かつベトナム軍のゲリラ作戦を制することが出来なかった。深い原生林と湿地帯がゲリラの強力な味方だった。非人間的な枯葉剤を散布してまで、この原生林を消滅させようとしたアメリカの狂気は、この種の戦いに対する文明人の恐怖をまざまざと示している。

ことはこの箱根山中でも同様だった。ヘリコプターもナパーム爆弾もない徳川軍団が、この恐るべき防衛陣の敷かれた原生林地帯の戦さで勝利を得る確率は、果てしなく零《ゼロ》に近かった。

「これを風魔の結界という」

風斎は涼しい顔で解説を施した。

「猟師、杣人《そまびと》などは、残らずこの結界を知っておる。うかつに忘れても、先ず警告がある」

無辜《むこ》の民がいたずらに殺されることはない、という意味だ。

六郎は思わず唸《うな》った。これはさながら一個の独立国である。絶対不可侵の一独立国といっていい。この独立国に目をつけた二郎三郎の慧眼《けいがん》はまさに瞠目《どうもく》に値する。そして、この独立国が二郎三郎と協定するか否《いな》かは、六郎の双肩《そうけん》にかかっている。六郎はその責任の重さに呻《うめ》く思いだった。

六郎がまた足をとめかけたが、ひとつ頷いて歩みを進めた。

大人数の気配だったからである。此処《ここ》が本営なのだろう。そう思った。

だがそうではなかった。山火事に備えたらしい広い林間の空き地で、建物はまったくない。

つまり広場である。

夥《おびただ》しい人がいた。いずれも柿《かき》色の装束で身をくるみ、半具足をつけ、陣刀を佩《は》いた屈強の男ばかり。百人は集っている。

中央に台がしつらえられ、そこに鎧姿《よろいすがた》に陣羽織を着た偉丈夫が坐《すわ》っている。濃い頰髭《ほおひげ》が風に靡《なび》きいかにも伝説の風魔小太郎と見えた。

その横に、なんと花嫁姿のおふうが坐っている。美しかった。六郎が思わず口を半開きにして嘆声を洩《も》らしたほどの美しさである。

「よだれがたれているぞ」

風斎がにやにや笑いながらいった。

「先ず衣裳を変えて貰《もら》おうかね。祝言《しゅうげん》にその姿ではな」

六郎は、三人の風魔の若者の手で、あっという間に裸にされ、新しい小袖《こそで》を着せられた。本来なら鎧下地を着るところだが、見てみると風魔は皆、小袖の上に鎧をつけている。

「鎧を脱げば、忽ち常人になれるためさ」

六郎の疑問を察したらしく、風斎が解説してくれた。武将の中では織田信長が、よく小袖の上に、じかに鎧をつけたといわれる。これは恐らく、わざわざ鎧下地をつけるのが面倒だったのだろう。性急な信長らしい逸話だった。

小袖の上に鎧を着せられた。今はやりの南蛮鉄の胴丸で、鉄砲を防ぐのが主眼で作られたものだ。六郎はただ立っているだけである。三人の若者の手際《てぎわ》は素晴らしく、しかも迅速だった。忍び刀をとり上げられそうになった時だけ、六郎はさからった。鎧通しのかわりに、忍び刀を差す。

六郎は着替えさせられている間じゅう、おふうと小太郎らしい偉丈夫を、そしてその周囲に居並んでいる長らしい男たちを眺《なが》めていた。外見は茫然《ぼうぜん》とつっ立っているようだが、頭の中はぶんぶん唸りをあげんばかりに廻転《かいてん》している。

着替えが終ると、風斎の導きで壇に進んだ。小太郎らしい偉丈夫に軽く一礼すると、その右横にいた、これは対照的なまでに小柄な四十代後半と思われる男に叮重《ていちょう》に頭を下げ、名乗った。

「風魔小太郎殿とお見うけします。手前甲斐の六郎と申す武田忍びの裔《すえ》にございます。只今《ただいま》は徳川家康公の御指図に従っております。宜しくおひき廻しの程、御願い申し上げます」

風魔たちが一斉《いっせい》に驚きの声をあげ、ざわめいた。

これは六郎の賭《か》けである。名だたる風魔の棟梁《とうりょう》が、初対面の男に素顔を曝《さら》す筈《はず》がない。それに壇上の偉丈夫は、あまりに伝説の小太郎に似すぎていた。六郎は伝説の心理を読んだ。身の丈七尺二寸とはそれが偽装のため作られた伝説とはいえ、異常すぎる。大男に憧《あこが》れるのは小兵《こひょう》の男の習性であるから、これは現実の小太郎が常人より小柄であることを明かすものではないか。目はさかさに裂け、四本の牙《きば》があるというのも異常だ。同じ考え方をすれば、実際の小太郎は武人にふさわしからぬ優しげな容貌《ようぼう》の持ち主なのではないか。

衣裳をかえさせられている間、六郎はそういう目で壇上の人物を一人々々吟味していた。

棟梁である以上、壇の上には必ずいる筈である。やがてこの小柄で優しげな人物に注目した。陣羽織はなく普通の鎧姿だが、陣太刀が黄金造りで、しかも明らかに唐の剣である。更にこの人物の相貌は風斎によく似ていた。先代の風魔小太郎が、北条家滅亡と共に隠居したという話を、道中で六郎はおふうから聞いている。道理で凄まじい手練である。風斎は小頭どころではなく、先代の小太郎に相違ない。とすれば風斎そっくりのこの人物が小太郎であることは明らかだった。六郎は賭けた。

人一倍小柄で優しげな風魔の棟梁小太郎は、苦笑して風斎にいった。

「おやじさまが教えたのですか」

「そんなことをするわけがない。本人に訊《き》いてみなさい」

風斎は相変らずにこにこしながら答えた。

小太郎は偉丈夫と席を替り、陣羽織を着用してから、六郎に云った。

「いかにもわしが風魔の棟梁・風魔小太郎だ。どうして一目で見抜いたか、先《ま》ずそれから教えて貰おうか」

六郎は自分の推測を明快にのべた。

壇上の長たちは、驚嘆し且《か》つ納得した。

小太郎の代役をつとめていた偉丈夫が吠えるようにいった。

「さすがですな。おふう様が選ばれただけのことはある。ほとんど風魔に近い」

どうやらそれは最高のほめ言葉だったらしい。小太郎が多少得意そうにおふうを見て微笑した。

「甲斐の六郎といわれるか。わしの娘、おふうと夫婦《めおと》になることは承知か」

「娘!?」

六郎は愕然《がくぜん》とした。そこまでは読んでいなかったのだ。

「小太郎の娘と知らずに契《ちぎ》ったか」

小太郎の眼が鋭くなっている。

「風魔につなぎをつけるために契ったのではないのか」

「いかにも」

六郎は一切嘘《うそ》はいわぬことにしている。風魔に嘘は通用すまい。どれほど都合の悪い真実でも、嘘よりは安全な筈だった。

「元々は風魔につなぎをつけるためです。だが契ってみて気が変った。おふうが風魔と関係なくても、わしが女房にすることに決めた。ならぬといわれれば、連れて逃げる」

おふうが縋《すが》りつかんばかりの顔をした。

「お主、女に慣れておらぬようだな」

小太郎が渋く笑って云った。

「どうしてですか」

六郎が訊き返すと、あっさりといった。

「当の女の前でそういうことは云わぬものだ。増長させることになる」

広場を埋めた風魔一族が、どっと笑った。みんな六郎の人物に好感を抱いた証拠であることを、風斎はいち早く見抜き、かすかに微笑した。この一族は、必要上からもあって、極端に排他的である。ほとんど絶対に、よそ者を許すことがない。そのかわり、一旦許して身内に迎えれば、身命を賭《と》してこれを守る。今、六郎は、その稀《ま》れな許しを手に入れたことになる。

これは風魔一族にとっても、願わしいことである。血族結婚を繰り返すことは、一族のためにもならない。新しい血の導入は、風斎の長年の祈りだったといっていい。

六郎とおふうの婚礼は、夜を徹して、盛大且つ陽気に行われた。

六郎が二郎三郎の依頼について風魔小太郎と語ったのは、翌日の昼すぎである。風斎も同席した。

北条家を蔭《かげ》から支えて戦国の世を生き抜いて来た風斎が、二郎三郎の事件には驚倒したという。小太郎に至っては、初め、六郎の作り話ではないかと疑ったらしい。だが、考えてみれば、こんな奇想天外な話をわざわざ作り出す必要が、六郎にはない。一文の得になるわけでもなく、逆に疑われて殺される危険の方が大きいのである。そして作り話にしては、符合する事実が多すぎた。箱根山はさながら情報センターだった。関東と関西との情報伝達の使者たちは、いやでもこの難所を通らねばならない。そして大方の者が三島で一泊する。三島には風魔の探索の網が隙間《すきま》なく張りめぐらせてあった。その網にかかった情報は即日、小太郎のもとに届く。そうやって集められた様々な情報と、今、六郎が語っている話とは、実にぴったりと符合するのである。

「面白いことになりそうだな」

暫くの沈黙の後、風斎がぽつりといった。奇妙に若やいだ表情だった。

〈おやじ殿は気が昂《たか》ぶっていられる〉

小太郎は敏感に察し、思わずくすりと笑ってしまった。

「何がおかしい？」

風斎が睨《にら》んだ。睨んでおいて、自分でもぷっと笑った。

「ああ、その通りだ。わしは昂奮《こうふん》しておる。十六の若者のように、胸がはずんでおる。それが悪いか」

まるでだだをこねている子供のような言い草だった。

「少しも悪くなんかありませんよ」

小太郎は冷静にいった。どんな時にも冷静さを失わないのが、この風魔の棟梁の特性だった。風斎は日頃《ひごろ》それをじれったい思いで見ている。このすぐれた息子の胸に火を点《つ》けるような事件なり女なりが現れてくれることを、待ち望んでいたといっていい。

〈かっと胸が熱くなるような思いも味わわずに、生きているといえるか〉

それが風斎の思いだった。

「ですが大変ですよ、これは。まず相当の米を買って、埋めなければ、ことは始りません。二、三年分の米が要る」

これは日本人の思考法ではない。大陸の思考法である。戦争という言葉が、すぐ米という言葉に連結する。戦争が起れば、田畑は荒らされ、耕作は不可能になる。当然食糧は欠乏し、倉庫は兵隊に荒らされ、民衆は飢えることになる。それも一時のことではない。戦いは短期で終っても、翌年の収穫まで食糧はないと思わねばならぬ。だから戦争が始ると感じると、大陸の人間はすぐに米を買う。そしてその米を庭に埋める。家の中に置いては掠奪《りゃくだつ》され、或《あるい》は焼かれるからだ。少なくとも一族が一年以上くいつなげるだけの米を埋める。

「殿が……」

六郎は口を挟《はさ》んだ。

「金と銀を用意されています。すぐにも必要な額の全額、指定の場所へ運ばせようと申されておられます」

小太郎と風斎が顔を見合わせた。

「全額、といったかね」

小太郎が訊いた。穏やかな声だが、僅かに緊張の響きがある。

「全額」

ぴしりと六郎がいう。

「必要とする額と届け先、並びに届ける手段。その三つを云って下さい。手前が江戸に帰り次第、ただちに……」

小太郎がもう一度風斎の顔を見た。風斎がにやっと笑った。

「確かに、今の徳川殿は、道々の者の流れを汲《く》んだお人のようだな。もののふのやり方とは違う」

武士《もののふ》は、根底的には流浪《るろう》の民である忍びを決して心の底から信用することはない。必要とする銭は支払うが、それは何段階かに分けて渡されるのが常である。『全額先渡し』というやり方は、相手を全面的に信じていることを明かすものだったし、『道々の者』特有のやり方でもあった。

彼等もまた一所不住の徒である。『また』とか『あとで』という言葉が意味をなさない暮らしをしている。『また』という日が来るかどうか、『あとで』という時があるかどうか、彼等自身にも不明なのである。だから出会った時にすべてを決済しておく。受けた方は、この約束を生命より重んずる。違約すれば、流浪する先々でそのことが語り継がれ、やがてその一族に仕事を依頼する『道々の者』はいなくなることが、目に見えているからだ。

従って、いい加減な気持で全額先払いの仕事を引き受けることは出来ない。金を受けとったが最後、どんなことをしてもその仕事は果さねばならなくなる。

「三日貰いたい」

小太郎が六郎にいった。一族の長たちと協議しなければ、これだけの大事はきめられない。

「五日にしなさい」

風斎がいった。珍しくひどく生真面目《きまじめ》な顔になっている。

「いくさになれば、秀忠公は十万の軍勢で箱根山を囲むだろう。その昔、織田信長公が比叡《ひえい》山《ざん》でなされたように、箱根全山を焼きつくし、攻め登って来るに相違ない。それを考えれば、三日の評議では不足だよ」

小太郎が微笑した。

〈珍しいことだ。おやじ殿が入れこんでいられる〉

そういう小太郎の胸も、久しぶりに熱くなっている。

「では、五日」

六郎が無言で頭を下げた。

五日間にわたる長たちとの会議は例の林間の広場で行われた。長、即《すなわ》ち小頭の数は二十五人。各人が十人ずつの部下をもっている。だからそれだけで二百五十人。その他に、小太郎直属の者がいるという話だった。その数は三十ともいわれ、五十ともいわれる。大方が箱根山中にはいず、全国に散っている。一種の調査員たちであり、各地から定期的に報告を寄せ、そのお蔭で小太郎は、居ながらにして全国の動静に通じていられるのである。更に小太郎の側近が二十人。これは交替で昼夜を問わず小太郎と風斎を護《まも》っている。

六郎はおふうと共に、この長たちとの会議に出席した。長たちに質問事項があった場合に備えたものである。

驚くべきことに、六郎には会議の模様が皆目判らなかった。すべてが高麗語で話されたためである。二郎三郎の依頼に反対する者が発言した時だけ、通訳してくれるように、あらかじめおふうに頼んでおいたのだが、おふうは遂《つい》に一言も伝えてはくれなかった。

「反対の人なんかいなかったんだもの」

というのがおふうの言い草だったが、六郎は信じていない。おふうが風斎か小太郎から釘《くぎ》をさされていたのは明瞭《めいりょう》である。特定の長に六郎の反撥《はんぱつ》が向けられるのを恐れたためだろう。反撥された人間は、やがて本当に反撥されるような事をしでかすことになる。後で風斎が六郎にそう教えた。それに高麗人《こまびと》は激しやすい。本心では賛成なのに、ちょっとした言葉のゆきちがいで、殺し合わんばかりに腹を立て、罵《のの》り合う。日本人が見れば、それを敵対行為ととるだろう。だが違うのである。きちんと話し合えば、誤解はとけ、なんのこともなくなるのだ。その辺を斟酌《しんしゃく》して、おふうに通訳させなかったのである。

〈よくこんなに喋《しゃべ》ることがあるな〉

六郎が呆《あき》れ返ったほど、彼等はよく喋った。おふうは当然だと云《い》った。六郎の提言は、風魔一族を戦争にひきこむ話である。実際に戦闘行為をするか、しないですむかは別として、心構えとしては、そういうことになる。そして、いつの時代でも、戦争は金のかかるものであり、かかわり合う者を死と直面させるものである。つまり全員が死ぬ覚悟をしなければならない。自分が死んだら年老いた母はどうなるのか、妻や子はどうなるのか。それを考えない男はいない。その家族たちへの安全と保障が、最も多く語られた、とおふうは云った。それに対する小太郎の答は、抽象的なものではいけない。一つ一つ、具体的で実現可能なことでなければ、長たちは納得しない。驚いたことに、妻たちの再婚の相手の名さえ出たと云う。そこまで云わないと納得しないのである。小太郎は一々辛抱強く聞き、対応策を考えだした。

それが棟梁の仕事だった。

間で六郎が小太郎の質問を受けたのは、前後三回だった。一回目は、米その他を買うための金銀はどこから来るか、というのである。六郎はこの件について既に二郎三郎から指示を受けている。

「甲州黒川金山」

「いいだろう」

「どこへ届けましょう？」

「江戸だ。伏見でもいい。だが必ず箱根山を通ること。山中でわしらがそれを奪う」

六郎は呆気《あっけ》にとられた。

「そんな必要はないと思いますが……」

「いや、ある」

小太郎は厳しい表情でいった。

「運び役が何十人いるかしらぬが、その者たちは荷が何であるかを知っている。わしらがそれをじかに受け取っては、忽《たちま》ち評判になる。わしらと徳川殿が手を結んでいることが知られては、後々の作戦の障りになる」

小太郎のいうのはもっともだった。

「徳川殿に烈火の如《ごと》く怒っていただきたい。小田原藩に、風魔殲滅《せんめつ》と金銀奪還の厳命を下して貰いたい」

勿論《もちろん》、風魔一族が小田原藩に殲滅されるわけがない。だが一時的にせよ追及が厳しくなれば、風魔一族が鳴りをひそめていても、誰も怪しむまい。その間に、米を買い、武具を整え、山火事の対策を練り、町場に一族の女子供を移す用意をする。それに、家康の厳命に小田原藩が応《こた》えられなければ、それは藩主大久保忠隣の落ち度になる。秀忠公側近第一人者である忠隣の落ち度は、二郎三郎にとっては好都合なのではないか。

小太郎はそういってにたりと笑った。この恐るべき男は、江戸城中における勢力争いについても精通していた。もっとも先日の江戸大火をおふうの依頼によって成功させたのは彼等だったから、この辺の事情に明るいのは当然だったともいえる。彼等はこの大火によって、本多弥八郎正信が、大久保忠隣以下の秀忠側近政治家を強烈に弾劾《だんがい》し、その政策から人事まで木ッ端微塵《みじん》にぶち壊したことを知っていた。それを痛快だと思い、さすがは本多弥八郎と評価していた。三河一向一揆《いっき》以来の弥八郎の長い長い一向一揆衆との関《かか》わり合いを知っていたからである。六郎によって明かされた二郎三郎の正体は、この本多弥八郎の活躍に、新たな角度から照明をあてさせることになった。

二番目の質問は、いつ、二郎三郎が駿府に移るか、ということである。

「早くて三年、遅くて四年」

二郎三郎が征夷《せいい》大将軍となり、江戸に幕府を開き、将軍職を秀忠に譲るまでの期間である。

「徳川殿にとっては、遅ければ遅いほどいいわけだ」

小太郎がまた笑った。

三番目の質問は、いつ、どこで二郎三郎に会うかということである。六郎の答は、江戸近郊の猟場なら、どこでもいいし、日どりもまかせるというものだった。いつものように鷹狩《たかが》りにことよせて、近在の農夫を装って対面すればいい。

小太郎は承知し、これで五日にわたる会議は終った。

五日目の夜は、またもや盛大な酒宴になった。

〈なんという陽気な忍びか〉

これが六郎の感慨だった。武田家滅亡後、諸国を渡り歩いて、様々な忍びと会い、時には一緒に働いたこともあるが、こんな陽気な忍びの一族に出会ったことがない。恐らくこの陽気さが、風魔一族の強さの根源ではないか、と六郎は思った。故郷を離れ、遠い異国に在って尚《なお》故国の風儀を守り、盃《さかずき》をあげては、故国の歌をうたい、故国の踊りを踊り、そこに油然《ゆうぜん》と湧《わ》く望郷の悲しさはあっても、尚それをうち消すような爆発的ともいうべき喜びが感じられる。まことに強靭《きょうじん》な一族だった。

六郎は今、おふうを通じてその一族と結ばれたことを、誇りに思った。陰々滅々たる武田忍びの老いたる一族とのつきあいより、こちらとのつきあいの方が、遥《はる》かに活力に満ちて、楽しかった。楽しさの中に時を忘れた。

翌日の昼下がり、足柄峠を越える旅人の中に、島左近と原田市郎兵衛の姿があった。

箱根の関所は有名だが、この頃にはまだ出来ていない。十七年後の元和《げんな》四年（一六一八）

に初めて置かれたものである。それまでは、現在の御殿場を経て足柄峠を越える道が、東海道とされていた。御殿場の名前も、この頃にはない。当時は杉の中、上田中、餅交などの集落だった。元和元年、家康が駿府と江戸を往来する際の休憩宿泊用に、この地に休息所を設け、その東側に街をつくろうとしたため、御殿場新町、後には御殿場村と呼ばれたのである。もっとも家康は翌元和二年に死んでいるので、この御殿は遂に使われることなく終ったようだ。

左近と市郎兵衛は、他の旅人たちとは明らかに様子が違っている。妙なところで足をとめて地形を見たり、時に脇道《わきみち》に入っていったりする。箱根山という要害を、概略でも摑《つか》んでおこうとする左近の意志によるものだが、この異様な振舞は当然、風魔の見張人の目にとまらざるをえなかった。

注進が樹《き》から樹へと伝わり、小太郎のもとに届くのに、いくばくの時も要しなかった。さすがの小太郎が眉《まゆ》をひそめた。まさか、と思うが、昨日の今日である。妙に符節が合いすぎている。ただ、二人の武士が西から東海道を下っていることが不審だった。六郎と関係があるなら、東から来る筈である。

とりあえず、その二人を拉致《らっち》させようと、小太郎は思った。

左近と市郎兵衛は、何度目かの脇道に入ったところで襲われた。

苔《こけ》むした小径《こみち》を辿《たど》っていた時、突然、前方の径に三人の男が樹上から降って来たのである。二人が半弓を引きしぼり、中央の男は手槍《てやり》を構えている。

「とまれ」

中央の男が落着いた声でいった。

「大小を足もとに置いて七歩さがれ」

左近が振りむいて背後を見た。そこにも半弓を引きしぼった男が三人、立っている。更に樹の上を見渡した。姿は見えないが、殺気が感じられる。

「全部で九人かね？」

左近は、ゆっくり大刀を鞘《さや》ごと抜きながら訊《き》いた。

「よく見た。逃げられはせぬということだ」

中央の男がいう。

「金ではいけないか。刀をとられては後で難儀だ」

左近が試すようにいった。この男たちの正体が知れないためだ。ただの野盗とは思えなかった。統卒がとれすぎているし、腕もよすぎる。直前まで左近は何の殺気も感じていなかったのである。果して、

「金が目的ではない。刀もあずかるだけだ」

という応えが返って来た。左近はうなずいて大小を地べたに置き、いわれた通り七歩さがる。市郎兵衛も同様にした。こちらは顔色が蒼《あお》い。おびえていた。

中央の男が、二人の刀を下緒《さげお》で縛り、肩にかついだ。

「ついて来い」

先に立って歩きだす。半弓の二人が、その後につく。

「どこへつれてゆく気だね」

左近が歩きながら、気楽に声をかけた。

誰も応えない。

長い道のりだった。小径から小径へ。時に道のない岩場もある。大体が似たような風景である。やがて方角さえ判《わか》らなくなった。

「同じところを廻《まわ》るのはやめてくれ。くたびれ損じゃないか」

左近が笑いながら云う。

「もうそこだ」

初めて、中央にいた男が応えた。

左近が連れこまれたのは、例の広い林間の空き地である。空き地の中央に、床几《しょうぎ》に腰をおろした小太郎と、それをとり囲んで立っている五人の部下がいた。左近と市郎兵衛は、小太郎と向い合って床几に坐《すわ》らされた。

「名前と素姓を伺おうか」

小太郎が穏やかに訊く。

「お主の名は？」

平然と左近が訊き返す。小太郎の側近が色めきたった。それを制して、

「わしらは風魔の一族だ。人に告げる名はない」

「わしの名は島左近勝猛」

左近は淡々と告げた。

どんな変名を名乗ろうが構わない場合だった。だが左近は面倒臭くなっていた。それに相手が風魔小太郎であることを直観していた。自分を捕えて小田原藩に渡すほど、器量の小さな男でもあるまい。だから大胆に本名を名乗ったのである。

素早く相手の反応を窺《うかが》った。反応次第では、とびかかってこの小柄《こがら》な男を楯《たて》とし、この場を切り抜けるつもりだった。

小男の反応は左近の予想をまったく裏切った。

「なんとまあ……」

小太郎は満面笑み崩れんばかりにしていったのである。

「早速祝言《しゅうげん》の祝いに来られたか、左近殿」

甲斐の六郎に会うまで、左近も市郎兵衛も狐《きつね》につままれたような具合だった。

とにかく大変な歓待ぶりなのである。勿論大小は即座に返されるし、広場の近くにある山小屋に案内され、これが外から見るとひどく汚い、軒さえ傾きかけたあばら屋なのに、入ってみると、閑雅な茶室風の建物で、そこでまず濃茶をすすめられ、恐ろしく上質な煙草《たばこ》をすすめられる始末である。旅塵《りょじん》を払いたい、と左近がいうと、忽ち、これまた近くの山小屋に案内された。これが五人はたっぷり入れそうな風呂場《ふろば》だった。この当時、風呂といえば蒸風呂である。現代でいうサウナだ。濛々《もうもう》たる湯気が忽ち身体《からだ》じゅうの垢《あか》を毛穴から汗と共に押し出し、その気分のよさといったらない。洗い場にあがると、ひきしまった身体の若い女子が三人待ちうけていて、左近と市郎兵衛の垢をかき、髪の毛を洗ってくれた。

「風魔とは恐ろしく贅沢《ぜいたく》な一族のようだな」

左近は、茶室へ戻ると、すぐ、小太郎にそういった。実感でもあった。

「貧しさを忍ぶのみの暮らしでは、一族の結びつきが弱くなりますから」

小太郎は当然のことのようにそう云って、左近を感心させた。まさにその通りなのである。ことは用兵術でも同じことだった。貧苦に強い者は、贅沢を味わうと忽ち弱くなる。贅《おご》る時は思う存分に贅り、耐え忍ぶ時は果てしなく耐える。それが出来る兵を養うことが最上の用兵術なのである。指揮官はその双方の場合に、共に贅り、共に耐えなければいけない。それで初めて指揮官は兵卒の身内になる。身内でもない指揮官のために、兵卒が進んで生命を投げだす筈がなかった。

甲斐の六郎がおふうと共に現れた時、左近は小太郎を陶然とさせるような台詞《せりふ》を吐いた。

「なんて、いい女だ。六郎づれには勿体《もったい》ないぞ。どうだ、わしに乗り換えんか」

おふうの手をとって、本気で口説いたのである。

島左近の安倍川改造案は、小太郎・風斎・六郎の三人を驚倒させた。

先《ま》ず安倍川の流れを変え、駿府の町の外廓《がいかく》を流れるようにする。これで駿府の町は川で分断されることなく、又、洪水《こうずい》のたびに水浸しになることも避けられ、城下町として繁栄するであろう。同時に、強固で巨大な土堤《どて》を作ることによって、これを駿府防衛の外曲輪《そとぐるわ》とし、安倍川を外濠《そとぼり》にしよう。それが左近の改造案だった。

これは風魔一族や、甲斐の六郎の思考を遥かに超えるものである。彼等忍びはどこまでも現実的である。今、現在ある状況をうけ入れ、それを目いっぱい活用しようとする。その限りでは素晴らしい計画も考えつくし、優秀な人材の集りといえる。

だが、彼等には、安倍川という大河の流れを変えよう、などという壮大な考え方は出来ない。それは考え方というより想像力といった方がいいかもしれない。左近のもつ途方もない想像力が、彼等には欠けていた。

いわれてみれば、理解は出来る。安倍川の流れが変り、氾濫《はんらん》を防ぐ大堤防が出来上がれば、確かに駿府の町それ自体が難攻不落の城になるだろう。この大河は駿府の北と西を完全に守ってくれる。南は海であり、東にはここ箱根山がある。一個の城という小さな考え方ではなく、広大な一つの地域がそのまま城に変るのである。

左近は左近で、風魔一族を使って、早々と箱根山を一箇の要塞《ようさい》と変じさせよう、という二郎三郎の意図に驚いている。左近も箱根山が攻防の要《かなめ》になることは知っていたが、まだそこまで具体的には考えが及んでいない。そして、更に考えるならば、箱根全山を要塞と化する作業が一年や二年で出来るわけがなかった。早くて三年、遅くて五年はかかると左近は読んだ。だから、今すぐとりかかってちょうどいいのである。

「あの男には名将の素質があるな」

左近は唸《うな》った。同時に二郎三郎への興味が急に強まるのを感じた。

「一度、会ってみたい」

六郎がむずかしい顔をした。これはひどく危険な賭《か》けである。二郎三郎が左近の正体を知っても、まさか裏切って捕えさせるようなことはあるまい。問題は二郎三郎をとり囲んでいる眼《め》である。奇妙なことに、二郎三郎を見張っているのは、甲賀者でも伊賀者でもなく、新陰流の兵法家柳生石舟斎の息子又右衛門宗矩《むねのり》の部下たちであることを、六郎は知っている。この男たちは剣法と共に、忍びにも通じているのは確実だった。六郎はその動きを仔細《しさい》に観察して、その結論を得ている。勿論忍びの術は上泉伊勢守《いせのかみ》が柳生石舟斎に伝えた新陰流の兵法にはない。伊賀に隣接した柳生家に、古来秘《ひそ》かに伝えられて来た裏の術である。これらの術者が後に裏柳生と呼ばれることになったのだが、六郎が知るわけがなかった。

兵法家、後代にいう剣術家が忍びである場合に、用心しなければならぬ一事がある。それは、この手の忍びはいつなんどきでも、優れた刺客に変ずることが出来るということだ。

だから二郎三郎が、常に柳生忍群の監視の下にあるということは、常に暗殺の危険にさらされているということになる。

今日まで、六郎は鷹狩りにことよせて、多くの人間を二郎三郎に会わせている。柳生忍群の目をかいくぐってであるが、それが出来たのは、それらの男たちが、いずれも無名の人間だったからだ。その殆《ほと》んどが、すりの頭目、独り立ちの忍者、盗賊の頭《かしら》など闇《やみ》の世界の住人だった。柳生忍群は、仮にその男たちを怪しんでも、素姓を知ることが出来ない。それぞれその道の達者であり、柳生忍群の追尾をかわす力を持っていたことも一因である。

だが島左近の場合は、事情が全く異なる。柳生忍群は恐らく一目で左近を識別するだろう。そしてこの石田三成配下随一の猛将が、秘かに二郎三郎に会ったことが秀忠に知られたら、只《ただ》ではすむまい。それでなくても、ここのところ、秀忠の二郎三郎への疑惑は倍増している。それは二郎三郎を囲む監視の数が、急に増大したことで判る。正確には、例の江戸の大火以来である。あの大火はあんまり時期がよすぎた。二郎三郎の江戸到着の直前に起り、お蔭《かげ》で秀忠がひそかにつくり上げた内閣は木ッ端微塵に叩《たた》きつぶされ、本多弥八郎正信の侵出を許すことになった。大火の原因は江戸町奉行所の総力を挙げて探究されたが、その時、夥《おびただ》しい数の正体不明の男たちの影が浮かび上がっている。今回の大火の原因は、多数の、しかも多方面への一斉《いっせい》放火によるというのが町奉行所の結論だったが、肝心の放火の犯人たちの正体は一切つかむことが出来ないでいた。ところが、一方で、柳生忍群の報告によって、二郎三郎が鷹狩りのたびに、正体不明の異様な男たちに会っていることが秀忠には判った。この男たちと放火犯を結びつけて考えることは子供でも出来る。

〈二郎三郎おそるべし〉

秀忠の二郎三郎を見る目が、これではっきりと変った。

そこへ左近という死んだ筈《はず》の男が登場したらどうなるか。秀忠は当然、陰謀の匂《にお》いを嗅《か》ぎつける筈である。陰謀の正体までは知れないとしても、少なくとも自分にとって不都合なことが進行中であることは判る。その時、秀忠がどう出るか。それが六郎の苦慮の原因だった。まさか二郎三郎を暗殺はすまい。それでは元も子もなくなってしまうからだ。だが左近なら構わない。島左近は既に死んだ男である。死んだ筈の男を二度殺しても、何の差し障りも起るわけがない。柳生忍群は総力を結集して、左近殺害を企てるに違いなかった。そしてそれを防ぐ有効な手段を、今の六郎は見つけることが出来ないのである。

小太郎が六郎に助け舟を出した。

「これはちと難儀なような」

六郎は黙って頷《うなず》いた。

「顔だな。島殿は顔を知られすぎている」

小太郎が更に云《い》う。六郎がまた頷いた。

「しかし、あちらも左近の殿に一度会いたいと云っていられるのです」

「造作もない」

風斎が相変らずにこにこ笑いながら口を挟《はさ》んだ。

「島殿さえ辛抱して下されば、顔を変えることなど、たやすいことじゃ」

「顔をなあ」

左近は気乗り薄である。

「別にどういう顔でもないが、五十年の余もこの顔で生きて来たのでなあ」

これは表の世界でしか生きて来たことのない人間の思考として、当然のこだわりであろう。

「でも……」

六郎がいった。

「どっちみち、今の恰好《かっこう》では無理です。百姓になっていただかなければなりません」

「百姓姿か」

左近が憮然《ぶぜん》としていった。

「無理ですな。左近の殿が百姓になれるわけがない」

市郎兵衛がこれも憮然としていう。同じことでも市郎兵衛が云うと、妙に現実感があった。一同つくづくと左近を見た。確かに無理である。こんな逞《たくま》しい百姓がいるわけがない。六郎は左近を助けて、関ヶ原から京まで辿《たど》りつく間の困難さを思い出した。どんな恰好をさせてみても、白昼、街道を歩くわけにはゆかなかった。身体の大きさだけで、忽《たちま》ち人目をひいてしまうのである。だから昼は眠り、夜になってはじめて歩いた……。

「僧形は如何《いかが》でしょう」

暫くの沈黙の後に小太郎がいった。

「増上寺の存応和尚《ぞんおうおしょう》とは昵懇《じっこん》の仲です。僧として増上寺で徳川殿とお会いになる分には、どのような便宜でもはかっていただけると思いますが……」

「坊主《ぼうず》か」

島左近はまだ憮然としている。髪の毛を切るのがいやなのである。だが次の小太郎の言葉が事態を変えた。

「実は手前もそうしようと思っていたところでした。鷹狩《たかが》りの途中では、充分話し合う暇がないでしょう。寺ならば、一刻《いっとき》やそこらは誰も怪しみません」

芝増上寺は、徳川家の菩提寺《ぼだいじ》である。

天正十八年（一五九〇）八月一日、家康の初めての江戸入りの日、家康の馬が増上寺の門前で、突然動かなくなった。家康がいかに励ましても一歩も進まない。見ると門前に一人の僧が立っている。それが増上寺の住職源誉存応だった。家康は馬をおり、増上寺に入り、存応と語らった。次の日、増上寺をもって徳川家の菩提寺にすると、当の家康がじきじきにしらせに来たという。

その存応と小太郎は懇意だと無造作に云う。六郎と市郎兵衛は茫然《ぼうぜん》とした。常人が近づける相手ではない。まして野盗の頭がつきあいの出来る相手ではない。風魔小太郎という人物の奥底のしれぬ懐《ふところ》に、この二人は感嘆したといっていい。

しかし問題が一つあった。存応はじかに家康を知っている数少ない人間の一人である。本物の家康を、という意味だ。行で鍛えた僧侶《そうりょ》の眼は、たちどころに贋《にせ》家康を見破るのではないか。そして見破った時、存応がどのような態度をとるか、それが不明である。

「しかし、いずれは存応和尚にお目にかかることになるのではないかな」

小太郎が涼しい顔でいう。

それもその通りだった。家康と存応は語らいの中で刻を忘れるほどの仲である。江戸にいる間に一度も会わなかったりしたら、不自然に思われるのは当然であろう。家康が増上寺に行かなければ、存応の方が江戸城に来るに違いない。贋家康であることを存応に見破られるのが、江戸城中がいいか増上寺の方がいいかとなれば、答は明白である。関係者の少ない増上寺の方がいいにきまっている。腹をくくらなければならぬ場合だった。六郎は芝で会見することを、独断で承知した。二郎三郎がいやだといえば、それはその時のことである。

「わしから存応さまに、事の次第をお話ししておいてもいいが……」

小太郎はそういった。

六郎は思案の後、一応これをことわった。二郎三郎の意見をきかねば、返事が出来ないといったのである。これほどの大事を他人によって告げられることに、二郎三郎は反対するかもしれない。自分の口から伝えるのが、一番正確であるにきまっているからだ。

「それでいい」

島左近が六郎の処置をほめた。

「だが増上寺はいいな」

二郎三郎に対面する場所として適当だと認めたのである。ということは僧体になることを承知したことになる。

左近は気が早い。すぐ頭を剃《そ》ろうといい出した。

「その方が早く慣れてよかろう」

六郎も別の見地から賛成だった。箱根を越すと、徳川譜代の領地ばかりであり、警戒も厳重になる。左近のように、己れを隠すことに無頓着《むとんちやく》な人物にとっては危険な街道になる。それに隠し武器の工作は、忍びの得意わざの一つである。風魔の手を借りた方が安全でうまくゆくことは明白だった。六郎の思った通り、風魔の工人は、精緻《せいち》な仕事ぶりを見せた。僧侶の持つ棒になんと刀と槍《やり》の穂の双方を仕込んだのである。

二郎三郎と風魔小太郎、並びに島左近との対面は、急ぐ必要があった。なにしろ二郎三郎が伏見へ帰ることをひどく急いでいたからである。理由は島津との交渉がゆきづまっているためと称しているが、出鱈目《でたらめ》である。一刻も早く、自由で心の安まる伏見へ帰りたかったからであり、お梶たちと会いたいからであった。

新年は江戸城で迎えざるをえない。だがその諸行事がすみ次第江戸を発《た》つ。日どりはおよそ一月半ば。二郎三郎の予定は、そう発表された。

甲斐の六郎は目が廻《まわ》るようだった。

問題の対面を果すには、先ずその前に、風魔と約束した金銀をととのえ、急遽《きゅうきょ》江戸へ輸送する手配をしなければならない。六郎はおふうと共に大久保長安に会った。大久保長安をお梶の方を通して二郎三郎に推挙したのは、おふうだったのである。勿論《もちろん》、その背後には風魔小太郎の意志が働いていた。

長安は簡単に六郎の依頼を引きうけ、その場で黒川金山からの金輸送の計画をたてた。勿論、箱根廻りである。忽ちその詳細な輸送日程を文書にすると、その日の中に部下三人を黒川金山に出発させた。さすがに長安はただ者ではない、と六郎は感心した。その事務能力と素早い実行力は、徳川家の官僚政治家たちのよくするところではなかった。

六郎は二郎三郎の警備をおふうに委《まか》せ、この大久保長安の使者たちの後を尾《つ》けた。長安の命令がどこまで正確に実行されるかを見届ける必要があったし、風魔の攻撃ぶりも一度自分の目で見て置きたかったからである。

黒川金山では長安の命令は迅速に実現された。どういう手段をとったかは不明だが、長安は、いわゆる山師といわれる鉱石採掘人たちにひどく信用があったし、同時にひどく恐れられていた。

長安は鉱山の採掘を直轄《ちよつかつ》にせず、鉱床を鉱山師たちに割りふって自由採掘を許していた。歩合はとられるものの、この方式だと採掘すればするだけ鉱山師の儲《もう》けは増える。しかも長安は何のかくしだてもせず、新しい精煉《せいれん》法を誰にでも教えてやった。信用され頼られたのは当然であろう。

だが裏切者に対する処罰は峻烈《しゆんれつ》を極めた。格別掟《おきて》を強化したわけではない。監視の目が厳しいわけでもない。ただ、採掘量をごまかしたり、長安の依頼（実は命令）に背いたりした者は、必ず事故にあうのである。鉱山には事故はつきものだが、この場合は露骨にすぎた。落盤する筈のない箇所が落盤を起し、組んだばかりの櫓《やぐら》が倒れるのである。長安の報復であることは明白だった。そして裏切者は確実に死んだ。処罰は常に死なのである。長安の法典には死刑しかないのだ。いずれもしたたかな面《つら》だましいの持ち主である鉱山師も、この柔剛兼備の鉱山奉行を巨大な力の持ち主と認めざるをえなかった。ちんちくりんのくせに顔ばかり異常に大きい長安は、正しく怪物以外の何物でもなかった。

十五頭の牛が箱根路を行く。牛の背にはいずれも精煉された金塊が、木箱におさめて積まれている。莫大《ばくだい》な量だった。なにしろ風魔一族三百人の台所を、最短五年にわたって支えることの出来る金なのである。

だがそれにしては、警備の武士の数は少ない。僅《わず》か十人。牛の列の前を、ひとかたまりになって、これは馬でのんびり進んでいた。牛追いが各牛に一人。しめて十五人。つまり総勢二十五人の小人数である。莫大な金の輸送隊にしてはお手軽にすぎた。

理由の一つは、各々《おのおの》の牛の背に立てられた木札にあった。麗々しい三ツ葉葵《あおい》の紋章と共に『徳川様御用』の文字が書かれてあった。この関東の地で、徳川家御用の品物を奪う盗賊はいない。奪えばこの世の果てまでも執拗《しつよう》に追い立てられ、遂《つい》には捕えられて極刑をうけることは明白だからだ。それに品物が悪すぎた。金は確かに高価だが、なにしろ重い。人力でかついで運んだのでは急速な逃走は不可能である。牛ごと盗めばこれまた遅い上に目立って仕方がない。おまけに道路にくっきりと牛の足跡をのこすことになる。まるで役人を案内しているようなものだった。だからこそこの一団は、なんの不安もなく、必要な警戒処置もとらず、のんびりと旅を続けているのだった。

風魔の攻撃は上から来るだろう、と六郎は漠然《ばくぜん》と思っていたが、そのやり方は六郎の予想を裏切った。投網《とあみ》が降って来たのである。それも一つや二つではない。しかも大きかった。忽ち先頭の武士たちがこの投網にかかった。なにしろ陣笠《じんがさ》、大小の刀、など出っぱっている物が多いから、たまったものではない。しぼりあげられると隣の男と絡《から》み合って余計身動き出来なくなる。後方には柿色《かき》の装束に柿色の頭巾《ずきん》で顔を覆《おお》った二十人余りの一団が、綱を伝って降って来た。全員手槍を持っている。あっという間に牛飼いたちを林の中に追いこみ、全員、木に縛りつける。その間に他の連中はもう牛を追って脇道《わきみち》に入っていた。最後尾の二人が竹箒《たけぼうき》を使って牛の足跡を消してゆく。

なんとも鮮やかな手ぎわだった。投網が投げられてから牛と柿色の集団が消え失《う》せるまでに、今の時間で十分とかかっていない。警備の侍たちが、やっとの思いで網を切り払って道に降り立った時は、真昼の街道は森閑として静まり返っていた。

武士たちは、牛がひきこまれていった小径《こみち》を狂気のように馬で追ったが、牛の足跡一つ発見することは出来なかった。やがて箱根山名物の濃密な霧が立ち、遭難の危険が強くなった。武士たちは慌《あわ》てて今度は街道に戻ろうと必死に馬を駆った。倖《さいわ》い死人は出なかったが、三人まで道を間違えて、馬ごと谷に落ちた。

六郎はその一部始終を半ば呆《あき》れ返って見物していた。なんて簡単なんだ、と思った。

二郎三郎は烈火の如《ごと》く怒った。直々《じきじき》大久保忠隣を呼びよせ、風魔の一掃と金の奪還を厳命した。忠隣は恐懼《きょうく》し、小田原に急使をとばして、風魔の徹底的掃討を命じた。

小田原藩士たちは重武装の大軍で箱根山の山狩りを行ったが、風魔の棲家《すみか》一つ発見することは出来なかった。勿論、一人の風魔も捕えられず、一箇の金塊も見つけ出せない。彼等が発見したのは連れ去られた十五頭の牛だけだった。牛は林間の空き地に放たれ、のんびり草をはんでいた。大久保忠隣は面目を失って自ら謹慎した。すべて風魔小太郎の描いた絵図通りになったのである。

秀忠は内心の憤怒《ふんぬ》を押し隠して、二郎三郎に忠隣の助命を懇願した。奪われた金は全額、秀忠が弁済した。まことに割に合わぬ出費だが、秀忠にしてみれば、今ここで、自分の内閣の首班ともいうべき忠隣を失脚させるわけにはゆかなかった。結局、二郎三郎は一両も自分の金を使うことなく、風魔一族に約束の金を支払ったことになる。この奇妙な殿様は、六郎とおふうの前で、転げ廻らんばかりにして笑った。これは二郎三郎にとっては悪戯《いたずら》のようなものだった。そんなところが島左近によく似ている、と六郎は感じた。

芝増上寺における、二郎三郎と島左近、風魔小太郎の対面は、年を越えてからのことになった。風魔が手配したとはいえ、常識から考えても、この対面に危険は全くといっていいほどない。増上寺は一種の聖域であり、且《か》つまた家康が訪ねるのが最も自然な場所だったからである。増上寺の存応和尚と家康は江戸入城以来の友である。しかも意外なことに、家康の仏教に対する造詣《ぞうけい》は深く、存応と法論を戦わせるのを楽しみにしていたふしがある。だからこの寺でどれほど時を過ごそうと、疑われるわけがなかった。六郎もおふうも、当の二郎三郎も、かたくそう信じていた。そこに大きな陥穽《かんせい》があった。

この時期、二郎三郎は幾分秀忠をあなどっていたといっていい。伏見以来、やることなすこと悉《ことごと》くうまく運び、秀忠の目をくらませ続けて来たための過信である。所詮《しょせん》は苦労しらずの御曹子《おんぞうし》だ。二郎三郎はそう思いはじめていた。そこに隙《すき》があった。

　秀忠を刺激したのは吝嗇《りんしょく》のせいだったかもしれぬ。大久保忠隣を救うためとはいえ、箱根山中で奪われた莫大な金の弁済をせざるをえなかったことが、秀忠には忘れられない痛恨事になった。いまいましさが日《ひ》毎《ごと》につのった。そのうちに、いまいましさが疑心に変った。一体、二郎三郎はそれほど莫大な金塊を江戸に運ばせて、何に使うつもりだったのか、という疑いである。一介の影武者が必要とする額ではない。千人近い兵を養うに足る金である。そして江戸城中に、どういう形にせよ二郎三郎の手兵千人がいたらどうなるか。秀忠は愕然《がくぜん》とした。

　この頃《ころ》の江戸城は、今日の千代田城ではない。江戸入国当時、城といわんよりは館《やかた》といった方がいいような、小ぢんまりした建造物だったのを、文禄《ぶんろく》元年（一五九二）から半年かかって修築し、新たに西の丸をつけ加えたものである。肝心の家康がほとんど大坂乃至《ないし》伏見にいたために、この程度の工事しかしていなかった。ちなみに西の丸は、明治以降江戸城が皇居となってからはその中心となった場所で、空襲で焼失する前の宮殿があり、また戦後新宮殿が建築された場所でもある。文禄の工事以前は城の外になっていて、江戸市民の遊楽地だったという。尚《なお》、この時の工事は、家康が秀吉から伏見城の工事を命じられたために、急遽中止し、以後そのまま放置されていたものである。そこに秀吉の意地悪さというか、猜疑《さいぎ》心というか、とにかく家康が居城をいじるについて心穏やかでない秀吉の姿が、垣間《かいま》見えるような気がする。

その貧弱な江戸城を突如千人の兵が、それも内部から襲えば、ひとたまりもあるまい。あっという間に、秀忠もその側近も、枕《まくら》を並べて討死することになる。最終的に二郎三郎が勝ちを得ることは難しいとしても、自分は確実に死ぬ、ということを秀忠は戦慄《せんりつ》と共に悟った。今になってやっと秀忠は、二郎三郎が金山、銀山の経営を自分の手で直轄しようとひどく執心した意味を知ったのである。現実に各地の名の通った鉱山は、今や二郎三郎の抜擢《ばってき》した大久保長安の手で握られていると云《い》っていい。しかも各鉱山の産出量は今までの数倍に上っているらしい。らしいといったのは、その正確な数字を、秀忠が摑《つか》めないでいるからだ。正確な数字を握っているのは、長安と二郎三郎だけなのである。秀忠は唸《うな》った。

大久保長安を諸国の鉱山奉行職から解任するのが、最も簡単な対策である。だが、確実に、しかも飛躍的に成績をあげつつある役人を理由もなく解職することは出来ない。本多正信あたりが猛反対するのは、目に見えている。つまり抜本的な処置は不可能である。

秀忠は二次的な対策をとった。二郎三郎の集めた（実際は秀忠が弁済して渡した）金の流れを徹底的に追うように、柳生宗矩に命じたのである。

秀忠は忍びの集団としての伊賀衆・甲賀衆を全く信じていなかった。それはこの時期以降の伊賀衆・甲賀衆に対する処遇を見れば一目瞭然《りようぜん》である。理由は皮肉なことだが、彼等の家康への傾斜にある。彼等は、伊賀越えの大難を救った代償として、家康が約束通り三河に一向宗の寺院の再建を許したことを忘れない。約束を必ず守る武将というのは、実はそう多くはないのである。その意味で彼等は家康を尊敬していたし、頼りにしていた。その上、本多正信は、その伊賀衆・甲賀衆とは極めて親密な仲にある。秀忠がこの二つの忍び集団を信じなかったのは、むしろ当然といえた。

だが主権者には、自分直属の情報機関が絶対に必要である。秀忠はそれを柳生宗矩に求めた。

柳生宗矩は上泉伊勢守以来の新陰流の道統を継いだ者ではない。新陰流の道統は、この時期から遥《はる》か後年に、尾張公に仕えた柳生兵庫利厳《としとし》に、柳生石舟斎から与えられている。柳生兵庫は宗矩の兄新次郎厳勝の子である。宗矩にとっては甥《おい》に当る。

柳生宗矩が新陰流の正しい道統を継ぐことが出来なかったのは何故《なぜ》か。それは正に滅びんとしていた柳生家を救ったためである、といったら皮肉すぎるだろうか。だが事実は正にその通りだったのである。

柳生家は石舟斎が当主の時、将軍義昭にくみして織田信長と戦った。合戦は敗北に終り、当時二千石といわれた封禄《ほうろく》を失い、一介の郷士に落ちた。柳生家再興のために、石舟斎の息子たちはよき主君を求めて流浪《るろう》の旅にのぼった。正確には四男の五郎右衛門宗章、五男の又右衛門宗矩の二人が、である。次男の久斎、三男の徳斎は僧侶となった。長男の新次郎は二度の合戦で鉄砲傷を受け、腰をやられて仕官の出来ない身体《からだ》になり柳生に居残っている。四男の五郎右衛門は首尾よく小早川秀秋に高禄で召し抱えられたが、小早川の力は大和柳生の里にまでは及んでいない。そして又右衛門宗矩は二十歳から三十歳までの間、空《むな》しく主を求めて天下を放浪し続けた。その十年目が関ヶ原合戦の年だったのである。

まさに好機といえた。

宗矩は急いで柳生の里に戻り、柳生一族の力を結集して徳川方のために起《た》つことを提案したが、石舟斎に拒否された。徳川方が到着するまでに、石田方に全滅させられることが明白だったからである。宗矩は失意に身を震わせながら、単身関ヶ原の合戦に参加したが、その他大勢の一人として、たいした働きをしてはいない。関ヶ原関係の史料のどこにも、柳生又右衛門宗矩の名はないのである。

絶望した宗矩は、それでもまだ仕官の道を諦《あきら》め切れず、合戦に遅参した秀忠に近づいた。一介の兵法家としての宗矩を、秀忠が買う筈《はず》はなかった。第一、秀忠は剣に暗い。天稟《てんぴん》がなかった。父家康が奥山休賀斎に学び奥山流剣法の達者だったのに較《くら》べて、まことに不肖の子だった。だが家康に気に入られたいために、剣の稽古《けいこ》は常にしていた。宗矩はその点で秀忠に近づいたわけだが、冷たい返事しか返っては来なかった。窮した宗矩は、最後の手段に出た。柳生家に代々伝えられた秘事を秀忠に明かしたのである。

柳生一族の秘事とは、正統な剣の道とは別箇に、昔から一族の内部で伝えられ研鑽《けんさん》されて来た忍びの術のことである。大和柳生の庄は伊賀に近く、同じ忍びの術を、生き残る最後の手段として学んでいたし、その道を極めた術者も多くいた。

この当時、秀忠は父家康の死を知ったばかりだった。どうやったら、その父のあとを他の兄弟たちではなく、正しく自分が確実に継ぐことが出来るかについて腐心していた時である。宗矩の言葉は忽ち秀忠を捉《とら》えた。

「今すぐ動員をかけたら、その柳生忍びは何人集められる?」

と秀忠は訊《き》いた。

「五十人」

宗矩は応《こた》えた。

「その方に柳生領三千石をくれてやる。うち千石はその方だけのものだ」

秀忠は即座にいった。

「但《ただ》しその五十人の忍びをすぐ働けるように準備させろ」

宗矩は柳生一族にとって最大の功労者になった。宗矩のお蔭《かげ》で永年失われていた柳生の土地が、再び一族の手に戻ったのである。

だがそれと同時に、宗矩は一族の裏切者になった。一族の秘事を明かし、裏芸ともいうべき忍びの術を使うことで秀忠に仕えたからだ。しかも表向きはあくまでも秀忠の剣術指南役という形でである。指南役でありそれで禄を貰《もら》っている以上は、宗矩は柳生新陰流の統帥《とうすい》でなければならず、多くの弟子を養わねばならない。

現実に宗矩が石舟斎から新陰流を学んだのは十九歳までにすぎない。以後三十歳までの十年、宗矩は天下を流浪しながら、独自の実践的な刀法を発達させた。独自の刀法といえばきこえはいいが、剣法という見地から見れば、それは様々な他流の術をその場その場の思いつきで混合させた、極めて不純な殺人剣である。石舟斎のように純粋な新陰流の活人剣を確立させるために生涯《しょうがい》を費やした人物から云えば、新陰の名を冠することさえはばかられるような異端の剣である。そして柳生谷から選びぬいて江戸につれていった門弟たちは、剣の達者というより裏芸の忍びの達者ばかりである。やっていることも、いわゆる隠密《おんみつ》の仕事であり、時に暗殺の仕事でさえあることが、石舟斎にきこえて来た。いずれも柳生新陰流を汚《けが》すような隠微な仕事である。

本来ならこの時点で石舟斎は宗矩を破門にすべきだった。だが柳生の地をとり戻してくれた宗矩に対して、それは出来ない。また強行すれば、再び柳生の地を失うことは確実である。窮した石舟斎は、本来ならば宗矩に与えるべき新陰流の道統を、まだ部屋住みの身で、生れてから一歩も柳生の庄を出たことのない兵庫利厳（この頃は兵介といった）に与えることで、辛《かろ》うじて新陰流を守った。宗矩にとっては忿懣《ふんまん》やるかたない処置であったが、父に文句をつけることも出来なかった。そして宗矩は、父の嫌忌《けんき》する汚い仕事を重ねることによって、確実に秀忠の信頼を増し、その内閣の中で重要な地位をしめていった。

その恐るべき柳生忍群が、人数も倍加して今や、ぴったりと二郎三郎に密着し、二郎三郎の一挙手一投足を見張ることになった。莫大な金の流れを摑むためには、そうするしかなかった。

この柳生忍群の動きを、まっさきに察知したのは、当然のことながら、二郎三郎の護衛に当っている武田忍群である。

甲斐の飛助はそれを直接二郎三郎に伝えた。先に述べた通り二郎三郎は秀忠を軽視していた。放《ほう》っておけ、といい放った。一つにはさし当って金を動かす意志がなかったからでもある。

飛助は六郎に伝えるべきであった。だがこの老いたる忍びは、甥の六郎を信用しなくなっていたし、嫉妬《しっと》もしていた。六郎が二郎三郎の直々の命令を受けて、警護役を放り出して、常にどこかをとび歩いていることが、飛助には気に入らなかった。しかも、どこへ、なんの目的でゆくのか、飛助には一切報告しないのである。一族の長として叱責《しっせき》すると、二郎三郎の命令だから、と逃げる。本来忍びは雇い主よりも一族に従うものであるにも拘《かかわ》らず、六郎は雇い主の意志を先行させるのである。これは重大な慣例違反といえた。

しかも最近になって、お梶の方直属の関東の乱波《らっぱ》おふうと夫婦になった。この一件についても、飛助には事後報告があっただけである。飛助は憤激し、配下のいずれも老いた武田忍びたちに、六郎との絶縁を宣言した。六郎は失策を悟り、改めて飛助に詫《わ》びを入れたが、飛助はかたくなに許そうとしなかった。

六郎はもっと執拗に飛助に和解を求めるべきだった。だが飛助の一言が、それを許さなかった。

「その女を一晩わしに貸せ。そうすれば許してやらんでもない」

その女とはおふうのことである。そしてこの種のことは、忍びの世界ではないことではなかった。忍びに愛着の心は無用である。むしろ有害といっていい。妻子を愛するあまりしくじった忍びは多い。だからその愛着の心をうちくだくために、部下の女房を、一族の長と幹部たちが共有するということが起るのである。だが六郎にはそんな気はまったくなかった。

「覚えておいて貰いたい。おふうに手を出す者がいたら、伯父貴といえども即座に殺す。必要なら武田忍びを一人残らず殺してみせる」

六郎の身体から放射された殺気の凄《すさ》まじさは、飛助を震え上がらせた。改めて自分と部下たちの齢《とし》を感じた。この男ならやるかもしれない。自分たちにはもはや到底これほどの殺気を放射することは出来ない。老いて勘も鈍り、身の動きものろくなっている。この男が本気になったら、嘘《うそ》いつわりなく、武田忍びは全滅するかもしれなかった。

飛助が実際に震えながら思案している間に、六郎は消えていた。それきりどちら側からも和解の手をさしのべることはなかった。それが増上寺の惨劇の原因となった。


当日。

二郎三郎は軽い躁《そう》状態にいた。気持の昂《たか》ぶりを抑えられなかったからだ。朝から一見上機《じようき》嫌《げん》で、しきりにお夏の方をからかい、出発の時刻ぎりぎりまで奥を出ず、お夏の方の身体に溺《おぼ》れた。

一つには秀忠と顔を合わせたくなかったからでもある。妙なさぐりを入れられて、増上寺ゆきを知られたくなかった。とめられるにきまっていたからである。前にも書いたが増上寺の住職存応和尚は、亡《な》き家康の帰依《きえ》の厚かった僧侶《そうりよ》である。こちらから増上寺に出かけてゆけば、二人きりの対面になるのは当然であり、遅かれ早かれ存応が、家康の贋物《にせもの》であることに気づくのは必然だった。われから求めて危険に近づくことはない。秀忠がそう云うのは明らかだった。

勿論《もちろん》、二郎三郎自身も、存応との対面が気がかりである。出来れば避けたいと思う。だが避けたいほどいやなことは早いとこ一《いち》か八《ばち》かぶつかってみる方がいいのを、二郎三郎は経験で知っている。どっちみち、いつまでも避けて通れないことなら尚更だった。その懸念《けねん》と風魔小太郎に会う楽しみとが、二郎三郎を躁の状態にしているのだった。

二郎三郎はこの日、島左近と会うことを知らない。六郎が思案の末、いわなかったからである。六郎の用心深さと左近への忠誠度の強さの現れだった。

二郎三郎は増上寺に昼少し前に到着するように時刻を計って江戸城を出た。鷹狩《たかが》りの身支度である。事実、側近たちには品川方面で鷹狩りをするといってある。品川へゆくには芝を通ることになる。そこで突然増上寺へよるといい出すつもりでいた。昼少し前に着くようにしたのは、昼食をとることによって、充分の時間を寺内で過ごせるようにするためだった。

この日、六郎は二郎三郎の護衛に当っていない。常識で考えて何事も起るわけがなかったし、おふうたち女忍びと、飛助たち、武田忍群に委《まか》せておいて大丈夫と読んだためだ。それよりも風魔小太郎と島左近の身が不安だった。

小太郎はこの日風魔一族を増上寺内に入れていない。風魔の結界を張ることによって、不審を招き、調べられたりすることを避けるためだ。二郎三郎と風魔の関係は、極力秘密にしておく必要があった。だから僧形の風魔衆僅《わず》か五人しかつれていない。左近も市郎兵衛はつれて来ていなかった。近くのはたごに待機させてある。従って左近の護衛は一人もいない。

六郎はこの二人の護衛と、存応の反応の仕方に対する懸念で、手一杯だったと云える。

六郎は二郎三郎に、武田忍群を寺内に入れないように飛助に命じてくれと頼んでおいた。味方とはいえ忍びは向背常ならざる化生《けしよう》の者たちである。彼等に、風魔小太郎や島左近と二郎三郎の対面をしらせるわけにはゆかなかった。

甲斐の飛助は、柳生忍群の執拗《しつよう》な見張りに極度に神経質になっていた。これが甲斐や伊賀、或《ある》いは木曾谷《きそだに》といった名の通った忍び相手なら、もう少し安心していられた。柳生、という点が飛助を落着かなくさせている。

柳生の剣は飛助もきいているが、柳生の忍びなど聞いたことがない。部下の武田忍者全員も同様である。とすれば、これは忍びではない。忍び同然の動きを見せてはいても、探索を目的とする純粋の忍びではない。どこまでも剣士の集団である。そして剣士集団の目的は一つしか考えられない。殺戮《さつりく》である。殺戮の対象は二郎三郎にきまっていた。即《すなわ》ちこれは二郎三郎の暗殺団である。飛助にはそうとしか考えられなかった。

もともと飛助は、二郎三郎が家康でないなどと夢にも思っていない。秀忠と敵対関係にあり、従来の徳川家忍びを信用していないことは明白だったが、飛助はこれを親子の相剋《そうこく》と見ている。この時代にはよくある現象だった。だから飛助は、秀忠が今の段階で二郎三郎を殺すわけにはゆかないことなど、全く知らない。夥《おびただ》しい柳生忍群の監視態勢を、家康の大きな危機と感じている。ほとんど必死の思いだった。

これは飛助が家康（二郎三郎）に忠実だったという意味ではない。ほとんど絶滅に瀕《ひん》していた武田忍者に仕事を与えてくれた感謝の念でもない。武田忍者の名声を落すことを恐れたためである。それも名誉とか伝統ということではなく、名声が下落すれば誰も武田忍者を使ってくれなくなるからだ。実生活に密着した名声だった。一族がくえなくなるのである。だからたとえ自分たちが全員戦死しても、武田忍びの名声だけは守らねばならなかった。

この日、飛助は老いたる武田忍びの全員を集めた。いつもの鷹狩りの場合の数倍の人数になった。飛助の老いた証拠である。この夥しい数の武田忍者の招集は、当然柳生の注目をひいた。

〈何かある。ただの鷹狩りではない〉

部下の報告を受けた柳生宗矩は、咄嗟《とつさ》にそう判断し、自ら采配《さいはい》をふるって、二郎三郎の一行を追尾した。

二郎三郎は予定通り、突然増上寺に寄って存応和尚に会うといいだし、飛助たちに寺内に入ることを厳重に禁じた。飛助は抗議したが容《い》れられず、やむなく広大な増上寺の周辺に結界を張った。

〈増上寺！〉

さすがの柳生の統帥宗矩も、予想外の二郎三郎の動きにとまどった。普通なら二郎三郎が最もさけるべき場所である。宗矩は二郎三郎が家康の替玉であることを知っている。だからこの行動の奇怪さがよく判《わか》った。

〈源誉存応は二郎三郎の黒幕ではないか〉

宗矩がそう疑ったのも、無理ではなかった。

源誉存応は一代の学僧だったが、人間的にはかなり欠陥の多い人物だったといわれる。なによりも傲慢《ごうまん》で、非常に心が狭かったという。頭脳の並はずれて鋭い人間に、よく見られる特徴である。他人のすることなすこと、馬鹿《ばか》に見えて仕方がない。事実、大方の人間は性愚かであり、その愚かさを試行錯誤によって、つまり己れの心身に手痛い傷を負うことによって、一つ又一つと克服してゆくものだ。そこにこそ人間の尊厳が存在するのだが、天賦の資質に恵まれた少数の人々は、この段階をとびこして、無傷で、ある高みに達してしまう。傲慢になるのは、むしろ当然であろう。

こういう人物は、他人のすることを見ていていらいらして仕方がない。なぜそんな馬鹿なことをするのか。こうすべきなのは明瞭ではないか。そう思って教える。教えても、判らない人間には判らない。これも当然のことだ。教えられて判ることなど、人生では少ないのである。所詮《しょせん》自分で苦労して摑《つか》むしかない智恵《ちえ》の方が圧倒的に多い。そして苦労する能力もなく、一生智恵を手に入れることなく死んでゆく人間が、大方なのだ。そんなことは百も承知の上で、尚《なお》も焦《いら》だちを覚えずにはいられないのが、この手の人物で、その焦だちが高ずると、次第に愚者を許すことが出来なくなる。中でも愚者のくせに努力もせず、いわば居直って、これでいいのだ、などといっている人間を許せない。極端にいえば、そんな奴《やつ》は生きている値打ちがない、と思ってしまう。それが心の狭さになって現れるのだ。

だから存応の傲慢と心の狭さとは、彼が並はずれた頭脳の持ち主だったということの裏返

し の証明だったと云《い》えよう。

二郎三郎は一目見るなり、この存応の性格を見抜いた。一向一揆《いっき》衆と永いかかわりを持つ人物が、生き死にの場面で、逆に考えられないような愚かな主張をし、それを遮二無二《しゃにむに》実行させようとして死んでゆくさまを、倦《あ》きるほど見て来ている。現実主義者である二郎三郎の、こういう人物に対する身の処し方は、極めて簡単だった。逃げだすのである。反論など一切しない。何も彼《か》も放り出してただただ逃げだす。それしか手がなかった。さもなければ、結局は自分の手でその人間を殺すしかなくなるのが判っているからだった。議論の上の人殺しは、二郎三郎の好むところではない。

二郎三郎は増上寺の茶室で存応に会うと、淡々と家康の死を告げた。徳川家のために、影武者たる自分が当分の間は替玉をつとめなければならぬ事情を簡単に伝えた。存応のような人間に、くだくだしい説明は不要であり、むしろ有害である。馬鹿にされていると思いかねないからだ。果して存応は、ちかっと一瞬目を光らせただけで何も云わなかった。自ら茶を点《た》ててすすめると、そのまま奥に引っ込んだきり、二度と現れなかった。

替って三人の男が茶室に入って来た。

甲斐の六郎と島左近、そして風魔小太郎である。左近と小太郎は僧侶の姿をしていた。

二郎三郎は左近の顔を見て瞠目《どうもく》した。家康の影武者として常時身近に仕えていたから、左近の顔は何度か見たことがあった。

「生きていられたか」

思わずその言葉が口をついて出た。

「生き恥をさらして居《お》り申す」

真実羞《は》かしそうに左近はいった。

「そんなことがあるわけがない」

二郎三郎はほとんど叫ぶようにいった。

「御貴殿が生きていられたお蔭で、豊臣家は何年か生き延びられる筈《はず》だ。それがどうして恥になりますか」

恐ろしく直截《ちょくせつ》な言葉に、左近が困惑したような表情になった。

「また、たとえそのようなことがなかったにしても、あの合戦を充分に闘って、尚且《か》つ生き延びているとは、素晴らしいことではないか。戦国のもののふはかくあるべきではないか」

二郎三郎の言葉が熱を帯びた。そして二郎三郎の云う通りなのである。栄光に包まれた死などに一文の値打ちもありはしない。それは関《かか》わりのない他人を喜ばすだけのものだ。どんなに汚辱に満ちた生き方であろうと、まず生き延びることを、何物よりも優先させるべきである。どんな形であれ、生きてさえいれば、なにがしか出来ることがあるかもしれない。死人は何の役にも立ちはしない。

左近は大声で笑った。二郎三郎が気に入った証拠である。笑いながら云った。

「頭では死のうと思っていても、身体が勝手に動いて生き延びてしまう。お互いに、そういう因果な男どものようですな」

二郎三郎も笑った。幾度も熾烈《しれつ》ないくさの中で、不思議と生命《いのち》を拾って来た男同士の、腹の底までうち割ったような笑いである。この瞬間から二人は莫逆《ばくぎゃく》の友となったと云っていい。二郎三郎は風魔小太郎に目をやった。小太郎も静かに笑っている。左近と二郎三郎、このいずれ劣らぬ生き延びる達人同士のやりとりが、なんとなく気分がよかったからだ。

〈この男たちは信用出来る〉

そういう一種の頼もしさが爽《さわ》やかに伝わって来る。戦国に近いこの当時にあっても、それだけの頼もしさと爽やかさを持った男たちはそうそうはいない。むしろ稀有《けう》の資質といっていい。小太郎もまたこの瞬間から、この二人の莫逆の友となった。

「風魔小太郎殿ですな」

二郎三郎は叮重《ていちょう》に声をかけた。

「お招きしておきながら、御挨拶《ごあいさつ》が遅れ申した。許されよ」

「なんの」

小太郎は否定するように手を振った。

「ここちよいやりとりを拝聴して倖《しあわ》せです。手前もお二方のように歳《とし》をとりたいもので」

その頃《ころ》、増上寺の外で、一つの異変が起きようとしていた。

柳生忍群が、武田忍者の結界を破ったのである。

先に書いたように、宗矩は存応を二郎三郎の黒幕ではないかと疑っていた。

宗矩は二郎三郎について、秀忠が洩《も》らしてくれた事実以外は何も知らない。だからたまたま合戦に参加していたために、死んだ家康の替玉として使われることになった、一介の影武者としか思っていない。一介の影武者が江戸を焼打ちにし、諸国の金銀山を一手に握ろうなどと思い立つわけがなかった。

軍師がいる。しかも非常に頭が切れ、徳川家の内情を知悉《ちしつ》している軍師がついているに違いない。かねがねそう思っていた。

この思いは秀忠も同じである。ただ秀忠はそれを、本多忠勝、或は本多弥八郎正信、又はこの二人の協同と考えていた。忠勝と弥八郎正信は、なんといっても同じ一族の出なのである。だが秀忠は自分の疑いを味方にも洩らしていない。

宗矩はそれを存応ではないかと思った。黒幕としての条件にぴったりかなった人物だったからである。当代最高級の頭脳、僧侶らしからぬ現世的欲望の強烈さ、徳川家菩提《ぼだい》寺の住職としての発言力の大きさ、どれをとって見ても黒幕の匂《にお》いがする。しかも二郎三郎は江戸城に帰って以来初めての増上寺ゆきに、護衛の忍び全員を動員し、寺の周囲に厳重な結界を張らせている。二郎三郎と存応の密議のためだ、と見ない方がおかしい。宗矩は自分の耳でその密謀を聞きたいと思った。それによって、秀忠から命ぜられている黒川金山の莫大な金の流れる先が解けるのではないか。

だが武田忍びの結界は意外に堅かった。しかも、飛助の必死の気組みが伝わって、老忍びたちは神経を張りつめている。とてもその裏をかいて、増上寺に侵入出来るとは思えなかった。

宗矩が考えたのは陽動作戦である。結界の一部を強力な集団に突破させ、警備の人数をそこに集中させ、宗矩と数人の部下だけが、手薄になった反対側の塀《へい》を越えて侵入するという図式である。

寺、それも徳川家の菩提寺の土地での殺傷沙汰《ざた》は、厳重に罰せられることになる。だから宗矩としては、自分の配下の一箇の死体、一人の負傷者も現場にのこしてゆくわけにはゆかない。忍びというが、道場に戻れば、それぞれが助教級の剣士なのである。直参旗本と大名の家臣たちが、門弟として彼等に剣を学んでいる。当然顔を知られているわけだ。いかに秀忠といえども、増上寺で殺傷沙汰を起した柳生家をかばいきることは出来ない。折角とり戻すことの出来た大和柳生三千石の所領を、再び失う破目になる。そして中途半端《はんぱ》な攻撃ほど、怪我人《けがにん》の出る公算が多い。宗矩は決断した。

「武田忍びを斬《き》れ。一人残らず殺せ」

剣士にとっては、殺せ、という命令ほど楽なものはない。逆に、殺すな、といわれると非常な苦労をすることになる。手加減は隙《すき》をつくることになるからだ。

柳生忍群は増上寺の真裏を攻撃地点と定めた。結界破りには最適の場所だったからである。ここを守っている武田忍者は五人。柳生者はその倍の十人、しかも剣の達者ばかりで、突如、襲った。一言も口を利《き》かず、いきなり三人を斬り殺し、二人に重傷を与えた。故意に殺さなかったのである。他の地点の武田忍者をこの地点に集めるのが目的だった。瀕死の二人は、竹笛を吹き鳴らした。非常事態の伝達である。柳生者は人数を二十人に増やし、駆けつけて来る武田忍者を待った。現れるや否《いな》や斬る。即死は避ける。その男にも竹笛を吹かせるためだ。老いた武田忍者は、次々と無造作に斬られていった。凄惨《せいさん》の一語に尽きた。竹笛の音は、次々に鳴っては、はたと絶える。それが吹いた者の死を告げるのである。武田忍者は怒りと悲しみの余りほとんど逆上して、定められた己れの警備地点を放棄し、惨殺《ざんさつ》の現場に急行し、そして斬られた。

甲斐の飛助はさすがに長だけのことはあった。これが陽動作戦であることに気づいたのである。その名の通り、猿飛《さるとび》の術によって増上寺境内の樹《き》から樹へと飛び移り、真実の侵入地点をさがし、発見した。

柳生宗矩が十人の手だれと共に、正面に近い箇所から既に境内の中へ侵入を果していた。老醜の武田忍者甲斐の飛助の血が沸騰《ふっとう》した。武田忍びの結界は破られた。宗矩とそれに従う十人の男の、若く精悍《せいかん》な姿態は、さながらしなやかな野獣の動きに似て、到底飛助のかなう相手ではないことを歴然と示している。闘えば殺されるだけだ。だがかくも無造作に結界を破られて、このまま引き退《さが》ったのでは、武田忍群への信頼は無に帰する。殺されてもいい。武田忍びの意地だけは、はっきりと残しておかねば、一族が飢えることになる。

〈そう簡単には死んでやらぬぞ〉

飛助はにやっと笑った。何十年かぶりに、生来の忍びの面魂《つらだましい》が甦《よみがえ》っていた。

背中に背負った半弓をおろし、矢の数を数えた。十二本。一本しか無駄《むだ》に出来ない。この矢の矢尻《やじり》には鳥兜《とりかぶと》の毒が塗ってある。急所につき刺さらなくても身体《からだ》に当りさえすれば、少なくとも戦闘力を奪うことが出来る。

飛助は樹の股《また》に立ち、素早く弓をひきしぼると、立て続けに二本の矢を放った。一番手近にいた二人の柳生者が、背に矢をつき立てられて、声もなく倒れた。宗矩たちが振り返り、即座に数本の手裏剣を飛ばした。飛助はこれをさけると、驚くべきことに枝に足をかけてぶら下った。その姿勢で又、矢を放った。また一人、これは胸を射《う》たれて倒れた。

これより先。

最初に吹かれた武田忍びの竹笛は、甲斐の六郎の耳にも届いた。六郎は思わず片膝《かたひざ》上げかけて抑えた。竹笛は武田忍びの結界が破られたしらせである。笛の調子は、吹き手の死を示している。この時、六郎のなすべきことは、現場に急行することではない。逆にこの場を動かず、二郎三郎を守ることである。そして寸時も早く側近の武士たちと合流し、二郎三郎と共に江戸城に戻ることである。それは飛助をはじめ一族の武田忍びを見殺しにすることを意味したが、忍びとしては当然の行為だった。

「これまでのようです」

六郎は二郎三郎に会見の終りを告げた。

「どうして？」

二郎三郎はまだ事態に気づいていない。

「まだ碌《ろく》に話しあっていないではないか」

「いや」

風魔小太郎が六郎を助けた。

「お互いに信を置くに足りるということさえ判れば、会見の目的は達したと云えましょう。細かいことはいずれ六郎殿を通じて……それで充分」

竹笛の音が悲鳴のように数を増している。さすがに二郎三郎にも判った。

「あれは……？」

「何者かがこの寺に力ずくで入ろうとしています」

「柳生か」

二郎三郎が呻《うめ》くようにいった。一瞬に、飛助の懸念《けねん》が当っていたこと、自分が秀忠を軽視しすぎたことを悟ったのである。

「柳生？」

六郎がかすかに顔色を変えた。

「そうだ。飛助にきいていないのか？」

六郎には、この重大な情報を伝えなかった飛助の気持が判った。自分の失策だった。もっと早く飛助との仲を修復しておかなければいけなかったのである。それを怠ったために大伯父を殺す破目になった。六郎は飛助の死を確信していた。武田忍びの結界を破られて、飛助が生きていられるわけがない。かなわぬ相手とでも、斬り死にするまで闘って、武田忍びの意地を貫かねばならない。一族が生き延びてゆくために必要な死だった。

おふうが茶室のにじり口に顔を出した。蒼白《そうはく》だった。

「裏手で四十人あまり死にました。あとは散り散りに……」

これは武田忍びが全滅したことを意味する。

「相手は？」

「死人手負い十人余り。全員、ひき揚げました」

とすると二郎三郎暗殺が目的ではなかったことになる。

「大伯父も……？」

「いえ」

おふうが首を振った。

「飛助さまの姿は見えませせぬ」

六郎は一瞬黙った。飛助がいないということは、逃げたか、或は別の場所で闘っているということだ。

飛助は力尽きようとしていた。身体に五本の手裏剣を受けている。別の樹にとび移る空中で打ちこまれたのである。

柳生者の死体は、更に一箇増えて、しめて四人。それが限界だった。奇襲の効果がなくなれば、飛助如《ご》き老忍者の矢をうけるほど柳生者はやわではない。

宗矩の手があがった、と思った瞬間、脇差《わきざし》が飛んで来た。投刀である。よけようと思った時には、もう胸に深々とつき刺さっていた。飛助に出来たのは、左胸、つまり心の臓を狙《ねら》った投刀を、右胸でうけたことだけである。肺が破れ、かっと血を吐いたが、即死ではない。衝撃で樹から転げ落ちそうになったが、耐えた。落ちれば膾《なます》に斬られる。

飛助が意外な処置をとったのは、この時だった。

右胸に突き立った脇差に手をかけると、引き抜くかわりに、更に深く押しこんだのである。脇差は身体を貫き、切尖《きっさき》が背からつき出た。飛助は更に押して、その切尖を樹幹に押しこんだ。つまり自分で自分の身体を樹に縫いつけたのである。これで落ちる心配だけはなくなった。飛んで来る八方手裏剣を、忍び刀ではじき返した。半弓はとうに失っている。それに弓を引く力はなかった。

宗矩は珍しく狼狽《ろうばい》した。

投げた脇差が秀忠からの拝領品だったためである。なんとしてでも、とり戻す必要があった。調査されれば、脇差の出所が判るからだ。貞宗の名刀だったし、徳川家の刀蔵から出たものであることを、知る者は知っている。

飛助の意外の処置によって、脇差をとり戻すには、樹へ登るしかなくなってしまった。飛助が生きている以上、それは容易な作業ではない。

宗矩は失敗を悟った。

時間がない。

二郎三郎が存応と何を語っているのか見届けることはもはや不可能である。裏門での結界破りは、とうに知られている筈だった。今にもこの地点へ人が駆けつけて来るかもしれない。もはや撤退しかなかった。宗矩は部下に脇差をとり戻す指令を出した。柳生者の一人が樹に登りかけて、まっさかさまに落ちて来た。額に忍び刀がつき立っている。

飛助が武田忍びの最後の意地を見せたのである。だがそのために、手裏剣をよける道具を失った。その身体に、更に数本の八方手裏剣が打ちこまれた。

驚くべきことに、飛助が笑った。声をあげて笑ったのである。しかも瀕死の男にしては思いもかけぬ大声で喚《わめ》いた。

「見たか、柳生の者ども。これが武田忍びの死にざまだ！」

喚き終ると、大量の血を吐いた。

宗矩は焦《あせ》りの中で、感嘆していた。その眼《め》に、まっしぐらに走って来る僧侶《そうりよ》の姿が映った。これは島左近である。

左近もその後に続く小太郎も飛助の言葉を聞いている。樹をとり囲んでいるのが、柳生者であること、追いつめられた瀕死の男が、武田忍び、恐らくは飛助であろうことを知っていた。

それでなくても、たった一人で五人を斃《たお》し、瀕死の身でなお戦おうとしている老人の姿は、感動に値した。血の気の多い左近の放置しておける事態ではなかった。

小太郎が制止する暇《いとま》もなく、左近は猛然と走り出していた。小脇に風魔の細工人が作ってくれた六尺の仕込棒をかかえている。走りながら凄《すさ》まじい雄叫《おたけ》びをあげた。柳生者たちの注意を、自分の方に引きつけ、飛助に逃げる余裕を与えるためである。左近は飛助が自分で自分の身体を、樹に縫いつけていることを知らない。

宗矩は既に作戦の失敗を悟っている。自分の顔を見たからである。後は急速な撤退しかなかった。だがこの僧侶たちは生かしてはおけない。白昼、忍び装束をつける馬鹿《ばか》はいない。この日、柳生者たちは忍び装束ではなかった。左近の方も網笠《あみがさ》をかぶってはおらず、頭巾《ずきん》もかぶらず、素面をさらしていた。その方が目立たないという小太郎の配慮だが、顔をむき出しにしていた。増上寺の境内では、それが裏目に出た。柳生宗矩は左近の顔をはっきりと見たのである。

だが宗矩は不幸なことに左近の顔を知らなかった。柳生の庄から呼びよせられた配下の者たちも同様である。それだけ世間が狭かった。だから左近をただの僧侶だと思った。

「斬れ！」

宗矩の短い命令で、樹の下に一人だけ残し、四人の柳生者が左近を迎え討った。たかが僧侶一人である。殺戮《さつりく》は瞬時に終る筈《はず》だった。

左近は突進しながら仕込杖《しこみづえ》の槍《やり》の鞘《さや》を払った。この杖は尖端《せんたん》に槍の穂、手もとに刀を仕込んである。その仕込槍を、片手で振った。二人の柳生者が咽喉笛《のどぶえ》をかき切られて、血煙と共にけしとんだ。左近がぶつかってはねとばしたのだ。死んだ仲間をぶつけられた形になった残り二人の柳生者は刀を振う暇さえなかった。左近はそのまま突進して宗矩を襲った。宗矩は伸びて来る槍の穂は払った。だが、まさかこの杖に刀まで仕込んであるとは思わなかった。左近は宗矩の横を走り抜けながら抜き討ちに宗矩の脇腹を充分に斬った。鎖かたびらを着込んでいなかったら、この時宗矩は即死していただろう。鉄の鎖は左近の刃《やいば》を辛《かろ》うじて防いだ。だが打撃の衝撃で宗矩は吹っとんだ。凄まじい腕力だった。宗矩は一瞬息がとまり、喘《あえ》いだ。左近は同じ勢いで樹下の柳生者を斬り、翻転すると、追って来た二人を、一人は刀で斬り一人は槍で刺した。

その時、死にかけた飛助が叫んだ。

「島左近！　島左近殿ではござらぬか！」

さすがの左近がぎょっとなった。

まさかこの場所で名を呼ばれるとは、思ってもいなかったのである。

樹上の老忍びをつくづくと見て納得した。これは既知の男だった。昔、左近が筒井順慶の下で情報蒐集《しゅうしゅう》の仕事をしていた時、配下として使ったことがある。

「甲斐の飛助か」

「左、左様。甲斐の飛助の残骸《ざんがい》でござるよ」

飛助の言葉は緩慢だった。血を多量に失って、今まさに生を終える寸前だったためだ。飛助自身、それを知っていた。無理をして、にっこり笑った。

「いまわのきわに、左近の殿にお目にかかれるとは、望外の倖せにござる」

一瞬、言葉が絶えた。気を失いかけたのである。

「こ、今生《こんじょう》のお願いがござる」

「云うがいい」

左近は死んでゆく男に優しいと、追いついて様子を見ていた小太郎は思った。そこがいかにも左近らしかった。

飛助が吃《ども》った。

「手、手前の刀を……」

また声が途切れた。

「これか」

左近は、柳生者の額につき刺さった忍び刀を引き抜いた。

「これをどうする？」

「い、いただきたい」

ぶるぶる震える手を伸ばした。それで受けとれるのか、とは左近は訊《き》かない。死んでゆく男を侮辱することになる。

「ゆくぞ」

一声叫ぶと投げた。忍び刀は飛助の右腿《みぎもも》すれすれに、樹幹に突き立った。

〈なんという優しさだ〉

小太郎は思わず目がしらが熱くなった。忍び刀の刺さった場所は、右胸を樹に縫いつけられている今の飛助にとって、一番労力を使わずに左手で引き抜きやすいところだったからである。右手は動かないのだ。

「かたじけない」

果して飛助は、左手でやすやすと忍び刀を引き抜いた。

「おさらばでござる、左近の殿」

叫ぶなり、飛助は首の血脈を一気にかき切った。

まだこんなに残っていたかと思われるほど大量の血がほとばしり、飛助は死んだ。

武田忍びとして、恥ずかしくない死にざまといえた。そのためであろうか、飛助の死に顔は満足そうに笑っていた。

左近と小太郎が瞑目《めいもく》して合掌した瞬間、むささびのようにはね起きると土塀に向って走り出した男がいた。柳生宗矩である。

左近にも小太郎にも油断があった。

柳生者はすべて斃したと信じていたのである。

まさか宗矩だけが、着衣の下に鎖かたびらを着けていたとは見抜けなかった。

それに二人とも、甲斐の飛助の壮烈な死にざまに感動していた。

その虚を見事に衝《つ》かれたのだった。宗矩の機敏さも称《たた》えられるべきであろう。

宗矩の姿は、あっという間に土塀を越えて消えた。宗矩にとって、最早、貞宗の脇差ものの数ではなかった。早急に秀忠に報告しておけば、なんとか糊塗《こと》出来ないものではなかった。それよりも、飛助の死にぎわの言葉の方が重大だった。

〈島左近が生きている！〉

これぱかりは、宗矩の予想を越えた事態だった。しかも僧形で増上寺にいた！　二郎三郎がわざわざ鷹《たか》狩りの途中で立ち寄った増上寺に！

左近が増上寺に住みこんでいるとは、宗矩も思ってはいない。左近は僧形だったが、行脚《あんぎや》の支度だったことを宗矩は見ている。笠こそかぶっていなかったが、足は脚絆《きやはん》をつけ草鞋《わらじ》ばきだったし、あの恐ろしい杖を持っていた。行脚僧として増上寺に入ったにきまっていた。だがなんのために!?

これは宗矩にも即断はできない。島左近は石田三成の謀臣である。真実の家康を刺したのも、石田の放った刺客だと、宗矩は秀忠から聞いている。ひょっとしてこの暗殺が、通り一辺のたくらみでなかったら、どうなる？

単純に合戦の相手方総大将を殺すというだけのものではなく、総大将を殺して影武者に代、、、、理をさせる、という点までたくまれたものだったとしたら、どういうことになるか？　つまり二郎三郎の交替が用意されたものだったら、ということだ。

この場合、当然のことながら、二郎三郎は石田方に買われた裏切者ということになる。だが……宗矩はそこではたと躓《つまず》いた。関ヶ原の合戦は徳川方の勝利に終っている。家康が死んだにも拘《かかわ》らず、徳川方が勝っている。その場合、二郎三郎の立場を何と解釈すべきであるか？　合戦に参加した者の話を綜合《そうごう》してみると、二郎三郎の働きは見事の一語に尽きる。

到底、石田方に買われた男の振舞とは考えられない。

それに島左近が増上寺に潜入した目的も、家康を殺すためだったのかもしれないのである。関ヶ原で自分が放った刺客が失敗したと思い、その償《つぐな》いを果そうとしたのかもしれない。そうだとすれば、皮肉なことに、暗殺の邪魔をしたのは自分たち柳生忍群だったということになる。柳生者たちの攻撃によって、二郎三郎の身辺は忽《たちま》ち側近の武士たちで固められたに違いない。それが島左近に暗殺を諦《あきら》めさせたのかもしれない。

とにかく秀忠にありのまま報告するしかない。ことは宗矩の思案の及ぶところではなかった。

秀忠は激怒して宗矩を叱責《しっせき》した。

増上寺境内に柳生者十人の死体を残し、その上、拝領の貞宗の刀まで残して来るとは、失態以外の何物でもなかった。

裏門の闘いでは、六人の死者と十人余りの手負いが出ているが、全員回収している。柳生の痕跡《こんせき》は何一つ残していない。痕跡を残して来たのは宗矩だけである。所もあろうに増上寺の境内で家康の護衛を襲ったことが判明すれば、柳生家の取り潰《つぶ》しと宗矩の処刑は避けるすべがない。

唯一《ゆいいつ》の救いは、島左近の存在だった。勇猛をもって知られたこの石田の侍大将が生き延びていたとは、秀忠も思ってもみなかった事態だが、それだけに柳生の失策を救う口実としては、恰好《かっこう》のものだった。

柳生宗矩は何らかの手段によって、島左近が生きていることを知った。探索の手を伸ばし、僧侶となった左近を追ったが、左近はその配下多数と共に増上寺に入ってしまった。場所が場所である。戦いは避けねばならぬ。柳生者たちはやむなく遠巻きに増上寺を囲んで、彼等が出て来たところを捕えようと企てたが、なんと左近の狙いは家康（二郎三郎）の首だった。家康が増上寺に立ち寄ることを裏切者飛助の口から聞き出し、これを暗殺しようとしたのである。

彼等は家康の護衛を襲い、その全員を鏖した。上様のお生命《いのち》が危い！　柳生者たちは意を決して増上寺に侵入し、左近たちと闘い、家康の生命を救った。左近たちは現場に死人・手負いを残すことなく敗走した。ただ一人、武田の裏切者である飛助の死体のみが残された。宗矩以下の柳生者は、左近たちを追うために、死者の回収をする暇がなかった。柳生者十人と飛助の死体のみ、増上寺内に残されたのは、そのためである。拝領の貞宗の脇差も、こうしたわけで残さざるを得なかった。

これが秀忠の描いた話の筋である。

秀忠は島左近が関ヶ原合戦の時から二郎三郎と結託していたのではないか、という宗矩の危惧《きぐ》を一笑に附した。秀忠は家康の暗殺とその後の経緯を、直接本多平八郎忠勝から詳細に聞いている。宗矩の想像するような事実はありえない、と断定することが出来た。

だから、島左近が増上寺にいたのは、現実に、家康暗殺のためだっただろうと推察していた。結果的には柳生の攻撃が家康（二郎三郎）の生命を救ったのである。これは宗矩も考えたことなのは先に述べた。

秀忠のでっち上げた話の筋を否定出来るのは、島左近しかいない。だが左近には公《おおやけ》の場でそれを否定することが出来ない。即刻、江戸を中心に関東の諸国に左近の人相書を配布し、高札を立て、危険な石田の残党として首狩りを行う。左近が生きて捕えられれば、即座に斬り殺す。それでこの話は万全になる筈だった。残る問題はたった一つ、二郎三郎の出方である。

鷹狩りから戻った二郎三郎は、終始面白そうに、この秀忠の話を聞いた。途中ににこにこ笑いさえした。

秀忠は薄気味わるくなって来た。二郎三郎は己れが勝手に作り上げた陰の護衛たちが、柳生の手でほとんど全滅させられたことを知っている筈である。島左近などという名が出てくるのも、いかがわしいと感じる筈だった。

事実、左近の名を出すと、この時だけは大きく目を瞠《みひら》いて、

「本当かね」

と呟《つぶや》いたものだ。次いで、皮肉な調子で、

「島左近がねえ。また都合よく生きていたものだな」

そういった。本気にしていないことを言外に匂《にお》わせている。だが、二郎三郎には、

「それは嘘《うそ》だ」

と断定することは出来ない。それだけの確証はない筈だった。だからこそ秀忠は、強弁す

ることが出来る。

それにしても、四十名近い手飼いの部下を殺戮されて、どうしてこんなに平気な顔でいられるのだろう。

「ほう、ほう」

と相槌《あいづち》をうちながら、微笑まで浮かべていられるゆとりはどこから生じているのか。

秀忠がこの二郎三郎に薄気味わるさを感じたゆえんはそこにあった。

〈何かある。何か隠している〉

秀忠はそう思った。それも強力な切札を、である。そうでなければ、こんなに平然としていられるわけがない。

〈強力な切札とは何か？〉

そう疑わざるをえなかった。この期《ご》に及んでの切札といえば、秀忠の死命を制するものに違いないからである。

秀忠は一人になると宗矩を呼びつけ、その切札について様々な推論を組み立てては壊し組み立てては壊した。二人がかりでも、この謎《なぞ》は遂《つい》に解けなかった。

二郎三郎は増上寺で、六郎と共に、左近と小太郎の報告を聞いた。二人とも、宗矩を逃がしたことを恥じていた。許すべからざる失敗だと感じていた。左近など、子供のようにしょげ返っている。

「どう思う、六郎？」

二郎三郎は意外に動じた気配もなく訊いた。

「左近の殿は厳しく追われます」

六郎が深刻な顔で云《い》った。二郎三郎が頷《うなず》いた。

「そう。日本国中、艪櫂《ろかい》の及ぶ限りな」

これは織田信長、次いで太閤秀吉がよく使った言葉である。日本国中、どんな小さな島に隠れようと、艪櫂の及ぶ限り、つまり舟のゆけるところならどこまでも、追及し続けてやるという意味だった。

「わしのことなど、どうでもいい」

左近が喚いた。

「考えねばならぬのは、わしと殿とのつながりが判明した時、中納言殿がどんな手を打ってくるか、だ」

「その心配は無用」

二郎三郎が、あっさり云う。

「しくじりは向うも同じこと。柳生者の死体を十箇《こ》も残していっている。このままでは、柳生はつぶれる。それこそ中納言殿にとって最も避けたい事態であろう」

二郎三郎は自分自身が護衛と探索の者を雇うのに苦労した経験から、秀忠が柳生を失うことの辛《つら》さを、充分に理解出来た。柳生を救う道は一つしかない。柳生が二郎三郎を助けるために増上寺に入ったと強弁することである。武田忍びが何者かに襲われたことを知り、非常の場合ゆえ敢《あえ》て増上寺に入った……そう云うしかない。問題は武田忍びを襲ったのが何者かということだが、都合よくそこに島左近がいた……。なんと二郎三郎は秀忠の思考を事前に正確に読んでいたのである。

「従って今の場合、左近殿の安全を計るのが第一でござろう。六郎、智恵《ちえ》はないか」

「はっ」

といったものの、六郎にも咄嗟《とっさ》にどうすべきか判《わか》らない。辛うじていった。

「大坂に戻ることは出来ませんな」

「当り前だ。三日で江戸より出るあらゆる街道に隠し関所が立つ」

早馬が左近の人相書を運んでゆく筈だった。それでなくとも目立つ肉体なのである。

「とりあえず箱根まで急行するしかないでしょう」

風魔小太郎が静かな声でいった。

「それも東海道は危い。漁師の舟で熱海までゆくのがいいと思います」

さすがに風魔である。関東の地の利は十二分に心得ていた。

「熱海にまで手が廻《まわ》っていた場合は、下船せず、そのまま伊豆を廻って沼津に出る。沼津から三島までは僅《わず》か一里半。しかも下りとなれば警戒もゆるやかでしょう」

「その漁船の手配は？」

二郎三郎がせきこんで訊くと、小太郎が微笑した。

「いつでも用意出来ております。それでなくては、風魔の働きは出来ませぬ」

いざという時、即座に江戸を脱出して箱根に帰る手筈《てはず》は、常時出来ているということである。ここにも風魔の凄まじさが現れていた。二郎三郎も六郎も素直に感嘆した。

「しかし……」

小太郎が考えこんだように続けた。

「今の箱根は、小田原藩の侍どもで混雑しています」

これは例の御用金強奪の余波が、今もって続いているということである。

「危険は決してありませんが、島殿がうっとうしくお思いになるかもしれない」

島左近は忍ぶということの苦手な男である。小太郎はそれを見抜いていた。

「それならばいっそ足を伸ばして、天竜川《てんりゅう》をさかのぼれば、思いのままに足腰をのばすことの出来る土地はいかほどもござる」

小太郎はそこで声を落した。

「風魔の女子供も追々そのあたりに移す所存なれば……」

箱根山を戦闘態勢にした場合は、天竜川上流に、女・子供・老人を移住させるというのである。天竜川上流は、昔から隠れ里と呼ばれる秘境の多い土地柄《とちがら》だった。

「あそこは今、天領になっているのだったな」

二郎三郎が思い出して云った。天正十八年から関ヶ原合戦当時まで、そのあたりは浜松十二万石堀尾吉晴の領国だった。堀尾吉晴は太閤秀吉の信任厚かった武将である。秀吉にとって重要な合戦には、ほとんど参加したし、秀吉の立身出世につれて彼も立身していった。晩年は豊臣政権の中で、五大老（家康がその筆頭）に次ぐ三中老の要職にあった。

関ヶ原では徳川方について闘い、戦後の論功行賞で加増をうけ、毛利氏の旧領内だった出雲松江二十四万石に封じられている。替って浜松には松平忠頼（五万石）を封じ、天竜川上流の地を天領とした。二郎三郎がその莫大《ばくだい》な山林資源と鉱物資源に目をつけたからである。

「成程。あそこなら……」

二郎三郎は合点した。二郎三郎は元々三河出身の野武士である。三河・駿河・遠江の地勢は己れの庭のように知悉《ちしつ》している。

いざという時には山に入り、甲斐・信濃に抜けることも出来る。或《あるい》は天竜川を下って、一気に海へ出てしまうことも出来る。隠れ家としては絶好の場所である。気候は必ずしもよくない。浜松に較《くら》べて、夏は暑さが、冬は寒さがひどい。だがそれも考え方ひとつである。左近のように激しい性格の男には、あまり温暖な気候は合わないといえる。夏はうんと暑く、冬はうんと寒い方が気分がいい。それに、あとあと二郎三郎が駿府《すんぷ》に引っこんだ場合、江戸よりもこの辺の方が近い。天竜川を使えば更にその速度が増す。

「そのあたりにはもう風魔の者がいるのかな」

左近が小太郎に訊《たず》ねた。

「当然おります。二俣《ふたまた》のあたりに、既に家を構えている者、十数人」

何故《なぜ》二俣かという左近の問いに、二郎三郎が小太郎にかわって即座に答えた。

「天竜をさかのぼる時、二俣までは帆で走れるからだ。それより上《かみ》は舟を曳《ひ》くことになる」

小太郎が瞠目《どうもく》した。二郎三郎がこれほどその辺の地理に通じているとは思わなかったからだ。

「きめた。二俣にゆく」

左近の決断はいつもながら迅速明快で、見る人の胸をすかせるものがある。

小太郎が莞爾《かんじ》と笑った。

「品川まで馬。そこから舟に乗ります」

馬の手配は既にされていた。小太郎の護衛が素早く支度したのである。旅籠《はたご》に残っていた市郎兵衛には使者が出され、これも馬で直接品川に向うという。

左近は小太郎と共に馬に乗った。五人の護衛も馬である。服装は手早く武士に変っている。頭には馬乗笠《うまのりがさ》。これで僧態《そうてい》であることは充分に隠せる。騎馬武者七騎、まっしぐらに品川に駆けた。

甲斐の六郎には難問が残っている。

新しい二郎三郎の護衛を見つけなければならない。風魔を使えば簡単だが、箱根山のことがある以上、これは得策ではない。といって正体不明のいかがわしい闇《やみ》の仕事人（つまり泥《どろ》棒《ぼう》、すりのたぐいである）を、家康の正式の護衛として、江戸城へ入れることなど考えられることではなかった。

この難問に、二郎三郎はあっさり解決を出した。

「護衛はおふうたち女忍びだけでいい」

六郎は首を横にふった。女忍びの数は四人である。自分をいれて五人。五人で充分の護衛が出来るわけがない。

「出来なくていいのさ」

二郎三郎は無造作に云う。

「中納言殿はわしが征夷《せいい》大将軍になり、それを譲る日まで、わしを殺すことは出来ぬ。護衛は生命を守るためではない。わしの考えを中納言殿に悟らせないために必要だっただけだ」

確かに二郎三郎の云う通りである。それに秀忠が二郎三郎を殺す気なら、護衛がいようといまいと同じことだ。武田忍びの全滅が、そのことを明白に示している。

「さし当ってわしが江戸ですることは、もう一つもない。さぐりたいだけ、さぐらせてやろうじゃないか。それに……」

二郎三郎は人の悪そうな顔で、にたりと笑った。

「ここのところは、わしは負け犬になった方がいい。折角金銀を集め、秘《ひそ》かに人を集めてみたが、それが役にも立たぬ老いぼれの忍びばかりだった。それさえ失って今や茫然《ぼうぜん》自失、新たな護衛も集められぬみじめな負け犬になっている。中納言殿にその尻尾《しっぽ》を尻《しり》の間に挟《はさ》んだぶざまな様子を見せておいた方が、あとあとやりいいんじゃないかね」

大胆なやり方といえた。だが確かに効果的ではある。江戸にいる間はそれですむかもしれなかった。問題は伏見に帰ってからである。伏見城の警護は、柳生者のつけ入る隙《すき》を一切与えぬほど、堅固なものにしなければならなかった。

秀忠は不機嫌《ふきげん》だった。

二郎三郎が江戸へ来てからというもの、やることなすこと失敗の連続である。江戸の大火に始って、考えていた町割りの案は潰《つぶ》されるわ、官僚の配置転換も本多弥八郎正信の思うように変更されるわ、莫大な金銀を弁済のために二郎三郎に渡さざるをえなくなるわ、ここに至って又柳生宗矩の尻拭《しりぬぐ》いで大汗をかくわ、ではたまったものではない。さすがに忍耐強い秀忠もたびたび癇癪《かんしゃく》を起しそうになった。

それに較べて二郎三郎ののんきさはどうだ。四十人からの護衛を討ち果されて顔色一つ変えず、新たに護衛をつのることさえしない。金がないわけはない。秀忠が渡した金銀がある。その金銀さえ、全く使おうとしない。そのまま伏見に持って帰るつもりらしい。

今や二郎三郎の護衛といえば女忍び四人に武田忍びの生き残り十人余り、いずれも老忍である。一人だけ若いのがいて、これが女忍びの一人の亭主になって、二郎三郎の使い走りをしているらしい。忍びが女房を持つようでは、たかが知れております、と宗矩がいった。秀忠もその通りだと思う。真の忍びは常に独り身であり、又そうでなくてはならない。忍びとして充分の働きをするためには、女房子供は邪魔になるだけである。それだけ非情な職能なのであった。宗矩の部下が探ったところでは、この夫婦の仲たるや蜜《みつ》の如《ごと》く甘く、閨房《けいぼう》のさまに至っては野獣の如し、という。つまらぬ男女である。使い走りにしかならぬことは明白だった。

だがこんな頼りにならぬ連中に警固されて、尚《なお》、二郎三郎が平然としているのは何故か。まるで殺してくれというようなものだ。それにやることといえば鷹狩《たかが》りだけ、政治向きの席では臆面《おくめん》もなく居眠りをする始末である。もっとも事情をしらない家臣たちが、そんな家康を立派だと考えているのを秀忠は知っている。小事は秀忠や信頼した家臣に委《まか》せ、肝心の要所だけしっかり握っている。まさに大将の器だというわけである。これは主として、細部にまで口を出さずにはいられない秀忠自身との対比の上でいわれる言葉だから、余計秀忠にとっては癪の種だった。

それにしても、二郎三郎の態度は不気味である。どうにも得体が知れない。いっそ自ら二郎三郎の胸倉を摑《つか》んで、どういうつもりだ、と問い訊《ただ》したい衝動にもかられるのだが、形の上では父親になっている男に、まさかそれは出来なかった。

それに重要な儀式が、二郎三郎を待っている。二郎三郎は伏見に帰ると間もなく、朝廷に年賀のため京にゆかねばならない。その時、再び、源氏の長者に補する、つまり征夷大将軍に任ずるという朝廷の内意が伝えられることになっていた。秀忠の朝廷工作の成果である。

この儀式が無事にとり行われなかったら、二郎三郎の存在の意味がない。

秀忠は逆に不安になって来た。江戸から伏見までの道中がである。今の手薄《てうす》な警備のままで、万一道中で襲われたりしたら、二郎三郎の生命が危い。それはそのまま自分も徳川家も危いということになる。

秀忠は心底愕然《がくぜん》としたといっていい。

この段階で、島左近の名が新しい意味をもって迫って来た。島左近が増上寺にいたということは、明らかに家康を狙《ねら》っていたことを意味する。左近は一瞬の間に、柳生忍び五人を斃《たお》したほどの強者である。鎖かたびらを着込んでいなかったら、柳生宗矩でさえ斬られていた筈だ。それほどの男に狙われて、しかも碌《ろく》な護衛もいない二郎三郎が、果して無事伏見に辿《たど》りつけるかどうか、極めて心もとない。しかも問題の島左近の行方が、杳《よう》として知れないのである。

秀忠の焦慮の中に、二郎三郎の伏見出立の日は刻々と迫って来た。もう仕方がなかった。今更、伊賀・甲賀の忍びを使うことは出来ない。万々一、彼等に家康の正体が知れたら、事は無事にはおさまるまい。それでなくても理由も不明なままに家康の警護をはずされた彼等は、内心烈《はげ》しい不満を抱いている筈だった。驚天動地ともいうべき事実を、どこにどう流すか判ったものではない。当時のいくさ人に、主君に忠節をつくすという道徳はない。忠義という観念は、儒教の普及した、ずっと後世のものだ。まして忍びは本来臨時雇いである。その時その時で、変った主君に使われるのが本来の姿だった。その意味で伊賀・甲賀の忍びに扶持《ふち》を与え、丸抱えにした家康は、一風毛色の変った武将ということになる。また伊賀・甲賀の忍びにしても、徳川家の正規の家臣になったのは、なりわいのためだけではない。そこまで自分たちを信頼してくれた家康に感動したからである。その家康が死んだとなれば、彼等がどう動くか、予断を許さないものがあった。

伊賀・甲賀の忍びが使えず、武田忍びはいないとなれば、今、秀忠が使えるのは、柳生忍びしかいない。六組の大番組のうち一組が随行し、そのまま伏見城の警備に当ることになっているが、彼等は合戦の役には立っても、暗殺を防ぐ役にはほとんど立たない。関ヶ原合戦で、あれだけの旗本に囲まれていてさえ、家康は簡単に殺されたのを見ても、これは明白だった。どうしても忍びを使うしかないのである。

秀忠は決断した。伏見までの道中を柳生者に警備させることにした。ついでに伏見城での警備の状況、二郎三郎の行状などもさぐらせておけば、後々の役には立つ。それにしても皮肉な成り行きになったものである。柳生忍群は、武田忍びを滅ぼしたお蔭《かげ》で、その任務を代行せざるをえなくなったわけだ。

源氏の長者

慶長七年（一六〇二）一月十九日。二郎三郎の一行は江戸を発して伏見に向った。

大番組六組のうち一組が、警固したが、これは勿論《もちろん》表の警固である。裏の警固は裏柳生三十人がしていた。柳生宗矩は秀忠の側近を離れられないので、門弟筆頭の木村助九郎がこの三十名の指揮をとっていた。もっとも、助九郎は既に柳生新陰流の剣士として名をあげていたので、陰供《かげとも》にはならず、十人の配下と共に正式に二郎三郎の側近に供えている。他の二十人は姿を変え、行列を囲むようにして移動している。伝令が常時、この陰供の二十人に、助九郎の指令を伝えていた。

助九郎の不満は、側近といいながら、二郎三郎に密着出来ないことにあった。行進中には駕籠脇《かごわき》に近づけず、宿泊の際は二郎三郎の部屋を窺《うかが》うことも出来ない。天井裏、床下といえども駄目《だめ》なのである。この点は江戸出発の前日に秀忠を通じて、二郎三郎から厳しくいい渡されていた。

二郎三郎は皮肉な微笑と共に秀忠に云《い》ったのである。

「色々気を遣って貰《もら》っているようだが、陰供は無用だ。別して柳生者はいらぬ。ひとが選んだ陰供を皆殺しにしておいて、今更なんのつもりだ」

これは秀忠の最も痛いところである。精々とぼけて、わけが判《わか》らぬといった顔をつくることしか出来はしない。

その秀忠の下手くそなとぼけ顔をつくづくと見て、二郎三郎は云ってのけた。

「万一、柳生者がわしの駕籠脇なり、宿の天井・床下なりに近づけば、即座に鉄砲で射《う》つ。近習の者には賊だと云うぞ」

二郎三郎の鉄砲の腕は、江戸城でも評判になっている。城内でしばしば標的射撃を行い、そのほとんど百発百中の腕前に、側近の者は一様に肝をつぶしていた。いつから殿はこれほどの鉄砲の上手になられたか。そう噂《うわさ》しては不思議がっているのを、秀忠も聞いたことがある。

本多弥八郎正信だけが、二郎三郎の腕を知っていた。何しろ『信長を射った男』である。苦笑して意見した。

「鉄砲はやめろ。皆が不思議がっている。正体が曝露《ばくろ》するもとだぞ」

「正体が判って困るのは中納言殿だろう。こっちは少しも構わんよ」

二郎三郎は尻をまくったようなことを云い放って、弥八郎の肝を冷やさせた。

護衛をして、鉄砲で射たれては、たまったものではない。それに二郎三郎は本気のように見えた。常に身近にいる女（おふう）が、火《ひ》をつけた火縄《なわ》と鉄砲を運んでいるのだ。宿泊の時もこの女が次の間に必ず居る。しかも天井・床下には女忍びがいた。これでは柳生者の近づく隙《すき》がなかった。

二郎三郎がこれほど柳生者を嫌《きら》ったのは、飛助以下の武田忍びの無残な殺戮《さつりく》への怒りのためだったことは当然だが、その他にも理由があった。甲斐の六郎の姿が、この行列から消えている。それを柳生者たちに印象づけないための苦肉の策だった。

六郎は行列より遥《はる》かに先行して、東海道を走っていた。身なりは相変らず、鳥見役人姿である。

六郎は一日に三十里（百二十キロ）を楽々と走る。初日に早くも箱根山に達し、夜には風魔小太郎と会っていた。だが小太郎に会うだけがこの先行の目的ではない。

翌早朝には小太郎と共に、箱根を下り、天竜川を溯《さかのぼ》った。島左近に会うためである。武田忍びの全滅の後をうけて、以後の伏見城警備に当る忍びの者をどこからどうやって集めたらいいか。それを左近と小太郎と共にじっくり考えるのが、今度の六郎の目的だった。

天竜川を溯るには、二郎三郎が増上寺で云ったように、二俣城あたりまでは帆をかけた舟でゆくのが早い。その二俣の村はずれの一角、うしろに山を背負い、竹藪《たけやぶ》に囲まれた小屋に、左近はいた。

「今日は少し竹を切って見た」

いつもながら左近は悠然《ゆうぜん》としていた。身なりも髷《まげ》も百姓風に変っているが、相変らず例の槍《やり》と刀を仕込んだ六尺棒を愛用しているらしく、すぐ手の届くところに無造作に立てかけてある。

「見てみろ。仲々のものだぞ」

誘われて縁に出ると、成程、素晴らしい眺《なが》めである。ここは高台になっているらしく、竹藪を切り払ってしまうと、二俣川が眼下に見える。

「こうしておけば、誰が近づいて来ても居ながらにして判るんだね」

いたずらっ子のように左近が首をすくめて笑った。追われる者としての当然の用心だが、左近にとってはそれを告げるのが面映《おもは》ゆいことらしい。奇妙な含羞《がんしゅう》といえた。

「茶を進ぜよう」

左近がこの土地を選んだ理由は水だった。素晴らしくうまい水が湧《わ》くのだという。

「もう一つの理由はあれさ」

左近が山ぎわを指さした。

大きな桜の木が立っている。

「わしは花が好きでな」

この当時、花といえば桜のことである。

「あれが咲き揃《そろ》ったら、どれだけ賑《にぎ》やかなことか、と思う。なんとしてもあの下で酒を酌《く》みたい。そう思ったら、たまらなくなってなあ」

照れ臭そうに、片手で顔をぶるんと撫《な》でた。六郎も小太郎も、同時に、その光景を頭の中で描いていた。

満開の桜の巨木の下で、ひとり瓢《ふくべ》の酒を大盃《たいはい》に満して、静かに飲んでいる巨漢。それは昼でもいい。夜でもよかった。微《かす》かな風に花片ははらはらと散り、巨漢に降りかかるだろう。盃《さかずき》の中にその一片が浮かぶだろう。巨漢は目を細めて暫《しば》く花片の浮いた酒を眺め、やがて花片ごと酒を飲みほすだろう。新たな酒が注《つ》がれ、新たな花片が舞い、新たな花片が酒に浮かぶ筈《はず》である。それをまた、ゆっくりといとおしむように眺めては飲みほす。緩慢に陽《ひ》は移り、或《あるい》は夜は更《ふ》けてゆくだろう。

それはさながら一箇の花仏《はなぼとけ》の姿だった。

六郎も小太郎も、いつか陶然となっていた。この目前に坐《すわ》っている巨大な体軀《たいく》の男に、もっともふさわしい姿があるとしたら、それは甲冑《かっちゅう》に身を包み、大身の槍をかいこんで巨大な馬に跨《また》がって疾駆してゆく姿か、この花仏の姿か、そのどちらかに違いない。二人は沁々《しみじみ》とそう感じていた。

小太郎が遠慮深げに咳払《せきばら》いをしていった。

「ああ……時には、その……もう一人、人数をふやすというようなことがあっても、宜《よろ》しいのではないかと存ぜられますが……」

「い、いや、三人ということも……」

六郎が慌《あわ》てふためいて追加する。

「市郎兵衛もいれなければな」

六郎と小太郎が、己れを恥じた。市郎兵衛を忘れていたことを、である。この目立たない男は、酒の肴《さかな》を釣《つ》って来ますとことわって、竿《さお》をかついで出ていったきりだった。

「いや。飲むなら五人だな」

左近がにっこり笑った。二郎三郎のことをいっているのは、明らかだった。

「仲々気分のいい男だぞ、あれは」

左近は本気でそう思っている。考えてみれば奇妙な話だった。自分が生命を狙《ねら》った男の替玉に、どうやら本気で惚《ほ》れ込んでしまったらしいのである。或は世の中とは、そうした皮肉なものなのかもしれなかった。

「それで、その五人目のお方の警固のことなのですが……」

六郎がやっとここまでやって来た目的の話に戻った。

「無理だな」

左近があっさりいってのけた。

「諸国に忍びはあるが、とても今の間にはあわぬ。武田忍びがいい例ではないか」

左近のいう通りだった。武田忍び壊滅の理由は明白である。合戦の数が減って来たためだ。合戦の数が減れば、忍びが使われる頻度《ひんど》が減少する。若い忍びは育って来ても、実戦に出る機会がない。当然経験不足になる。今、充分の経験を積んだ忍びとなれば、どうしても甲斐の飛助ぐらいの年齢になってしまう。体術を基本とする忍びの世界で、老齢が最大の敵であることは自明の理だ。だからこそ、武田忍びは、若い柳生衆たちの前にひとたまりもなかったのである。

世にきこえた武田忍びでさえこのていたらくでは、実戦に雇われる機会の少なかった、他の里の忍びは余計信用出来るものではなかった。

今までより遥かに危険が増える。最大の理由は、お万の方の出産である。今のところ慎重に伏せられているが、生れてしまえばそうはいかない。秀忠はさぞ驚愕《きようがく》し、且《か》つ怒るであろう。生れて来た赤子の生命が危い。二郎三郎がそれを断乎《だんこ》として守ろうとすれば、二郎三郎の生命もまた危い。強力な護衛が必要なゆえんである。

だが六郎にしてみれば、無理だな、ですむ話ではない。伏見に帰った二郎三郎の身辺は、

「賭《か》けるしかないな」

と左近はいう。赤子の身に何かあれば、二郎三郎は家康の替玉であることをやめる。征夷大将軍にもならない。断乎としてそう云ってやるしかない。いわば開き直りである。殺すなら殺せ。そのかわり秀忠も征夷《せいい》大将軍にはしない。自力で今の徳川家の優勢を支え、自力で征夷大将軍になってみよ。秀忠にそう宣言することである。まさに賭けだった。

「当然ながら、その場合は、替玉となったいきさつを天下に知らしめる必要がある。別して結城宰相秀康殿と尾張の忠吉殿にな」

これは秀忠の最大の泣きどころである。この兄と弟が、武将として秀忠より遥かに世間から認められていたことは、既に詳述した。

六郎は沈黙した。

確かに応急の処置はない。左近のいう通り賭けるしかないかもしれない。だが、この賭けは大きすぎた。二郎三郎一人のことではすまないのである。徳川家の将来と、そして大坂にいる秀頼の将来まで含めた賭けになるのだ。

「判りませぬ」

遂《つい》に六郎が音《ね》を上げた。賭けられているのは天下である。一忍びの思案を遥かに超えるものだった。

「あのお人に委《まか》せるんだな。それしかあるまい」

左近は二郎三郎に委せよ、というのである。

唐突に小太郎が口をはさんだ。

「城をなんとかしたらどうですか」

「城を？」

六郎が呆《ほう》けたように繰り返した。一瞬、小太郎のいう意味がよく判らなかった。

「左様。伏見城をです」

小太郎がにこにこしながら云う。まだ判らなかった。

「伏見城をなんとかする、とは……？」

「忍びの入れぬ城にするんですよ。少なくとも非常に入りにくい城にですね」

六郎の顔が厳しく引き緊《し》まった。やっと小太郎の云う意味が判ったのである。

「そのようなことが……」

「出来ますとも。完璧《かんぺき》は勿論期せませんが、その方面を得手とする者が、私たちの中におります」

忍びは日本独自のものではない。中国から朝鮮を経て伝えられたものである。その忍びを防ぐ対策が、中国・朝鮮にあっても少しも不思議ではない。そして忍びの弱点を一番よく知っているのは、忍びではないか。

「伏見城を建て替えるとなると、相応の理由が必要になりますが……」

六郎が考え考えいった。確かにこの小太郎の案は魅力的だった。城とは本来防衛する場所である。それが忍びにだけは、開けっ放しの解放地区の如《ごと》き観があるのは、今までは城の縄張り（設計と施行）をする者が、武将に限ったからである。つまりは忍びの実態を知らず、陰働きということからなんとなく見下し、その対策など本気で考えたことがないからだ。

忍びの潜入手段は様々であるが、なんといっても一番効果的なのは、相手の使用人として永らく勤めることである。内部に手引をする者がいなくては、忍びの働きの力は半減する。だが今の場合、有利な点は、柳生忍びが新しいということだ。忍び業《わざ》としての歴史は長くても、実戦の経歴が短い。当然、この内部浸透作戦は、まだ実施されてはいまい。実行するとしたら、これから先だから、以後新規に召し抱える者については、小者などの身分の軽い者についても厳重に審査をし、勤めてからも見張りを絶やさねばいい。

あとは外部からの侵入だが、これは通常、下か上から行われる。下とは床下であり、上とは屋根から天井裏におりるものだ。例えばこの床下と天井裏を細かい区画に分け、その間を強固な壁で仕切るだけで、忍びの働きは半減するだろう。二郎三郎の居間ないし寝間に到達するために、こうした障壁を何十カ所も切り破らなければならないとしたら、忍びの作業は絶望的なものにならざるをえない。

更にこの障壁に、警報装置をつけ、それがどこで鳴ったかを即座に識別する工夫をすれば、潜入した忍びは忽《たちま》ち捕えられる。

だが、問題はそうした工事が秀忠に許されるかという点である。

「建て直す必要はないでしょう。部分的な補修工事でいい。それに……」

小太郎は平然たるものである。仕事に確信がある証拠だった。

「家康殿が、居城の修復について、中納言殿の許可を得る必要がありますか。なんのために金銀を蓄えられたのです？」

つまり勝手にやればいいというのである。

「中納言さまは当然怪しむでしょうね」

六郎は小太郎より、秀忠の疑ぐり深い性格をよく知っている。

「疑いをそらすために、別の工事を併行してやる。そちらの方は、外様《とざま》大名の誰かにさせればいいでしょう」

これは吝《け》ちな秀忠の気質に合っている。事実、この頃《ころ》から徳川家の手による城造りが大幅に増えてゆくのだが、その工事には、ほとんど全国の外様大名が狩り出され、実際の作業を担当させられた。

外様大名とは譜代大名と対比される言葉であり、元来が徳川家の家臣ではなく、今は臣従を誓っていても、嘗《かつ》ては徳川家の同輩格だった戦国武将たちをいう。これはいつ徳川家を裏切り、大坂城の秀頼に味方して、兵を関東の地に向けるか判らない人種である。徳川家としては、極力その軍事力、経済力を低下させておく必要があった。城造りは、この経済力低下を目的として起されたものである。

城造りは軍役に等しい。軍役とは合戦の時に将兵をさし出すことだ。禄高《ろくだか》千石につき何人ときめられている。それと等しいということは、城造りに人数を出し、莫大《ばくだい》な経費を賄《まかな》うことは、大名の『義務』だということになる。徳川家に臣従している限り、拒否出来ない『義務』なのである。

伏見城、彦根城、江戸城、駿府城と立て続けに城造りを手伝わされ、名古屋城にまで狩り出された時、さすがの福島正則がぼやいたという。

「江戸城、駿府城は仕方がないとしても、この名古屋城は息子の城ではないか。こんなものにまで我々が助役《すけやく》を命ぜられるのは筋が通らぬ」

これに対して加藤清正が答えた言葉が有名である。現代文にすると、

「そんなにいやなら、ひとつここで謀反《むほん》を起したらどうだ」

と云《い》ったのである。これは命ぜられた城造りを拒否すれば家をとりつぶされることになる。そのくらいなら謀反を起して戦う方がましだ、という意味である。天下を制した徳川家に、一大名が戦いを挑《いど》んだところで勝てる道理がない。だから正則が返事につまって沈黙すると、清正は笑って云ったという。

「それなら不平をいわないで、せっせと仕事をして早く休もうじゃないか」

伏見城の修築に外様大名を使うのは、この秀忠の趣旨に沿うものだった。

忍び破りの城。

この魅力的な観念が、今、急速に具体性を持って迫って来た。少なくとも六郎にはそういう気がした。左近がどう思っているかが知りたくて目をやった。左近は退屈そうに無精髭《ぶしようひげ》を抜いている。これはこの案を初めて聞く態度ではない。とっくの昔に検討ずみの案だからこそ、退屈そうな顔が出来る。

六郎は一瞬に悟った。

「どちらが先にいい出されました？」

わざとそう訊《き》いた。左近なのは判《わか》っている。外様大名に工事をさせるなどという考えは、小太郎のものであるわけがない。果して小太郎が笑った。

「実は左近の殿です。私はそれに幾分補足しただけで……」

「幾分なんてものじゃない。わしはいいだしっ屁《ぺ》というだけで、具体案はすべて小太郎氏《うじ》だ」

これも事実であろう。

「つまり、もう図面が引けているということですか」

いくらなんでも早すぎると思いながら、六郎が訊いた。

小太郎が立って、床の間に立てかけられてあった長い紙の筒を持ってくると、さっと畳の上に拡《ひろ》げた。

六郎は目を瞠《みは》った。

精密な伏見城の図面が、そこにあった。そのそこかしこに朱が入っている。枚数も六、七枚あった。隔壁の構造までこと細かに録されてある。

「いつの間にこんな図面を……？」

六郎はほとんど茫然《ぼうぜん》としながら訊く。

「元の図面は、昨年、伏見城が出来た時、手に入れました。いつこの城で忍び働きをしなくてはならなくなるか、判りませんから」

小太郎は更に驚くべきことをいった。

「全国の主要な城の図面は、みんな集めてありますよ」

風魔ならではの用意のよさだった。これなら、いつ、どんな仕事が舞いこんでも、対応に窮することはあるまい。

「朱を入れたのは、さっき話したその道の男たちで……。ここへ呼んで一緒に考えながら大いそがしで作らせたものです」

「それは……」

六郎の声がつまった。考えただけでも大変な仕事である。恐らく徹夜の連続だったのではないか。それでなくては、こんなに短時日に仕上がるわけがなかった。

「六郎が手ぶらでは帰れないだろうと、左近の殿がいわれましてな」

小太郎がじろりと六郎を見た。

「徒《あだ》やおろそかに思ってはならぬぞ、婿《むこ》どの」

六郎は泣けそうになった。

二郎三郎が伏見に戻ったのは、二月十四日である。往《い》きと同様に、のんびりした旅だった。甲斐の六郎は、吉良《きら》でこの一行と合流している。天竜川流域に、万に一つでも疑惑の目を向けられるのを避けるためである。

柳生の忍び共は、当然、六郎が加わったことを知ったが、元々が二郎三郎の使い走りだと思っているから、さして気にもしなかった。六郎は鳥見役人の身支度をしている。そして二郎三郎は、六郎の進言によって、吉良で三日をかけて鷹狩《たかが》りを行った。事実この土地には、別して鳥が多かったのである。二郎三郎は木村助九郎たちの見ている前で、六郎の調査ぶりをほめあげ、褒美《ほうび》の金までやった。これで六郎の先行の目的は、あくまでも猟場さがしのため、ということになる。疑いの余地がなかった。

夜、柳生者の近づけぬ寝所で、六郎は左近たちとの会合の模様を語り、風魔一族の手になる図面を示して、伏見城を忍者破りの城にするという、風魔小太郎の腹案を披露《ひろう》した。二郎三郎もこの案が気に入ったようである。

「ただ一つ……」

二郎三郎が注文を出した。

「小太郎殿は相手が柳生だということを忘れているようだな」

「どういうことでしょう?」

六郎にも二郎三郎のいう意味が判らない。

「忍び破りの城を築き、柳生者たちを捕え、或は斬《き》るという案はそれでいい。だが誰が斬る？」

「は？」

「相手は柳生だぞ。いずれもひとかどの剣士だと思わねばならぬ。忍びにしくじって囲まれれば、死を覚悟するだろう。死を決意した剣士は容易には斬れぬ。たとえ戦場往来の武士《もののふ》をもってしてもだ」

六郎は沈黙した。確かに小太郎も左近も自分もその点は考えていなかった。

「それにあたら武士を、柳生忍び如きに殺させるに忍びぬ。とすれば、これは専門の斬り手が要る。柳生の剣をよく知り、尚且《なお》つそれに勝つことの出来る斬り手がな」

難問だった。

当時は後世ほど剣法は認められていない。大体、剣法という言葉がない。兵法といった。それに剣法が実際の戦場で、どれだけ役立つものか疑問視する武士も多かった。一人対一人の果し合いには役に立つかもしれないが、合戦は多数が相手である。しかも多くの武士の得物は槍《やり》だ。古来、槍をとめる剣はない、といわれる程で、刀で槍を相手にしては勝ちみが薄い。だから剣法（当時のいい方では兵法）を学ぼうという武士はそう多くなかったのである。専門に剣を使う者となれば、余計、その数は少ない。それに名ある兵法家が、忍びを斬るために雇われるとも思えなかった。彼等の目的は自己の流儀を拡めて門人をとり立てることである。試合以外の斬人は無意味だった。

結局、この兵法家探しも、城の隠密《おんみつ》の工事人探しと共に、六郎の責任になってしまった。だが六郎には、天下を廻ってすぐれた兵法家を探す暇などあるわけがない。この件も工事人と同様、風魔小太郎に依頼するほかはなかった。

二郎三郎は今はじめての危機を迎えようとしている。お万の方の出産予定が三月つまり来月なのである。この子の安泰をかちとるために、二郎三郎は大博打《おおばくち》をうたねばならない。秀忠に大きな衝撃を与え、その衝撃を和らげる代償として生れて来た子供の無事を保障させねばならない。それは具体的には征夷大将軍にならない、ということだ。去年は病気と偽って、朝廷の内示を避けることが出来た。今年も病気というわけにはゆかない。二郎三郎も口実を構えるつもりが全くなかった。

二月二十日、朝廷は前権中納言山科言経《さきのごんちゅうなごんやましなときつね》を伏見に遣わし、家康を源氏の長者に補するという内旨《ないし》を伝えしめた。源氏の長者とは、征夷大将軍のことである。

二郎三郎はかたくななまでにこれを辞し、どうしても受けようとしない。山科言経は甚《はなは》だしく困惑した。もともとこれは徳川家（正確には秀忠）の要請によるものなのである。自分の方から頼んでおきながら、断るとはどういう了簡《りようけん》か。言経ならずとも困惑するのは当然であろう。理由を訊《たず》ねたが、二郎三郎は答えない。ひたすら任でない、というだけである。言経は不得要領のまま帰京し復命した。今までに征夷大将軍の補任をことわったのは織田信長だけだ。そして信長は一切の官位を拒否して正親町《おおぎまち》天皇に退位を迫った男である。家康もその二の舞いなのではないかと、朝廷は震え上がったという。

だが朝廷以上に震駭《しんがい》したのは、勿論《もちろん》秀忠である。去年、病気で補任を受けられなかった時も、ちらっと不安が掠《かす》めた。それでも、まさかと思っていた。今度の二郎三郎の態度は実にはっきりしている。自分の護衛を殺すような秀忠を、征夷大将軍にしたくない。だから自分もならない、というのだ。気にいらなければ殺せ。そういっているのだ。だから新しい護衛も雇わない。柳生が伏見城をさぐっても平然としている。完全に居直ったとしか思えなかった。秀忠は今更ながら柳生宗矩の失敗の大きさを知った。自分の焦《あせ》りと吝嗇《りんしょく》がどれほどの結果を生むことになったかを知った。

なんとか二郎三郎を翻意させるしかなかった。本多弥八郎正信に命じたが拒否された。自分にはそんな力はない、という。本多忠勝にも頼んだが無駄《むだ》だった。二郎三郎を斬れというのである。斬って自分の力一つで天下を取るべきだ。それこそ武士たる者の道である。

前田利長に頼み、これも無駄に終ると、遂に家康の生母於大の方までひきだした。

家康の生母、於大の方は三河刈屋城主水野忠政の娘である。岡崎城主松平広忠に嫁《か》して家康を生んだが、家康三歳の時、離別されて生家に戻り、後、久松俊勝と再婚し、康元・勝俊・定勝及び四女を生んだ。生母とはいうものの三歳の時からろくに会っていないのでは、他人と同じことである。今年七十五歳になるこの於大の方の伏見ゆきの段取りをつけたのは秀忠だった。昨年からの計画である。

当初の目的は簡単だった。天下をとった家康が、生母に上京をすすめ、参内《さんだい》して後陽成《ごようぜい》天皇のご機嫌《きげん》も伺わせようという美しい話である。それによって二郎三郎が家康であることを強調し、且《か》つこの企てを推進した秀忠の、親孝行をも宣伝しようという腹だった。

それが二郎三郎の征夷大将軍就任拒否という、思いもかけぬ事態によって、がらりと様相が変ってしまった。いや、秀忠が変えてしまった。

家康が折角の朝廷の御厚誼《ごこうぎ》をにべもなく退けたことに驚愕《きょうがく》した於大の方は、急遽《きゅうきょ》、遠州懸《かけ》川《がわ》を発して伏見に入り、生母として強硬に意見をした……そういう風に筋書を変更した。この生みの母の必死の意見によって家康は己れが非を悟り、朝廷よりの内旨を改めてつつしんでお受けする……そういう具合にことを運ぼうとしたのである。

だが思いもかけぬことが起った。五十一歳になる長男の康元と、三男定勝の息子で十六歳になる定行に付き添われて二月末に伏見城に着いた於大の方は、二郎三郎を一目見るなり、いぶかしそうに云ったのである。

「そなた、誰じゃ？」

生みの母の恐ろしさを二郎三郎は痛感した。

奇妙なことに、この時、一番慌《あわ》てたのは息子の康元と孫の定行だったという。二郎三郎は声をあげて笑い、同席した本多弥八郎正信も、ゆっくり微笑してみせた。七十五歳の老婆《ろうば》がぼけて息子の顔の見分けが出来なくなっても少しも不思議ではない。

「母者はかわゆげになられたな」

と二郎三郎は康元にいった。もうろくして子供に返ったという意味である。

「御意」

康元は平伏して、冷汗を拭《ぬぐ》った。二郎三郎はゆるりと滞在して、京見物をされよ、と云い残して奥へ入った。

「あれは誰じゃ」

於大の方は執拗《しつよう》に、今度は康元に尋ねた。

「さからってはなりませぬ」

弥八郎正信が素早く康元にいう。弥八郎は二郎三郎の処理を、見事なものよ、と感心していた。あくまでこの線で押すことだ。康元は心得て、言葉をつくろって母をつれて退出した。

秀忠の浅智恵《あさぢえ》が又しても失敗に終ったことを、弥八郎正信は軽侮の念と共に感じた。

そしてその翌月三月七日、お万の方は男の子を生んだ。長福丸、後の頼宣《よりのぶ》である。

〈女の子なら世話はなかったのに〉

二郎三郎は溜息《ためいき》をついたが、これればかりはどうしようもない。こうなったら秀忠との戦いあるのみである。

即日、二郎三郎はこのことを弥八郎正信に告げた。さすがの弥八郎が、ひっくり返りそうになるほど驚いた。

「確かか？　確かにお主の子か？」

六十歳の男に子供をはらませる力が残っていようとは、思っても見なかったのである。

二郎三郎は薄く笑った。

「間違いない。わしの子だ」

弥八郎は黙りこんだ。えらいことになったものだ。秀忠がどれほど驚愕し、どれほど激怒するか。激怒のあまり何をしでかすか。そのことへの思案で、声が出なかった。

「母子ともに殺す。これが一番てっとり早い解決法であることは明瞭《めいりょう》だった。

「その時はわしは金輪際《こんりんざい》源氏の長者にはならぬ」

きっぱりと二郎三郎が云う。

「それだけではない。今までのいきさつを、すべて、結城秀康殿、尾張の忠吉殿、御二方にしらせる。既に書状は出来ておる」

弥八郎がうなずいた。当然の処置である。自分が二郎三郎でもそうするだろう。

「仙台の伊達、肥後の加藤清正にも同文の手紙を出す」

二郎三郎はにやりと笑った。

「どういうことになるか、見ものだな」

本当のところ、その時、天下がどう成り行くか、弥八郎にさえ想像も出来ない。天下はいきなり関ヶ原以前の緊張状態に戻ってしまうのである。伊達、加藤、福島、前田、池田、島津の外様大名たちは、まだまだ強大な軍事力を保っているし、上杉、毛利も牙《きば》を残らず引き抜かれたわけではない。どういう形にせよ、彼等が大坂城の秀頼公をいただき、軍事同盟を結んだとしたら、現在優位に立つ徳川軍団をもってしても、容易につき崩すことの出来ぬ力になるだろう。まして軍団の長が秀忠では話にもならぬ。誰が考えてもこの長は結城秀康であろう。そして副将に忠吉は動かない。つまり秀忠の居場所はどこにもないのである。これこそ秀忠が最も恐れている事態だった。

平和でなければならぬ。絶対に戦争を起してはならぬ。まことに綺麗《きれい》な旗印だが、それが薄汚れて見えるのは、平和が庶人のためのものではないところにある。秀忠ただ一人の都合だという点にある。しかも全く戦争なしにはゆかない。既にはっきり予定された大戦争がある。大坂の秀頼との戦さだ。これに勝たぬ限り、徳川の治政は磐石《ばんじゃく》とはいえぬ。そしてこの戦さでさえ、秀忠が軍団の長では勝敗は不明になってしまう。その時までどうしても家康を生かしておかなければならぬ。

それを二郎三郎は読み切っていた。

「人のわるい男だな、お主も」

弥八郎が嘆息と共にいった。

「そのお主の心づもりのすべてを、わしの口から、中納言様に伝えさせようというのだろう」

「それはそうだ」

二郎三郎は笑って応《こた》えた。

「お主をおいて、わしの思いを伝えられる者がいると思うかね。わしがどれほど必死で、どれほど本気で思いつめているか、正確に中納言殿に伝えられる者など、いるわけがない。わし自身でも無理だろうな」

二郎三郎のいう通りである。言葉を伝えることは、誰にでも出来る。だがその奥にある思いの深さについて、そして何事かをしでかすことの出来る能力について、更にはそれが及ぼす波紋のひろがりについて、正確に語ることの出来るのは、徳川家広しといえども、この本多弥八郎正信をおいて他にはいなかった。何よりも二郎三郎という人間を底の底まで知っているのはこの男だけだ。

その上、この男は天下の諸大名の性格から考え方、力の強弱、欠陥、強みなど、微細にわたって、その頭の中に叩《たた》きこんでいる。いわば天下の外交軍事に関する生きたデーター・バンクである。だからこそ弥八郎の言葉には、磐石の重みがあった。

「誰かいるな」

不意に弥八郎がいった。二郎三郎が危うくとび上がりそうになったほどの鋭い指摘である。

「どういうことだ?」

せいぜい気のない顔を作って、聞き返した。

「軍師だよ。お主の背後には、誰か、恐ろしく頭の切れる、しかも剛胆で果断な軍師がいる。どうもそう思えてならぬ」

弥八郎の言葉には、真正面からぐいぐい押しつけて来る迫力がある。

「そりゃァいるさ」

二郎三郎は極力軽い調子でいった。

「誰だ⁉」

二郎三郎の意外な答に、弥八郎の声が鋭さを増した。

「殿さ。ほかならぬ徳川家康公だよ」

人を喰《く》った答えである。弥八郎が眉間《みけん》に立てじわをよせた。

「真実の話だ」

二郎三郎の言葉には、一転して重みがあった。

「わしが十年間影武者だったことを忘れるな。十年間、殿のすぐ近くにいた。殿のなさること、いわれること、すべてを見聞きして来た。影武者というのはな、弥八郎、姿形を似せるだけでは不充分だ。声の質も、もののいい方も、そして考え方まで似なければならぬ。だからわしは、今では殿と同じように考えることが出来る。関ヶ原で、わしが殿の代理として采《さい》配《はい》を振うことが出来たのは何故《なぜ》だと思う？」

驚くべきことを、二郎三郎はいった。だがその言葉には、明らかに真実のみが持つ重みがある。弥八郎正信はほとんど絶句したといっていい。

「殿が軍師だと⁉」

弥八郎は呟《つぶや》いた。

「その通りだ。わしはな、様々な事態にぶつかる度に、殿ならどうなさるだろう、と考える。そうすると忽《たちま》ち殿のなさりようが判《わか》って来る。いや、お声さえきこえてくる。ここはこうせい、そこはこうせい、とな。わしはほとんど殿のいわれる通りにして来た。今もそうしている。殿が云われたのだ。弥八郎にすべてを委《まか》せろ、とな」

弥八郎はぴくりと震えた。最後の言葉を吐く時の二郎三郎の声が、家康そのままだったからである。

「成程なァ」

弥八郎は嘆息した。

「門徒一揆《いっき》衆として十六年。影武者として十年。伊達《だて》には生きていなかったようだな、お主」

「そういうことだ。自分でもそれほど深く滲《し》みこんでいるとは夢にも思わなかったが、いざという時になると、よろず殿の考え方が浮かんで来る。奇妙なものだな、人間というものは」

二郎三郎は嘘《うそ》はいっていない。これはこれで真実だった。勿論、この真実を楯《たて》に、島左近と風魔小太郎が裏にいることを隠そうという意図はある。弥八郎にも、これだけは内密にしておく必要があった。弥八郎には実務派の官吏として、また外交官としての、強烈な自負がある。秀忠側近の役人を、小僧視するだけの経験も積んでいる。それだけに、能吏、つまり『切れ者』といわれる人間に対して、激しい嫉妬《しっと》と競合意識がある。左近と小太郎のことが知られたら、弥八郎のことだ、草の根わけても探し廻《まわ》ることだろう。それだけは避けたかった。

その上、弥八郎はいわば家康の無二の友である。だから、家康という言葉が出ると納得してしまう傾向がある。その弥八郎の恐らくは唯一《ゆいいつ》の弱点を、二郎三郎は巧みについた。

　とにかく弥八郎はこの言葉で納得してしまった。後で弥八郎はこの時のことを思い出しては、切歯して口惜《くや》しがることになる。

　弥八郎正信は、急遽、江戸へ下ることになった。二郎三郎の意志を、正確に秀忠に伝えるためである。ことは急を要した。柳生の忍びたちが、この出産に気づき、秀忠に報告する前に、弥八郎は秀忠に会わねばならない。遅くても、その柳生者の報告にもとづいて、秀忠がなんらかの決断を下す前に、その決断がどんな結果を将来するかを、伝えねばならない。

　弥八郎はごく少数の腹心と共に、夜を日に継いで東海道に馬をとばした。

　本多弥八郎正信は、危いところで間に合った。

　さすがに柳生忍群の動きは俊敏で、長福丸出産の報告は、弥八郎が江戸に着く二日前に、秀忠のもとに届いていたのである。

　秀忠は驚愕し動顚《どうてん》した、といっていい。考えてもみなかった事態が生じたのである。秀忠は、宗矩に三度も、

「間違いなく彼《か》の者の子か」

　と念を押したという。六十歳の男にまだ子供を作る能力があるとは、二十四歳になったばかりの秀忠には、想像もつかなかったのである。

　やがて、この男児出産の持つ意味の重大さが、苦しいまでの重圧となって、秀忠の心にのしかかって来た。

まず、この赤子は世間的には自分の弟ということになる。影武者風情《ふぜい》の生ませた子が、この自分、中納言秀忠の弟になるのだ。考えただけでもおぞましかった。まるで顔にべったり、臭い泥《どろ》を塗られたような感覚だった。自然に身震いが出た。

それにこの赤子は男の子である。これを認めれば、いずれ徳川家の一族として、城持ち大名になるに違いない。またそうしなければ世間が承知すまい。秀忠には、まだ、後を継ぐべき男の子が生れていない。一昨年の暮、大坂城内で手をつけた腰元が初めて男子長丸を産んだが、去年の九月、二歳で死んでいる。正妻の於江の方が灸《きゆう》で殺したことを秀忠は知っていたが、敢《あえ》て咎《とが》めだてはしなかった。自分でも長丸が生きていては将来の禍根の種になるだろうと、漠然《ばくぜん》と感じていたからである。だがその後も於江の方は男子を産んでくれない。勿論、一族に養子とすべき男の子はいるが、今、二郎三郎が作った子もその候補者の一人になるわけだと思うと、なんともやり切れない。それに何代も先になって、正嫡《せいちゃく》の子がいない時、その子の子孫が徳川宗家を継ぐ可能性も出て来るのである。冗談ごとではなかった。そんなことは断じて許すことは出来ない。

〈殺すしかない〉

秀忠はそう覚悟をきめた。母子ともに殺せ。柳生宗矩にその指令を伝えようとした、正にその時に、本多弥八郎正信の到着が伝えられた。

弥八郎は秀忠の顔を一目見るなり、長福丸出産のことが、既に知られていることに気づいた。となれば余計な説明をする必要も時間もなかった。いきなりいった。

「長福丸さまに対する殺害命令を、もうお出しになりましたか」

秀忠はとぼけようとしたが出来なかった。

「出したとも」

「そうですか。では徳川家は終りですな」

弥八郎正信は平然といってのけた。

「たわけたことを」

秀忠は笑ったが、続く弥八郎の言葉を聞いているうちに、蒼白《そうはく》になった。果ては、手がわなわなと震えて来た。

「すぐ二郎三郎殺害の命令をお出しなされ。既に手遅れではありましょうが、せめても腹が癒《い》えましょう」

弥八郎が冷たくいい放った。

「説き伏せい！　なんとか説得せい！　それがその方の職務ではないか！」

秀忠の言葉は、悲鳴に近かった。居丈高《いたけだか》に命令する。

弥八郎がじろりと秀忠を見た。哀れむような、さげすみの眼だった。

「おことわり申す。手前ごときに説得される男ではござらぬ。だからこそ、こうして急遽江戸に参ったのです。それでも間に合わなかったのは天の命でござろう。今日只今《ただいま》、手前は禄《ろく》を返上し、徳川のお家より退転致す所存。出家となって、殿にお詫《わ》びする毎日を送らせて戴《いただ》き申す。おさらばでござる」

殿とは勿論家康のことだ。

弥八郎はそのまま深く一礼した。

「中納言さまの御武運を、蔭《かげ》ながらお祈り致す」

云いすてるとゆっくり立って出てゆく。秀忠の武運を祈るとは、戦争をしろ、ということだ。或は、いずれにしても戦争になるという意味である。相手は秀康、忠吉の連合軍か、或は秀頼公をいただいた豊臣家恩顧の諸大名の連合軍になるか、それはこの時点では判らない。どちらにしても、秀忠政権は、戦争によって勝ち取るしかないものになってしまっている。弥八郎の決然たる態度は、明確にそのことを示していた。

「待て！　待ってくれ！」

秀忠はもうなりふりを構う余裕がなくなっている。思わず追いすがって、弥八郎の袖《そで》をつかんだ。

弥八郎は無駄《むだ》なことをというように、秀忠の手を見て、云った。

「手前を引きとめる暇に、合戦の準備をなさいませ」

「嘘だ！　い、今のは嘘だ。余はまだ伏見の赤子への刺客を放ってはおらぬ」

弥八郎は唖然《あぜん》として秀忠を見た。やがてその顔が苦々しいものに変った。

「ではその赤子をご自分の弟と認め、しかるべき処遇を与え、決して命を縮めさせるようなことはなさらぬという旨《むね》のお墨付きを、彼の者にお送りなされ。手前一身のことにつきましては、今申し上げた通りにさせていただくほかはありませぬ」

主君に嘘をつかれては家臣の仕えようがない。弥八郎は秀忠を見棄《みす》てたのである。その決意が言外に籠《こ》められていた。

秀忠は冷汗をかいていた。今、弥八郎を失うことは、政権を失うことに等しい。袖を握る手に力が籠《こも》った。

奇妙なことになった。

本多弥八郎正信は、秀忠にとって目の上の瘤《こぶ》だった筈《はず》だ。秀忠が組織した新政権の中に、弥八郎の場所はない。それを強引に割って入って、半ば脅迫的に関東惣奉行《そうぶぎょう》の一人になった。そのくせ江戸城に落着こうとはせず、二郎三郎について伏見にいってしまっている。伏見にいる関東惣奉行などあるわけがない。島津家の処置が終るまで、という期限つきにしても、異例の状況であることに変りはない。結果的にいえば、秀忠は関東、特に江戸の町について、急速に勝手な処置をとることが不可能になってしまった。関東惣奉行の一人に相談もせず、江戸についての処置は出来ない。つまりは伏見へ早馬をとばして、弥八郎にお伺いをたてる、といった感じになる。秀忠の権威は傷つき、施政は渋滞を余儀なくされる。殺してやりたいほど憎たらしい存在だった筈だ。

その憎い相手に、今、秀忠は辞めないでくれと懇願している。必要とあれば、畳に額をこすりつけ、三拝九拝してでも、この男を引きとめようとしている。秀忠はその奇妙さに気づいてさえいない。それほど動顚していた。

動顚の理由は二郎三郎の変貌《へんぼう》にある。今まで秀忠は二郎三郎を馬鹿《ばか》にし、見下していた。

〈たかが影武者ではないか〉

どこかでそう思い、軽んじていた。そのさげすんでいた男が、今、突然、牙をむいた。その牙の凄《すさ》まじいまでの破壊力が、秀忠を震え上がらせたのである。それは、一息に秀忠の骨を断ち、生命を奪うほどの長く強靱《きょうじん》な牙だった。馬鹿にしていただけに、秀忠の受けた衝撃は大きかった。

しかも二郎三郎のうった手に対する対抗手段がなかった。兄秀康、弟忠吉、そして豊臣家恩顧の外様大名、更には天下とりを志すほどの大大名すべてに配布するという書簡の内容は、秀忠の存在を根こそぎにし、打ち倒すほど致命的なものである。秀忠が世子でいることは、ぺてんだと天下に公示されるのだ。これこそいいわけの仕様もない詐欺《さぎ》行為であり、抹殺《まっさつ》に値する破廉恥《はれんち》行為だった。そしてそれを告発し証人になりうる人間は、この世に二郎三郎ただ一人しかいない。だがその一人を殺せば、秀忠は将軍になれない。恐るべき双刃《もろは》の剣だった。秀忠はそのことを忘れていた。

二郎三郎が征夷大将軍になり、その職を自分に譲り渡す日まで、秀忠は辛抱しなければいけなかったのである。二郎三郎に手を出すような真似《まね》は、一切つつしむべきだった。秀忠は自分が性急にすぎたことを、まるでもう天下をとったかのように、二郎三郎を顧慮することなく、新政権づくりに邁進《まいしん》していたことを、激しい悔恨の念と共に悟った。二郎三郎はその秀忠の思い上がりに対して、痛烈な一撃をくらわせた。秀忠がいかに危うい立場にいるかを、その一撃によって思い知らせたのだった。

この初めての危機に対して、秀忠が新しくとりたてた新政権の閣僚たちは、全く無力だった。第一、彼等は家康が実は世良田二郎三郎であることさえ知らない。

そしてこの事実を知っている者、即《すなわ》ち本多平八郎忠勝、榊原康政、井伊直政の三老臣は、ほかならぬ秀忠自身の手によって政界から遠ざけられ、井伊直政は死に、他の二人は秀忠に対して好意を抱いてはいない。当然のことだ。先月、二郎三郎が征夷大将軍の内旨を拒否した件で相談をもちかけた時の、本多平八郎の態度がそれをはっきり証明していた。

「彼の者を斬り捨て、御自らの手で天下を奪われるがよろしいかと存ずる」

平八郎忠勝は桑名から、そうにべもなく答えて来ている。つまり再び戦争を始めろ、と云《い》うのだ。そしてその戦争で、秀忠がとりたてた大久保忠隣以下の閣僚が、どれだけの働きが出来るか、お手並みを拝見しようと皮肉っている。自分の態度は保留しているのが問題だった。これは外様大名連合軍との合戦の場合は格別として、秀忠が秀康・忠吉と戦うことになったら、どちらにつくかは不明だ、という意味だ。事実、この天下に知られた徳川の侍大将は、むしろ秀康につく公算が大きい。榊原康政はそれでも秀忠につくかもしれないが、本多忠勝ははっきりと秀忠を嫌《きら》っている。

二郎三郎を深く識《し》り、しかも閣僚として残っているのは、本多弥八郎正信ただ一人だった。弥八郎に閣僚の地位を去られては、二郎三郎と折衝する人物さえいなくなってしまう。秀忠が必死になって弥八郎の隠退をとどめようとしたのは、むしろ当然のことだった。

弥八郎には、そんな秀忠の気持も計算も、一目瞭然《りょうぜん》である。軽蔑《けいべつ》するより先に、暗澹《あんたん》とした。これは到底、将たる器ではない。しかも、事の成り行き上、この器でない人物を将とせざるを得ないように徳川家は動いている。弥八郎はつくづく家康の不運を思った。

〈信康公さえおわせば……〉

家康自身が関ヶ原に向う途上で洩《も》らしたという無念の言葉を、弥八郎も思わず胸のうちで繰り返した。織田信長の異常な嫉妬心から、家康が我が手で殺さざるをえなかった長男信康は、武勇と智謀《ちぼう》と情味を兼ね備えた、正に名将の器だった。信康さえ生きていれば、こんな事態には陥らなかっただろうし、そもそも影武者に家康のかわりを勤めさせる必要さえなかった筈である。生涯《しょうがい》、わが子を愛することのなかった家康は、死後になってその報いを受けたといえばいえる。

〈この男を一人にしたら徳川家はつぶれる〉

弥八郎はそう確信した。それだけはなんとしても避けねばならぬ。家康に対して抱いていた弥八郎正信の深い愛情が、徳川家を見捨てることを許さなかった。

弥八郎は秀忠を許した。

秀忠はほとんど弥八郎正信の口述によるようなお墨付きを書いた。正確には、書かざるをえなかった。内容が内容なだけに、祐筆《ゆうひつ》に書かせて花押《かおう》を入れるという形はとれない。全文を自筆でしたためるしかなかった。

長い文章になった。長福丸を父・家康の第十子であると認め、しかるべき処遇を与えること。勿論《もちろん》、生命の保障をすること。二郎三郎の手もとで養育されるのを認めること。書きながら秀忠の胸は屈辱で震えた。その見返りとして、将来にわたって、長福丸一族は徳川家を継がぬこと、二郎三郎が征夷大将軍になり、秀忠にその地位を譲ることなどが明記された。それと同時に、この書き付けは秀忠の死後、焼き捨てられるべきことという一項も追加された。この書き付けは、爆弾のようなものである。こんなものが間違って公表されるようなことになったら、秀忠一人の問題ではすまない。徳川家の恥辱である。慎重の上にも慎重を期す必要があった。

〈今に見ていろ！〉

秀忠は腹の中で絶叫していた。

〈わしが征夷大将軍になった時が、貴様の最期だと思え！　この書類もとり返し、必ずなぶり殺しにしてくれるぞ！〉

それは二郎三郎への呪詛《じゅそ》であると同時に、弥八郎正信に対する呪詛でもあった。

弥八郎は秀忠の表情から、容易にその呪詛を感じとった。

〈このお人は、恨みと呪《のろ》いでしか、ものごとを考えることが出来ないのか〉

なさけなくなった。だが今更帝王学を教育することは不可能である。

〈殿は不運なお方だ〉

もう一度、つくづくとそう思った。この殿も家康のことだ。この恨みしか発条《ばね》に出来ぬ偏《へん》頗《ぱ》な魂は、いつかは徳川家の歴史に恥辱を遺《のこ》すような一大事をしでかすに相違なかった。政権にたずさわる徳川家の家臣は、極力それを隠さなければならない。歴史からその汚点を削除しなければならない。帝王学は最早まにあわないとしても、家臣学の方は間にあうかもしれぬ。弥八郎正信はこの時点で、秀忠側近と己れの息子本多正純の再教育を決意していた。

二郎三郎は勝った。弥八郎正信が持ち返った秀忠のお墨付きは、二郎三郎を狂喜させたといっていい。二郎三郎はただちにこのお墨付きをかなりの数複写させ、本物を厳重に隠すと共に、複写分も同様の用心深さで隠した。そのうちの二通は、秀康・忠吉及び諸侯にあてた、例の真相曝露《ばくろ》の書簡の写しと共に、一通は島左近に、一通は風魔小太郎に渡された。これは二郎三郎にとって、保険のようなものである。自分の身に何か起きれば、これらの書簡はお墨付きの写しと共に、宛名人《あてなにん》に送られるのである。

慶長七年（一六〇二）六月。

二郎三郎は諸大名に命じて伏見城の修築をさせた。これはその工事と同時に始めた、城内の改修のためのかくれ蓑《みの》だったことは既に述べた通りである。

風魔一族の設計による、この忍び破りの工事の結果は、恐るべきものだった。甲斐の六郎はおふうと共に、自らこれを破ってみた。勿論、どんな備えでも破ろうと思えば破れるものだ。だがそのためにかかった時間は莫大《ばくだい》なもので、到底忍びこんだ者に許されるものではなかった。これを破るには、かなりの時日、城の天井裏乃至《ないし》床下に通いつめて、少しずつ、少しずつ、工作を進めてゆくしかない。守備側が充分それを察知していて、こまめに巡視と点検を繰り返してさえいれば、この工作は容易に発見することが出来る。正に忍者にとっては難攻不落の城だった。

しかも、この頃《ころ》から、城に勤める者たちの身元調査は峻烈《しゅんれつ》を極め、小者・はしために至るまで素姓の知れぬ者は放逐された。新規に抱えられる者も、同様の調査を受けた。遠国の者は雇って貰《もら》えず、近在の者は生家にまで、役人が出向いて確認するのである。これではどんな忍びでも、身分を隠して潜入することは出来ない。残る道は買収の一手だったが、そこにも抜かりなく手が打たれていた。

いわれなく城外の者から金品を受け取った者は斬罪《ざんざい》に処するという、厳しい法度《はっと》が施行され、先《ま》ず一人の小者が、みせしめのためすべての雇い人の面前で首を斬《き》られた。男は町の小間物屋の入城の便を計る代償に、わずか月一分の賄《まかな》いを受けていた。一分の金のために首をはねられたのである。賄賂《わいろ》を贈った小間物屋も同じく斬られた。伏見城内の雇い人たちは震え上がった。生命が賭《か》けられるのでは、賄賂の魅力はなきに等しい。実はこの小者と小間物屋は真田昌幸のはなった忍びで、斬られて当然の者たちだったのだが、雇い人たちは誰一人そんなことは知らない。ひたすら恐れた。忍者の買収策は、逆に自分の身元を曝露し訴人されるもとになってしまった。

効果はてきめんだった。

柳生の忍びたちは、一切、伏見城内に入ることが出来なくなってしまった。しかも、当初、忍び破りの仕掛けがほどこされたとも知らずに次々に潜入した十人の柳生者は、ぷっつり消息を絶って遂《つい》に帰って来ない。斬られたとしか考えようがなかった。

木村助九郎は、二郎三郎を送り届けるとすぐ江戸に帰ってしまっていたし、伏見に残された柳生忍びの指揮者は、若く、経験も不足だった。帰らぬ十人の忍びの運命を悟って、後退すべきところを、逆に強襲を決意した。二郎三郎が新たな忍者集団を雇ったためだと判断したからである。結果は無残だった。残り十五人の柳生忍びは、伏見城在番の徳川家直参の武士の槍《やり》に囲まれ、全員討死をとげたのである。

伏見の柳生忍群の敗退は、当然、柳生の惣帥《そうすい》宗矩に大きな衝撃を与えた。

だが柳生宗矩にとって、それ以上に衝撃的だったのは、この事件の報告に対する秀忠の態度だった。二郎三郎がどこからか、新しい、しかもかなり強力な護衛集団を雇ったことは明らかであり、秀忠側としては、柳生の総力を結集してでも、この新たな護衛集団を全滅させるべきだという宗矩の進言に対して、秀忠は、『おびえ』というしかないような反応を呈したのである。顔色が変り、慌《あわ》てた口調で云ったのである。

「ならぬ。それはならぬぞ！」

何故という宗矩の問いに、秀忠は答えず、とにかく、当分の間、伏見城に対して一切の戦闘的行為は許さぬ、と告げ、更に、伏見在住の柳生者を全員急ぎ江戸に呼び返すように命じた。

宗矩にはまったく不可解な態度だったが、秀忠にしてみれば、当然な処置だった。

〈とうとう仮面をぬいだ〉

秀忠はそう思った。下賤《げせん》な影武者風情《ふぜい》が、と馬鹿にしきっていた二郎三郎が、長福丸の出産を境にしてその相貌を一変した。そこにはしたたかで強靭、しかも智略に富んだ、戦国生き残りの男がいた。関ヶ原合戦で家康に替って采配《さいはい》を振い、見事に勝利を摑《つか》んでみせた武将。呆《ほう》けたような顔を装いながら、いつの間にか鉱山奉行の要職に己れの配下をつけ、またたく間に巨額の金銀を摑んだ大山師。護衛のほとんどすべてを失いながら尚《なお》平然として、逆に秀忠を窮地に追いこんでみせた策士。それが二郎三郎の実像だった。考えてみれば、家康は、途方もない危険な男を影武者として飼っていたことになる。逆にいえば、そんな男だからこそ、十年の長きにわたって家康の影武者が勤められた、とも云える。とにかく、この世良田二郎三郎なる男は、一筋縄《ひとすじなわ》でゆく男ではない。柳生宗矩ごとき一介の兵法家が処理出来るような人物ではなかった。確かに殺すことは出来る。だが殺せば、秀忠もまた死ぬのである。それに対処出来る手だても持たずに殺すことは、秀忠ひいては宗矩自身が自殺するに等しい。しかもこの自殺は、下手をすれば徳川家を道づれにすることになる。後世の史家は、徳川家を壊滅させた男として秀忠を指弾するだろう。小心な秀忠としては、死んでも死に切れぬ恥辱である。

〈あの男のそばに宗矩を近づけてはならぬ〉

それが秀忠の新たな決心だった。少なくとも二郎三郎が征夷大将軍になり、その職を自分に譲りわたすまでは、一指といえども二郎三郎に手をつけさせてはならぬ。それまでは、忍びに忍び、二郎三郎のなすままに委せるしかない。

「以後、伏見には一切手を出すな」

秀忠は宗矩に厳しく命じた。

慶長七年十月二日、二郎三郎は伏見をたって江戸へ向った。付き従っていた本多弥八郎は、この江戸下向を、秀忠と直接対面して、先にかわしたお互いの誓約を確認するためであると理解していたが、二郎三郎の真の目的は違う。

駿府に立ち寄り、ここで島左近及び風魔小太郎の二人に会い、現地を踏みながら将来の駿府城のあるべき姿を思案することだった。つまりは、征夷大将軍の職を秀忠に譲って、隠居した時のための布石である。二郎三郎の予測では、その時期は約三年後、慶長十年あたりになる筈である。隠居したら、すぐ、この駿府に移る。秀忠の刺客が襲う心配があるからだ。その上でこの城を完璧《かんぺき》に整備し、小さいながらも、天下の堅城に仕上げる。

そこから先が問題だった。長くもない自分の生命を守るのに汲々《きゅうきゅう》として、亀《かめ》のように駿府城に潜りこんでいるのでは、生きている値打ちがあるまい。長福丸や女たちの安泰はもとより守らねばならないが、それが男子一生の仕事とは思えなかった。

男子一生の仕事！

二郎三郎はふっと苦笑した。石山本願寺が焼亡した日から関ヶ原合戦までの長い長い年月、二郎三郎はすべてを棄てていた。一向宗の信者でもなく、死後の浄土を信じていたわけでもないのに、織田軍団との果てしないいくさを戦い抜いたのは、本来制約を嫌い、個々人の自由を求める『道々の者』の血のなせるわざだった。あらゆる職業に従事する平凡な男女が、誰に頭を抑えられることもなく、好き勝手に生きることの出来る『公界《くかい》』をうちたてることを願い、『上ナシ』の理想を実現するための戦いだった。その理想が石山本願寺と共に崩れ落ちた時、二郎三郎はこの世を棄てたのである。いいかえれば、その時点で男子一生の仕事は終った筈だった。

それが今、関ヶ原合戦中の奇妙な事故のために、再び男子一生の仕事について思案する破目になっている。しかも今度は、嘗《かつ》ては蛇蝎《だかつ》の如《ごと》く嫌い憎んだ、封建領主としてである。なんとも皮肉なことの成り行きといえた。

だが『道々の者』二郎三郎にとって、一生の仕事とは『公界』を築くことしかありうるわけがない。二郎三郎はこの駿府の町を正しく『公界』にするつもりだった。

賤機山《しずはたやま》に立って駿府を一望の下に眺《なが》めながら、二郎三郎の心に去来していたのは、改修された安倍川と大堤防にとり囲まれた一箇の自由都市(公界)の姿だった。異様な心の昂《たか》ぶりがあった。青春の日のように、血が騒いだ。その昂ぶりが思わず、従っていた弥八郎に言葉になって吐き出された。

「見ていろ、弥八郎。わしは隠居したら、必ずここに公界を作ってみせるぞ」

本多弥八郎は瞠目《どうもく》した。

二郎三郎の言葉についてではない。それを語った時の目の耀《かがや》きに、である。

〈この男は本気だ〉

弥八郎はそのことを実感として感じとった。彼もまた、隠居の時が最も二郎三郎の生命が危険にさらされる時であることを知っている。政権を取った瞬間に、秀忠はそれまで耐えに耐えて来た忿懣《ふんまん》を一気に吐き出すかもしれなかった。二郎三郎は充分その危険を読んでいる筈である。それなのに平然として、『公界』の話をしている。これはその時に尚かつ生き延びる自信があることを示している。その自信がどこから来るものか、今の弥八郎には読めない。だが今までの二郎三郎の水ぎわだったやり口から考えて、充分の成算がなければ、こんなことを口に出すわけがない。

〈途方もない男だな、これは〉

改めて二郎三郎の不死鳥のような生命力に感嘆した。思えば家康は、自らの死によって凄《すさ》まじい野獣を野に放ったに等しい。この野獣の前では、秀忠の手にした権勢など忽《たちま》ち嚙《か》み破られるのではないか。弥八郎はほとんど戦慄《せんりつ》した。

〈中納言殿にも手を貸さねばならぬ。さもないと、徳川家はこの男の牙《きば》で、ずたずたに嚙み破られてしまうかもしれぬ〉

二郎三郎の要請で、一足早く江戸に向いながら、弥八郎の考えていたことは、それだった。弥八郎には、往年の一向一揆衆としての『公界』への憧憬は既にない。彼にあるのは家康への思慕だけであり、ひいては徳川家の安泰だけだった。

二郎三郎は当初の目的通り、島左近と風魔小太郎に会い、駿府の要害化について充分の計画をたてた。その一つの現れは、この年の暮に一斉《いっせい》に行われた駿河の社寺に対する様々な寄進である。この年の十二月八日から十一日の四日間に（この時二郎三郎はまた伏見に帰っている）駿河の諸社寺に与えた社寺寄進状は実に四十通にのぼる。駿府に居を定めた際の人心の好感度を狙《ねら》ったものであることは、明白であろう。

そしてこの年の暮、十二月二十八日、薩摩藩主島津忠恒は伏見に至り二郎三郎に会見して本領を安堵《あんど》された。関ヶ原以来、二年三カ月にわたる対島津工作が、やっと終ったのである。これで二郎三郎が征夷大将軍就任を固辞する理由がなくなった。

越えて慶長八年（一六〇三）一月二十一日、二郎三郎は征夷大将軍に補するという内勅を辱《かたじけな》く拝受した。そして翌二月十二日、後陽成天皇は権大納言広橋兼勝、参議勧修寺《かじゅうじ》光豊《みつとよ》を伏見につかわして宣旨を賜わり、二郎三郎を右大臣に任じ、征夷大将軍に補し、源氏長者・淳和《じゅんな》・奨学《しょうがく》両院別当となし、牛車《ぎっしゃ》・兵仗《ひょうじょう》をゆるされた。

二月十二日は朝のうち雨が降ったが、八時頃には晴れた。京都相国寺内にあった鹿苑院《ろくおんいん》歴代の僧が残した日記『鹿苑日録《にちろく》』には、内府（家康）が将軍の宣下をうける日なので、天も感じて晴天にしたのか、と書かれてある。

勅使勧修寺光豊以下束帯《そくたい》に威儀を正し、伏見城に着いたのは午前十時すぎだった。

儀式はまず告使が庭に出て正面に向って一礼し、

「御昇進」

と二度唱えることから始まる。次いで勅使以下が上段の間に左右にわかれて坐《すわ》ると、右大史小槻孝亮《おづきたかすけ》が進み出て、家康を征夷大将軍となすという宣旨の入った箱を捧《ささ》げる。大沢基宥《もとひろ》がこれを受けとって二郎三郎の前にもってゆく。二郎三郎が箱の中から宣旨をいただく。その箱を大沢基宥が奥にもってゆき、永井直勝がこれに砂金の袋を入れる。これをまた大沢が上段の間に持ち帰り、小槻孝亮に渡す。

こういう風にして次々に、足利義満《よしみつ》以来、将軍兼職の伝統を持つ、源氏長者、ならびに淳和・奨学両院別当への補任、牛車・兵仗の許可、右大臣転任の宣旨が二郎三郎に渡された。これほど多くの宣旨を同時に貰った先例は皆無だそうだ。また拒否されては困るから、ありったけ一遍にやってしまえ、とでもいうような朝廷の気持が、ありありと出ているようで面白い。

次いで三月二十一日、二郎三郎は伏見から上京して竣工《しゅんこう》まもない二条城に入った。

二十五日、衣冠《いかん》束帯をつけ、牛車に乗り、室町将軍の古式通りの行列で参内し、将軍拝賀の礼を行った。二郎三郎はこの時、将軍宣下のお礼として、天皇に銀千枚、歳首（年始）の進物として綿百把《わ》・銀百枚・太刀を献上し、親王・女院にも銀二百枚から五十枚まで等差をつけ小袖《こそで》などをそえて進上した。

二十七日には、勅使を迎えて将軍宣下の賀儀がおこなわれ、太刀・馬代などの恩賜《おんし》を受けた。諸親王・公卿《くぎょう》衆・諸門跡《もんぜき》もこの日二条城に至って祝意を表した。

四月四日から三日間、二郎三郎はこの時来訪した公家《くげ》たちへのお返しに城中で能楽を催している。諸大名も招かれ、盛大な祝宴だった。

こうして、秀忠待望の二郎三郎征夷大将軍就任の儀式はすべて終った。関ヶ原の合戦が終了し、家康の死が告げられた時、秀忠が脳裏に描いた将来の絵図の一部が、ようやく実現されたのである。あとは二郎三郎がこの職を秀忠に譲ることだ。その時期は遅くとも二年後と秀忠は思っている。三年たつと二郎三郎に欲が出る。それが秀忠のきびしい読みだった。

（中巻に続く）

吉村昭著

鯨の絵巻

太地で古式捕鯨の最後の筆頭刃刺を務めた男や、夜の奄美でハブを追う捕獲人など、動物を相手に生きる人間の哀歓をさぐる短編集。

吉村昭著

仮釈放

浮気をした妻と相手の母親を殺して無期刑に処せられた男が、16年後に仮釈放された。彼は与えられた自由を享受することができるか？

吉村昭著

海（トド）馬

羅臼の町でトド撃ちに執念を燃やす老人と町を捨てた娘との確執を捉えた表題作など、動物を仲立ちにして生きる人びとを描く短編集。

山本周五郎著

つゆのひぬま

娼家に働く女の一途なまごころに、虐げられた不信の心が打負かされる姿を感動的に描いた人間讃歌「つゆのひぬま」等9編を収める。

山本周五郎著

ひとごろし

藩一番の臆病者といわれた若侍が、奇想天外な方法で果した上意討ち！　他に〝無償の奉仕〟を描く「裏の木戸はあいている」等9編。

山本周五郎著

栄花物語

非難と悪罵を浴びながら、頑なまでに意志を貫いて政治改革に取り組んだ老中田沼意次父子を、時代の先覚者として描いた歴史長編。

山本周五郎著
天地静大
変革の激浪の中に生き、死んでいった小藩の若者たち——幕末を背景に、人間の弱さ、空しさ、学問の厳しさなどを追求する雄大な長編。

山本周五郎著
松風の門
幼い頃、剣術の仕合で誤って幼君の右眼を失明させてしまった家臣の峻烈な生きざまを描いた「松風の門」。ほかに「釣忍」など12編。

山本周五郎著
深川安楽亭
抜け荷の拠点、深川安楽亭に屯する無頼者たちが、恋人の身請金を盗み出した奉公人に示す命がけの善意——表題作など12編を収録。

山本周五郎著
ちいさこべ
江戸の大火ですべてを失いながら、みなしご達の面倒まで引き受けて再建に奮闘する大工の若棟梁の心意気を描いた表題作など4編。

司馬遼太郎著
国盗り物語（全四冊）
貧しい油売りから美濃国主になった斎藤道三、天才的な知略で天下統一を計った織田信長。新時代を拓く先鋒となった英雄たちの生涯。

司馬遼太郎著
燃えよ剣（全二冊）
組織作りの異才によって、新選組を最強の集団へ作りあげてゆく〝バラガキのトシ〟——剣に生き剣に死んだ新選組副長土方歳三の生涯。

司馬遼太郎著

新史 太閤記 (全二冊)

日本史上、最もたくみに人の心を捉えた〝人蕩し〟の天才、豊臣秀吉の生涯を、冷徹な史眼と新鮮な感覚で描く最も現代的な太閤記。

司馬遼太郎著

関ヶ原 (全三冊)

古今最大の戦闘となった天下分け目の決戦の過程を描いて、家康・三成の権謀の渦中で命運を賭した戦国諸雄の人間像を浮彫りにする。

司馬遼太郎著

峠 (全二冊)

幕末の激動期に、封建制の崩壊を見通しながら、武士道に生きるため、越後長岡藩をひきいて官軍と戦った河井継之助の壮烈な生涯。

小松重男著

ずっこけ侍

主君の逆鱗に触れ「永の暇」を頂戴してしまった三毛蘭次郎。だが人生ずっこけてからが面白い。激笑仕掛人の艶福ひょうきん行状記。

小松重男著

蚤とり侍

主君の勘気に触れ、命に従って女客に春を売る「猫の蚤とり」侍の奇妙な運命を描く表題作など、愛すべき江戸の男たちの六つの物語。

小松重男著

でんぐり侍

侍、岡っ引、豪商、隠密、女……、さまざまな生きざまを艶やかに、そしてせつなくも滑稽に描いた9編を収録する侍シリーズ番外編。

神坂次郎著
男いっぴき物語

老若美醜貴賤貧富を問わず、女を見るや当たるを幸い薙ぎ倒し、明治大正昭和三代を駆け抜けた風雲児川端浅吉の疾風怒濤の艶道修行。

神坂次郎著
縛られた巨人
―南方熊楠の生涯―

生存中からすでに伝説の人物だった在野の学者・南方熊楠。おびただしい資料をたどりつつ、その生涯に秘められた天才の素顔を描く。

神坂次郎著
天馬空をゆく

酒を呑み、女を愛し、ゆくところ愚行蛮行をくりひろげ、聖者と無頼の間を突っ走った天衣無縫の僧・横井金谷の波瀾の生涯を再現。

神坂次郎著
だまってすわれば
―観相師・水野南北一代―

千人観相、万人観相の実証を根として、「黙って坐れば、ぴたりと当たる」と言われた、天下第一の観相師の痛快きわまる一代記。

遠藤周作著
砂の城

過激派集団に入った西も、詐欺漢に身を捧げたトシも真実を求めて生きようとしたのだ。ひたむきに生きた若者たちの青春群像を描く。

遠藤周作著
悲しみの歌

戦犯の過去を持つ開業医、無類のお人好しの外人……大都会新宿で輪舞のようにからみ合う人々を通し人間の弱さと悲しみを見つめる。

遠藤周作著

沈　黙

谷崎潤一郎賞受賞

殉教を遂げるキリシタン信徒と棄教を迫られるポルトガル司祭。神の存在、背教の心理、東洋と西洋の思想的断絶等を追求した問題作。

遠藤周作著

イエスの生涯

国際ダグ・ハマーショルド賞受賞

青年大工イエスはなぜ十字架上で殺されなければならなかったのか――。あらゆる「イエス伝」をふまえて、その〈生〉の真実を刻む。

池波正太郎著

おとこの秘図

（全三冊）

江戸中期、変転する時代を若き血をたぎらせて生きぬいた旗本・徳山五兵衛――逆境をはねのけ、したたかに歩んだ男の波瀾の絵巻。

池波正太郎著

忍びの旗

亡父の敵とは知らず、その娘を愛した甲賀忍者・上田源五郎。人間の熱い血と忍びの苛酷な使命とを溶け合わせた男の流転の生涯。

池波正太郎著

日曜日の万年筆

時代小説の名作を生み続けた著者が、さりげない話題の中に自己を語り、人の世を語る。手練の切れ味をみせる〝とっておきの51話〟。

池波正太郎著

真田騒動

―恩田木工―

信州松代藩の財政改革に尽力した恩田木工の生き方を描く表題作など、大河小説『真田太平記』の先駆を成す〝真田もの〟5編。

池波正太郎著
男の作法
これだけ知っていれば、どこに出ても恥ずかしくない！ てんぷらの食べ方からネクタイの選び方まで、″男をみがく″ための常識百科。

池波正太郎著
剣客商売
白髪頭の粋な小男・秋山小兵衛と巌のように逞しい息子・大治郎の名コンビが、剣に命を賭けて江戸の悪事を斬る。シリーズ第一作。

藤沢周平著
驟《はし》り雨
激しい雨の中、八幡さまの軒下に潜む盗っ人の前で繰り広げられる人間模様――。表題作ほか、江戸に生きる人々の哀歓を描く短編集。

藤沢周平著
密謀（全二冊）
天下分け目の関ケ原決戦に、三成と密約がありながら上杉勢が参戦しなかったのはなぜか？ 歴史の謎を解明する話題の戦国ドラマ。

藤沢周平著
闇の穴
ゆらめく女の心を円熟の筆に描いた表題作ほかに「木綿触れ」「閉ざされた口」「夜が軋む」等、時代小説短編の絶品7編を収録。

藤沢周平著
刺客 用心棒日月抄
藩士の非違をさぐる陰の組織を抹殺するために放たれた刺客たちと対決する好漢青江又八郎。著者の代表作《用心棒シリーズ》最新編。

藤沢周平著

霜の朝

覇を競った紀ノ国屋文左衛門の没落は、勝ち残った奈良茂の心に空洞をあけた……。表題作ほか、江戸町人の愛と孤独を綴る傑作集。

藤沢周平著

龍を見た男

天に駆けのぼる龍の火柱のおかげで、あやうく遭難を免れた漁師の因縁……。無名の男女の仕合せを描く傑作時代小説8編。

藤沢周平著

ささやく河
―彫師伊之助捕物覚え―

島帰りの男が刺殺され、二十五年前の迷宮入り強盗事件を洗い直す伊之助。意外な犯人と哀切極まりないその動機――シリーズ第三作。

津本陽著

深重の海
直木賞受賞

明治十一年暮れの百数十人の犠牲者を出した大遭難と猖獗を極めたコレラと。死の影に怯える鯨とり漁師たちの悲劇を描く長編小説!

津本陽著

幕末巨龍伝

幕末の時代を疾風のごとく駆け抜けた紀州の怪僧北畠道龍。明治新政府を揺さぶった知られざる男の野望と戦いを描くネオ幕末ロマン。

津本陽著

鬼の冠

国内各地を放浪し、合気の術を教え歩いた大東流合気柔術宗家・武田惣角。神業の如き技を身につけた孤高の達人の生涯を活写する。

白石一郎著
秘剣
剣に生き剣に死ぬ、信念に生き信念に死ぬ誇り高き者たちの織りなすさまざまな人間ドラマを、重厚な筆致で描く力作士道小説7編。

白石一郎著
天上の露
山中の獣の落し穴にはまった男を救ったのは、疱瘡を病んで山に捨てられた娘だった——異色の素材を滋味豊かに描く時代短編集。

白石一郎著
幽霊船
謎の幽霊船に遭遇し若者の船は沈没、そして漂着した島で、彼は思わぬ人物と出会う。時代小説の多彩な魅力を満喫させる短編10編。

白石一郎著
弓は袋へ
乱世から治国の時代へ。些細な理由で改易される荒大名福島正則をはじめ、移り行く時代を生きた者たちを描く時代短編7編を収録。

柴田錬三郎著
徳川浪人伝（全二冊）
織田信長の血を享けた孤独な剣士重四郎を中心に、徳川に一泡ふかせようとする豊臣家の残党など、権力に抵抗する浪人群像を描く。

柴田錬三郎著
御家人斬九郎
表沙汰にできない罪人の介錯をかたてわざとする御家人松平残九郎。今日も彼のもとには奇妙な依頼が舞い込む。著者晩年の痛快連作。

影《かげ》武《む》者《しや》徳《とく》川《がわ》家《いえ》康《やす》（上）

新潮文庫　り－2－5

平成五年八月二十五日　発行

著者　隆《りゅう》慶《けい》一《いち》郎《ろう》

発行者　佐藤亮一

発行所　株式会社　新潮社

郵便番号　一六二
東京都新宿区矢来町七一
電話　営業部(〇三)三二六六―五一一一
　　　編集部(〇三)三二六六―五四四〇
振替　東京四―八〇八番

価格はカバーに表示してあります。

乱丁・落丁本は、ご面倒ですが小社読者係宛ご送付ください。送料小社負担にてお取替えいたします。

印刷・二光印刷株式会社　製本・有限会社加藤新栄社

ISBN4-10-117415-6 C0193